W9-BVF-277

FRENCH FOR MASTERY 2

Jean-Paul Valette • Rebecca M. Valette

D. C. HEATH AND COMPANY
Lexington, Massachusetts   Toronto

ILLUSTRATIONS: *Mel Dietmeier and George Ulrich*
COVER DESIGN: *David Zerbe*

Additional materials

Teacher's Edition

Workbook

Tapes
    Number of reels: 20 5″ dual track
    Speed: 3¾ ips
    Number of cassettes: 20

Testing Program

Copyright © 1975 by D. C. Heath and Company

All rights reserved. No part of this publication may be reproduced or transmitted in any form or by any means, electronic or mechanical, including photocopy, recording, or any information storage or retrieval system, without permission in writing from the publisher.

Acknowledgments for copyrighted material appear on page 497 and constitute an extension of this page.

Published simultaneously in Canada.

Printed in the United States of America.

International Standard Book Number: 0-669-62331-8

Library of Congress Catalog Card Number: 74-1596

FRENCH FOR MASTERY 2

Why continue with French?

Now that you have finished FRENCH FOR MASTERY 1: SALUT, LES AMIS! — or another Level I text — you are able to understand French and speak simply, but effectively. You are also able to read and write some French. During the summer vacation you may have forgotten a little of the language you learned in your previous class. A foreign language, if not practiced, is easily forgotten. However, what you have already learned comes back quickly once you resume your study.

The aim of FRENCH FOR MASTERY 2: TOUS ENSEMBLE is to continue the development of the skills you have already mastered. In this volume the scope of content has been widened to help you improve your ability to converse, read, and write about a greater variety of topics. At the same time you will come to know better — and appreciate more fully — the French-speaking world.

THE ORGANIZATION OF *FRENCH FOR MASTERY 2*

TOUS ENSEMBLE, like SALUT, LES AMIS!, is divided into ten chapters, each focusing on a central theme. Each chapter is subdivided into five modules, followed by a Récréation section (which replaces the Lisons section of Book One), and Tests de contrôle. For each test there is, at the end of the book, an answer key together with an "interpretation" section.

The first three chapters contain a review of the material covered in SALUT, LES AMIS! However, this material is presented in a new situational and structural context. Chapters Four through Nine introduce new and basic structures, following the format of Book One. In Chapter Ten you will learn additional vocabulary but no new structures. Instead you will practice the grammar you have studied in the previous chapters of TOUS ENSEMBLE. Chapter Ten is developed around an exciting detective story that you will no doubt enjoy.

Each basic module begins with presentation material, often in the form of a drama or narrative, and contains the following sections (1) Étude de mots, (2) Étude de prononciation, and (3) Étude de langue. You will learn to master the content of the module through a variety of Activités. Each module ends with a free-expression exercise entitled A votre tour. (In Chapter One, A votre tour is replaced with a conversation section, Faisons connaissance.)

Culture is presented implicitly in the presentations and explicitly in the Notes culturelles of each module and in the four illustrated sections entitled Images du monde français.

You may not cover all the sections in TOUS ENSEMBLE. The book was planned so that you would have a choice of activities and of material to study. The most important thing, however, is to use French whenever you can.

Bonne chance!

Jean-Paul Valette   *Rebecca M. Valette*

Acknowledgments.   *The authors would like to express their appreciation to the many people who contributed so generously their time, effort, advice, and encouragement in the preparation of FRENCH FOR MASTERY. Particular thanks go to Mr. Val Hempel, Executive Editor of the Modern Language Department at D. C. Heath and Company, for his constant support and assistance since the inception of the project; to the Heath editorial staff, especially to Mrs. Valentia B. Dermer, for the careful and diligent work on the manuscript; to Ms. Karen Fritsche of Lincoln-Sudbury High School and Ms. Renée S. Disick of Valley Stream High School for their many competent suggestions; and to Mr. François Vergne for helping the authors assemble the realia which appear in the workbooks.*

CONTENTS

To the student

vi

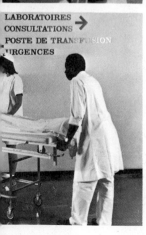

x / Contents

LA FRANCE

ANGLETERRE

ALLEMAGNE

BELGIQUE

Lille

La Manche

LUXEM-
BOURG

**Le
Havre**

Rouen

N O R M A N D I E

Seine

Reims

PARIS

LORRAINE

C H A M P A G N E

Strasbourg

B R E T A G N E

Versailles

Orléans

A L S A C E

Le Mans

Nantes

Tours

Loire

TOURAINE

B O U R G O G N E

SUISSE

Océan
Atlantique

**Clermont-
Ferrand**

A U V E R G N E

Genève

Annecy

Lyon

A l p e s

Bordeaux

Rhône

Grenoble

ITALIE

Garonne

Toulouse

Montpellier

PROVENCE

Nice

Cannes

Marseille

P Y R É N É E S

ESPAGNE

Mer Méditerranée

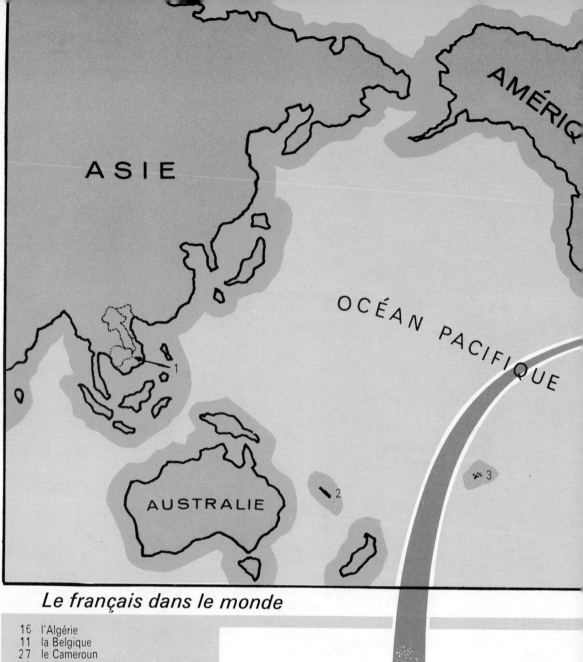

ASIE

OCÉAN PACIFIQUE

AMÉRIQ

AUSTRALIE

Le français dans le monde

Les Antilles

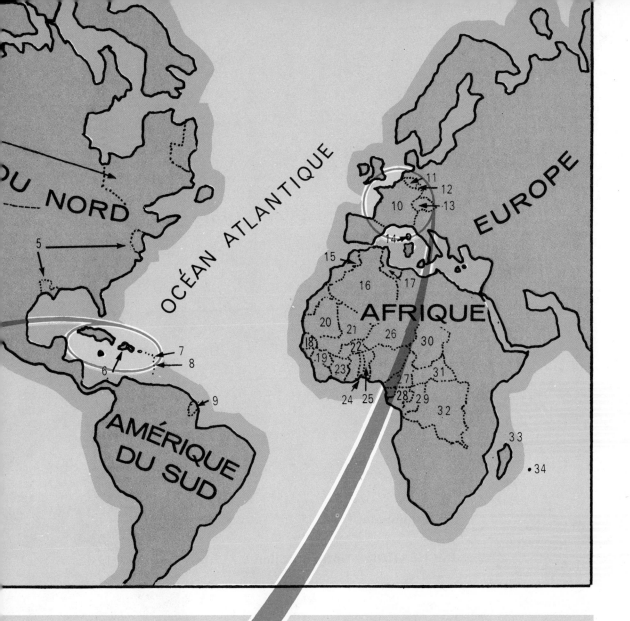

AMÉRIQUE DU NORD

OCÉAN ATLANTIQUE

EUROPE

AFRIQUE

AMÉRIQUE DU SUD

5

6

7

8

9

10

11

12

13

14

15

16

17

18

19

20

21

22

23

24

25

26

27

28

29

30

31

32

33

34

Belgique

Luxembourg

Allemagne

10

F R A N C E

13

Suisse

Italie

Espagne

1 l'Indochine (le Cambodge,
le Laos, le Nord Vietnam,
le Sud Vietnam)
12 le Luxembourg
21 le Mali
15 le Maroc
8 la Martinique
20 la Mauritanie
26 le Niger
2 la Nouvelle-Calédonie
3 la Polynésie française (Tahiti)
31 la République Centrafricaine
33 la République Malgache (Madagascar)
34 la Réunion

18	le Sénégal	24	le Togo
13	la Suisse	17	la Tunisie
30	le Tchad	32	le Zaïre

Chapitre un PRÉSENTATIONS

1.1 *SYLVIE*

OGLY

Bonjour!
Je m'appelle Sylvie Leblanc.
J'habite en Touraine.
En ce moment, je passe mes vacances à Biarritz avec des copains.
Hélas, les vacances sont *presque* finies.   almost
Je rentre chez moi dans une semaine.
Et vous, où êtes-vous en ce moment? en vacances ou en classe?

2

1. La Touraine

La Touraine est une province au centre de la France. A cause de° ses nombreux° châteaux, la Touraine est une région très touristique. En été, ces châteaux sont illuminés la nuit.

A cause de because of; **nombreux** many

2. Biarritz et le Pays basque

Biarritz est une ville très pittoresque. Elle est située° sur l'Atlantique, dans le Sud-Ouest° de la France. C'est aussi l'une des principales villes du Pays° basque. Les Basques, c'est-à-dire les habitants du Pays basque, ont la réputation d'être très indépendants. Ils sont très attachés à leurs traditions et à leurs coutumes.° La majorité des Basques parlent une langue ancienne et mystérieuse qui n'a pas de rapport° avec les langues européennes.

située located; **Sud-Ouest** Southwest; **pays** country

coutumes customs; **rapport** *m.* relationship

3

Faisons connaissance

Parlons de vous:

> Comment vous appelez-vous?
> Où habitez-vous?
> Où habitent vos amis?

Parlons de vos activités:

> *en semaine* . . .
>
> Étudiez-vous?
> Étudiez-vous beaucoup (peu, trop)?
> Parlez-vous français en classe? à la maison?
> Est-ce que vos parents parlent français?
> Est-ce qu'ils parlent une autre langue? l'espagnol? l'italien?
> Comment s'appelle votre professeur de français?
> Comment s'appelle votre école?

> *le week-end* . . .
>
> Travaillez-vous?
> Étudiez-vous?
> Regardez-vous la télévision?
> Téléphonez-vous?
> Invitez-vous des amis?
> Restez-vous à la maison?
> Aimez-vous aller au cinéma? au stade?
> Jouez-vous au tennis? au ping-pong? au volleyball?

ÉTUDE DE MOTS

Quelques verbes en «-er»

aimer	*to like, love*	J'**aime** voyager.
demander	*to ask*	Marc **demande** à Sylvie où elle habite.
détester	*to hate*	Nous **détestons** travailler.
écouter	*to listen to*	**Écoutez** le professeur!
étudier	*to study*	Est-ce que vous **étudiez** pendant les vacances?
habiter	*to live (somewhere)*	Sylvie **habite** en Touraine.
parler	*to talk, speak*	**Parlez**-vous italien?
penser	*to think*	Je **pense** que Biarritz est une belle ville.
regarder	*to look at*	Marc et Henri **regardent** les photos de Tours.
rentrer	*to go back, go home*	Quand **rentrez**-vous en classe?
rester	*to stay*	**Restez**-vous chez vous pendant les vacances?
téléphoner à	*to phone, call*	Marc **téléphone** à Henri.
travailler	*to work*	Nous **travaillons** à Biarritz.

ÉTUDE DE PRONONCIATION

Rythme et intonation

French rhythm is very even. Each syllable receives equal stress. In a sentence or group of words, the accent falls on the last syllable which is slightly longer than the others.

Je parle français. Mes parents parlent français aussi.

Let your voice drop at the end of a statement. In a long sentence, let your voice rise at the end of each group of words, but drop on the last one.

Je parle anglais. Je parle anglais avec mes parents et avec mes amis.

Prononcez les phrases suivantes. Faites attention au rythme et à l'intonation.

Bonjour, Sylvie!	Voici Marc et Michel.
Bonjour, Philippe!	Sylvie habite en Touraine.
Voici Monique.	Elle passe ses vacances avec des copains.

ÉTUDE DE LANGUE

A. Révisons: LES VERBES RÉGULIERS EN -ER

In French, the present tense is a simple tense. It is composed of one word which is formed as follows:

stem + ending

Review the present tense of **parler** (*to speak*) in the affirmative and negative sentences below. The stem for each form is **parl-** (the infinitive minus **-er**). Pay attention to the endings which correspond to each subject pronoun.

Infinitive	**parler**	
Present	Je parle anglais. Tu parl**es** français. Il/Elle parle russe.	Je **ne** parle **pas** français. Tu **ne** parl**es** **pas** anglais. Il/Elle **ne** parle **pas** chinois.
	Nous parl**ons** italien. Vous parl**ez** chinois. Ils/Elles parl**ent** espagnol.	Nous **ne** parl**ons** **pas** espagnol. Vous **ne** parl**ez** **pas** russe. Ils/Elles **ne** parl**ent** **pas** italien.

NOTES: 1. **Je** becomes **j'** before a vowel sound.

J'aime parler français. **J'**habite en Amérique.

2. Verbs which follow a predictable pattern are called regular verbs. In French most verbs in **-er** are regular and are conjugated like **parler.**

3. The French present tense has several English equivalents:

Je **parle** français.
$\begin{cases} I \textbf{ speak } \textit{French.} \\ I \textbf{ do speak } \textit{French.} \\ I \textbf{ am speaking } \textit{French.} \end{cases}$

Activité 1. **Un jeu** (*a game*)

Imaginez que vous êtes en France avec des amis. Préparez dix (10) phrases où vous décrivez vos activités. Utilisez les éléments suivants:

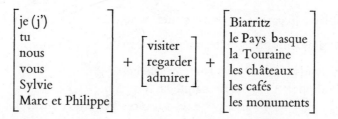

$\begin{bmatrix} \text{je (j')} \\ \text{tu} \\ \text{nous} \\ \text{vous} \\ \text{Sylvie} \\ \text{Marc et Philippe} \end{bmatrix} + \begin{bmatrix} \text{visiter} \\ \text{regarder} \\ \text{admirer} \end{bmatrix} + \begin{bmatrix} \text{Biarritz} \\ \text{le Pays basque} \\ \text{la Touraine} \\ \text{les châteaux} \\ \text{les cafés} \\ \text{les monuments} \end{bmatrix}$

MODÈLE: **Nous visitons la Touraine. Nous admirons les châteaux.**

B. Révisons: LA NÉGATION

Look at the negative sentences in the verb chart of **parler** on p. 5. In French the negative consists of two parts:

ne (n' before a vowel sound)   which comes *before* the verb
pas (jamais, plus)   which comes *after* the verb

Affirmative: Jacques travaille.   *Jacques is working.*
  Negative: Michèle **ne** travaille **pas.**   *Michèle isn't working.*
  Philippe **n'**aime **pas** travailler.   *Philippe does not like to work.*
  Henri **ne** travaille **jamais.**   *Henri never works.*
  Sylvie **ne** travaille **plus.**   *Sylvie does not work anymore.*

Activité 2. **Jamais le dimanche** (*never on Sunday*)

Voici ce que Sylvie et ses amis font pendant la semaine. Dites qu'ils ne font pas ces choses le samedi. Dites aussi qu'ils ne les font jamais le dimanche.

MODÈLE: Sylvie étudie.   **Le samedi, Sylvie n'étudie pas.**
   Le dimanche, elle n'étudie jamais.

1. Henri travaille.
2. Nous étudions.
3. Vous dînez en ville.
4. Je regarde la télévision.
5. Marc et Philippe téléphonent.
6. Suzanne parle au professeur.
7. Tu écoutes la radio.
8. Sylvie et Louise travaillent.

Atelier de fabrication de «chisteras» au Pays basque

Druggie

Salut!

Je m'appelle Richard Bertrand.

J'ai un *nom* français, mais je ne suis pas français.   name

Je suis canadien.

Ma famille est de Montréal.

Aujourd'hui nous habitons à Halifax, en *Nouvelle-Écosse*.   Nova Scotia

Mon père travaille comme technicien chez Michelin. (C'est une grande
    entreprise française avec des *usines* au Canada.)   factories

Personnellement, je ne suis pas *passionné par* la technique.   enthusiastic about

Je préfère la musique.

Un jour, j'*espère* aller au Conservatoire de Paris.   hope

Et vous, êtes-vous musicien?

8

1. Michelin et les Guides Michelin

Michelin est une grande firme française qui fabrique° des pneus.°
Cette firme ne fabrique pas seulement des pneus. Elle publie°
aussi des guides très pratiques pour les touristes: les Guides
Michelin. Imaginez, par exemple, que vous voyagez en France.
Vous arrivez dans une petite ville. Où allez-vous dîner? Y a-t-il
un hôtel confortable et pas trop cher°? Quelles sont les choses
à visiter? Vous trouverez les réponses dans le Guide Michelin.
Pour les gourmets, les Guides Michelin sont indispensables. Ils
indiquent en effet l'adresse, la qualité et les spécialités des bons
restaurants de France, d'Allemagne° et d'Italie.

fabrique manufactures; **pneus** *m.* tires; **publie** publishes; **cher** expensive;
Allemagne *f.* Germany

2. Le Conservatoire de Paris

C'est une école de musique très connue° et très ancienne. Cette
école a été fondée° en 1789.

connue well-known; **fondée** founded

Faisons connaissance

Parlons de vous:

Êtes-vous grand (grande) ou petit (petite)?
Êtes-vous blond (blonde) ou brun (brune)?
Êtes-vous dynamique? calme? *obstiné (obstinée)*?   stubborn
Êtes-vous intellectuel (intellectuelle)?
Êtes-vous sportif (sportive)?
Êtes-vous conformiste? anti-conformiste?
Êtes-vous optimiste? pessimiste?
Êtes-vous patient (patiente)? impatient (impatiente)?
Êtes-vous discipliné (disciplinée)? indiscipliné (indisciplinée)?

Parlons de vos professeurs:

Sont-ils *sévères?* intéressants? intelligents? sympathiques?   = *stricts*
Sont-ils américains? français?
Sont-ils *justes?* injustes?   fair
Êtes-vous toujours d'accord avec eux?

Parlons de votre famille:

Est-ce que vos parents sont sévères? justes? sympathiques?
Êtes-vous toujours d'accord avec votre père? avec votre mère?
Avez-vous un frère? Est-il beau? amusant? pénible?
Avez-vous une sœur? Est-elle jolie? drôle? bête?
Avez-vous des cousins? Sont-ils moches? embêtants? désagréables?

ÉTUDE DE MOTS

Quelques adjectifs de personnalité et leurs contraires

beau (belle)	*beautiful, handsome*	**moche**	*plain, not good-looking*
joli	*pretty*		
intelligent	*intelligent*	**idiot**	*stupid, idiotic*
		bête	*stupid, silly, foolish*
amusant	*amusing*	**embêtant**	*bothersome, boring*
drôle	*funny*	**pénible**	*boring ("a pain to have around")*
sympathique	*nice*	**désagréable**	*unpleasant*

Quelques membres de la famille

le **père**	*father*	la **mère**	*mother*
le **fils**	*son*	la **fille**	*daughter*
le **frère**	*brother*	la **sœur**	*sister*
l'**oncle**	*uncle*	la **tante**	*aunt*
le **cousin**	*cousin*	la **cousine**	*cousin (female)*
le **grand-père**	*grandfather*	la **grand-mère**	*grandmother*
les **parents**	*parents*		
les **enfants**	*children*		

ÉTUDE DE PRONONCIATION

Lettres finales

Final consonants are usually silent. Final **c, r, f, l** (the consonants of the word *careful*) are generally — but not always — pronounced.

> Louis et François sont petits.
> Marc est sportif et intellectuel.

Final **e** is usually silent. A consonant which comes before a final **e** is pronounced.

> Louis est français.   Louise est française.

Prononcez les mots suivants:

> blond / blonde   idiot / idiote   petit / petite   amusant / amusante
>
> Le petit François habite à Paris avec Luc.

ÉTUDE DE LANGUE

A. Révisons: LE VERBE ÊTRE

Review the present tense of **être** (*to be*) in the following sentences:

Je **suis** sympathique.	Nous **sommes** drôles.
Tu **es** intelligent.	Vous **êtes** amusants.
Il/Elle **est** bête.	Ils/Elles **sont** pénibles!

The verb **être** is used in the following expressions:

être à	*to belong to*	La moto **est à** Philippe.
être d'accord	*to agree*	**Es-tu d'accord** avec moi?

Activité 1. **La rentrée** (*back to school*)

C'est la rentrée. Richard et ses amis ne sont plus en vacances. Ils sont en classe. Exprimez cela d'après le modèle.

MODÈLE: Richard   Richard n'est plus en vacances. Il est en classe.

1. Moi	4. Vous	7. Claire et Jeannette
2. Paul	5. Marie-France	8. Pierre et André
3. Nous	6. Toi	9. Simon et Yvette

B. Révisons: LES ADJECTIFS

In French, adjectives agree with the nouns or pronouns they modify. They are masculine or feminine, singular or plural.

Louis est idiot.   Il n'est pas intelligent.
Louise est idiot**e**.   Elle n'est pas intelligent**e**.
Louis et Guy sont idiot**s**.   Ils ne sont pas intelligent**s**.
Louise et Anne sont idiot**es**.   Elles ne sont pas intelligent**es**.

Review the endings of the regular adjectives.

	SINGULAR	PLURAL
Masculine	—	**-s**
Feminine	**-e**	**-es**

NOTES: 1. Adjectives which end in **-e** in the masculine singular do not add another **-e** in the feminine singular.

Jacques est dynamiqu**e**.   Jacqueline est dynamiqu**e** aussi.

2. Adjectives which end in **-s** in the masculine singular do not add another **-s** in the masculine plural.

Philippe est françai**s**.   Ses cousins sont françai**s** aussi.

Adjectives which do not follow the above patterns are irregular.

Jacques est canadien.   Jacqueline est canadie**nne**.
Il est sportif.   Elle est sporti**ve**.

Activité 2. **Un jeu**

Imaginez que vous connaissez les personnes suivantes. Faites huit (8) phrases où vous les décrivez. Utilisez les éléments suivants. (Attention: Les adjectifs sont au masculin singulier.)

$$
\begin{bmatrix}
\text{Robert} \\
\text{Caroline} \\
\text{Jacques et Roger} \\
\text{Michèle et Sylvie}
\end{bmatrix}
+
\begin{bmatrix}
\text{est} \\
\text{n'est pas} \\
\text{sont} \\
\text{ne sont pas}
\end{bmatrix}
+
\begin{bmatrix}
\text{américain? suisse? français?} \\
\text{blond? brun? noir?} \\
\text{grand? petit?} \\
\text{calme? amusant? impatient?} \\
\text{idiot? sympathique? pénible?}
\end{bmatrix}
$$

MODÈLE: **Caroline est suisse. Elle est blonde et elle n'est pas grande.**

Activité 3. **Nationalités**

Dites que les personnes suivantes ont la nationalité du pays où elles habitent. (Attention: les adjectifs sont au masculin singulier.)

MODÈLE: Michèle habite Lyon. (français)   **Elle est française.**

1. Linda habite Boston. (américain)
2. Florence habite Genève. (suisse)
3. Albert et Marc habitent Londres. (anglais)
4. Jacques et moi, nous habitons Paris. (français)
5. Toi et Roger, vous habitez Halifax. (canadien)
6. Suzanne et Sylvie habitent Moscou. (russe)

Activité 4. **Expression personnelle**

Composez un petit paragraphe où vous parlez de votre sœur, de votre frère, de votre meilleur (*best*) ami ou de votre meilleure amie. Utilisez des adjectifs de personnalité et des verbes en **-er**.

MODÈLE: **Mon frère s'appelle... Il est... Il aime...**
Mon meilleur ami...
Ma sœur...
Ma meilleure amie...

1.3 *AYA*

Bonjour.
Je m'appelle Aya et j'ai seize ans.
J'ai une sœur (douze ans) et deux frères (quinze ans et treize ans).
Nous habitons à Abidjan en Côte-d'Ivoire.
Mon père est pharmacien.
Il pense que je vais être pharmacienne comme lui, mais j'ai d'autres *projets*.   plans
Je n'ai pas l'intention d'aller à l'université.
Je préfère voyager.
Plus tard, je *voudrais* être hôtesse de l'air pour Air Afrique.   would like
Et vous, quels sont vos projets?

14

NOTES CULTURELLES

1. La Côte-d'Ivoire

La Côte-d'Ivoire est un pays° africain d'expression française°. La capitale est Abidjan. C'est une ville moderne et cosmopolite. La majorité des Ivoiriens (les habitants de la Côte-d'Ivoire) sont des agriculteurs° qui habitent des petits villages.

pays country; **d'expression française = où on parle français**

agriculteurs *m.* farmers

2. Air Afrique

C'est une compagnie aérienne multi-nationale qui relie° les pays africains d'expression française.

relie joins

AIR AFRIQUE
une grande compagnie dans un grand continent

Faisons connaissance

Parlons de votre famille:

Avez-vous des frères? Combien? (un? deux? trois? …?)
Quel âge ont-ils?
Avez-vous des sœurs? Combien? (une? deux? trois? …?)
Quel âge ont-elles?
Avez-vous des cousins? Où habitent-ils?
Avez-vous des cousines? Où habitent-elles?

Parlons de votre argent:

Avez-vous un job?
Travaillez-vous dans un magasin? dans une station-service?
Qu'est-ce que vous achetez avec votre argent? des disques? des livres? des vêtements?
Avez-vous un vélo? une moto? une voiture?
Avez-vous l'intention d'acheter une voiture? quelle voiture?
Avez-vous une guitare?
Avez-vous une mini-cassette? des cassettes? quelles cassettes?

ÉTUDE DE MOTS

Quelques personnes

un **ami**	friend (male)	une **amie**	friend (female)
un **garçon**	boy	une **fille**	girl
un **homme**	man	une **femme**	woman

Quelques objets

un **disque**	record	une **cassette**	cassette
un **électrophone**	record player	une **guitare**	guitar
un **livre**	book	une **mini-cassette**	cassette recorder
un **transistor**	radio	une **montre**	watch
un **vélo**	bike	une **moto**	motorcycle
des **vêtements**	clothes	une **télévision**	television
		une **voiture**	car

ÉTUDE DE PRONONCIATION

Liaison

In French final consonants are usually silent. However, in certain words the final consonant is pronounced when the next word begins with a vowel sound. This is called "liaison" (or "linking"). In liaison a final **s** is pronounced /z/.

Note the liaison after –

(1) a subject pronoun ending in **s**:

Nous‿avons une amie à Paris.   Elles‿habitent Abidjan.

(2) a determiner:

Voici un‿ami.   Voici des‿amies.

Prononcez les phrases suivantes:

Vous‿invitez des‿amis.   Ils‿écoutent des disques.
Elles‿achètent un‿électrophone.   Nous‿aimons vos‿amies.
Nous‿habitons à Paris.   Voici un‿ami américain.

ÉTUDE DE LANGUE

A. Révisons: LE VERBE *AVOIR*

Note the present tense forms of **avoir** (*to have*) in the following sentences:

J' **ai** une mini-cassette.	Nous **avons** une voiture.
Tu **as** un transistor.	Vous **avez** des livres.
Il/Elle **a** des disques.	Ils/Elles **ont** une montre.

NOTES: 1. The French use **avoir** in many expressions where English uses *to be*.

J'**ai** seize ans.   *I **am** sixteen (years old).*
Tu **as** de la chance.   *You **are** lucky.*

2. The expression **il y a** means *there is* or *there are*.

Dans mon garage, **il y a** une voiture et un vélo.
Il n'y a pas de moto.

Activité 1. **Ils ont de la chance.**

Dites que les personnes suivantes ont une voiture.

MODÈLE: Richard   **Richard a une voiture.**

1. Charlotte   3. Marie et Bernadette   5. Moi   7. Pierre et Anne
2. Nous   4. Vous   6. Toi   8. Bernard et Henri

B. Révisons: LES NOMS

In French, nouns have *gender* (they are masculine or feminine) and *number* (they are singular or plural).

Most noun plurals are formed by adding **-s** to the singular form. (In spoken French these nouns sound the same in the singular and plural.)

C. Révisons: L'ARTICLE INDÉFINI (*UN, UNE, DES*)

Review the forms of the indefinite article:

un	introduces masculine singular nouns	**un** garçon
une	introduces feminine singular nouns	**une** fille
des	introduces plural nouns	**des** amis

Philippe a **une** moto.   Moi, je n'ai pas **de** moto.

Hélène a **un** électrophone.   Moi, je n'ai pas **d'**électrophone.

Elle achète **des** disques.   Je n'achète pas **de** disques.

NOTES: 1. **Des** sometimes corresponds to *some*. Although the word *some* is often omitted in English, **des** cannot be left out in French.

2. In negative sentences, **un, une,** and **des** are often replaced by **de (d')** before a direct object. **Pas de** is the equivalent of *no, not a, not any*.

Activité 2. **Expression personnelle**

Demandez à un(e) camarade s'il (si elle) possède les objets suivants.

MODÈLE: un transistor   Vous: **As-tu un transistor?**

Votre camarade: **Oui, j'ai un transistor.**

ou: **Non, je n'ai pas de transistor.**

1. des disques
2. une guitare
3. une télévision en couleur

4. des posters
5. un vélo
6. un électrophone

7. une moto
8. une montre
9. un banjo

D. Révisons: LA PLACE DES ADJECTIFS

Most French adjectives come *after* the noun they modify. The following adjectives, however, come *before* the noun: **beau, joli, grand, petit.**

Mon père a une voiture **française.**   C'est une voiture **confortable** et **rapide.**

but: C'est une **petite** voiture.

Activité 3. **Un club de motocyclistes**

Richard et ses amis font partie d'un club de motocyclistes. Décrivez la moto de chacun. Pour cela, utilisez l'adjectif entre parenthèses.

MODÈLES: Richard (anglaise)   Richard a une moto anglaise.
         Albert (jolie)   Albert a une jolie moto.

1. Marc (japonaise)
2. Philippe (allemande *German*)
3. Jacques (rapide)
4. Michel (belle)

5. Pierre (petite)
6. François (bleue)
7. Nicolas (rouge)
8. Louis (américaine)

Activité 4. **Un jeu**

Imaginez que vous voyagez en Europe. Vous avez décidé d'acheter les objets suivants. Décrivez vos achats en huit (8) phrases. (Faites attention à l'accord du nom et de l'adjectif.)

Objets: moto, livre, transistor, montre, vélo, guitare, disque, mini-cassette
Adjectifs: intéressant, joli, petit, grand, suisse, français, anglais, espagnol

MODÈLE: J'achète deux montres suisses.

1.4 *JEAN-PIERRE*

Salut, les amis!

Je m'appelle Jean-Pierre.

J'habite Lausanne et je suis élève dans une école d'interprétariat.

Plus tard, je voudrais travailler à Genève comme *interprète* pour les   interpreter
Nations Unies.

Quand je n'étudie pas, je fais du sport.

Je joue *souvent* au tennis.   often

En hiver, je fais du ski dans les Alpes.

Je suis le champion de la Suisse.

Non, ce n'est pas vrai...

Mais enfin, j'aime beaucoup les sports.

Je suis plus sportif qu'intellectuel, je suppose.

Et vous?

NOTE CULTURELLE: **La Suisse**

La Suisse a quatre langues nationales: l'allemand°, le français, l'italien et le romanche°. Lausanne et Genève sont situées dans la partie° française de la Suisse. Genève est un centre international important. C'est le siège° de certaines agences des Nations Unies et de la Croix Rouge° Internationale (société fondée en 1864 par un Suisse, Henri Dunant).

l'allemand German; **le romanche** Romansh *(a language of Latin origin)*; **partie** part; **siège** seat; **Croix Rouge** Red Cross

Faisons connaissance

Parlons de vos passe-temps:

Aimez-vous le théâtre?

Aimez-vous les sports?

Aimez-vous la danse?

Aimez-vous la musique?

Quelle musique préférez-vous? la musique
classique? le jazz? la musique pop?

Regardez-vous souvent la télévision?

Qu'est-ce que vous regardez? les sports?
les comédies? les documentaires? les films?

Quelle est votre émission préférée?

Quels films préférez-vous? les «westerns»?
les films d'aventure? les films d'amour?

Quel est votre film préféré?

Quel est votre acteur préféré?

Quelle est votre actrice préférée?

Quel est votre chanteur préféré?

Quelle est votre chanteuse préférée?

Quel est votre orchestre préféré?

ÉTUDE DE MOTS

Vocabulaire spécialisé: télévision et cinéma

un **acteur**	*actor*	une **actrice**	*actress*
un **chanteur**	*singer*	une **chanteuse**	*singer (female)*
un **concert**	*concert*	une **comédie**	*comedy*
un **documentaire**	*documentary*	une **émission**	*(TV) program, show*
un **film**	*film, movie*	une **émission sportive**	*sports show*
un **film d'amour**	*love movie*	les **nouvelles**	*the news*
un **film policier**	*detective movie*	une **pièce de théâtre**	*play*
		des **variétés**	*variety show*

ÉTUDE DE PRONONCIATION

Élision

The final vowel of a few short words (such as **le, la, que**) is dropped when the next
word begins with a vowel sound. In written French the missing vowel is replaced by
an apostrophe ('). This is called "élision."

Contrast: le garçon

la fille

Est-ce que tu travailles?

l'ami, l'élève, l'acteur

l'amie, l'élève, l'actrice

Est-ce qu'il travaille?

Est-ce qu'elles travaillent?

Prononcez:

la France / l'Italie

le disque / l'électrophone

le Canada / l'Amérique

la moto / l'automobile

ÉTUDE DE LANGUE

A. Révisons: L'ARTICLE DÉFINI (*LE, LA, LES*)

Review the forms of the definite article:

le (**l'**)	introduces masculine singular nouns	**le** chanteur, **l'**acteur
la (**l'**)	introduces feminine singular nouns	**la** chanteuse, **l'**actrice
les	introduces plural nouns	**les** acteurs, **les** chanteurs

NOTES: 1. The French definite article often corresponds to the English *the.*

    Le professeur parle à **l'**élève.   ***The*** *teacher is talking to* ***the*** *student.*

2. In addition, the French definite article is used —

(*a*) with nouns taken in a general sense:

J'aime **la** musique pop et je déteste **la** musique classique.
I like pop music and I hate classical music.

Henri étudie **la** biologie, **l'**histoire et **les** math.
Henri is studying biology, history, and math.

Le football est un sport.
Soccer is a sport.

(*b*) with geographical names (countries, states, etc., but not cities) except after **en:**

La France, **l'**Italie et **les** États-Unis sont des républiques.
Berne est la capitale de **la** Suisse.

but: Jean-Pierre habite en Suisse.

Activité 1. **Les drogués de la télé** (*TV addicts*)

Jean-Pierre et Hélène regardent souvent la télé. Hélène annonce les émissions de la journée. Jean-Pierre demande l'heure de chacune. Jouez le rôle d'Hélène et de Jean-Pierre d'après le modèle.

MODÈLE: un film   Hélène: **Il y a un film.**
                 Jean-Pierre: **A quelle heure est le film?**

1. un «western»
2. une comédie musicale
3. un concert
4. des émissions sportives
5. des nouvelles
6. des variétés
7. une pièce de théâtre
8. un film policier

Activité 2. **Un jeu de correspondances**

Faites correspondre les noms qui sont à droite avec les noms qui sont à gauche. (Un astérisque désigne un nom féminin.)

⎡ *biologie, tennis, *France, ⎤   ⎡ sport, métal, *langue, *nation, ⎤
⎢ *Amérique, aluminium, *sculpture, ⎥   ⎢ océan, état, *science, art, ⎥
⎣ Atlantique, Colorado, français ⎦   ⎣ continent ⎦

MODÈLE: La biologie est une science.

B. Révisons: *QUEL?*

Review the forms of the determiner **quel** (*what, which*).

	SINGULAR	PLURAL		
Masculine	**quel**	**quels**	**quel** acteur?	**quels** chanteurs?
Feminine	**quelle**	**quelles**	**quelle** actrice?	**quelles** chanteuses?

NOTE: The determiner **quel** agrees in gender and number with the noun it introduces.

Activité 3. **Au café**

Hélène et Jean-Pierre sont au café. Hélène dit à Jean-Pierre de regarder certaines personnes. Jean-Pierre demande quelles personnes. Jouez le rôle d'Hélène et de Jean-Pierre d'après le modèle.

MODÈLE: une fille   Hélène: **Regarde la fille.**
                      Jean-Pierre: **Quelle fille?**

1. des garçons
2. un Américain
3. une Anglaise
4. des touristes italiens
5. un Japonais
6. une Chinoise
7. des jolies filles
8. des musiciens

C. Révisons: QUESTIONS À RÉPONSE AFFIRMATIVE OU NÉGATIVE

There are several ways in which a statement may be transformed into a "yes-no" question:

(1) by placing **est-ce que** at the beginning of the statement:

Jean-Pierre habite Lausanne.   Est-ce que Jean-Pierre habite Lausanne?

(2) by inverting (turning around) the subject pronoun and the verb:

Vous aimez les sports.   Aimez-vous les sports?
Il aime le théâtre.   Aime-t-il le théâtre?

(3) by letting your voice rise at the end of the sentence:

Tu regardes la télévision.   Tu regardes la télévision?

(4) by adding **n'est-ce pas** at the end of the statement:

Vous êtes américain.   Vous êtes américain, n'est-ce pas?

(This type of question expects an affirmative answer.)

NOTE: In inverted questions a hyphen links the verb and the subject pronoun. If the verb ends with a vowel and the subject pronoun is **il, elle,** or **on,** the consonant **t** is inserted between the verb and the subject.

Martine habite en France.   Habite-**t**-elle à Paris?
Jacques visite Paris.   Visite-**t**-il le Louvre?

Activité 4. *Ce soir?*

Voici ce que certains jeunes Français font souvent. Demandez s'ils font ces choses ce soir. Commencez vos questions avec **Est-ce que.**

MODÈLE: Jean-Pierre écoute des disques.   Est-ce qu'il écoute des disques ce soir?

1. Marc travaille.
2. Michèle étudie.
3. Albert regarde la télévision.
4. Jacqueline est au cinéma.
5. Robert et Roger sont au concert.
6. Suzanne et Nathalie dansent.
7. Henri téléphone.
8. Louise joue au ping-pong.

Activité 5. *Avec des amis?*

Voici ce que font certains jeunes Français. Demandez s'ils font ces choses avec des amis. Utilisez l'inversion avec un pronom sujet.

MODÈLE: Jacqueline voyage.   Voyage-t-elle avec des amis?

1. Monique visite la Suisse.
2. Henri visite l'Italie.
3. Marc est en Amérique.
4. Sylvie et Michèle sont au Mexique.
5. Philippe travaille.
6. Louise et Nathalie jouent au tennis.
7. Robert dîne au restaurant.
8. Roger étudie.

D. Révisons: QUESTIONS D'INFORMATION

Information questions begin with an interrogative expression which tells what information is wanted. The interrogative expression is followed by —

(1) **est-ce que** and regular word order (subject + verb):

Où est-ce que vous travaillez?

(2) inverted word order:

Où travaillez-vous?

Quelques expressions interrogatives

où	*where*	**Où** étudiez-vous?
comment	*how*	**Comment** est-ce que Jean-Pierre voyage?
pourquoi	*why*	**Pourquoi** êtes-vous ici?
quand	*when*	**Quand** dînez-vous?
combien de	*how many*	**Combien de** disques avez-vous?
quel (quelle, quels, quelles)	*what*	**Quels** sports préférez-vous?
avec qui	*with whom*	**Avec qui** joue-t-il au tennis?
qui	*who*	**Qui** aime jouer au tennis?
qu'est-ce que	*what*	**Qu'est-ce que** vous préférez?

NOTES: 1. Inverted word order is practically always used when the verb is **être**.

Où es-tu? Pourquoi sont-ils ici?

2. Inverted word order is preferred when the subject is a pronoun (other than **je**), as well as in short questions.

Où habite Jean-Pierre? Quand joue-t-il au tennis?

3. The interrogative pronoun **qui** is followed by regular word order.

Qui habite ici?

4. The interrogative expression **qu'est-ce que** is followed by regular word order.

Qu'est-ce que vous regardez?

Activité 6. *Expression personnelle*

Demandez à un(e) camarade ses préférences. Demandez-lui pourquoi.

MODÈLE: la télévision / la radio Vous: **Préfères-tu la télévision ou la radio?**
Votre camarade: **Je préfère la télévision.**
Vous: **Pourquoi préfères-tu la télévision?**

1. le tennis / le football
2. le théâtre / le cinéma
3. la danse / la gymnastique
4. la littérature / les sciences
5. les voitures américaines / les voitures françaises
6. l'hiver / l'automne
7. la guitare / le violon
8. la France / les États-Unis
9. les chanteurs d'opéra / les chanteurs de musique pop
10. les disques de musique classique / les disques de jazz

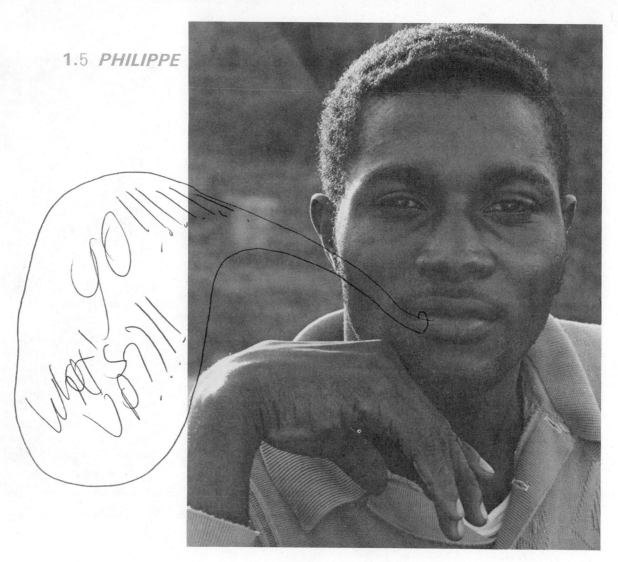

Salut, les amis!
Je m'appelle Philippe.
J'ai dix-sept ans et j'habite à Fort-de-France.
C'est la ville principale de la Martinique.
Je suis français, mais je ne connais pas la France métropolitaine.
(Un jour, je vais aller en France pour continuer mes études ... et pour faire mon service
    militaire.)
Pour le moment, je vais au lycée Schœlcher.

J'ai un job: le samedi après-midi je travaille dans la station-service de mon père.
Avec l'argent que j'économise, je vais acheter une moto.
Et vous, que faites-vous avec votre argent?

28

1. La France métropolitaine et la France d'outre-mer

La France métropolitaine, c'est la France européenne. La France d'outre-mer° est constituée par des départements et des territoires situés en Amérique, en Afrique et dans le Pacifique Sud. La Martinique est un département d'outre-mer. C'est une île de la mer des Antilles°.

outre-mer overseas; **mer des Antilles** Caribbean Sea

2. Victor Schoelcher (1804–1893)

Les écoles françaises ont souvent le nom de personnes illustres°. Victor Schoelcher est l'homme politique français qui a aboli° l'esclavage° dans les colonies françaises en 1848.

illustres famous; **a aboli** abolished; **esclavage** *m.* slavery

Faisons connaissance

Parlons de vos talents:

Êtes-vous sportif (sportive)?   Allez-vous souvent à la piscine?
Jouez-vous au tennis?   Êtes-vous musicien (musicienne)?
Jouez-vous au ping-pong?   Jouez-vous de la guitare?
Allez-vous souvent au stade?   Jouez-vous du piano?
Allez-vous souvent à la plage?   Jouez-vous dans un orchestre?
Allez-vous souvent au gymnase de l'école?   Allez-vous aux concerts?

Parlons de vos projets:

Avez-vous des projets?
Avez-vous l'intention d'aller à l'université?
Qu'est-ce que vous allez étudier? l'anglais? les langues? la méde-
cine? les math? les sciences sociales? le *droit*?   law
Avez-vous l'intention d'être professeur?
Avez-vous l'intention de voyager?
Où allez-vous aller? en France? en Angleterre? en Afrique? en
Europe?
A qui parlez-vous de vos projets? à vos amis? à vos parents?

ÉTUDE DE MOTS

Quelques noms d'endroits

un **cinéma**	*movie theater*	une **école**	*school*
un **endroit**	*place*	une **église**	*church*
un **lycée**	*high school*	une **maison**	*house*
un **magasin**	*store*	une **piscine**	*swimming pool*
un **stade**	*stadium*	une **plage**	*beach*
un **supermarché**	*supermarket*	une **station-service**	*service station*
un **théâtre**	*theater*	une **université**	*university*

Quelques noms de pays

le **Canada**	*Canada*	l'**Allemagne**	*Germany*
les **États-Unis**[1]	*United States*	l'**Angleterre**	*England*
le **Mexique**	*Mexico*	l'**Espagne**	*Spain*
		la **France**	*France*
		l'**Italie**	*Italy*
		la **Suisse**	*Switzerland*

NOTE DE VOCABULAIRE: Les noms de pays qui finissent en **-e** sont généralement
féminins, excepté **le Mexique, le Zaïre.**

[1] Note the required liaison: les États-Unis.

ÉTUDE DE PRONONCIATION

La voyelle /i/

Prononcez les mots et les phrases suivantes. Faites attention à la voyelle /i/.

un lycée   le cinéma   une église   une piscine   l'université   Philippe

Philippe et Dominique vont à la piscine.
Mon amie Sylvie habite à la Martinique.

ÉTUDE DE LANGUE

A. Révisons: LE VERBE *ALLER*

Review the present tense forms of **aller** (*to go*) in the following sentences.

Je **vais** au cinéma.	Nous **allons** à la maison.
Tu **vas** à la plage?	Vous **allez** à la piscine.
Il/Elle **va** au supermarché.	Ils/Elles **vont** à l'église.

Activité 1. *Tourisme*

Les touristes suivants visitent la France, mais ne passent pas par Paris. Dites dans quelle ville chaque touriste va. Dites aussi qu'il ne va pas à Paris.

MODÈLE: Pierre / Nice   Pierre va à Nice. Il ne va pas à Paris.

1. Nous / Cannes
2. Vous / Marseille
3. Martine / Lyon
4. Moi / Bordeaux
5. Robert et Monique / Tours
6. Toi / Strasbourg
7. Henri / Biarritz
8. Louise et Lucie / Lourdes
9. Paul et Marc / Lille

B. Révisons: LE FUTUR PROCHAIN AVEC *ALLER*

The near future may be expressed with the construction: **aller** + infinitive.

Contrast:	Je **vais** au stade.	*I am going to the stadium.*
	Je **vais jouer** au tennis.	*I am going to play tennis.*
	Hélène **va** en France.	*Hélène is going to France.*
	Elle ne **va** pas **visiter** Lyon.	*She is not going to visit Lyons.*

Activité 2. **Le week-end prochain**

Le week-end prochain, Philippe et ses amis vont faire ce qu'ils aiment faire. Ils ne vont pas faire ce qu'ils détestent faire. Exprimez cela d'après les modèles.

MODÈLES: Philippe aime aller à la plage.   **Il va aller à la plage.**
                Il déteste étudier.   **Il ne va pas étudier.**

1. Michèle aime danser.
2. Elle déteste travailler.
3. Nous aimons inviter des amis.
4. Nous détestons rester à la maison.
5. J'aime jouer au tennis.
6. Je déteste regarder la télé.
7. Paul et Marc aiment aller au stade.
8. Ils détestent aller au théâtre.

C. Révisons: *À* ET *DE* + L'ARTICLE DÉFINI

Review the following forms:

à +		de +	
	le → au		le → du
	la → à la		la → de la
	l' → à l'		l' → de l'
	les → aux		les → des

Voici **le** cinéma.   Je vais **au** cinéma.   Philippe rentre **du** cinéma.
Voici **la** plage.   Hélène va **à la** plage.   Nous rentrons **de la** plage.
Voici **l'**université.   Allez-vous **à l'**université?   Non, nous rentrons
                                                                                                    de l'université.

Les vacances sont   Philippe pense **aux**   Il parle **des** vacances.
   finies.   vacances.

NOTE: The expression **jouer à** + name of a sport means *to play* (*that sport*).

Je **joue au** football et **au** tennis.

The expression **jouer de** + name of an instrument means *to play* (*that instrument*).

Ma sœur **joue du** piano et **de la** guitare.

Activité 3. **Le jeu des capitales**

Voici une liste de pays. Faites correspondre chaque pays avec sa capitale, d'après le modèle.

Les pays: le Canada, le Mexique, la France, l'Italie, les États-Unis, l'Espagne, la Côte-d'Ivoire, le Portugal, la Suisse

MODÈLE: Berne   **Berne est la capitale de la Suisse.**

1. Abidjan
2. Paris
3. Washington
4. Madrid
5. Mexico
6. Rome
7. Lisbonne
8. Ottawa

Activité 4. *Un jeu de correspondances*

Le matin, les personnes suivantes vont à leur lieu habituel de travail. Le soir, elles rentrent de ce lieu. Faites correspondre chaque personne avec son lieu habituel de travail, d'après le modèle.

LES PERSONNES	LES ENDROITS
le docteur, l'athlète, le professeur, la pharmacienne, le sénateur, le mécanicien, la chimiste, la pianiste, l'actrice, le pilote	le gymnase, le laboratoire, l'aéroport, la station-service, le théâtre, la salle de concert, le sénat, la pharmacie, l'hôpital, l'université

MODÈLE: **Le docteur va à l'hôpital. Il rentre de l'hôpital.**

Activité 5. *Expression personnelle: le week-end*

Décrivez vos projets (réels ou imaginaires) pour le week-end. Composez un paragraphe de six phrases où vous direz ce que vous avez l'intention de faire avec vos amis.

Suggestions: aller au cinéma (quand? où? avec qui?); inviter des amis (qui? quand?); aller à une surprise-partie (où? avec qui?); aller en ville (pourquoi? avec qui? quand?); aller à la plage (où? quand? avec qui?)

Récréation

Tintin et Milou

Bonjour!
Je m'appelle Tintin.
J'ai quinze ans et je suis un jeune détective.
Je suis d'origine belge, mais je suis extrêmement
    populaire en France.
Je voyage beaucoup.
J'ai un chien qui s'appelle Milou. Milou m'accompagne
    dans toutes mes expéditions.

NOTE CULTURELLE: **Les aventures de Tintin et Milou**

Comme° les Américains, les Français aiment lire les bandes
dessinées°. Tintin et son chien Milou sont les héros de bandes
dessinées très populaires en France. Tous les Français, jeunes
ou adultes, lisent les aventures de Tintin et Milou.

Voici quelques extraits° des aventures de Tintin et Milou.
Notez comment on exprime° certains bruits° en français.

Comme like; **bandes dessinées** comics; **extraits** *m.* excerpts; **exprime**
expresses; **bruits** *m.* sounds, noises

une explosion

un éternuement°

la douleur°

le téléphone

un fusil°

un chien

quelque chose qui se casse°

éternuement sneezing; **douleur** pain; **fusil** gun; **quelque chose qui se casse** something breaking

TESTS DE CONTRÔLE
Chapitre un

Écrivez vos réponses sur une feuille de papier. Puis, vérifiez vos réponses à la page 449.

VERBES

Test 1. *A la douane* (*at customs*)

Un groupe de touristes arrive en France. Expliquez la nationalité de chacun. Dites aussi quel passeport chaque personne possède. Pour cela, complétez les phrases avec (*a*) le verb **être**, (*b*) le verbe **avoir.**

(*a*) **être**	(*b*) **avoir**
1. Philippe —— canadien.	Il —— un passeport canadien.
2. Michèle —— française.	Elle —— un passeport français.
3. Jim et Bob —— anglais.	Ils —— un passeport anglais.
4. Janet et Linda —— américaines.	Elles —— un passeport américain.
5. Nous —— italiens.	Nous —— un passeport italien.
6. Vous —— suisses.	Vous —— un passeport suisse.
7. Je —— allemand.	J'—— un passeport allemand.
8. Tu —— espagnol.	Tu —— un passeport espagnol.

Test 2. *Voyages*

Un groupe de touristes français arrive à New York. Expliquez où chacun habite en France et où chacun va aux États-Unis. Pour cela, complétez les phrases avec (*a*) le verbe **habiter,** (*b*) le verbe **aller.**

(*a*) **habiter**	(*b*) **aller**
1. Nous —— Paris.	Nous —— à San Francisco.
2. Vous —— Lyon.	Vous —— à Chicago.
3. J'—— Nice.	Je —— à Denver.
4. Tu —— Biarritz.	Tu —— à Boston.
5. Marc —— Lille.	Il —— à Seattle.
6. Nathalie et Suzanne —— Marseille.	Elles —— à la Nouvelle-Orléans.

Test 3. *Henri*

Pour compléter le portrait d'Henri, remplacez les blancs par **a, est** ou **va.**

Henri ——(1) un jeune Français. Il ——(2) 17 ans. Il ——(3) au lycée Descartes où il ——(4) un grand nombre d'amis. Il ——(5) un oncle qui ——(6) américain et qui habite Los Angeles. Cet été, Henri ——(7) passer les vacances aux États-Unis. Il ——(8) très content.

STRUCTURE

TEST 4. *Présentations*

Jacques donne une surprise-partie. Il présente ses amis à Hélène. Complétez les phrases avec l'article indéfini qui convient.

1. Annie est —— amie.
2. Philippe est —— ami.
3. Marc est —— cousin.
4. Suzanne et Marguerite sont —— cousines.
5. Bob et Roger sont —— amis américains.
6. Voilà —— amies canadiennes.

TEST 5. *Le tour de la ville* (*tour of the city*)

Jacques invite un ami américain chez lui. Il lui montre sa ville. Complétez les phrases avec l'article défini qui convient.

1. Voici une école. C'est —— école où je vais.
2. Voici une banque. C'est —— banque où mon père travaille.
3. Voici des magasins. Ce sont —— magasins où ma mère va souvent.
4. Voici un cinéma. C'est —— cinéma où je vais le week-end.
5. Voici un hôpital. C'est —— hôpital où mon frère travaille.
6. Voici des maisons très anciennes. Ce sont —— maisons les plus anciennes de la ville.

TEST 6. *Impressions d'Amérique*

Jacques a passé les vacances aux États-Unis. Il donne ses impressions d'Amérique. Complétez les phrases avec l'article qui convient.

1. J'aime —— filles américaines.
2. J'aime —— musique américaine.
3. Je n'aime pas —— football américain.
4. J'aime —— télévision américaine.
5. Je déteste —— cuisine américaine.
6. Je trouve —— garçons américains très sympathiques.

TEST 7. *Un week-end à Paris*

Jacques a passé un week-end à Paris. Il dit qu'il a visité les endroits entre parenthèses et pris des photos de ces endroits. Complétez les phrases d'après le modèle.

MODÈLE: (la Tour Eiffel) Je suis allé ——.   Voici des photos ——.

        votre papier: <u>à la Tour Eiffel,</u>   <u>de la Tour Eiffel</u>

	(a)	(b)
1. (le Théâtre de France)	Je suis allé ——.	Voici des photos ——.
2. (l'Opéra)	Je suis allé ——.	Voici des photos ——.
3. (la Tour Montparnasse)	Je suis allé ——.	Voici des photos ——.
4. (le musée Rodin)	Je suis allé ——.	Voici des photos ——.
5. (les Invalides)	Je suis allé ——.	Voici des photos ——.
6. (les Champs-Élysées)	Je suis allé ——.	Voici des photos ——.

Test 8. *Opinions*

Jacques donne ses opinions sur ses amis. Complétez les phrases avec la forme appropriée de l'adjectif entre parenthèses.

1. (intelligent) Suzanne est —.
2. (bête) Jacques et Paul sont —.
3. (pénible) Irène est —.

4. (joli) Monique et Sylvie sont —.
5. (idiot) Elisabeth est —.
6. (amusant) Louis et Robert sont —.

Test 9. *Lèche-vitrine* (*window-shopping*)

Jacques et Hélène sont dans un grand magasin. Jacques dit à Hélène de regarder certaines choses. Complétez les phrases avec l'adjectif entre parenthèses. Mettez cet adjectif à la forme et à la place qui conviennent.

1. (bleu) Regarde la — bicyclette —.
2. (japonais) Regarde la — moto —.
3. (américain) Regarde les — disques —.

4. (joli) Regarde la — photo —.
5. (petit) Regarde la — table —.
6. (grand) Regarde les — photos —.

Test 10. *Contrastes*

Marc est l'opposé de son cousin Jacques. Décrivez Marc. Pour cela, faites des phrases négatives.

1. Jacques travaille beaucoup. Marc —.
2. Jacques est sportif. Marc —.
3. Jacques joue au football. Marc —.

4. Jacques aime voyager. Marc —.
5. Jacques a une bicyclette. Marc —.
6. Jacques a un électrophone. Marc —.

Test 11. *Questions et réponses*

Les questions suivantes concernent Jacques. Complétez les questions avec les mots qui conviennent. (Utilisez le pronom **il** pour désigner Jacques, si c'est nécessaire.)

QUESTION	RÉPONSE
1. — qu'il est français?	Oui, il est français.
2. — qu'il habite Paris?	Non, il habite Lyon.
3. Est- — sportif?	Oui, il est très sportif.
4. A- — des frères?	Oui, il a deux frères.
5. — passe-t-il les vacances?	Aux États-Unis!
6. — voyage-t-il?	En avion.
7. — rentre-t-il?	Le 10 septembre.
8. — va-t-il aux États-Unis?	Parce qu'il aime voyager.

VOCABULAIRE

TEST 12. *Le mot exact*

Complétez les phrases avec l'une des expressions entre parenthèses.

1. Je regarde —— (un documentaire / à l'émission sportive).
2. J'écoute —— (le cinéma / des disques).
3. Je téléphone —— (un ami / à un ami).
4. J'étudie —— (au lycée / à l'église).
5. Je travaille —— (dans un électrophone / dans une station-service).
6. Je rentre —— (à la maison / aux vêtements).

Paris: rue St-Honoré

Chapitre deux

LA RENTRÉE DE MICHÈLE

2.1 *AUTO-STOP*

5 septembre, dix heures du soir

Les vacances sont finies . . . ou *presque.* Dans quinze jours, en effet, *c'est la*   almost; = *les classes*
rentrée! Demain, Michèle va quitter Nice où elle a passé des vacances   *commencent*
extraordinaires. Elle va rentrer chez elle, à Lyon.

«Au fait, pense Michèle, comment est-ce que je vais rentrer à Lyon: en
bus ou en train? Non, il y a une autre solution: pourquoi ne pas rentrer
en stop? C'est plus amusant et plus économique que le train ou le bus. Et   by thumbing a ride
c'est probablement plus rapide. . . Eh bien c'est décidé! Demain, je rentre
en stop!»

Questions

    1. Où est Michèle le 5 septembre?
    2. Où habite-t-elle?
    3. Comment va-t-elle rentrer chez elle?

6 septembre, huit heures du matin

Il pleut et il fait froid. Michèle est sur la route de Lyon. C'est la *première*   first time
fois qu'elle fait de l'auto-stop. Elle ignore que les automobilistes prennent
rarement les auto-stoppeurs quand il pleut. Une voiture passe, puis deux,
trois, quatre, cinq. . .

42

Neuf heures et demie

Michèle regarde les voitures, mais les automobilistes ne font pas attention à elle. Trois cents!... Quatre cents!... Quatre cent cinquante voitures passent...

Michèle est complètement découragée. «C'est la première fois et la dernière fois que je fais du stop, pense-t-elle. A la cinq centième voiture j'abandonne et je rentre en bus!»

Questions

1. Quel temps fait-il?
2. Est-ce que Michèle fait souvent de l'auto-stop?
3. Combien de voitures compte-t-elle?

NOTES CULTURELLES

1. Nice

Nice est située sur la Côte d'Azur. C'est une ville très ancienne. Elle a été fondée 500 ans avant Jésus-Christ°. Avec son climat chaud et ses belles plages, c'est aujourd'hui une ville très touristique. L'événement° le plus important de l'année est probablement le fameux Carnaval (à Mardi Gras).

avant Jésus-Christ B.C.; **événement** *m.* event

2. L'auto-stop

L'auto-stop est généralement moins pratiqué en France qu'aux États-Unis. Par exemple, les jeunes font rarement du stop pour aller à l'école ou pour rentrer chez eux après l'école. Pendant les vacances, au contraire, beaucoup de jeunes, français ou étrangers°, font du stop pour aller à leur destination.

étrangers foreign

ÉTUDE DE MOTS

Petit vocabulaire

NOMS:	une **fois**	*time*
	la **rentrée**	*beginning of the school year*
	les **vacances**	*vacation*
ADJECTIFS:	**découragé**	*discouraged*
	dernier (dernière)	*last*
	premier (première)	*first*
VERBES EN **-er**:	**abandonner**	*to give up, abandon, quit*
	ignorer	*not to know*
	passer	*to spend (time); pass, go by*
	quitter	*to leave*
	rentrer	*to come back; go home*
EXPRESSIONS:	**au fait**	*by the way*
	demain	*tomorrow*
	en effet	*in fact, as a matter of fact*
	il pleut	*it's raining*
	presque	*almost*

Vocabulaire spécialisé: sur la route

un **automobiliste**	*driver*		une **autoroute**	*turnpike, expressway*
l'**auto-stop** (le **stop**)	*hitchhiking*		une **auto-stoppeuse**	*hitchhiker* (female)
un **auto-stoppeur**	*hitchhiker* (male)		une **route**	*road, highway*

faire de l'auto-stop (du stop)   *to hitchhike, go hitchhiking*

Activité 1. **Questions personnelles**

1. Quelle route prenez-vous pour aller à la campagne? à l'école? en ville? chez vos grands-parents?
2. Est-ce que votre père est un automobiliste prudent? et votre mère?
3. Est-ce que vos parents prennent des auto-stoppeurs?
4. D'après vous, est-ce que l'auto-stop est dangereux? amusant? rapide? économique?
5. Avez-vous des amis qui font du stop?

ÉTUDE DE PRONONCIATION

Les voyelles /e/ et /ɛ/

As you pronounce /e/, keep your lips and mouth position tense. The French /e/ does not glide like the English *ay* in *day*.

Contrastez:

/e/   ai rentrée et décidé premier découragé dernier
   J'ai passé l'été à Québec.

/ɛ/   elle Michèle presque avec première dernière seize faites
   Est-ce que vous faites du tennis avec Michèle?

ÉTUDE DE LANGUE

A. Révisons: LES NOMBRES

Cardinal numbers are used for counting. 1, 2, 3, etc. are cardinal numbers. French cardinal numbers are listed in the Appendix on page 439.

Ordinal numbers are used to rank people or things. First, second, third, etc. are ordinal numbers.

French ordinal numbers are formed as follows:

cardinal number (minus final **-e,** if any) + **ième**

trois → trois**ième**   quatre → quatr**ième**
dix → dix**ième**   seize → seiz**ième**

Exceptions: un → **premier (première)**   *but:* vingt et un → vingt et un**ième**
   cinq → cin**qu**ième
   neuf → neu**v**ième

Est-ce que c'est la **première** fois ou la **deuxième** fois que vous allez en France?

Activité 2. **Calcul mental**

Donnez le résultat des additions suivantes:

MODÈLE: 5 + 2 = ?   Élève 1: **Combien font cinq plus deux?**
Élève 2: **Cinq plus deux font sept.**

1. 8 + 1 = ?   4. 10 + 2 = ?   7. 13 + 7 = ?   10. 10 + 20 = ?   13. 50 + 32 = ?
2. 2 + 5 = ?   5. 7 + 8 = ?   8. 6 + 17 = ?   11. 30 + 40 = ?   14. 60 + 32 = ?
3. 3 + 4 = ?   6. 9 + 11 = ?   9. 8 + 26 = ?   12. 50 + 60 = ?   15. 50 + 27 = ?

Activité 3. **Au téléphone**

Vous travaillez comme secrétaire dans une firme française. Vous demandez les numéros de téléphone suivants:

MODÈLE: 56.11.12 (Lyon)

Je voudrais le cinquante-six, onze, douze à Lyon, s'il vous plaît.

1. 21.22.30 (Nice)   4. 120.70.80 (Paris)
2. 19.17.41 (Lille)   5. 221.71.83 (Paris)
3. 41.52.63 (Toulon)   6. 402.72.92 (Paris)

Activité 4. **Les présidents**

Un(e) élève demande d'identifier certains présidents par ordre chronologique. Un(e) autre élève lui répond.

MODÈLE: (1) Washington   Un élève: **Qui est le premier président?**
Un autre élève: **C'est Washington.**

1. (2) Adams   4. (28) Wilson   7. (35) Kennedy
2. (3) Jefferson   5. (31) Hoover   8. (36) Johnson
3. (16) Lincoln   6. (32) Roosevelt   9. (37) Nixon

B. Révisons: LA DATE

To express a date in French, the following pattern is used:

le + (day) + cardinal number + (month) + (year)

Je rentre **le lundi, vingt** septembre. Et vous?
Moi, je rentre **le 28** et ma sœur rentre **le 2** octobre.
La Déclaration d'Indépendance a été signée **le 4** juillet 1776.

NOTES: 1. The first day of the month is **le premier.**

Mes cours commencent **le premier** octobre.

2. When writing dates in numbers, the French put the day before the month:
4/1 = le 4 janvier

Vocabulaire spécialisé: *jours, mois et saisons*

le **jour**	*day*	une **année**	*year*
le **mois**	*month*	une **saison**	*season*

LES JOURS: **lundi, mardi, mercredi, jeudi, vendredi, samedi, dimanche**

LES MOIS: **janvier, février, mars, avril, mai, juin, juillet, août, septembre, octobre, novembre, décembre**

LES SAISONS: **l'hiver, le printemps, l'été, l'automne**

Activité 5. **Dates importantes**

Donnez la date des événements suivants:

MODÈLE: Noël: 25/12 **Noël est le 25 décembre.**

1. la Saint-Patrick: 17/3
2. la Saint-Valentin: 14/2
3. la fête nationale américaine: 4/7

4. votre anniversaire (mon anniversaire est...)
5. l'anniversaire de votre père
6. l'anniversaire de votre meilleur ami

C. Révisons: L'HEURE

Il est...

deux heures   deux heures et quart   deux heures vingt   deux heures et demie

trois heures   trois heures moins le quart   trois heures moins dix

Il est... midi.	*noon*
minuit.	*midnight*
onze heures du matin.	*11 a.m.*
deux heures de l'après-midi.	*2 p.m.*
dix heures du soir.	*10 p.m.*

Activité 6. **New York et Paris**

Voici l'heure de New York. Donnez aussi l'heure de Paris. (Il y a six heures de différence entre New York et Paris.)

MODÈLE: 1:15 a.m.   **A New York, il est une heure et quart du matin.**
A Paris, il est sept heures et quart du matin.

1. 1:00 a.m.   3. 3:20 a.m.   5. 12:00 noon   7. 4:50 p.m.
2. 3:00 a.m.   4. 4:30 a.m.   6. 3:45 p.m.   8. 6:45 p.m.

D. Révisons: LE VERBE *FAIRE*

Review the present tense forms of **faire** (*to do, make*) in the following sentences:

Je **fais** du piano.	Nous **faisons** de la guitare.
Tu **fais** du tennis.	Vous **faites** de l'auto-stop.
Il/Elle **fait** du camping.	Ils/Elles **font** attention.

NOTES: 1. The verb **faire** is used in many expressions such as:

faire du (de la, de l', des)[1] { + school subject   *to study*
  + instrument   *to play*
  + sport   *to play*

faire attention   *to pay attention*
faire du camping[1]   *to go camping, camp*
faire de l'auto-stop[1]   *to hitchhike*

2. Many expressions of weather use **il fait.**

Il fait beau / mauvais.   *The weather is nice / bad.*
Il fait chaud / froid.   *It is warm (hot) / cold.*
Quel temps **fait-il**?   *How is the weather?*

but: Il neige. /Il pleut.   *It's snowing. /It's raining.*

Activité 7. **Préférences**

Dites que les personnes suivantes font ce qu'elles aiment faire.

MODÈLE: Michèle aime le piano.   **Elle fait du piano.**

1. Henri aime les math.   4. Tu aimes l'auto-stop.
2. Nous aimons le français.   5. Mes amis aiment le tennis.
3. Vous aimez le camping.   6. J'aime le football.

[1] In negative sentences, **du, de la, de l',** and **des** become **de (d')**: Moi, je ne fais jamais **de** stop. Ma sœur ne fait plus **d'**algèbre.

A votre tour

1. Classements sportifs (*rankings*)

Dans votre journal du dimanche, découpez (*cut out*) le classement complet des joueurs de baseball. Un élève va demander le classement d'un joueur et sa moyenne (*average*). Un autre élève lui répondra.

EXEMPLE: Élève 1: Quel est le classement de Johnny Bench? Quelle est sa moyenne?
Élève 2: Johnny Bench est deuxième. Sa moyenne est de trois cent neuf.

2. 24 heures sur 24

Décrivez votre emploi du temps (*schedule*) pour une journée typique.

EXEMPLE: A huit heures et quart, j'arrive à l'école. A huit heures et demie...

3. Les quatre saisons

Décrivez vos activités pendant chaque saison. Si possible, utilisez le verbe **faire.**

EXEMPLE: En automne, je vais à l'école. Quand il fait beau le week-end, je fais du football avec des amis.

En hiver... Au printemps... En été...

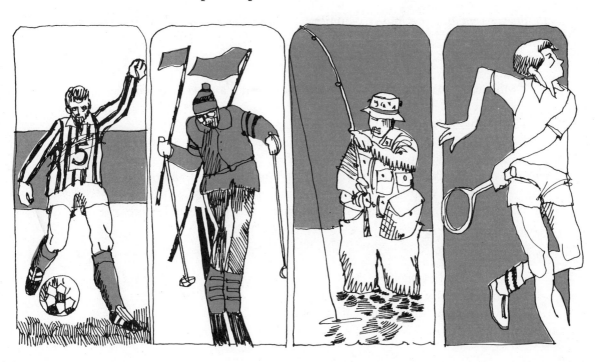

2.2 SUR LA ROUTE

6 septembre, dix heures moins le quart

La quatre cent quatre-vingt-dix-huitième voiture *s'arrête*... C'est une **stops**
voiture de sport.

— Où allez-vous, Mademoiselle?

— A Lyon!

— Moi aussi. Ma voiture n'est pas grande, mais il y a de la place pour
vous et votre *valise*.   **suitcase, bag**

— Merci, vous êtes très aimable!

Michèle regarde le jeune homme qui vient de la prendre. Il est très
grand et très blond. Il parle avec un *léger* accent. «C'est certainement un   **= *petit***
étranger, pense Michèle. D'où vient-il? Est-il anglais? Est-il américain?   **= *une personne qui***
Quel âge a-t-il? Vingt ans? Vingt-cinq ans maximum!... C'est un   ***n'est pas française***
garçon très sympathique... Je vais le présenter à mes parents et l'inviter
à déjeuner.»

Questions

1. Qui prend Michèle?
2. Est-ce que ce jeune homme est français?
3. Quel âge a-t-il approximativement?

Une heure

Mais à une heure, Michèle et le jeune homme sont *toujours* sur la route.   still
Et c'est lui qui invite Michèle au restaurant. *Pendant* le repas, Michèle lui   During
demande s'il est anglais. Il lui répond qu'il est américain et qu'il vient de
Boston. Il vient de finir ses études. Plus tard, il a l'intention d'*enseigner*   teach
le français. Mais pour le moment il va passer une année à Lyon. («Ah!
Si mes profs *étaient* comme lui. . .» pense Michèle.)   were

Trois heures moins cinq

A trois heures les voyageurs sont à Lyon. Le jeune Américain *amène*   brings
Michèle chez elle. Michèle *le remercie* et lui dit au revoir. Après son   = *lui dit merci*
départ, elle *constate* avec un peu de regret qu'elle connaît son nom   realizes
(Edward K. Davies: c'est écrit sur ses valises) mais qu'elle a oublié de lui
demander son adresse.
    «C'est idiot! pense-t-elle. Bien sûr, il va passer un an à Lyon, mais
Lyon est une grande ville. Je n'aurai probablement jamais l'occasion de
le *rencontrer*. . .»   meet

Questions

1. A une heure, où sont Michèle et le jeune homme?
2. De quelle nationalité est le jeune homme?
3. D'où vient-il?
4. Comment s'appelle-t-il?

NOTE CULTURELLE: Lyon

Lyon a 800.000 habitants. C'est la troisième ville de France, après Paris et Marseille. Lyon est une ville très ancienne. (Elle a été fondée par les Romains en 48 avant Jésus-Christ). Aujourd'hui, c'est un centre commercial, industriel, universitaire et touristique. La spécialité de Lyon est . . . la bonne cuisine°. Il y a de très bons restaurants dans la région de Lyon.

cuisine cooking

ÉTUDE DE MOTS

Petit vocabulaire

NOMS:	un **étranger**	*foreigner*	de la **chance**	*luck*
	un **nom**	*name, noun*	une **occasion**	*chance, opportunity*
	un **repas**	*meal*	de la **place**	*room*
	un **voyageur**	*traveler*	une **valise**	*suitcase, bag*
ADJECTIFS:	**aimable**	*kind, nice*		
	léger (légère)	*light*		
VERBES EN **-er**:	**amener**	*to bring (someone)*		
	apporter	*to bring (something)*		
	constater	*to realize, notice; establish, find out*		
	enseigner	*to teach*		
	oublier	*to forget*		
	présenter	*to introduce*		
	remercier	*to thank*		
	rencontrer	*to meet*		
EXPRESSIONS:	**aujourd'hui**	*today*		
	comme	*like, as*		
	un peu de	*a little*		

NOTES DE VOCABULAIRE

1. **Amener** et **apporter** (*to bring*)

On amène une personne.   Veux-tu **amener** un ami?
On apporte une chose.   Veux-tu **apporter** tes disques?

2. **La chance** et **l'occasion**

Avoir de la chance (*to be lucky*)   Nous **avons de la chance** . . .

Avoir l'occasion de (*to have the chance to, have the opportunity to*)   . . . parce que nous **avons l'occasion d'**aller en France.

*Activité 1. **A la surprise-partie***

Michèle va à une surprise-partie avec certaines personnes et certaines choses. Pour chaque personne ou chaque chose, faites une phrase d'après les modèles.

MODÈLES: un camarade   **Michèle amène un camarade.**
         ses cassettes   **Elle apporte ses cassettes.**

1. un cousin
2. Pierre
3. sa guitare
4. un gâteau (*cake*)
5. quelques disques
6. une surprise
7. des amis
8. Olivier et Mathieu
9. des fleurs (*flowers*)

ÉTUDE DE PRONONCIATION

Les voyelles /a/ et /wa/

The letter **a** always represents the sound /a/ (unless linked with a vowel, or **n** or **m** to form a nasal vowel).

The letters **oi** and **oy** represent the sound /wa/ (unless linked with **n** or **m** to form a nasal vowel).

Prononcez: Nathalie habite au Canada.
Anna n'a pas d'amis à Panama.

Voici Antoine Lavoie.
Toi et moi, nous voyageons en voiture.

ÉTUDE DE LANGUE

A. **Révisons:** LES PRONOMS SUJETS ET LES PRONOMS ACCENTUÉS

Compare the pronouns in the following sentences.

SUBJECT PRONOUNS	STRESSED PRONOUNS
Je voyage souvent.	**Moi** aussi!
Tu vas à Nice?	Oui, et **toi?**
Il invite Michèle.	Est-ce que c'est **lui** qui paie?
Elle arrive à Lyon.	Qui est avec **elle?**
Nous allons au cinéma.	**Nous** aussi!
Vous avez les billets (*tickets*)?	Non, c'est **vous!**
Où vont-**ils?**	Ils vont chez **eux.**
Où vont-**elles?**	**Elles,** elles vont à Toulon.

Stressed pronouns are used:

(1) in sentences with no verb   Qui va au restaurant? **Eux!**
(2) after **c'est**   C'est **lui.**
(3) to reinforce the subject   **Moi** aussi, j'aime voyager.
(4) before and after **et**   **Lui** et **moi,** nous allons au restaurant.
(5) after prepositions, such as   J'arrive chez **moi** ce soir.
     chez (*at, to the house of*),
     pour, avec, à, etc.

Activité 2. **Questions personnelles**

Utilisez des pronoms accentués dans vos réponses.

MODÈLE: Allez-vous au cinéma avec vos amis?

Oui, je vais au cinéma avec eux.

ou: **Non, je ne vais pas au cinéma avec eux.**

1. Allez-vous souvent chez vos amis?
2. Allez-vous chez votre meilleure amie?
3. Allez-vous chez votre meilleur ami?
4. Passez-vous les week-ends avec vos amis?
5. Êtes-vous toujours d'accord avec vos parents?
6. Êtes-vous toujours d'accord avec votre professeur?
7. Êtes-vous toujours d'accord avec votre mère?
8. Êtes-vous toujours d'accord avec vos amies?

B. Révisons: LES PRONOMS *LE, LA, LES*

Compare the direct object nouns and the corresponding direct object pronouns in the sentences below:

Je regarde **Paul.**	Je **le** regarde.
Je regarde **Michèle.**	Je **la** regarde.
Je ne regarde pas **mes amis.**	Je ne **les** regarde pas.

NOTES: 1. The pronouns **le** and **la** become **l'** before a vowel sound.

Tu invites **Michèle?**	Oui, je **l'**invite.
Et **Paul?**	Non, je ne **l'**invite pas.

2. The object pronouns **le, la,** and **les** come directly *before* the verb, except in affirmative commands.

Voici **Marc!**	Invitons-**le!**

3. Note the position of the direct object pronouns in the following construction: **aller** + infinitive.

Tu vas acheter **ces disques?**	Oui, je vais **les** acheter.

4. The verbs **regarder** (*to look at*) and **écouter** (*to listen to*) take direct objects.

Écoutes-tu **ces disques?**	Moi, je **les** écoute souvent.

Activité 3. **Moi aussi!**

Michèle parle de ses amis à Jacques. Il est d'accord. Jouez les deux rôles d'après le modèle.

MODÈLE: Je déteste Anne.   Michèle: **Je déteste Anne.**

Jacques: **Moi aussi, je la déteste.**

1. Je déteste Pierre.
2. Je déteste ce garçon.
3. J'aime cette fille.
4. J'invite souvent mes amis.
5. Je trouve Henri idiot.
6. Je n'aime pas Hélène.
7. Je trouve ces filles intelligentes.
8. Je n'écoute jamais ces garçons.
9. Je ne regarde jamais Monique.
10. J'écoute souvent Louis.

Activité 4. **Une question de goût** (*a matter of taste*)

Michèle et Philippe ont des goûts opposés. Michèle déteste les choses que Philippe aime et elle aime les choses qu'il déteste. Jouez le rôle de Michèle et de Philippe d'après les modèles.

MODÈLES: Je déteste les sports.   Philippe: **Je déteste les sports.**
                                                Michèle: **Moi, je les aime.**

            J'aime la musique.   Philippe: **J'aime la musique.**
                                                Michèle: **Moi, je la déteste.**

1. J'aime la musique classique.   5. Je déteste le jazz.
2. J'aime les « westerns ».   6. Je déteste les sports violents.
3. J'aime les émissions musicales. 7. Je déteste les films d'amour.
4. J'aime les concerts.   8. Je déteste la télévision.

C. Révisons: LES PRONOMS *LUI, LEUR*

Compare the indirect object nouns and the corresponding indirect object pronouns in the sentences below:

Je parle **à Michèle.**   Je **lui** parle.
Je téléphone **à Édouard.**   Je **lui** téléphone.
Je ne parle jamais **à ces personnes.** Je ne **leur** parle jamais.

NOTE: The indirect object pronouns replace **à** + person.

Activité 5. **Questions personnelles**

Utilisez un pronom d'objet indirect dans vos réponses.

1. Téléphonez-vous souvent à vos amis?
2. Téléphonez-vous souvent à vos grands-parents?
3. Parlez-vous souvent français au professeur?
2. Demandez-vous de l'argent à votre père?
5. Demandez-vous de l'argent à votre mère?

Récapitulation

SUBJECT PRONOUN	STRESSED PRONOUN	DIRECT OBJECT PRONOUN	INDIRECT OBJECT PRONOUN
il	**lui**	**le (l')***	**lui**
elle	**elle**	**la (l')***	
ils	**eux**	**les**	**leur**
elles	**elles**		

* Before a vowel sound.

Activité 6. **Insociabilité**

Marc ne fait pas ce que fait Michèle. Jouez le rôle de Michèle et de Marc, d'après le modèle. (Utilisez des pronoms seulement.)

MODÈLE: J'invite mes amis.   Michèle: **J'invite mes amis.**
                                 Marc: **Moi, je ne les invite pas.**

1. Je téléphone à mes cousins.
2. Je parle à mes professeurs.
3. Je vais au cinéma avec mes amies.
4. Je vais chez mes copains.
5. Je vais en ville avec mes amis.
6. J'invite mes cousines.
7. Je trouve mes professeurs sympathiques.
8. J'aime mes grands-parents.

D. Révisons: LE VERBE *VENIR*

Review the present tense of **venir** (*to come*) in the following sentences:

Je **viens** de Nice.	Nous **venons** avec un ami.
Tu **viens** de Lyon.	Vous **venez** dîner?
Il/Elle **vient** avec nous.	Ils/Elles **viennent** souvent chez nous.

Other verbs conjugated like **venir**:

revenir   *to come back*   Il **revient** ce matin.
devenir   *to become*   La situation **devient** très compliquée.

Activité 7. **Un meeting international**

Dites d'où vient chaque personne. Pour cela, utilisez le verbe **venir** et le nom de la ville entre parenthèses.

MODÈLE: Je suis français. (Paris)   **Je viens de Paris.**

1. Nous sommes américains. (San Francisco)
2. Charles est canadien. (Montréal)
3. Vous êtes italiens. (Rome)
4. Tu es suisse. (Genève)
5. Elles sont espagnoles. (Madrid)
6. Je suis mexicain. (Mexico)

E. Révisons: LE PASSÉ RÉCENT AVEC *VENIR DE*

To express an action which has just taken place, the French use the construction:

venir de + infinitive

Nous **venons d'**arriver.   *We **have just** arrived. (We just arrived.)*
Michèle **vient de** rentrer.   *Michèle **has just** come back. (Michèle just came back.)*

Contrast: Je **viens** dîner.   *I am coming to have dinner. (I am coming to eat.)*
          Je **viens de** dîner.   *I have just had dinner. (I have just eaten.)*

Activité 8. **Trop tard!** (*too late!*)

Michèle demande à Henri s'il veut faire certaines choses avec elle. Henri dit qu'il vient de les faire avec Suzanne. Jouez les deux rôles d'après le modèle.

MODÈLE: Tu joues au tennis.

> Michèle: **Tu joues au tennis avec moi?**
> Henri: **Impossible! Je viens de jouer au tennis avec Suzanne.**

1. Tu dînes.
2. Tu joues au ping-pong.
3. Tu vas en ville.
4. Tu fais du bowling.
5. Tu écoutes des disques.
6. Tu vas au cinéma.

À votre tour

Votre meilleur ami

Dans un paragraphe de six phrases, parlez de votre meilleur(e) ami(e) et de vos relations avec lui (elle). Vous pouvez utiliser les verbes suivants:

aller / trouver / téléphoner / parler / inviter / regarder / écouter

EXEMPLE: Ma meilleure amie s'appelle Linda. Je vais souvent au cinéma avec elle. Quand je ne suis pas avec elle, je lui téléphone. Je la trouve sympathique, etc.

2.3 DÉCISION

15 septembre

Dix jours ont passé. Michèle pense à ses classes qui vont bientôt recommencer. Il y a un problème qui la préoccupe et qu'elle a décidé de *résoudre*. Ce problème, c'est *justement* l'anglais. Le professeur de Michèle s'appelle Mr. McFarley. C'est un vieil *Écossais* très *original*, mais qu'on n'aime pas beaucoup au lycée. En fait, c'est l'ennemi public numéro un. Il a un grand *défaut*: on ne réussit jamais à ses examens. Cela signifie mauvaises *notes*, *punitions* et, parfois, *retenues* le mercredi.

Si c'est pour avoir encore ce vieux *fou* comme prof, je préfère abandonner l'anglais, décide Michèle. Oui, mais comment faire?

«Ah, voilà... J'ai une idée. Demain je vais rendre visite au *directeur*. Je lui dirai que j'ai passé les vacances en Espagne et que je préfère étudier l'espagnol maintenant. Et puis, je lui donnerai une lettre de Papa que j'écrirai *moi-même*. Comme cela, il va certainement me *croire*.»

Michèle ne perd pas un instant. Elle prend du papier et commence sa lettre:

Monsieur le Directeur,
Je vous prie d'autoriser ma fille, Michèle,...

= trouver une solution; = précisément
Scotsman; eccentric

≠ qualité
grades; punishment;
being kept in school
= homme fou

= principal

myself; believe

= demande

Questions

1. Comment s'appelle le professeur d'anglais de Michèle?
2. Pourquoi est-ce que les élèves n'aiment pas ce professeur?
3. A qui Michèle va-t-elle rendre visite?
4. Qu'est-ce qu'elle va dire au directeur?
5. Qu'est-ce qu'elle va lui donner?

NOTE CULTURELLE: **Notes, punitions, retenues**

En général, la discipline est plus sévère dans les écoles françaises que dans les écoles américaines. En France, les élèves sont souvent notés sur leur travail, leur progrès et leur conduite°. Une très mauvaise note peut signifier une punition (par exemple, un devoir° supplémentaire) ou une retenue. Un élève en retenue doit rester en classe après les autres ou revenir au lycée le mercredi (qui est normalement un jour de congé°).

conduite f. conduct; **devoir** assignment; **jour de congé** day off

ÉTUDE DE MOTS

Petit vocabulaire

NOMS:	un **problème** *problem*	une **note**	*grade*
		une **punition**	*punishment*

ADJECTIFS:	**bon (bonne)**	*good*
	fou (folle)	*crazy*
	mauvais	*bad*
	vieux (vieil; vieille)	*old*

VERBES EN **-er**:	**commencer**[1]	*to begin, start*
	noter	*to grade; note, notice*
	recommencer[1]	*to begin again, start over again*
	signifier	*to mean*

NOTE DE VOCABULAIRE: L'adjectif **vieux** vient généralement avant le nom. Notez les formes:

un **vieux** professeur, un **vieil** /j/ ami; une **vieille** maison, une **vieille** amie
ces **vieux** professeurs, ces **vieux** /z/ amis; ces **vieilles** maisons, ces **vieilles** amies

Vocabulaire spécialisé: les adverbes

aussi	*also, too*	J'étudie l'anglais. Mon frère **aussi!**
bien	*well ("good")*	Parlez-vous **bien** français?
bientôt	*soon*	Est-ce que les vacances commencent **bientôt?**
déjà	*already*	Nous sommes **déjà** en octobre.
encore	*yet, still*	Nous avons **encore** huit mois de classe.
mal	*badly ("bad")*	Vous ne travaillez pas. C'est **mal.**
même	*even*	Les jeunes Français vont en classe **même** le samedi.
parfois	*sometimes*	**Parfois** j'ai de bonnes notes. **Parfois** j'ai de mauvaises notes.
souvent	*often*	Je regarde **souvent** la télévision.
surtout	*especially*	Moi, j'aime **surtout** les émissions sportives.
toujours	*always*	Le dimanche, je regarde **toujours** les matches de football.

[1] Remember the **ç** in the **nous**-form: nous commençons; nous recommençons.

Activité 1. **Questions personnelles**

1. Travaillez-vous bien ou mal en classe de français?
2. Avez-vous de bonnes notes? Parfois? Souvent? Toujours?
3. Est-ce que le professeur parle français? Parfois? Souvent? Toujours?
4. Est-ce que vous parlez français? Parfois? Souvent? Toujours?
5. Quelles classes aimez-vous surtout?
6. Est-ce que vous allez bientôt avoir des examens?

ÉTUDE DE PRONONCIATION

La voyelle nasale /ã/

The letters **an** and **am** represent the nasal vowel /ã/, unless followed by a vowel or another **n** (**m**). Do not pronounce an /n/ or /m/ after /ã/, except in liaison.

Prononcez: an en anglais commence comment quand pense vacances

Henri passe les vacances en France.

Jean va avoir trente ans au mois de septembre.

Il rentre le dimanche trente décembre.

ÉTUDE DE LANGUE

A. Révisons: LES VERBES RÉGULIERS EN *-IR*

Regular verbs in **-ir** are conjugated like **finir** (*to finish, end*).

Infinitive	**finir**	
Present	je fin**is**	nous fin**issons**
	tu fin**is**	vous fin**issez**
	il/elle fin**it**	ils/elles fin**issent**

NOTE: The stem of regular **-ir** verbs is the infinitive minus **-ir**.

Here are some common **-ir** verbs:

choisir	*to choose*	Qu'est-ce que vous **choisissez?**
désobéir (à)	*to disobey*	**Désobéissez**-vous souvent à vos parents?
obéir (à)	*to obey*	**Obéissez**-vous au professeur?
punir	*to punish*	Est-ce que vos parents vous **punissent?**
réfléchir (à)	*to think (over)*	Je **réfléchis** à cette question.
réussir (à)	*to succeed, pass (a test)*	Mes amis **réussissent** toujours.

Activité 2. **Au choix**

Les amis de Michèle ont chacun 100 francs. Ils vont dans un magasin. Dites ce que chacun choisit.

MODÈLE: Henri (des disques)   **Henri choisit des disques.**

1. Marc (une raquette)
2. Suzanne (un album)
3. Moi (des posters)
4. Nous (des photos)

5. Toi (des livres)
6. Pierre et Paul (des vêtements)
7. Sylvie et Jacqueline (des cassettes)
8. Vous (des disques)

Activité 3. **Questions personnelles**

1. Obéissez-vous à vos parents?
2. Est-ce qu'ils vous punissent quand vous désobéissez?
3. Obéissez-vous à vos professeurs?
4. Est-ce qu'ils vous punissent quand vous désobéissez?
5. Réussissez-vous à vos examens?
6. Réfléchissez-vous à l'avenir?

B. Révisons: LES VERBES RÉGULIERS EN *-RE*

Regular verbs in **-re** are conjugated like **perdre** (*to lose*).

Infinitive	**perdre**	
Present	je perd**s**	nous perd**ons**
	tu perd**s**	vous perd**ez**
	il/elle perd	ils/elles perd**ent**

NOTES: 1. The stem of regular **-re** verbs is the infinitive minus **-re.**

2. The final **d** of the stem is silent in the singular forms and pronounced in the plural forms.

Here are some common **-re** verbs:

attendre	*to wait (for)*	J'**attends** un ami.
entendre	*to hear*	**Entends**-tu la musique?
rendre	*to give back*	Je **rends** la guitare à Jacques.
rendre visite à	*to visit (a person)*	Michèle **rend visite au** directeur.
répondre à	*to answer*	Nous **répondons au** professeur.
vendre	*to sell*	A qui **vends**-tu ta bicyclette?

Activité 4. **Besoins d'argent** (*money needs*)

Après les vacances, les amis de Michèle ont besoin d'argent. Dites ce que chacun vend.

MODÈLE: Henri (sa bicyclette)   **Henri vend sa bicyclette.**

1. Marc (sa guitare)
2. Nous (nos livres)
3. Vous (vos disques)
4. Moi (ma raquette de tennis)
5. Suzanne (sa caméra)
6. Sylvie et Louise (leurs cassettes)
7. François et Pierre (des posters)
8. Toi (ta moto)

Activité 5. **Questions personnelles**

1. Rendez-vous visite à vos grands-parents? Quand?
2. Rendez-vous visite à vos amis? Quand? Que faites-vous ensemble?
3. Est-ce que vos amis vous rendent visite? Quels jours?
4. Répondez-vous toujours aux questions de vos amis?
5. Répondez-vous toujours aux questions de vos parents?
6. Qu'est-ce que vos parents vous répondent quand vous leur demandez de l'argent?

C. Révisons: LE PRONOM *ON*

The subject pronoun **on** has several English equivalents.

Quand **on** est jeune, **on** aime les sports. {*When **one** is young, **one** loves sports.*
{*When **you** are young, **you** love sports.*

En France, **on** a souvent des vacances. *In France, **they** often have vacations.*
On va au cinéma? *Are **we** going to the movies?*
(conversational use)

Activité 6. **Langues nationales**

Indiquez dans quel(s) pays on parle les langues suivantes: allemand, anglais, arabe, espagnol, français, italien, russe.

MODÈLE: En France   **En France, on parle français.**

1. En Espagne
2. En Angleterre
3. En Italie
4. En Allemagne
5. En Russie
6. En Algérie

À votre tour

En Amérique

Imaginez qu'un Français vous demande comment les jeunes Américains passent leur temps en diverses circonstances. Répondez-lui avec des phrases commençant par **on.** Vous pouvez utiliser les verbes suivants:

faire / aller / regarder / écouter / jouer / inviter / visiter / rendre visite / travailler

EXEMPLE: En surprise-partie

> En surprise-partie on écoute souvent des disques. Parfois on danse. On parle avec ses amis. . .

A la maison
Le week-end
En hiver
En été

2.4 *LE TRIOMPHE DE MICHÈLE*

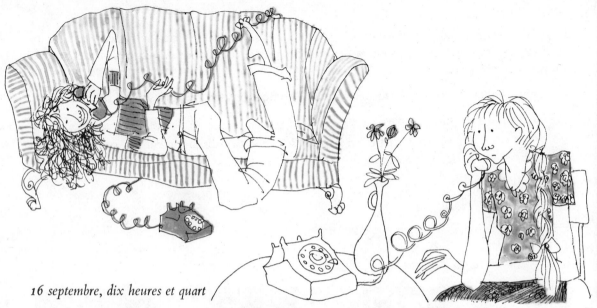

16 septembre, dix heures et quart

Michèle a attendu *jusqu'à* vendredi, le dernier jour avant la rentrée. Puis   until
elle est allée chez le directeur du lycée. Son stratagème a *parfaitement*   perfectly
réussi. Le directeur lui a donné la permission d'abandonner l'anglais.

Midi moins le quart

Michèle est sortie du lycée, très contente. Quand elle est rentrée chez elle,
elle a immédiatement téléphoné à Joëlle, sa meilleure amie.

  —J'ai une nouvelle à t'annoncer! J'abandonne l'anglais!

  — Pas possible! Comment as-tu fait?

  — Cela a été très simple. . .

Michèle a expliqué à Joëlle sa visite du matin.

  — Alors, tu as décidé de nous quitter, dit Joëlle. Tu vas aller dans une
autre classe. Tu as de la chance. Je t'envie.

  — Qui ne risque rien, n'a rien. Moi, je *sais me débrouiller*. . .   know how to get
  along

Questions

    1. Où est allée Michèle le vendredi, 16 septembre?

    2. Pourquoi est-elle contente?

    3. Comment s'appelle sa meilleure amie?

    4. Qu'est-ce qu'elle a expliqué à Joëlle?

ÉTUDE DE MOTS

Petit vocabulaire

ADJECTIFS :	**autre**	*other*	Je n'aime pas l'**autre** professeur.
	un autre	*another*	Je vais acheter **un autre** livre.
	meilleur	*better*	J'ai de **meilleures** idées que toi.
	le meilleur	*best*	Qui est **le meilleur** prof de ton école?
VERBES EN **-er** :	**annoncer**	*to announce*	
	expliquer	*to explain*	
EXPRESSIONS :	**alors**	*then; well then*	**Alors,** tu viens?
	hier	*yesterday*	**Hier,** j'ai joué au tennis.
	ne . . . personne	*no one, nobody*	Ce soir, je **n'**invite **personne.**
	ne . . . rien	*nothing*	Je **ne** fais **rien.**
	puis	*then*	Je vais au cinéma, **puis** je rentre.

PROVERBE : **Qui ne risque rien, n'a rien.**
(*Nothing ventured, nothing gained.*)

Vocabulaire spécialisé : quelques adjectifs et leurs contraires

facile	*easy*	**difficile**	*difficult, hard*
possible	*possible*	**impossible**	*impossible*
simple	*simple*	**compliqué**	*complicated*
utile	*useful*	**inutile**	*useless, pointless*
vrai	*true, real*	**faux (fausse)**	*false*

Activité 1. *Questions personnelles*

1. Est-ce que le français est une langue facile ou difficile? Et l'anglais?
2. Est-ce que le français est une langue utile ou inutile? Et l'anglais?
3. Trouvez-vous les math simples ou compliquées? Et les sciences?
4. Faites-vous des projets simples ou compliqués?

NOTE CULTURELLE : **L'étude des langues**

En France, l'étude des langues est obligatoire. On commence une première langue à l'âge de onze ans. A treize ans, on peut commencer une autre langue. L'anglais est la langue la plus populaire. Après viennent l'allemand et l'espagnol. On peut aussi étudier l'italien, l'arabe et l'hébreu dans certaines écoles.

ÉTUDE DE PRONONCIATION

La voyelle /y/

The letter **u** represents the sound /y/, unless it is linked to another vowel, or **n** or **m** to form a nasal vowel. To produce the sound /y/, say /i/ while keeping your lips tightly rounded as if to whistle.

Prononcez la voyelle /y/ dans les phrases suivantes:

> Lucie a entendu la musique.
> As-tu attendu le bus du lycée?
> Suzanne a une amie à Honolulu.

ÉTUDE DE LANGUE

A. Révisons: LES VERBES *SORTIR* ET *PARTIR*

Review the present-tense forms of **sortir** (*to go out*).

Je **sors** ce soir.	Nous **sortons** en ville.
Tu **sors** avec Joëlle.	Vous **sortez** avec des amis.
Il/Elle **sort** souvent.	Ils/Elles **sortent** ensemble.

NOTE: **Partir** (*to leave*) is conjugated like **sortir.**

Activité 2. *Questions personnelles*

1. Aimez-vous sortir?
2. Sortez-vous souvent le week-end? avec qui? où?
3. Est-ce que vos parents sortent ce soir? où? avec qui?
4. Le matin, à quelle heure partez-vous en classe?
5. Partez-vous en vacances l'été prochain? où? quand? avec qui?

B. Révisons: LE PASSÉ COMPOSÉ

The **passé composé** is used to describe past actions. It has several English equivalents.

Michèle **a téléphoné** à Joëlle.
$\begin{cases} Michèle \ \textbf{\textit{called}} \ Joëlle. \\ Michèle \ \textbf{\textit{did call}} \ Joëlle. \\ Michèle \ \textbf{\textit{has called}} \ Joëlle. \end{cases}$

The **passé composé** consists of two words:

present tense of the auxiliary verb (**avoir** or **être**)	+ past participle

The past participles of regular verbs (and several irregular verbs) are formed as follows:

for **-er** verbs: infinitive minus **-er** + **é**	téléphoner → **téléphoné**
for **-ir** verbs: infinitive minus **-ir** + **i**	réussir → **réussi**
for **-re** verbs: infinitive minus **-re** + **u**	attendre → **attendu**

Activité 3. *La journée de Michèle*

Michèle dit qu'elle a fait les choses suivantes hier. Jouez le rôle de Michèle.

MODÈLE: téléphoner à Joëlle   Michèle: **J'ai téléphoné à Joëlle.**

1. regarder les magasins
2. acheter une veste
3. dîner au restaurant
4. choisir des disques
5. finir un examen
6. rendre visite à mes cousines
7. attendre une amie
8. répondre à une lettre

C. LE PASSÉ COMPOSÉ AVEC *AVOIR*

The **passé composé** of most verbs is formed with the auxiliary verb **avoir.** Note the conjugation of the **passé composé** of **visiter** (*to visit*) in affirmative and negative sentences.

J'**ai visité** Lyon.	Je *n'*ai *pas* **visité** Paris.
Tu **as visité** Boston.	Tu *n'*as *pas* **visité** New York.
Il/Elle **a visité** Québec.	Il/Elle *n'*a *pas* **visité** Montréal.
Nous **avons visité** Rome.	Nous *n'*avons *pas* **visité** Milan.
Vous **avez visité** Moscou.	Vous *n'*avez *pas* **visité** Léningrad.
Ils/Elles **ont visité** Mexico.	Ils/Elles *n'*ont *pas* **visité** Acapulco.

NOTES: 1. In negative sentences the word order is:

$$\text{subject} + \textbf{ne (n')} + \text{auxiliary verb} + \begin{cases} \textbf{pas} \\ \textbf{jamais} \\ \textbf{plus} \end{cases} + \text{past participle}$$

2. In the **passé composé** of verbs conjugated with **avoir,** the past participle agrees in gender and number with a preceding direct object.

Tu as regardé **Jacques.**	Tu **l'**as regardé.
Tu as regardé **Michèle.**	Tu **l'**as regardée.
Tu as regardé **Paul et Pierre.**	Tu **les** as regardés.
Tu as regardé **Suzanne et Sophie.**	Tu **les** as regardées.

Activité 4. **Week-end**

Dites que les amis de Michèle ont fait les choses suivantes. Dites aussi qu'ils n'ont pas travaillé.

MODÈLE: Marc aime jouer au tennis.   **Marc a joué au tennis. Il n'a pas travaillé.**

1. Henri aime regarder la télé.
2. Nathalie aime inviter des amis.
3. Lisette et Louise aiment jouer.
4. Jacques et Pierre aiment téléphoner.

5. Nous aimons organiser une surprise-partie.
6. Vous aimez écouter des disques.
7. J'aime jouer au ping-pong.
8. Tu aimes visiter la ville.

D. Révisons: LE PASSÉ COMPOSÉ AVEC *ÊTRE*

The **passé composé** of certain verbs of motion is formed with **être.** Note the conjugation of the **passé composé** of **aller** in statements and questions.

Je **suis allé (allée)** en France.	Est-ce que je **suis allé (allée)** à Paris?
Tu **es allé (allée)** au Canada.	**Es**-tu **allé (allée)** à Québec?
Il **est allé** en Suisse. Elle **est allée** en Italie.	**Est**-il **allé** à Genève? **Est**-elle **allée** à Rome?
Nous **sommes allés (allées)** en Espagne.	**Sommes**-nous **allés (allées)** à Madrid?
Vous **êtes allé (allée, allés, allées)** en Russie.	**Êtes**-vous **allé (allée, allés, allées)** à Moscou?
Ils **sont allés** en Algérie. Elles **sont allées** au Sénégal.	**Sont**-ils **allés** à Alger? **Sont**-elles **allées** à Dakar?

NOTES: 1. In the **passé composé** of verbs conjugated with **être,** the past participle agrees in gender and number with the *subject*. Note that **vous** can be used to address one or more persons, and can be masculine or feminine.

2. The following verbs are conjugated with **être** in the **passé composé:**

aller	to go	Où **êtes**-vous **allés?**
arriver	to arrive	Quand **sont**-ils **arrivés** à Lyon?
entrer	to enter	Nous ne **sommes** pas **entrés** dans la maison.
monter	to go up, get on	Je **suis monté** à la Tour Eiffel.
rentrer	to return, go back	Michèle **est rentrée** chez elle.
rester	to stay	N'**êtes**-vous pas **restés** en France?
partir	to leave	Je **suis partie** en juin.
sortir	to go out	Je **suis sortie** avec un ami.
descendre	to go down, get off	Nous **sommes descendus** au Mexique.
venir	to come	Michèle n'**est** pas **venue** avec nous.
devenir	to become	Mon frère **est devenu** pilote.

Note also: Il **est né** en 1900.   *He was born in 1900.*
Il **est mort** en 1970.   *He died in 1970.*

3. In inverted questions in the **passé composé,** the subject pronoun comes between the auxiliary verb and the past participle.[1]

[1] In verbs conjugated with **avoir,** a **-t-** is inserted after the verb **a:** Michèle a téléphoné. A quelle heure a-**t**-elle téléphoné?

Activité 5. **Départs et rentrées**

Michèle dit qu'elle et ses amis sont partis en vacances à la date indiquée entre parenthèses. Jacques demande quand ils sont rentrés. Jouez le rôle de Michèle et de Jacques d'après le modèle.

MODÈLE: Marc (le 10 juillet)   Michèle: **Marc est parti le 10 juillet.**
- Jacques: **Quand est-il rentré?**

1. Pierre (le 12 juillet)
2. Suzanne (le 13 juillet)
3. Moi (le 16 juillet)

4. Nathalie et Sylvie (le 18 juillet)
5. Léon et Louis (le 20 juillet)
6. Nous (le 22 juillet)

Activité 6. **Questions personnelles**

1. Quand êtes-vous né(e)?
2. Où êtes-vous né(e)?
3. Où est née votre mère?
4. Où est né votre père?

5. Quand est-ce que vos parents sont arrivés dans la ville où vous habitez?
6. Sont-ils allés en France?
7. Êtes-vous allé(e) en France?

Activité 7. **Expression personnelle**

Choisissez un(e) camarade. Posez-lui des questions sur ses vacances d'après les modèles. Commencez les questions 6 à 10 avec l'expression entre parenthèses.

MODÈLES: voyager   Vous: **As-tu voyagé?**
Votre camarade: **Oui, j'ai voyagé.**
ou: **Non, je n'ai pas voyagé.**

aller (où)   Vous: **Où es-tu allé(e)?**
Votre camarade: **Je suis allé(e) . . .**

1. partir en voyage
2. rester chez toi
3. aller en France
4. rendre visite à tes cousins
5. jouer au volleyball

6. travailler (pour qui)
7. sortir (avec qui)
8. aller (chez qui)
9. inviter (qui)
10. rentrer en classe (quand)

À votre tour

Le week-end dernier

Décrivez ce que vous avez fait le week-end dernier, vous et votre famille, en un paragraphe de 10 phrases. Vous pouvez utiliser les verbes suivants:

aller / rester / rentrer / sortir / partir / jouer / regarder / inviter / téléphoner / travailler

EXEMPLE: Ce week-end, je ne suis pas resté chez moi. J'ai téléphoné à des amis et nous sommes sortis. Nous sommes allés. . . Mon frère. . . Mes parents. . .

2.5 *DÉCEPTION*

19 septembre, neuf heures

Michèle est maintenant dans sa nouvelle classe. Ce matin elle a eu son premier cours d'espagnol... et sa première déception. Le professeur n'est pas très amusant. Comme Michèle est une nouvelle élève, il l'a interrogée et il a constaté son ignorance. Puis il a annoncé la date du premier examen...

«C'est beaucoup de travail, pense Michèle, mais enfin j'*aime mieux* être   = *préfère*
ici qu'avec le vieux McFarley!»

Midi et quart

A la *cantine* de l'école, Michèle a retrouvé Joëlle.   = *caféteria*

— Salut, Joëlle.
— Salut. Dis Michèle, moi aussi, j'ai une nouvelle à t'annoncer.
— Ah?
— Nous n'avons plus McFarley!
— Il est *malade?*   sick
— Non, il a passé les vacances en *Écosse* et il a décidé d'y rester.   Scotland
— Pas possible! Et qui est-ce qui le remplace?
— C'est un jeune prof. Un Anglais ou un Américain.
— Comment est-il?
— Il est très grand.
— Est-ce qu'il est blond?
— Oui, très blond.
— Comment s'appelle-t-il?
— Il nous a dit son nom, mais j'ai oublié.
— Fais un effort!
— Attends! Son nom, c'est... Davies. Oui, Davies, *c'est bien ça!*   that's it!
— *Ça alors!*   What do you know!

Questions

1. Pourquoi est-ce que Michèle a une déception?
2. Qu'est-ce que le professeur d'espagnol a annoncé?
3. Quelle nouvelle Joëlle annonce-t-elle à Michèle?
4. Où Monsieur McFarley a-t-il passé ses vacances?
5. Qui est le nouveau professeur d'anglais?

NOTE CULTURELLE: **Au lycée**

Dans un lycée français, les cours commencent à huit heures et finissent à quatre heures ou à cinq heures. Il y a une interruption de midi à deux heures pour le déjeuner. Les externes° rentrent chez eux. Les demi-pensionnaires° déjeunent à la cantine.

externes *m. or f.* day students who eat at home; **demi-pensionnaires** *m. or f.* day students who eat at school

ÉTUDE DE MOTS

Petit vocabulaire

NOMS:	le **déjeuner** *lunch*	une **déception** *disappointment*	
ADJECTIFS:	**jeune** *young*		
	nouveau (nouvel; nouvelle) *new*		
VERBES EN **-er**:	**interroger** *to ask questions*		
	remplacer *to replace*		
	retrouver *to meet; find again*		
EXPRESSIONS:	**comme** *since*	**Comme** il fait mauvais, je vais rester chez moi.	
	enfin *finally, at last*	Tu es là? **Enfin?**	
	maintenant *now*	Que fais-tu **maintenant?**	
	mieux *better*	Je n'aime pas travailler. J'aime **mieux** jouer.	

NOTES DE VOCABULAIRE

1. **Mieux** et **meilleur**

Mieux est un adverbe. En général, **mieux** vient après le verbe.

Michèle étudie bien au café.
Michèle studies well in the café.

Joëlle étudie **mieux** chez elle.
*Joëlle studies **better** at home.*

Meilleur est un adjectif. Il modifie un nom ou un pronom.

Michèle a eu une bonne note en math.
Michèle got a good grade in math.

Joëlle a eu une **meilleure** note.
*Joëlle got a **better** grade.*

2. **Nouveau** et **jeune**

Les adjectifs **nouveau** et **jeune** viennent généralement avant le nom. Notez les formes de **nouveau**:

un **nouveau** professeur, un **nouvel** ami; une **nouvelle** voiture, une **nouvelle** amie; ces **nouveaux** professeurs, ces **nouveaux** /z/ amis; ces **nouvelles** voitures, ces **nou-velles** amies

Vocabulaire spécialisé: l'école

un **cours**	*course, class*	une **cantine**	*school cafeteria*
un **devoir**	*assignment*	une **classe**	*class; classroom*
un **élève**	*(secondary) student*	une **élève**	*(secondary) student*
un **étudiant**	*(college) student*	une **étudiante**	*(college) student; co-ed*
un **examen**	*exam, test*	des **études**	*studies*
le **travail**	*work, schoolwork, classwork*	une **leçon**	*lesson*

Activité 1. **Questions personnelles**

1. Êtes-vous externe ou demi-pensionnaire?
2. La cuisine de votre cantine est-elle bonne, passable ou mauvaise?
3. Combien d'élèves y a-t-il dans votre classe?
4. Est-ce que votre professeur interroge souvent les élèves?
5. Aimez-vous vos études?
6. Aimez-vous mieux le français ou l'anglais?
7. Plus tard, pensez-vous aller à l'université?

ÉTUDE DE PRONONCIATION

Les voyelles /ɸ/ et /œ/

Contrastez les voyelles /ɸ/ et /œ/ dans les mots suivants:

/ɸ/	deux	vieux	mieux	bleu	sérieux		
/œ/	neuf	jeune	meilleur	directeur	heure	professeur	

Prononcez:

Le vieux professeur aime mieux venir à deux heures.

Leur professeur est jeune et très sérieux.

ÉTUDE DE LANGUE

A. Révisons: LES PARTICIPES PASSÉS IRRÉGULIERS

Many irregular verbs have irregular past participles. Here are the past participles of verbs reviewed so far:

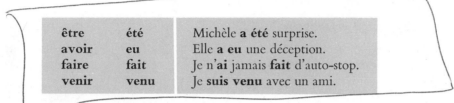

être	**été**	Michèle **a été** surprise.
avoir	**eu**	Elle **a eu** une déception.
faire	**fait**	Je n'**ai** jamais **fait** d'auto-stop.
venir	**venu**	Je **suis venu** avec un ami.

Activité 2. **Questions personnelles**

1. Avez-vous voyagé pendant les vacances?
2. Avez-vous fait du camping?
3. Avez-vous fait de l'auto-stop?
4. Avez-vous été invité(e) chez des amis?
5. Avez-vous eu l'occasion de parler français?

B. Révisons: LES PRONOMS *ME, TE, NOUS, VOUS*

Note the direct and indirect object pronouns which correspond to the subject pronouns **je, tu, nous, vous.**

SUBJECT PRONOUNS	DIRECT AND INDIRECT OBJECT PRONOUNS	
je (j')*	**me (m')***	Michèle **me** téléphone. Elle **m'**invite.
tu	**te (t')***	Je **te** parle. Je **t'**écoute.
nous	**nous**	Nos amis **nous** ont téléphoné. Ils **nous** ont invités.
vous	**vous**	Ils ne **vous** ont pas téléphoné. Ils ne **vous** ont pas invités.

NOTES: 1. The object pronouns come before the verb, except in affirmative commands, when they come after the verb and are joined to it with a hyphen.

Ne **nous** téléphone pas ce soir.   Téléphone-**nous** demain matin.

2. In an affirmative command, **me** and **te** become **moi** and **toi** when they are the last pronoun joined to the verb.

Téléphone-**moi** à midi.   Donne-le-**moi.**

* Before a vowel sound.

Activité 3. **Questions personnelles**

    1. Est-ce que votre mère vous donne de l'argent?
    2. Est-ce que votre père vous prête (*let you have*) sa voiture?
    3. Est-ce que vos amis vous invitent souvent?
    4. Est-ce que votre meilleur ami vous téléphone souvent?
    5. Est-ce que vos professeurs vous donnent de bonnes notes?

Activité 4. **Expression personnelle**

Choisissez un(e) camarade. Posez-lui les questions de l'Activité 3, mais utilisez **tu** au lieu de **vous.** Votre camarade vous répondra.

MODÈLE: Est-ce que votre mère vous donne de l'argent?

    Vous: **Est-ce que ta mère te donne de l'argent?**

    Votre camarade: **Oui, elle me donne de l'argent.**

          ou: **Non, elle ne me donne pas d'argent.**

C. Révisons: LE PRONOM *Y*

The pronoun **y** refers to a location which has been previously mentioned:

Allez-vous **en classe?**	Oui, j'**y** vais.
Est-ce que Michèle est **chez elle?**	Non, elle n'**y** est pas.
Êtes-vous allé **en France?**	Non, je n'**y** suis jamais allé.

Activité 5. **Questions personnelles**

Utilisez le pronom **y** dans vos réponses.

    1. Allez-vous souvent en ville?
    2. Allez-vous souvent dans les magasins?
    3. Allez-vous souvent chez vos amis?
    4. Allez-vous souvent au cinéma?
    5. Déjeunez-vous souvent à la cantine de votre école?
    6. Dînez-vous souvent au restaurant?
    7. Êtes-vous allé à New York?
    8. Êtes-vous allé en Floride?

D. Révisons: *IL EST OU C'EST?*

When referring to a specific person or thing, the French use:

il est (elle est) **ils sont (elles sont)**	before	an adjective a location a preposition	**Il est** grand. **Elle est** intelligente. **Ils sont** ici. **Elles sont** avec moi.

c'est (ce sont)	before	a stressed pronoun a determiner + noun a name	**C'est** lui. **C'est** un bon professeur. **C'est** Michèle.

NOTES: 1. The negative form of **c'est** is **ce n'est pas.**

C'est lui.   **Ce n'est pas** lui.   **Ce ne sont pas** mes amis.

2. **C'est** is also used in impersonal expressions:

C'est vrai.   *That's true.*

Activité 6. **Le portrait de Michèle**

Faites le portrait de Michèle. Commencez chaque phrase par **C'est** ou **Elle est.**

MODÈLES: une élève médiocre   **C'est une élève médiocre.**
            jolie   **Elle est jolie.**

1. blonde   5. française
2. grande   6. toujours avec ses amis
3. une fille sympathique   7. à Lyon en ce moment
4. une amie de Jacques   8. une fille romantique

À votre tour

Portraits

Faites le portrait d'un(e) élève de la classe en six phrases. Les autres élèves vont deviner (*guess*) l'identité de l'élève que vous avez choisi(e).

EXEMPLE: Vous: Elle est grande. Elle n'est pas blonde. C'est une fille assez amusante . . . , etc.

Vos amis: Est-ce que c'est Linda?

Récréation

Jouons avec les nombres

Les Français utilisent les nombres dans plusieurs expressions courantes. Certaines sont très pittoresques. En voici quelques-unes.

L'EXPRESSION . . .		. . . ET SA SIGNIFICATION

DEUX

en moins de deux très rapidement

C'est à deux *pas* d'ici. C'est très près.   steps

Lui et son frère, ça fait deux. Lui et son frère sont différents.

C'est simple comme 2 et 2 font 4. C'est très simple.

TROIS

jamais deux sans trois Si *c'est arrivé* deux fois, cela arrivera trois fois.   happened

les *trois quarts* du temps presque tout le temps   = $\frac{3}{4}$

Il est haut comme trois *pommes*. Il est très petit.   apples

QUATRE

entre quatre yeux d'une façon absolument privée

manger comme quatre manger beaucoup

travailler comme quatre travailler beaucoup

se mettre en quatre pour faire le maximum pour

couper les cheveux en quatre

être beaucoup trop
méticuleux

tomber les quatre *fers* en l'air

tomber sur le *dos*

horseshoes; fall;
back

être *tiré* à quatre *épingles*

être très bien *habillé*

stretched out;
pins; dressed

QUATORZE
chercher midi à quatorze heures

chercher des difficultés
où il n'y en a pas

TRENTE ET UN
se mettre sur son 31

être très élégant

TRENTE-SIX, TRENTE-SIX MILLE

voir 36 *chandelles*

être «groggy»

candles

ne pas y aller par 36 *chemins*

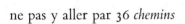

aller directement au *but*

paths; goal

le 36 du mois

jamais

36.000...

beaucoup, beaucoup...

QUATRE CENTS
faire les quatre cents *coups*

avoir une existence
très mouvementée

blows

MILLE
taper dans le mille

réussir; trouver la
bonne solution

TESTS DE CONTRÔLE
Chapitre deux

Écrivez vos réponses sur une feuille de papier. Puis, vérifiez vos réponses à la page 451.

VERBES

TEST 1. *Réunion d'artistes*

Vous êtes journaliste et vous assistez à une convention internationale d'artistes. Ces artistes disent d'où ils viennent et ce qu'ils font. Complétez les phrases avec (*a*) le verbe **venir,** (*b*) le verbe **faire.**

(*a*) **venir**

1. Nous —— d'Abidjan.
2. Vous —— de Québec.
3. Je —— de Paris.
4. Marc —— de San Francisco.
5. Tu —— de Berlin.
6. Michèle et Sophie —— de Moscou.

(*b*) **faire**

Nous —— de la poterie.
Vous —— des sculptures.
Je —— des films.
Il —— de la tapisserie.
Tu —— des portraits.
Elles —— des pastels.

TEST 2. *Avant les vacances*

Chacun finit ce qu'il a à à faire. Complétez les phrases avec la forme convenable du verbe **finir.**

1. Martine —— la leçon.
2. Mes amis —— leurs examens.
3. Je —— mon devoir.
4. Nous —— le problème.
5. Vous —— votre travail.
6. Tu —— ta préparation.

TEST 3. *Patience*

Chacun attend la fille ou le garçon avec qui il va sortir. Complétez les phrases avec (*a*) le verbe **attendre,** (*b*) le verbe **sortir.**

(*a*) **attendre**

1. J'—— Lise.
2. Nous —— Marc.
3. Tu —— Michèle.
4. Vous —— Hubert.
5. Marc —— Christine.
6. Philippe et Pierre —— mes cousines.

(*b*) **sortir**

Je —— avec elle.
Nous —— avec lui.
Tu —— avec elle.
Vous —— avec lui.
Il —— avec elle.
Ils —— avec elles.

TEST 4. *Contraires*

Voici certains verbes et leurs contraires. Ces verbes sont à l'infinitif. Écrivez le participe passé de ces verbes.

1. *a)* commencer: j'ai ——   *b)* finir: j'ai ——
2. *a)* réussir: j'ai ——   *b)* rater: j'ai ——
3. *a)* demander: j'ai ——   *b)* répondre: j'ai ——
4. *a)* acheter: j'ai ——   *b)* vendre: j'ai ——
5. *a)* aller: je suis ——   *b)* venir: je suis ——
6. *a)* obéir: j'ai ——   *b)* désobéir: j'ai ——

TEST 5. *Retour de vacances*

Un groupe de jeunes Français rentrent de vacances. Pour dire ou chacun a été, complétez les phrases avec le passé composé du verbe **visiter.**

1. Marc —— les États-Unis.
2. Suzanne —— le Canada.
3. Pierre et Jacques —— Rome.
4. Irène et Sylvie —— Moscou.
5. Nous —— Abidjan.
6. Vous —— Genève.
7. Tu —— la Tunisie.
8. J'—— l'Algérie.

TEST 6. *Le voyage de Pierre*

Pierre, un jeune Canadien, raconte son voyage en France. Complétez ses phrases avec **je suis** ou **j'ai.**

——(1) beaucoup voyagé. ——(2) arrivé à Paris le 10 juillet. ——(3) resté un jour dans cette ville. ——(4) visité les monuments. ——(5) monté à la Tour Eiffel. Le 12 juillet, ——(6) parti pour Biarritz. Là, ——(7) fait la connaissance d'une jeune Française très sympathique. ——(8) souvent sorti avec elle. ——(9) quitté Biarritz le 2 août. Puis ——(10) rentré à Québec.

STRUCTURE

TEST 7. *Questions et réponses*

Michèle pose certaines questions à un ami. Complétez les réponses de l'ami. Dans vos réponses, remplacez les mots en italique par le pronom qui convient.

1. Tu invites souvent *Suzanne?* Oui, je ——.
2. Tu invites *Marc?* Oui, je ——.
3. Tu trouves *Monique* jolie? Oui, je ——.
4. Tu trouves *Marc* sympathique? Non, je ——.
5. Tu invites souvent *tes cousins?* Non, je ——.
6. Tu téléphones *à tes grands-parents?* Oui, je ——.
7. Tu parles *à ton professeur?* Non, je ——.
8. Tu réponds *à ta cousine?* Non, je ——.
9. Tu sors avec *ton frère?* Oui, je ——.
10. Tu vas chez *tes amis?* Oui, je ——.
11. Tu vas souvent *au cinéma?* Oui, j' ——.
12. Tu dînes souvent *au restaurant?* Non, je ——.

TEST 8. *Les cousins de Michèle*

Michèle parle de ses cousins. Complétez les phrases avec l'un des pronoms suivants: **ils, les, leur, eux.**

——(1) et moi, nous ne sommes jamais d'accord. Par exemple, quand je veux sortir, ——(2) préfèrent rester chez ——(3). Quand je veux rester à la maison, ——(4), ——(5) veulent sortir. Je ——(6) trouve absolument impossibles. Voilà pourquoi je ne ——(7) invite jamais. Je ne ——(8) téléphone jamais. Je ne ——(9) parle plus et je ne sors jamais avec ——(10).

TEST 9. *Le portrait de Philippe*

Michèle parle de son ami Philippe. Complétez ses phrases avec **Il est** ou **C'est.**

1. —— un ami.
2. —— un bon copain.
3. —— sympathique.
4. —— très généreux.
5. —— un élève indiscipliné.
6. Aujourd'hui —— à Grenoble.

VOCABULAIRE

TEST 10. *Le suivant*

Écrivez le nombre, l'heure, le jour, le mois et la saison qui suivent chacune des expressions suivantes.

MODÈLE: un ——   *votre papier:* <u>deux</u>

1. neuf ——
2. quinze ——
3. vingt ——
4. deux heures ——
5. onze heures du matin ——
6. lundi ——
7. jeudi ——
8. janvier ——
9. mars ——
10. juin ——
11. octobre ——
12. le printemps ——

TEST 11. *Le mot exact*

Complétez les phrases avec l'un des mots entre parenthèses.

1. Un voyageur a souvent des ——. (valises / devoirs)
2. Est-ce que vous avez de la —— pour moi dans votre voiture? (place / route)
3. Pour les Américains, les Français sont des ——. (élèves / étrangers)
4. —— cette personne qui vous a aidés. (Remplacez / Remerciez)
5. Ce professeur —— le français. (enseigne / constate)
6. Je ne suis pas patient. Je n'aime pas ——. (attendre / entendre)
7. Je vais —— mes amis à la surprise-partie. (amener / apporter)
8. —— à ce problème. (Perdez / Réfléchissez)
9. J'ai —— à mes examens parce que j'ai travaillé. (réussi / choisi)
10. Je —— en vacances le 20 juin. (sors / pars)

Images du monde français

INTRODUCTION

New York

Dans le bâtiment° des Nations Unies, deux diplomates discutent de la situation internationale. L'un de ces diplomates est tunisien. L'autre vient du Cambodge.°

Dakar

A l'université, un professeur fait un cours de littérature. Ses étudiants viennent de différents pays africains.

Québec

Dans un bureau d'Air Canada, une jeune fille achète un billet d'avion° pour Paris.

Papeete

Une jeune tahitienne accueille° un groupe de touristes venus de France.

Genève

Un banquier° suisse téléphone à un banquier de Bruxelles, en Belgique.

Dans ces cinq situations, les acteurs sont très différents. Pourtant° la langue qu'ils parlent est la même.° Cette langue, c'est le français. Le français n'est pas la langue exclusive d'un pays ou d'une culture. Au contraire! Dans le monde moderne, on parle français sur tous° les continents: en Europe, bien sûr, mais aussi en Afrique, en Amérique, en Asie, et en Océanie.°

Les «Images du monde français» de ce livre reflètent° précisément la diversité de culture des francophones (les personnes qui parlent français). Chacune° de ces «Images» contient un «portrait d'hier» et un «portrait d'aujourd'hui». Le «portrait d'hier» présente un personnage historique. Le «portrait d'aujourd'hui» présente une interview avec un garçon ou une fille de votre âge.

bâtiment building; **Cambodge** Cambodia; **billet d'avion** airplane ticket; **accueille** welcomes; **banquier** banker; **Pourtant** However; **même** same; **tous** all; **Océanie = les îles du Pacifique Sud; reflètent** reflect; **Chacune** Each one

82

JACQUES CARTIER 1491-1557

Un peu d'histoire

1776. Un bateau° américain arrive dans le port d'Auray° en France. A son bord,° il y a l'ambassadeur des États-Unis. C'est un vieil homme. Vous le connaissez certainement: il s'appelle Benjamin Franklin. Grâce à° ses efforts, la France et les États-Unis vont signer en 1778 un «Traité° d'amitié° et de commerce». C'est un document très important. C'est la première fois, en effet, qu'un pays° reconnaît° officiellement l'existence de la jeune république américaine. Historiquement, ce traité marque le début° de la longue amitié qui unit° la France et les États-Unis.

La présence française sur le continent américain est très ancienne. En 1534, Jacques Cartier, un marin° français, explore le Saint-Laurent. Cent ans plus tard,° les premiers colons° arrivent au Canada et fondent° la «Nouvelle-France». Les descendants de ces colons, les Canadiens

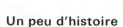

français, sont aujourd'hui huit millions. Ils parlent toujours° français.

En 1682, La Salle, un explorateur français parti° du Canada, descend le Mississippi et arrive à l'emplacement° actuel° de la Nouvelle-Orléans. Il donne à la région du Mississippi le nom de Louisiane, en l'honneur du roi° de France, Louis XIV. En 1803, la France vend la Louisiane aux États-Unis, mais la majorité des colons français restent en Amérique. Aujourd'hui, la culture française est encore visible en Louisiane. Dans un certain nombre de familles, par exemple, on parle encore français. En fait, le français est considéré comme la seconde langue de la Louisiane.

bateau boat, ship; **Auray** small fishing village in Brittany; **A son bord** On board; **Grâce à** Thanks to; **Traité** Treaty; **amitié** *f.* friendship; **pays** country; **reconnaît** recognizes; **début** = commencement; **unit** unites; **marin** sailor; **plus tard** later; **colons** colonists; **fondent** found; **toujours** = encore; **parti** = qui est parti; **emplacement** *m.* = endroit *m.*; **actuel** = d'aujourd'hui; **roi** king

Entrevue de la Fayette avec Franklin à Paris avant son départ pour l'Amérique
1777.

À PROPOS DU TEXTE

Questions de fait

1. En 1776, qui est l'ambassadeur des États-Unis en France?
2. Quel est le document signé par la France et les États-Unis en 1778?
3. Pourquoi ce document est-il important pour les Américains?
4. Comment s'appelle le marin français qui a exploré le premier le Saint-Laurent?
5. Qu'est-ce que c'est que la « Nouvelle-France »?
6. Combien y a-t-il de Canadiens français?
7. Comment s'appelle l'explorateur qui a descendu le Mississippi en 1682?
8. Quelle est l'origine du nom « Louisiane »?
9. Comment la Louisiane est-elle devenue américaine?

Sujets de discussion

1. Êtes-vous plutôt pro-français ou anti-français? Expliquez pourquoi.
2. Est-ce que le français est une langue utile? Expliquez votre réponse.

PROJETS CULTURELS

Projet de classe

Préparez une exposition sur la Nouvelle-Orléans. Utilisez des cartes postales, des photos, des brochures touristiques, etc.

Projets individuels

1. *Préparez un bref exposé sur l'un des explorateurs français suivants: La Salle, Joliet, Champlain, Marquette, Duluth.*
2. *Préparez une liste de quinze villes américaines dont le nom est d'origine française.*
3. *Préparez un bref exposé où vous expliquerez l'histoire de la Statue de la Liberté.*

Portrait d'hier : un idéaliste—
le marquis de La Fayette (1757–1834)

1777. Voilà deux ans que° les Américains se sont révoltés contre° les Anglais. Pour l'Armée Continentale, la guerre° a mal commencé. Il y a eu des batailles° et des défaites.° Le 11 septembre, les Anglais ont attaqué les troupes de Washington à Brandywine, près de Philadelphie. C'est une autre défaite. Il y a beaucoup de morts,° beaucoup de blessés° dans le camp américain. Parmi° les blessés, il y a un général. C'est un très jeune homme. Il vient d'avoir vingt ans. Il s'appelle La Fayette.

Qui est ce jeune La Fayette? Un aventurier? Certainement! Mais c'est surtout un idéaliste. La Fayette est un aristocrate français. Il est issu° d'une famille noble très illustre° et très riche. En France, il pouvait° faire une carrière° très brillante dans l'armée, dans la diplomatie ou dans la politique. Il a préféré se battre° aux côtés des° Américains — «pour la liberté»!

Un jour, en effet, il a entendu parler de° la Révolution américaine. Il a pris contact avec Benjamin Franklin, l'ambassadeur américain à Paris. Il a alors décidé de rejoindre les patriotes américains, de combattre avec eux. Cela n'a pas été facile. Sa famille, ses amis sont opposés à ce projet. Le roi° Louis XVI lui interdit° de partir. Que faire? La Fayette est un jeune homme déterminé. Il a de l'imagination, et, heureusement,° beaucoup d'argent.° Il s'échappe° de France, arrive en Espagne, achète un bateau qu'il nomme «La Victoire», s'embarque° et arrive aux États-Unis le 13 juin 1777. Le 31 juillet, le Congrès le nomme général. Le 11 septembre, le voilà° à Brandywine où il est blessé!

Après la bataille, Washington rend visite à son jeune général. Ils deviennent amis. Pendant° quatre ans, La Fayette va prendre part à tous les combats,° à toutes les opérations importantes de la guerre d'Indépendance. Il sera à Valley Forge, à Yorktown . . . La Fayette n'est pas seulement° un courageux soldat. C'est aussi un habile° diplomate. Il rentre en France en 1779 pour défendre la cause des Américains. Grâce à ses efforts le roi décide d'envoyer° une armée de 10.000 hommes et une flotte.° Cette armée et cette flotte assureront la victoire de Washington pendant la campagne° de Yorktown.

La guerre finie, La Fayette rentre en France en 1782. Immensément populaire, il va jouer un rôle important dans la Révolution française qui commence en 1789. La Fayette n'oubliera pas les États-Unis et les Américains ne l'oublieront pas. En 1824, il reviendra aux États-Unis comme hôte° de la nation américaine. Ce sera un voyage triomphal. Depuis,° son nom symbolise l'amitié franco-américaine. Un groupe d'aviateurs américains volontaires s'illustrera° pendant la Première Guerre mondiale° sous le nom d'Escadrille° La Fayette.

Voilà . . . que It has been . . . since; **se sont révoltés contre** revolted against; **guerre** war; **batailles** *f.* battles; **défaites** *f.* defeats; **morts** dead; **blessés** wounded; **Parmi** Among; **issu** = **fils**; **illustre** famous; **pouvait** could; **carrière** career; **se battre** fight; **aux côtés des** = **avec**; **entendu parler de** heard of; **roi** king; **interdit** forbids; **heureusement** fortunately; **argent** *m.* money; **s'échappe** escapes; **s'embarque** = **part**; **le voilà** there he is; **Pendant** During; **combats** *m.* = **batailles** *f.*; **seulement** only; **habile** skillful; **envoyer** to send; **flotte** fleet; **campagne** = **bataille**; **hôte** *m.* guest; **Depuis** Since then; **s'illustrera** will become famous; **Première Guerre mondiale** World War I; **Escadrille** Squadron

À PROPOS DU TEXTE

Questions de fait

1. Quelle est la date de la bataille de Brandywine?
2. Pour les Américains, est-ce que cette bataille a été une victoire ou une défaite?
3. Qui commandait les troupes américaines?
4. Quel général a été blessé?
5. Quel âge avait ce jeune général?
6. Quelle était l'origine sociale de La Fayette?
7. Avec quel Américain a-t-il pris contact en France?
8. Comment a-t-il fait pour aller aux États-Unis?
9. Comment s'appelait le bateau qu'il a pris?
10. A quelles batailles La Fayette a-t-il participé?
11. Pourquoi est-il rentré en France en 1779?
12. Quel a été le résultat de ce voyage?
13. Qu'est-ce que La Fayette a fait après la Révolution américaine?
14. Qu'est-ce que c'est que l'Escadrille La Fayette?

Sujets de discussion

1. Êtes-vous idéaliste? Expliquez votre réponse.
2. Aimeriez-vous faire une carrière dans l'armée? Pourquoi ou pourquoi pas?

PROJETS CULTURELS

Projet de classe

Préparez une exposition «La Fayette». Utilisez, par exemple, des portraits de La Fayette, des timbres ou des photos de monuments honorant La Fayette, etc.

Projets individuels

1. *Préparez une liste des villes et des villages américains nommés en l'honneur de La Fayette (par exemple, Lafayette, Fayette, Fayetteville, etc.). Dites dans quels états ces villes et ces villages sont situés.*
2. *Préparez un bref exposé sur le général Rochambeau et l'amiral de Grasse, deux héros français de la Révolution.*
3. *Faites un plan de la bataille de Yorktown, montrant l'emplacement des troupes et de la flotte françaises.*

**Portrait d'aujourd'hui:
Bernadette Robitaille**

Voici une interview avec une jeune Canadienne française, Bernadette Robitaille.

JEAN-PAUL: Tu t'appelles Bernadette?

BERNADETTE: Oui, Bernadette Robitaille.

JEAN-PAUL: C'est un nom très français. D'où viens-tu?

BERNADETTE: Mes parents habitent à Mont Joli. Tu connais?

JEAN-PAUL: Non.

BERNADETTE: C'est une petite ville de la Gaspésie. Mes ancêtres sont venus s'y installer° il y a° trois cents ans. Ils venaient° de la Normandie, comme la plupart° des gens° qui se sont installés° dans la région.

JEAN-PAUL: Est-ce qu'on parle toujours français dans la région?

BERNADETTE: Bien sûr! En fait, la plupart des habitants de la Gaspésie ne parlent que° le français. Mes grands-parents et mon père, par exemple.

JEAN-PAUL: Et toi?

BERNADETTE: Moi, je suis bilingue.°

JEAN-PAUL: Qu'est-ce que tu fais?

BERNADETTE: Je suis secrétaire. Je travaille dans une agence de voyages à Montréal.

JEAN-PAUL: Qu'est-ce que tu penses du mouvement «Québec libre°»?

BERNADETTE: J'ai des amis qui sont très militants. Ils voudraient° que la province de Québec devienne° indépendante. Personnellement, je ne crois pas que ce soit° une solution. Je ne vois pas comment le Québec pourrait survivre° économiquement. Cependant,° je pense que nous, les Canadiens français, nous devons maintenir° notre individualité.

JEAN-PAUL: Comment?

BERNADETTE: En préservant notre culture, en gardant° nos traditions et surtout en conservant° notre langue.

JEAN-PAUL: Dans un pays où l'anglais est la langue dominante, cela doit être difficile pour les Canadiens français de maintenir la pureté de leur langue.

BERNADETTE: C'est vrai, c'est difficile. Mais c'est possible. Nous avons adopté beaucoup de mots° anglais, mais maintenant nous voulons remplacer ces mots par des mots français. Et je crois que nous avons fait d'énormes° progrès dans ce sens.°

JEAN-PAUL: As-tu l'intention d'aller en France?

BERNADETTE: Oui, bien sûr. J'adore voyager, mais je ne voudrais pas° aller spécialement° en France.

JEAN-PAUL: Je ne comprends pas ta réponse.

BERNADETTE: Je veux dire° que ce n'est pas parce que je suis canadienne française que je suis nécessairement pro-française. Si je vais en Europe, j'irai certainement en France. Mais, je voudrais également° voyager dans d'autres pays. En Grèce ou en Yougoslavie, par exemple . . .

---

s'installer to settle; il y a ago; venaient came; la plupart = la majorité; gens *m.* = personnes *f.*; se sont installés settled; ne . . . que only; je suis bilingue = je parle deux langues; libre free; voudraient would like; devienne become; soit is; pourrait survivre could survive; Cependant = mais; maintenir maintain; gardant keeping; conservant = gardant; mots *m.* words; d'énormes = beaucoup de; ce sens = cette direction; ne voudrais pas wouldn't like; spécialement = en particulier; veux dire mean; également = aussi

À PROPOS DU TEXTE

Questions de fait

1. Quelle est la nationalité de Bernadette?
2. Où habitent ses parents?
3. De quelle région de France ses ancêtres sont-ils venus?
4. Quelle langue parle-t-on en Gaspésie?
5. Quelles langues Bernadette parle-t-elle?
6. Où travaille-t-elle?
7. Que signifie «Québec libre»?
8. D'après Bernadette, comment les Canadiens français doivent-ils maintenir leur individualité?
9. Est-ce que Bernadette pense aller en France?
10. Où ira-t-elle si elle va en Europe?

Sujets de discussion

1. D'où viennent vos ancêtres? De quels pays? De quelles villes? Quelles langues parlaient-ils (*did they speak*)? Est-ce que vos parents parlent une autre langue que l'anglais? Quelle langue?
2. Où voudriez-vous voyager? Quels pays et quelles villes aimeriez-vous visiter? Pourquoi?

PROJETS CULTURELS

Projets de classe

1. *Préparez une exposition sur la province de Québec. Utilisez des cartes postales, des photos, des brochures touristiques, etc. Remarquez l'usage de la langue française: noms de rues, magasins, hôtels, etc.*
2. *Préparez une exposition de timbres canadiens.*

Projets individuels

1. *Prenez votre atlas et préparez une liste de vingt villes canadiennes dont le nom est d'origine française. Si possible, expliquez la signification de ces noms.*
2. *Préparez une liste de joueurs de hockey d'origine canadienne française.*
3. *Préparez un bref exposé où vous décrirez (describe) l'histoire de la ville de Québec.*
4. *Préparez un bref exposé où vous décrirez l'histoire de la ville de Montréal.*

Chapitre trois

LES CINQ SURPRISES DE PAUL ET DE DAVID

3.1 *PREMIÈRE SURPRISE*

31 octobre

Paul et David sont deux jeunes Américains qui passent une année à Paris. Ils sont arrivés en octobre et, maintenant, ils *suivent les* cours de l'Alliance Française. Un jour, Paul voit l'annonce suivante:

= *vont aux*

> *jeudi, 3 novembre*
> *à 21 heures, grand bal international*
> *dans les salons de l'Alliance Française*
>
> *Les élèves et leurs amis sont invités.*

bal dance

salons halls

PAUL: Allons à cette *soirée*. Ce sera amusant!

= *bal*

DAVID: Tu sais bien que je déteste danser.

PAUL: Moi aussi, mais *cela n'a pas d'importance.*

that doesn't matter

DAVID: Nous ne connaissons *pratiquement* personne à Paris.

= *presque*

PAUL: Eh bien, je suis sûr qu'il y aura beaucoup de *monde* à ce bal. Nous *ferons la connaissance* de jeunes Français. Tu verras, nous passerons une très bonne soirée.

= *personnes*

will meet

DAVID: D'accord! Allons-y!

Questions

1. Quand est-ce que Paul et David sont arrivés à Paris?
2. Où étudient-ils?
3. Est-ce qu'ils aiment danser?
4. Pourquoi vont-ils au bal?

3 novembre

Paul et David viennent d'entrer dans le grand salon de l'Alliance Française.
Une jeune fille remarque Paul.

LA JEUNE FILLE *(en elle-même)*: Tiens, voilà un garçon que je connais!
Mais où est-ce que j'ai vu cette *tête-là*...? Ah oui, maintenant je sais! *(La jeune fille va vers Paul.)* Vous êtes bien
américain, n'est-ce pas?

en elle-même to herself
= *personne-là*

PAUL *(un peu surpris)*: Oui.

LA JEUNE FILLE: Vous habitez Boston?

PAUL *(encore plus surpris)*: Oui.

LA JEUNE FILLE: Et vous êtes le frère de Christine?

PAUL *(de plus en plus surpris)*: Euh, oui... Mais... Est-ce que
je vous ai déjà rencontrée?

de plus en plus more and more

LA JEUNE FILLE: Vous ne m'avez jamais rencontrée.

PAUL: Alors, comment savez-vous qui je suis?

LA JEUNE FILLE: C'est très simple. Je suis la *correspondante* française de
votre sœur Christine. *(Il y a* longtemps qu'elle ne m'a pas
écrit, la *coquine!)* Un jour, elle m'a *envoyé* des photos de
votre famille. Voici comment je vous connais, *sans vous
avoir rencontré.*

pen pal
= *Cela fait*
rascal; sent
without having met you

PAUL: Quelle coïncidence extraordinaire! Vous êtes Colette
Charron, je suppose?

LA JEUNE FILLE: Exactement!

Questions

1. Qui remarque Paul?
2. Comment s'appelle la sœur de Paul?
3. Comment s'appelle la jeune fille qui parle à Paul?

Paul présente David à Colette et Colette présente les deux garçons à ses amis. A la *fin* de la soirée, Colette décide d'inviter ses nouveaux amis américains.

end

COLETTE: Vous êtes *libres mardi en huit?*

free; a week from Tuesday

PAUL: Oui, bien sûr.

COLETTE: Alors, je vous invite pour cette date. Venez chez moi à midi. Nous déjeunerons ensemble. Je vous *préviens:* je vous pré-parerai un repas très simple. Et *ensuite* nous irons *faire un tour au* Quartier Latin. D'accord?

warn
= puis; = visiter le

DAVID: D'accord!

PAUL: Au fait, quelle est votre adresse?

COLETTE: J'habite un modeste studio au 125, rue de Sèvres. Au revoir, et à bientôt.

PAUL: A bientôt!

DAVID: A bientôt et merci!

Questions

1. A qui Colette présente-t-elle Paul et David?
2. Qui invite-t-elle?
3. Que vont-ils faire après le déjeuner?
4. Expliquez la première surprise de Paul et de David.

1. L'Alliance Française

L'Alliance Française est une organisation internationale pour l'enseignement° de la langue et de la culture françaises. C'est la plus grande école de français du monde. Elle a 200.000 élèves, en France et à l'étranger. Aux États-Unis, l'Alliance Française a des écoles à New York, à San Francisco, à Chicago et dans d'autres villes.

2. Le Quartier Latin

Le Quartier Latin est le quartier° des étudiants à Paris. C'est un quartier très animé°.

enseignement *m.* teaching; **quartier** section, district; **animé** full of life

Au Quartier Latin

ÉTUDE DE MOTS

Petit vocabulaire

NOMS:	un **correspondant** *pen pal*	une **correspondante** *pen pal* (f.)
	un **studio** *studio apartment*	une **fin** *end*
		une **soirée** *evening; party*
ADJECTIF:	**libre** *free*	
VERBE EN **-er**:	**remarquer** *to notice*	
VERBE IRRÉGULIER:	**prévenir** *to warn* (comme **venir**)	
EXPRESSIONS:	**à bientôt** *see you soon*	**ensuite** *then, afterwards*
	bien *indeed, definitely*	**faire un tour** *to go for a walk, drive*
	ensemble *together*	**longtemps** *(for) a long time*

NOTES DE VOCABULAIRE

1. **Bien.** An adjective or adverb may be stressed by placing **bien** in front of it.

   Tu es **bien** français, n'est-ce pas?　　*You are **French**, aren't you?*
   Et tu habites **bien** ici?　　*An you do live **here**?*

2. **A bientôt.** As you leave someone in France, you mention when you expect to see him again, using a phrase constructed as follows:

   > **à** + expression of time

   For example, **au revoir** means:

   à (*until*) + **le revoir** (*the next time we see each other again*)

95

Vocabulaire spécialisé: Quand on quitte quelqu'un . . .

à	**tout à l'heure**	*see you in a little while*
à	**bientôt**	*see you soon (within the next few days)*
à +	(l'heure)	*see you (at a certain time)*
	à midi	*see you at noon*
	à une heure et demie	*see you at one thirty*
à +	(partie de la journée)	*see you (at a certain time of day)*
	à cet après-midi	*see you this afternoon*
	à ce soir	*see you tonight*
à +	(jour de la semaine)	*see you (on a certain day)*
	à demain	*see you tomorrow*
	à lundi	*see you Monday*
	à mardi prochain	*see you next Tuesday*
	à mardi en huit	*see you a week from Tuesday*
	à Noël	*see you at Christmas*
au +	(nombre)	*see you (on a certain date)*
	au 24	*see you on the 24th*

Activité 1. **Un carnet bien rempli** (*a busy agenda*)

Nous sommes le 12 novembre, à onze heures du matin. David vient de téléphoner à ses amis. Il a donné rendez-vous à chacun et noté la date dans son carnet. Dites comment David a terminé sa conversation avec chaque ami.

MODÈLE: Caroline: midi 45   David: **A midi quarante-cinq!** (ou: **A tout à l'heure!**)

1. Christian: deux heures cet après-midi
2. Jacques: neuf heures du soir
3. Florence: vendredi prochain
4. Jean-Pierre: le 29 novembre
5. Mathieu: le 2 décembre
6. Robert: le 28 novembre
7. Jean-Luc: le 13 novembre
8. Gisèle: dimanche

ÉTUDE DE PRONONCIATION

Les voyelles nasales /ɛ̃/ et /œ̃/

The letters **in, im, yn, ym, ain, aim, (i)en** represent the nasal vowel /ɛ̃/, except when followed by a vowel or another **n** or **m.**

Prononcez: f<u>in</u>   b<u>ien</u>   v<u>ien</u>s   b<u>ien</u>tôt   s<u>im</u>ple   améric<u>ain</u>   s<u>ym</u>pathique

The letters **un** and **um** represent the nasal vowel /œ̃/, except when followed by a vowel or another **n** or **m.** (Many Frenchmen pronounce **un** as /ɛ̃/.)

Prononcez: <u>un</u>   br<u>un</u>   j<u>un</u>gle

Mart<u>in</u> va <u>in</u>viter <u>un</u> cous<u>in</u> améric<u>ain</u>.
Dem<u>ain</u> mat<u>in</u> je vais au Quartier Lat<u>in</u> avec <u>un</u> ami canad<u>ien</u>.

ÉTUDE DE LANGUE

A. Révisons: LES VERBES *CONNAÎTRE* ET *SAVOIR*

Both **connaître** and **savoir** are equivalents of the English verb *to know*. Both are irregular. Note how the two verbs are used in the sentences below.

Infinitive	**connaître**	
Present	je connais	Je **connais** David.
	tu connais	**Connais-**tu Paul?
	il/elle connaît	Colette **connaît** sa sœur.
	nous connaissons	Nous la **connaissons** aussi.
	vous connaissez	**Connaissez-**vous mes amis?
	ils/elles connaissent	Ils **connaissent** bien Paris.
Passé composé	j' ai **connu**	J'**ai connu** un garçon très sympathique.

Infinitive	**savoir**	
Present	je sais	Je **sais** qui est Colette.
	tu sais	**Sais-**tu où elle habite?
	il/elle sait	Elle **sait** que Paul est américain.
	nous savons	Nous ne **savons** pas où il est.
	vous savez	**Savez-**vous si David est américain?
	ils/elles savent	Ils ne **savent** pas danser.
Passé composé	j' ai **su**	Je n'**ai** pas **su** pourquoi il n'est pas venu.

Connaître means *to know* in the sense of "to be acquainted with" or "familiar with." **Connaître** cannot stand alone. It is used with nouns designating people, places, or objects, and with pronouns replacing those nouns.

> Je **connais** Colette.
> Paul ne **connaît** pas bien Paris.

Savoir means *to know* by experience or by study. **Savoir** may stand alone or it may be followed by:

a clause	Je **sais** où (pourquoi, comment, quand . . .) il travaille.
an infinitive	Je **sais** parler français.
a noun (lesson, fact, etc.)	Je ne **sais** pas la leçon.

Note the following constructions:

Je **sais que** vous êtes américain.	*I **know** (that) you are American.*
Je **ne sais pas si** vous parlez français.	*I **don't know whether** you speak French.*

Activité 2. **Savoir ou connaître?**

David demande certains renseignements (*information*) sur Colette à Paul. Jouez le rôle de David. Pour cela, complétez les phrases avec la forme correcte de **savoir** ou de **connaître.**

1. Est-ce que tu —— Colette?
2. Est-ce que tu —— ses parents?
3. Est-ce que tu —— où elle habite?
4. Est-ce que tu —— si elle parle anglais?
5. —— -tu ses amis?
6. —— -tu si elle aime danser?
7. Est-ce qu'elle —— ta sœur?
8. Est-ce qu'elle —— jouer au tennis?

Activité 3. **Questions personnelles: votre meilleur ami**

Parlons de votre meilleur ami . . .

1. Connaissez-vous son adresse?
2. Connaissez-vous son numéro de téléphone?
3. Savez-vous quand il est né?
4. Savez-vous où il est né?
5. Connaissez-vous son père? sa mère? ses frères? ses sœurs?
6. Savez-vous où son père travaille?
7. Connaissez-vous ses passe-temps préférés?
8. Savez-vous ce qu'il fait le week-end?

B. Révisons: LE FUTUR

The future tense in French is a simple tense: it consists of only one word. The French future has several English equivalents:

Nous **visiterons** Paris demain.
$\begin{cases} \textit{We \textbf{will visit} Paris tomorrow.} \\ \textit{We \textbf{shall visit} Paris tomorrow.} \\ \textit{We \textbf{will be visiting} Paris tomorrow.} \end{cases}$

Review the future tense of the verb **voyager** (*to travel*), paying special attention to the endings.

Infinitive	**voyager**			
Future	je	voyager**ai**	nous	voyager**ons**
	tu	voyager**as**	vous	voyager**ez**
	il/elle	voyager**a**	ils/elles	voyager**ont**

As with other simple tenses, the forms of the future consist of a stem and an ending. The future endings (in heavy type above) are the same for all verbs.

The future stem is:

(*a*) the infinitive (for most verbs in **-er** and **-ir**):

> **parler** je **parler**ai
> **finir** je **finir**ai

(*b*) the infinitive minus **-e** (for all verbs in **-re**, except **être** and **faire**):

> **répondre** je **répondr**ai
> **connaître** je **connaîtr**ai

Activité 4. **A Paris**

Colette et ses amis vont visiter Paris. Dites ce que chacun visitera.

MODÈLE: David (la Tour Eiffel)   David visitera la Tour Eiffel.

1. Paul (Notre-Dame)
2. Irène (un musée)
3. Sophie et Nathalie (le Louvre)
4. Pierre et Jacques (les magasins)
5. Nous (les Invalides)
6. Vous (le Musée d'Art Moderne)
7. Moi (le Quartier Latin)
8. Toi (une discothèque)

Activité 5. **Expression personnelle**

Posez à un(e) camarade des questions sur ses projets d'été. Utilisez les verbes suivants dans des questions à réponse affirmative ou négative (1–5), et dans des questions d'information (6–10).

MODÈLES: voyager   Vous: **Est-ce que tu voyageras?**

Votre camarade: **Oui, je voyagerai.**

ou: **Non, je ne voyagerai pas.**

(où) travailler   Vous: **Où est-ce que tu travailleras?**

Votre camarade: **Je travaillerai dans un magasin.**

1. travailler
2. étudier
3. jouer au tennis
4. sortir
5. rester chez toi
6. (quelles villes) visiter
7. (qui) inviter
8. (avec qui) sortir
9. (à qui) rendre visite
10. (quand) rentrer

C. Révisons: FUTURS IRRÉGULIERS

The following verbs have irregular future stems. The future endings, however, are regular.

aller	**ir–**	Où **irez**-vous
avoir	**aur–**	Nous n'**aurons** pas d'argent?
être	**ser–**	Je **serai** à Paris.
faire	**fer–**	**Feras**-tu de l'auto-stop?
savoir	**saur–**	Quand **sauras**-tu la date des vacances?
venir	**viendr–**	Nous **viendrons** chez toi.

Activité 6. **Projets**

Paul, David et leurs amis font des projets de voyage. Chacun dit où il ira. Chacun dit aussi qu'il fera de l'auto-stop.

MODÈLE: Moi (à Nice)   **J'irai à Nice. Je ferai de l'auto-stop.**

1. Toi (à Lyon)
2. Jacques (à Genève)
3. Hélène (en Espagne)
4. Louis et Philippe (en Allemagne)
5. Nous (à Toulon)
6. Vous (à Paris)
7. Moi (en Italie)
8. Marc et Denis (en Roumanie)

Activité 7. **Questions personnelles**

1. Où irez-vous cet été?
2. Ferez-vous du stop?
3. Ferez-vous du camping?
4. Aurez-vous de l'argent?

5. Est-ce que vos cousins viendront chez vous?
6. Serez-vous toujours chez vous?
7. Quand saurez-vous si vous voyagerez?
8. Que ferez-vous après les vacances?

A votre tour

Après l'école

Dites ce que vous avez l'intention de faire après l'école en un paragraphe de dix phrases. Vous pouvez utiliser les verbes suivants:

aller / être / faire / avoir / travailler / voyager / habiter / étudier / visiter / rester / trouver / rencontrer / sortir / finir / réussir / attendre

EXEMPLE: J'irai probablement à l'université. Mais je n'irai pas immédiatement après la *high school*. D'abord je voyagerai...

Paris: avenue des Champs-Élysées

Notre-Dame de Paris et la Seine

3.2 *DEUXIÈME SURPRISE*

8 novembre

A midi, Paul et David arrivent au 125, rue de Sèvres. Paul regarde son *carnet* d'adresses. Oui, c'est bien ici qu'habite leur nouvelle amie. David va parler à la concierge de *l'immeuble*.

= *petit livre*
building

> DAVID: L'appartement de Mademoiselle Charron, *s'il vous plaît?*
> LA CONCIERGE: C'est au *cinquième à droite*.

please

= *cinquième étage*
(floor); on the right

Les deux garçons comptent les étages.

> PAUL: Deux, trois, quatre, cinq... Nous y sommes!

David *sonne*, mais il n'y a pas de réponse.

rings

> PAUL: Sonne *encore une fois*.

once more

David sonne une fois, deux fois, trois fois... Pas plus de réponse que la première fois.

> DAVID: C'est pourtant bien ici l'appartement de Colette. Regarde! Son nom est même écrit sur la porte: «C. Charron». Est-ce qu'elle nous a oubliés?
> PAUL: Tiens, il y a une enveloppe *sous le tapis!* C'est probablement pour nous.
> DAVID: Oui, ouvre-la!

under; rug

Paul ouvre l'enveloppe. Dans cette enveloppe il y a les *clés* de l'appartement. Il y a aussi la note *suivante:*

keys
following

Chers amis,
    Excusez-moi de ne pas être ici. Ce matin j'ai reçu une convocation de la Préfecture de Police. Une histoire idiote de contravention mais qui, hélas, m'oblige à m'absenter.
    Entrez et faites comme chez vous. Vous trouverez le déjeuner tout préparé. Surtout, ne m'attendez pas. Je rentrerai à trois heures.
    Cordialement,
        CC

received

summons

ticket; = *être absente*

make yourselves at home
= *complètement*

Questions

1. A quelle adresse habite Colette?
2. Qu'est-ce que David demande à la concierge?
3. Qu'est-ce que Paul trouve sous le tapis?
4. Qu'est-ce qu'il y a dans l'enveloppe?
5. Expliquez la deuxième surprise de Paul et de David.

NOTES CULTURELLES

1. La concierge

Vous rencontrerez cette personne dans beaucoup d'immeubles parisiens. Elle habite une chambre ou un petit appartement au rez-de-chaussée. C'est elle qui distribue le courrier° et qui nettoie° les escaliers ... Son rôle est d'assurer l'ordre dans l'immeuble. Elle aime parler et faire parler°. Elle connaît beaucoup de chosés sur° les personnes qui habitent son immeuble. Attention! Si un jour vous habitez à Paris, il est préférable que vous soyez° en bons termes avec votre concierge.

2. La Préfecture de Police

La Préfecture de Police est le bureau central de la police à Paris.

courrier mail; **nettoie** cleans; **faire parler** to make others talk; **sur** about; **soyez** be

ÉTUDE DE MOTS

Petit vocabulaire

NOM:	une **réponse**	*answer*
VERBES EN **-er**:	**compter**	*to count*
	obliger	*to oblige, force*
	sonner	*to ring*
VERBE IRRÉGULIER:	**ouvrir**[1]	*to open*
EXPRESSIONS:	**à droite**	*on the right, to the right*
	à gauche	*on the left, to the left*
	même	*even*
	pourtant	*however, nevertheless; and yet, still*

[1] In the present tense, **ouvrir** follows the pattern of the **-er** verbs: **j'ouvre, tu ouvres, il ouvre, nous ouvrons, vous ouvrez, ils ouvrent.**

le clochard - bum

Vocabulaire spécialisé: la résidence

un **appartement**	apartment	une **clé**	key
un **escalier**	staircase	une **fenêtre**	window
un **étage**	floor	une **maison**	house
un **garage**	garage	une **maison particulière**	private house
un **immeuble**	building, apartment house	une **porte**	door
un **jardin**	garden		
le **rez-de-chaussée**	ground floor		
un(e) **concierge**	concierge; building superintendent		

Activité 1. *Questions personnelles*

1. Quelle est votre adresse?
2. Habitez-vous une maison particulière ou un immeuble?
3. Préférez-vous habiter une maison particulière ou un immeuble? Pourquoi?
4. Combien y a-t-il d'étages dans votre maison (votre immeuble)?
5. Est-ce qu'il y a un jardin?
6. Est-ce qu'il y a un garage?
7. Avez-vous la clé de votre maison (votre appartement)?
8. Si vous habitez un immeuble, est-ce qu'il y a un concierge? Comment s'appelle-t-il?

ÉTUDE DE PRONONCIATION

Les voyelles /o/ et /ɔ/

As you pronounce /o/ keep your lips tightly rounded and your mouth position tense. The French /o/ does not glide like the English *o* in *go*. The sound /ɔ/ is pronounced somewhat like the *o* in the English word *model*, but it is shorter and more tense.

Contrastez: /o/ au beau nos vos studio piano idiot
Dans mon studio, il y a une radio et un beau piano.

/ɔ/ Colette Paul oblige notre votre porte
enveloppe idiote sommes sonne encore Monique
Paul sonne encore à la porte de Colette.

ÉTUDE DE LANGUE

A. Révisons: LES DÉTERMINATIFS POSSESSIFS

Like all French determiners, the possessives agree in gender and number with the nouns they introduce.

Voici **un** appartement.	C'est **mon** appartement.
Voici **une** voiture.	C'est **ma** voiture.
Voici **des** clés.	Ce sont **mes** clés.

Review the possessive determiners in the chart below:

THE OWNER	THE POSSESSIVE DETERMINER			ENGLISH EQUIVALENT
	before a singular noun		before a plural noun	
	Masculine	*Feminine*		
je **tu** **il, elle, on**	**mon** **ton** **son**	**ma (mon)*** **ta (ton)*** **sa (son)***	**mes** **tes** **ses**	*my* *your* *his, her, its*
nous **vous** **ils, elles**	**notre** **votre** **leur**		**nos** **vos** **leurs**	*our* *your* *their*

NOTE: The gender and the number of a possessive determiner are determined only by the noun it introduces.

Voici Colette et **sa** voiture. *Here is Colette and **her** car.*
Voici Paul et **sa** voiture. *Here is Paul and **his** car.*

Activité 2. **Invitations**

Il y a un autre bal à l'Alliance Française. Chacun invite une ou plusieurs personnes. Dites qui d'après le modèle. Utilisez **son, sa** ou **ses**.

MODÈLE: Colette (une cousine) **Colette invite sa cousine.**

1. Henri (un cousin)
2. Marc (un ami)
3. Paul (une amie)
4. David (un copain)

5. Jacques (une sœur)
6. Michèle (des amies)
7. Jacqueline (des cousines)
8. Philippe (des frères)

Activité 3. **La surprise-partie**

Dites avec quoi chacun arrive à la surprise-partie de Colette. Utilisez un déterminatif possessif, d'après le modèle.

MODÈLE: vous (une moto, un électrophone)

   Vous arrivez avec votre moto et votre électrophone.

1. Moi (une guitare)
2. Toi (un livre, des disques)
3. Nous (une voiture)
4. Vous (des cassettes, un banjo)

5. Paul (une clarinette)
6. Michèle (des photos)
7. Jacqueline et Suzanne (un électrophone, des disques)
8. Marc et Philippe (un appareil-photo, des flashs)

* Before a vowel sound: Est-ce que c'est une belle église? Oui, c'est **mon** église préférée.

B. Révisons: LA POSSESSION AVEC *DE*

To indicate possession, the French use the construction:

noun + **de** + {name / determiner + noun}	C'est **la voiture de Paul.** C'est **la moto de mon frère.**	*It's Paul's car.* *It's my brother's motorcycle.*

Activité 4. *Contestations*

Paul dit à David que les choses suivantes sont à Colette. David dit qu'elles sont à la personne indiquée entre parenthèses. Jouez le rôle de Paul et de David d'après le modèle.

MODÈLE: le livre (le professeur)   Paul: **C'est le livre de Colette.**
David: **Non, c'est le livre du professeur.**

1. le disque (Marc)
2. la guitare (notre cousin)
3. la voiture (son père)
4. la maison (sa cousine)

5. le sac (l'amie de François)
6. la bicyclette (Mireille)
7. la raquette (les cousines d'André)
8. les clés (notre ami)

C. Révisons: LA CONSTRUCTION: NOM + DE + NOM

When one noun modifies another noun, the French use the construction:

noun + **de** + noun	une collection de timbres {*a stamp collection* / *a collection of stamps*}

NOTES: 1. In English, the main noun often comes second. In French, the main noun always comes first:

une **voiture** de sport, un **carnet** d'adresses

2. There is no article after **de.**

Activité 5. *Expression personnelle*

Dites comment s'appellent les professeurs qui enseignent les matières suivantes dans votre école.

MODÈLE: le français   **Mon professeur de français s'appelle . . .**

1. l'histoire
2. les sciences
3. la musique

4. l'anglais
5. les math
6. la géographie

D. Révisons: LES VERBES *LIRE, DIRE* ET *ÉCRIRE*

The verbs **lire** (*to read*), **dire** (*to say, tell*) and **écrire** (*to write*) are irregular. Pay special attention to the past participles and the plural forms in the present tense.

Infinitive	**lire**		**dire**		**écrire**	
Present	je	lis	je	dis	j'	écris
	tu	lis	tu	dis	tu	écris
	il/elle	lit	il/elle	dit	il/elle	écrit
	nous	lisons	nous	disons	nous	écrivons
	vous	lisez	vous	**dites**	vous	écrivez
	ils/elles	lisent	ils/elles	disent	ils/elles	écrivent
Future	je	lirai	je	dirai	j'	écrirai
Passé composé	j'ai	**lu**	j'ai	**dit**	j'ai	**écrit**

Other verbs which follow the above patterns are:

(like **lire**)	**élire**	*to elect*	**Élisez**-vous un président dans votre classe?
(like **dire**)	**contredire**[1]	*to contradict*	Est-ce que vos amis vous **contredisent** parfois?
	prédire[1]	*to predict*	Je vous **prédis** des vacances magnifiques.
(like **écrire**)	**décrire**	*to describe*	**Décrivez** votre maison!
	inscrire	*to inscribe; sign up*	J'**inscris** mon nom sur mon carnet.

Activité 6. *Questions personnelles*

1. Quels livres lisez-vous en classe d'anglais?
2. Quels magazines lisez-vous chez vous?
3. Quel journal est-ce que votre père lit?
4. Quels magazines est-ce que votre mère lit?
5. Quels livres avez-vous lus récemment?
6. Aimez-vous écrire? Écrivez-vous des poèmes?
7. Écrivez-vous souvent des lettres? A qui?
8. Avez-vous écrit à vos cousins pour Noël?
9. Que dites-vous quand votre père vous donne de l'argent?
10. Que direz-vous à vos parents ce soir?

À votre tour

Votre famille

Décrivez votre famille. Écrivez deux ou trois phrases pour chaque personne. Vous pouvez utiliser les mots suivants:

frère / sœur / cousin / cousine / père / mère / parents / oncle / tante

EXEMPLE: Mon frère s'appelle Charles. Il a vingt ans et il va à l'université...

---

[1] Note the **vous**-forms in the present tense: vous contre**disez**, vous pré**disez**.

3.3 *TROISIÈME SURPRISE*

Une autre surprise attend Paul et David. En effet, ce n'est pas dans un «modeste studio» qu'ils viennent de *pénétrer*. C'est dans un magnifique appartement. Le salon est particulièrement *luxueux*: il y a un piano, un sofa très confortable et des *meubles* anciens. David admire les *tableaux* modernes qui sont au *mur*.

= *entrer*

= *splendide*

furniture; paintings

wall

DAVID: Colette est une fille qui a du *goût*.

taste

PAUL: Et de l'argent! Je suppose que *tous* les étudiants ne sont pas *logés* de cette *façon!*

all; housed

= *manière*

DAVID: Certainement pas. . .

Les deux garçons *passent* dans la *salle à manger*.

= *vont*; dining-room

PAUL: Regarde le repas que Colette a préparé!

DAVID: Comme repas simple, c'est *plutôt réussi!*

quite a success

C'est un repas froid, mais très appétissant. Il y a des hors d'œuvre variés et compliqués: du caviar, de la *langouste* avec de la mayonnaise, du rosbif, de la salade de tomates et d'autres bonnes choses. . .Et comme vin, il y a du champagne!

crayfish

DAVID: Colette est une *cuisinière* extraordinaire!

cook

PAUL: Ça, c'est vrai!

DAVID: Est-ce qu'on l'attend?

PAUL: Oui, attendons-la. C'est plus *poli*.

polite

Questions

1. Qu'est-ce qu'il y a dans l'appartement où Paul et David viennent d'entrer?
2. Qu'est-ce que David admire?
3. Qu'est-ce qu'il y a à déjeuner?
4. Pourquoi est-ce que Paul et David décident d'attendre Colette?
5. Décrivez la troisième surprise de Paul et de David.

NOTE CULTURELLE: **Le logement des
étudiants**

Le logement° est un grand problème pour les
étudiants français. Ceux° qui ont de la chance
sont logés° à la Cité Universitaire. Les autres,
c'est-à-dire la majorité, doivent trouver une
chambre ou un petit studio en ville. Typiquement, les chambres d'étudiant sont petites et
pas très confortables. Certaines° n'ont même
pas l'eau courante!°

logement lodging; **Ceux** Those; **sont logés** have a room;
Certaines = Certaines chambres; **courante** running

ÉTUDE DE MOTS

Vocabulaire spécialisé: la maison

NOMS:	des **meubles**	*furniture*	une **chambre**	*bedroom*	
	un **mur**	*wall*	une **cuisine**	*kitchen*	
	un **salon**	*living room*	une **pièce**	*room*	
			une **salle à manger**	*dining room*	
			une **salle de bains**	*bathroom*	
ADJECTIFS:	**ancien (ancienne)**	*old; antique*			
	moderne	*modern*			

Activité 1. *Questions personnelles*

1. Combien de pièces y a-t-il chez vous?
2. Combien y a-t-il de chambres?
3. Combien y a-t-il de salles de bains?
4. Est-ce que les meubles sont modernes ou anciens?
5. Dans quelle pièce dînez-vous?
6. Dans quelle pièce est la télévision?
7. Y a-t-il des posters sur les murs de votre chambre?

Vocabulaire spécialisé: le repas

NOMS:	du **beurre**	*butter*	de l'**eau**	*water*	
	du **café**	*coffee*	de la **glace**	*ice cream*	
	du **fromage**	*cheese*	de la **salade**	*salad*	
	du **jambon**	*ham*	de la **soupe**	*soup*	
	du **lait**	*milk*	de la **viande**	*meat*	
	du **pain**	*bread*			
	du **poulet**	*chicken*			
	du **rosbif**	*roast beef*			
	du **vin**	*wine*			
VERBES EN **-er**:	**commander**	*to order*			
	manger[1]	*to eat*			

[1] Note the **e** in the **nous**-form of the present: nous mang**e**ons.

ÉTUDE DE PRONONCIATION

La semi-voyelle /j/

The letters **i** (+ vowel) and **y** (+ vowel) are pronounced /j/. In French the semi-vowel /j/ is pronounced tensely and rapidly.

Prononcez: v<u>i</u>ande   p<u>i</u>èce   tro<u>i</u>sième   stud<u>i</u>o   étud<u>i</u>ant   var<u>i</u>é
cuis<u>i</u>nière

P<u>i</u>erre est un étud<u>i</u>ant canad<u>i</u>en.
Il <u>y</u> a un p<u>i</u>ano dans le stud<u>i</u>o de Dan<u>i</u>el.

ÉTUDE DE LANGUE

A. Révisons: L'IMPÉRATIF

The imperative is used to give orders and commands, as well as to make suggestions.

AFFIRMATIVE COMMANDS		NEGATIVE COMMANDS	
Regarde!	*Look!*	Ne **regarde** pas!	*Don't look!*
Regardons!	*Let's look!*	Ne **regardons** pas!	*Let's not look!*
Regardez!	*Look!*	Ne **regardez** pas!	*Don't look!*

NOTES: 1. The imperative forms are the same as the present tense forms, minus the subject pronoun. For all **-er** verbs, however, the final **s** of the **tu-**form is dropped in the imperative:

Tu travaille**s**?   Travaille!

2. The imperative of **être** is irregular:

Sois prudent.   **Soyez** patients.   Ne **soyons** pas en retard.
Be careful.   *Be patient.*   *Let's not be late.*

3. In affirmative commands, the object pronouns come after the verb and are joined to it with a hyphen. In final position, **me** becomes **moi**. In negative commands, however, the object pronouns keep their regular position before the verb.

	AFFIRMATIVE COMMANDS	NEGATIVE COMMANDS
J'attends Colette?	Attends-**la.**	Ne **l'**attends pas.
Je parle à Paul?	Parle-**lui.**	Ne **lui** parle pas.
Je te téléphone?	Téléphone-**moi.**	Ne **me** téléphone pas.

Activité 2. **Expression personnelle**

Supposez que c'est le week-end. Proposez à vos amis de faire ou de ne pas faire les choses suivantes:

MODÈLE: étudier   **Étudions!** ou: **N'étudions pas!**

1. aller au cinéma
2. jouer au tennis
3. travailler
4. regarder la télé
5. écouter des disques
6. inviter des amis
7. faire du stop
8. faire du football

Activité 3. **Oui ou non?**

Colette demande à Paul et à David si elle doit faire certaines choses. Paul dit oui. David dit non. Jouez le rôle de Colette, de Paul et de David. Utilisez les pronoms objets d'après le modèle.

MODÈLE: J'écoute mes disques?   Colette: **J'écoute mes disques?**
Paul: **Oui, écoute-les.**
David: **Non, ne les écoute pas.**

1. J'achète ces livres?
2. J'invite mes amis?
3. Je téléphone à Marc?
4. J'achète cette robe?
5. Je parle à Michèle?
6. Je regarde ces photos?

B. Révisons: L'ARTICLE PARTITIF

Certain nouns designate things which can be counted: bananas, oranges, pears, etc. Such nouns ("count nouns") may be singular or plural. In French they are usually introduced by indefinite articles: **un, une, des.** Other nouns designate things which cannot be counted: sugar, soup, bread. Such nouns ("mass nouns") are used almost only in the singular. In French they are usually introduced by partitive articles.

The partitive articles are:

du (de l')*	(before a masculine noun)	Voici **du** pain et **du** caviar. *Here is (some) bread and (some) caviar.*
de la (de l')*	(before a feminine noun)	Voici **de la** soupe et **de la** glace. *Here is (some) soup and (some) ice cream.*
de (d')*	(in negative sentences)	Je ne désire pas **de** soupe. *I don't want (any) soup.*

NOTES: 1. The partitive article expresses the idea of *some, a certain quantity of.* Although *some* is often omitted in English, **du, de la, de l',** and **de** must be used in equivalent French sentences.

* Before a vowel sound: Voici **de l'**eau. Je ne bois pas **d'**eau.

2. Mass nouns may be concrete or abstract.

Colette a **de l'**argent.	*Colette has money.*
Colette a **du** goût.	*Colette has (good) taste.*

3. When used in a general sense, mass nouns are introduced by the definite articles **le, la,** and **l'.**

J'aime **la** viande et **le** pain.	*I like meat and bread* (in general).
but: J'achète **de la** viande et **du** pain.	*I'm buying some meat and bread.*

4. The partitive article is often used after the following verbs and expressions:

avoir	Paul et David ont **de la** patience.
faire	Je fais **de l'**auto-stop.
acheter	Nous achetons **de la** viande.
manger	Mangez **de la** salade!
prendre	Prends-tu **du** pain?
commander	Commande **du** caviar!
il y a	Est-ce qu'il y a **du** lait dans le réfrigérateur?

Activité 4. *Au restaurant*

Paul et David sont au restaurant. Paul dit ce qu'il aime. David suggère de commander cela.

MODÈLE: le caviar Paul: **J'aime le caviar.**
David: **Commandons du caviar!**

1. la soupe	4. le jambon	7. le vin	10. le fromage
2. le pain	5. l'omelette	8. l'eau minérale	11. la glace
3. le beurre	6. le poulet	9. la salade	12. le café

Activité 5. *Questions personnelles*

Dites s'il y a les choses ci-dessus (*above*) dans votre réfrigérateur.

MODÈLE: le caviar **Il y a du caviar.**
ou: **Il n'y a pas de caviar.**

Activité 6. *Êtes-vous qualifié?*

Pour faire certaines choses, il faut certaines qualifications. Dites que chaque personne indiquée possède les qualités professionnelles nécessaires. Puis dites si vous possédez ces qualités.

MODÈLE: auto-stoppeur – la patience **Les auto-stoppeurs ont de la patience.**
J'ai de la patience. ou: **Je n'ai pas de patience.**

1. artiste – le talent	5. sculpteur – l'originalité
2. poète – l'imagination	6. chercheur (*researcher*) – la persévérance
3. inventeur – le génie	7. danseuse – la grâce
4. diplomate – le tact	8. explorateur – le courage

C. Révisons: LE VERBE *PRENDRE*

Review the forms of the irregular verb **prendre** (*to take*).

Infinitive	**prendre**			
Present	je	prends	nous	prenons[1]
	tu	prends	vous	prenez[1]
	il/elle	prend	ils/elles	prennent[2]
Future	je	prendrai		
Passé composé	j'ai	**pris**		

Here are some verbs conjugated like **prendre**:

apprendre { *to learn* — J'**apprends** l'anglais.
{ *to teach* — Le professeur nous **apprend** cette construction.
{ *to inform (about)* — Qui vous **a appris** cette nouvelle?

comprendre { *to understand* — Nous ne **comprenons** pas l'espagnol.
{ *to include* — Le vin est **compris** dans le prix du repas.

surprendre *to surprise* — Tu me **surprends**!

Activité 7. **Transports**

Des amis décident de faire du camping dans le Midi. Dites comment chacun voyage. Utilisez le verbe **prendre**.

MODÈLE: Moi (ma bicyclette) **Je prends ma bicyclette.**

1. Bernard (sa voiture)
2. Nous (le train)
3. Vous (le bus)
4. Toi (ton scooter)
5. Moi (ma moto)
6. Mes cousins (leurs bicyclettes)

Activité 8. **Questions personnelles**

1. Que prenez-vous pour le petit déjeuner? un œuf (*egg*)? des céréales? du jus d'orange? du pain grillé (*toast*)?
2. Que prenez-vous généralement comme dessert? de la glace? du gâteau (*cake*)? des fruits?
3. Est-ce que vous apprenez à faire la cuisine (*to cook*)?
4. Qui vous apprend à faire la cuisine? votre mère? votre père? un de vos professeurs?
5. Est-ce que vous comprenez bien le français maintenant?

À votre tour

Un repas familial

Décrivez un repas familial typique en un paragraphe de six lignes.

EXEMPLE: Chez nous, il y a souvent de la salade. Je déteste la salade. Il y a aussi...

---

[1] The **e** of **prenons** and **prenez** is pronounced /ə/, as in **je**. [2] The **e** of **prennent** is pronounced /ɛ/, as in **elle**.

3.4 *QUATRIÈME SURPRISE*

Une heure passe et Colette n'est *toujours* pas là.   still

DAVID : J'ai faim.

PAUL : Moi aussi, j'ai une faim de *loup*. On déjeune?   wolf

DAVID : Bien sûr! Colette nous a dit de ne pas l'attendre! Eh bien, nous
allons commencer *sans* elle.   ≠ *avec*

PAUL : D'accord! Tiens, *débouche* le champagne!   = *ouvre*

DAVID : Tu en as déjà bu?

PAUL : Non, jamais.

DAVID : Moi non plus.

David débouche la bouteille et *remplit* son *verre*.   = *met du vin dans*; glass

PAUL : N'en prends pas trop!

DAVID : *Ne t'inquiète pas.* Je t'en *laisserai*.   don't worry; will leave

PAUL : C'est bon?

DAVID : Délicieux. Tiens, *goûte!*   try it!

PAUL : Tu *as raison*, c'est excellent. Donne-m'en un verre!   are right

Les deux garçons boivent un peu de champagne.
Ils boivent beaucoup de champagne.
Ils boivent un peu trop de champagne.
Ils en boivent *tellement* qu'ils n'entendent pas le téléphone qui sonne une   so much
fois, deux fois, trois fois. . . Ni David ni Paul ne répond.

114

Trois heures. Quelqu'un vient de rentrer dans l'appartement. C'est une dame *d'une cinquantaine d'années*, très élégante. Nos deux amis sont *si* absorbés dans leur *rêverie* qu'ils ne la voient pas. La dame vient *vers* eux, très surprise. David enfin la remarque.

= qui a 50 ans; so daydreaming; = dans la direction de

DAVID (*à Paul*): Qui est-ce? Est-ce que c'est Colette?

PAUL (*à David*): Mais non, c'est sa mère.

DAVID (*à Paul*): Mais non, c'est sa grand-mère.

PAUL (*à David*): Mais non, c'est la concierge.

DAVID (*à la dame*): Madame, vous n'êtes pas chez vous ici. Vous êtes chez...

LA DAME: Comment? Mais je suis chez moi ici! Et vous, qui êtes-vous? Et qu'est-ce que vous faites dans ma salle à manger à boire mon champagne?

PAUL: Mais, Madame...

Questions

1. Est-ce que Paul et David attendent Colette?
2. Qu'est-ce que David débouche?
3. Comment Paul et David trouvent-ils le champagne?
4. Est-ce qu'ils boivent beaucoup de champagne?
5. Qui rentre dans l'appartement?
6. Expliquez la quatrième surprise de Paul et de David.

NOTE CULTURELLE: **Les Français et le vin**

Les Français aiment le vin. Ils en consomment,° en moyenne°, 120 litres (ou 30 gallons) par an! Les Français boivent surtout du «vin rouge ordinaire» qui n'est pas nécessairement très bon. Au dessert, ils boivent parfois du vin blanc. Pour les grandes occasions ils boivent des vins de qualité et du champagne. Les grands vins portent° le nom des régions où ils sont produits:° Bordeaux, Bourgogne°, Chablis, etc.

consomment = boivent; en moyenne on the average; **portent = ont; produits** produced; **Bourgogne** Burgundy

ÉTUDE DE MOTS

Petit vocabulaire

NOMS:	un **verre**	*glass*	une **bouteille**	*bottle*
VERBES EN **-er**:	**goûter**	*to taste, try*		
	laisser	*to leave, let*		
VERBE EN **-ir**:	**remplir**	*to fill*		
VERBE IRRÉGULIER:	**boire**	*to drink*		

saoul – drunk (slang)
ivre "
ivrogne "drunk

EXPRESSIONS:	**avoir raison / tort**	*to be right / wrong*
	avoir faim / soif	*to be hungry / thirsty*
	comment?	*what?*
	moi non plus	*neither do I; neither am I*
	ni. . .ni. . .ne	*neither. . .nor. . .*
	quelque chose	*something*
	quelqu'un	*someone*
	tellement	*so much; so*

NOTES DE VOCABULAIRE

1. Expressions avec **avoir**:

Toi, tu **as raison.** Et moi, j'**ai tort.** *You are right. And I am wrong.*
Nous n'**avons** pas **faim.** *We're not hungry.*
Nous **avons soif.** *We're thirsty.*

2. **Quelque chose** et **quelqu'un**; **personne** et **rien.** Notez l'emploi de **de** avant un adjectif:

Je connais **quelqu'un d'**intéressant. *I know someone interesting.*
J'ai acheté **quelque chose de** joli. *I bought something pretty.*
Il n'y a **personne d'**intéressant ici. *There is no one interesting here.*
Il n'y a **rien d'**amusant à faire là-bas. *There is nothing amusing to do over there.*

3. La négation **ni. . .ni. . .ne**:

Ni Paul **ni** David **n'**entend le téléphone. *Neither Paul nor David hears the telephone.*
Je **ne** connais **ni** Colette **ni** Christine. *I know neither Colette nor Christine.*

Activité 1. ***Le jeu des définitions***

Donnez la définition des mots suivants d'après les modèles. Utilisez **quelqu'un** (phrases 1 à 5) et **quelque chose** (phrases 6 à 10).

MODÈLES: un ami – sympathique

Un ami est quelqu'un de sympathique.

un mystère – incompréhensible

Un mystère est quelque chose d'incompréhensible.

1. un ennemi – dangereux
2. un héros – remarquable
3. un génie – très intelligent
4. un athlète – sportif
5. un président – important
6. une énigme – bizarre
7. un jeu – amusant
8. une voiture – utile
9. une idée – abstrait
10. un objet – concret

ÉTUDE DE PRONONCIATION

Les lettres «gn»

In French the letters **gn** represent the sound /ɲ/, which is similar to the sound represented by the *ni* in the English word *opinion*.

Prononcez: Agnès   signe   magnifique   montagne   champagne   ignore
espagnol   campagne

Agnès boit du champagne en compagnie de David.

ÉTUDE DE LANGUE

A. Révisons: LE VERBE *BOIRE*

The verb **boire** (*to drink*) is irregular.

Infinitive	**boire**			
Present	je	bois	nous	buvons
	tu	bois	vous	buvez
	il/elle	boit	ils/elles	boivent
Future	je	boirai		
Passé composé	j'ai	**bu**		

Activité 2. **Questions personnelles**

1. Qu'est-ce que vous buvez au petit déjeuner?
2. Qu'est-ce que vous buvez au déjeuner?
3. Qu'est-ce que vous boirez ce soir à dîner?
4. Avez-vous déjà bu du vin? du champagne?
5. Est-ce que vos parents boivent souvent du champagne?
6. Qu'est-ce qu'ils boivent?

B. Révisons: LES EXPRESSIONS DE QUANTITÉ

Note the use of expressions of quantity in the following sentences:

		MODIFYING A VERB OR AN ADJECTIVE	MODIFYING A NOUN
peu	little, not much	Je travaille **peu.**	J'ai **peu de** travail.
un peu	a little, some	Je suis **un peu** malade.	J'ai **un peu de** température.
assez	enough	C'est **assez.**	Avez-vous **assez de** salade?
beaucoup	much, many, very much; a lot (of)	Je mange **beaucoup.**	Je mange **beaucoup de** viande.
trop	too much, too many	Tu bois **trop.**	Tu bois **trop de** champagne.
combien	how much, how many	**Combien** coûte ce disque?	**Combien de** disques as-tu?

NOTES: 1. The French expression corresponding to *very much, very many, a lot* consists of one word: **beaucoup.** Similarly, *too much, too many* is expressed by **trop.**

2. When introducing nouns, the above expressions of quantity are followed by **de (d').**

Contrast:

David boit **beaucoup de** champagne. *David drinks **a lot of** champagne.*
David aime **beaucoup** le champagne. *David likes champagne **a lot.***

In the first sentence, **beaucoup** introduces **champagne.** It tells how much champagne David drinks. **Beaucoup** is followed by **de.**

In the second sentence, **beaucoup** modifies **aime.** It tells that David likes champagne very much. Beaucoup is *not* followed by **de.**

3. To express *some* (in the sense of *a little, a few*), the French use:

un peu de + singular noun
quelques + plural noun

Voici **un peu de** champagne et **quelques** biscuits.

Here is some champagne and some wafers.

Achetez **un peu de** pain et **quelques** oranges.

Buy some bread and a few oranges.

Activité 3. **Au régime**

Colette est au régime. Son docteur lui dit de manger ou de ne pas manger les choses suivantes. Jouez le rôle du docteur en utilisant les expressions entre parenthèses.

MODÈLES : du pain (pas trop)   **Ne mangez pas trop de pain.**
          des oranges (beaucoup)   **Mangez beaucoup d'oranges.**

1. du rosbif (un peu)
2. des bananes (peu)
3. de la salade (beaucoup)
4. du céleri (beaucoup)
5. des tomates (assez)
6. de la soupe (un peu)
7. du jambon (pas beaucoup)
8. du poulet (pas beaucoup)
9. de la mayonnaise (pas trop)
10. des œufs (pas trop)

Activité 4. **Au supermarché**

Paul achète les choses suivantes en petites quantités. Dites ce qu'il achète. Utilisez **un peu de** ou **quelques.**

MODÈLES : du pain   **Il achète un peu de pain.**
          des oranges   **Il achète quelques oranges.**

1. des tomates
2. du beurre
3. de la margarine
4. des bananes
5. des fruits
6. de la crème
7. des enveloppes
8. du papier
9. de la viande

C. Révisons: LE PRONOM *EN*

The French use the pronoun **en** to replace —

(*a*) a noun which follows a number:

J'ai dix livres.	J'**en** ai dix.	*I have ten.*
Combien de disques avez-vous?	J'**en** ai un.	*I have one.*

(*b*) **de** + noun (especially with expressions of quantity):

J'ai beaucoup de travail.	J'**en** ai beaucoup.	*I have a lot.*
Tu bois trop de champagne.	Tu **en** bois trop.	*You're drinking too much.*

(*c*) **de, du, de la, de l'** + noun:

Colette a de l'argent?	Oui, elle **en** a.	*Yes, she has some.* *(Yes, she does.)*

(*d*) **des, de** + noun:

Vous avez des amis à Paris?	Oui, j'**en** ai.	*Yes, I have a few.* *(Yes, I do.)*
Vous n'avez pas de frères?	Non, je n'**en** ai pas.	*No, I don't have any.* *(No, I don't.)*

NOTES: 1. Like other object pronouns, **en** comes before the verb, except in affirmative commands, when it follows the verb and is joined to it with a hyphen.

Donnez du champagne à Paul.   Donnez-**en** aussi à David.
but: N'**en** donnez pas à Colette.

2. Note the use of **en** with **il y a:**

Est-ce qu'il y a du beurre dans le réfrigérateur?   Oui, il y **en** a.
Non, il n'y **en** a pas.

Activité 5. **Le portrait de Christine**

David demande à Paul si sa sœur Christine a les qualités suivantes. Paul répond en utilisant l'expression entre parenthèses. Jouez le rôle de David et de Paul.

MODÈLE: de l'imagination (beaucoup)   David: **Est-ce qu'elle a de l'imagination?**
Paul: **Oui, elle en a beaucoup.**

1. de la patience (peu)
2. des idées (peu)
3. du goût (assez)

4. du charme (beaucoup)
5. du tact (pas beaucoup)
6. de l'esprit (pas beaucoup)

Activité 6. **Expression personnelle**

Choisissez un(e) camarade. Demandez-lui s'il (si elle) a les choses suivantes:

MODÈLES: une guitare   Vous: **As-tu une guitare?**

Votre camarade: **Oui, j'en ai une.**

ou: **Non, je n'en ai pas.**

des disques de musique classique

Vous: **As-tu des disques de musique classique?**

Votre camarade: **Oui, j'en ai.**

ou: **Non, je n'en ai pas.**

1. une bicyclette
2. une moto
3. une voiture
4. un appareil-photo
5. des livres français
6. de jolis vêtements
7. une chambre confortable
8. des posters
9. une mini-cassette

Activité 7. **Questions personnelles**

1. Combien de frères avez-vous?
2. Combien de sœurs avez-vous?
3. Combien de voitures vos parents ont-ils?
4. Combien de disques avez-vous?
5. Combien de livres y a-t-il sur votre table?
6. Combien d'élèves y a-t-il dans la classe?

À votre tour

Critique

Faites la critique de votre école en un paragraphe de six phrases. Utilisez des expressions de quantité. Vous pouvez aussi utiliser les mots suivants:

vacances / devoirs / examens / leçons / difficile / facile

EXEMPLE: Nous avons trop de devoirs et ils sont trop difficiles. . .

3.5 *CINQUIÈME (ET DERNIÈRE) SURPRISE*

Sous l'effet de la surprise, David et Paul *ont* vite *repris leurs esprits*.   gathered their wits
Comment? Ils ne sont pas chez Colette? Mais alors, chez qui sont-ils?   together
Et qui est cette dame? Heureusement elle *n'a pas l'air* trop furieuse . . .   doesn't seem
Au contraire!

LA DAME: A votre accent, je vois que vous êtes américains. Vous êtes
certainement les amis de ma nièce Colette. Elle m'a parlé de
vous. . .

DAVID: Oui, elle nous a invités à déjeuner.

PAUL: Ah! vous êtes la tante de Colette. . . Excusez-nous. . . La
concierge nous a joué *un vilain tour*. Elle nous a dit que Colette   a dirty trick
habitait au cinquième étage.   lived

LA DAME: Elle ne vous a pas joué de tour. Colette habite bien un petit
studio au cinquième, l'étage *au-dessus*. C'est vous qui *avez fait*   above; made a
erreur. Vous êtes ici au quatrième étage.   mistake

DAVID: Au quatrième étage? Je ne comprends pas! Nous avons pourtant compté les étages.

LA DAME: Votre erreur est bien excusable. Notre premier étage en France
correspond au deuxième étage américain. *Ainsi*, vous avez cru   Thus
être au cinquième étage, mais en réalité vous êtes *seulement*   only
au quatrième.

PAUL: Ça, par exemple!

DAVID: Et le repas?

LA DAME: Je l'ai préparé pour des amis de Versailles qui viennent passer la
journée à Paris. Mais, au fait, où sont-ils?

Le téléphone sonne *à nouveau*. La dame va répondre. Elle revient *au bout de* quelques minutes.

= *encore une fois;*
= *après*

LA DAME: Ce sont *justement* mes amis qui viennent de téléphoner. Il *paraît* qu'ils ont déjà téléphoné *plusieurs* fois. Ils *sont tombés en panne*, un peu avant Paris.

= *précisément*
seems; several; = *ont eu des problèmes avec leur voiture*

PAUL: *Tout s'explique!*

That explains everything!

LA DAME: Pour vous et pour moi, mais pas pour Colette. Ma *pauvre* nièce vous attend certainement. Allez vite chez elle!

poor

Questions

1. Qui est la dame?
2. A quel étage habite la tante de Colette?
3. A quel étage habite Colette?
4. Expliquez l'erreur de Paul et de David.

Paul et David vont chez Colette. *Celle-ci* a l'air *étonnée*.

= *Colette;* astonished

COLETTE: Tiens, bonjour! Quelle bonne surprise!

DAVID: Bonjour, Colette. Euh... *nous nous excusons de* ...

we apologize for

COLETTE: Ne vous excusez pas. Je suis très contente de vous voir. Vous avez de la chance car j'*avais l'intention* de passer *toute la journée* à la *bibliothèque*.

had planned; the whole day
library

PAUL: La bibliothèque? Et votre invitation à déjeuner?

COLETTE: J'espère que vous n'avez pas *changé d'avis*. Je compte absolument sur vous mardi *prochain*.

changed your mind
next

DAVID: Comment? Ce n'est pas pour aujourd'hui?

PAUL: Vous nous avez dit «mardi huit». *Nous sommes bien* le 8 novembre aujourd'hui!

The date certainly is

COLETTE: Non, je vous ai dit «mardi en huit». C'est différent. «Mardi en huit» signifie le mardi de la semaine prochaine. Mais, au fait, vous n'avez probablement pas déjeuné. Hélas, je n'ai rien à vous offrir. Ah *si*, attendez, j'ai une bouteille de champagne dans le réfrigérateur. Si vous voulez...

= *oui*

DAVID: Euh, non merci, Colette, pas aujourd'hui...

Questions

1. Est-ce que Colette attend Paul et David ce jour-là?
2. Que signifie «mardi en huit»?
3. Qu'est-ce qu'il y a dans le réfrigérateur?
4. Expliquez l'erreur de Paul et de David.

NOTE CULTURELLE: **Versailles et le château de Versailles**

Versailles est une ville située au Sud-Ouest de Paris. C'est là que se trouve° le fameux château de Versailles. Ce château, le plus grand° château du monde°, a été la résidence des rois° de France: Louis XIV (1638–1715), Louis XV (1710–1774) et Louis XVI (1754–1793). Ainsi pendant° cent ans, Versailles a été en fait la capitale de la France. C'est aujourd'hui une ville de province qui ressemble aux autres villes de province, sauf° en été où des milliers° de touristes viennent visiter le château.

se trouve is located; **le plus grand** the largest; **du monde** in the world; **rois** kings; **pendant** during; **sauf** = **excepté; milliers** thousands

ÉTUDE DE MOTS

Petit vocabulaire

NOMS:	un **esprit** *wit, spirit, mind*	une **bibliothèque**	*library*
ADJECTIFS:	**certain**	*certain, sure*	**heureux (heureuse)**	*happy, fortunate*
	étonné	*astonished, surprised*	**pauvre**	*poor*
	furieux (furieuse)	*furious, mad, angry*	**prochain**	*next; following*
VERBE EN **-er**:	**excuser**	*to excuse*		
VERBE EN **-re**:	**correspondre**	*to correspond*		
EXPRESSIONS:	**ainsi**	*thus*	**plusieurs**	*several*
	avoir l'air	*to seem, look*	**seulement**	*only*
	heureusement	*fortunately*	**vite**	*quickly, fast*
	pas du tout	*not at all*		

NOTE DE VOCABULAIRE

Avoir l'air. Notez l'accord de l'adjectif avec le sujet:

Mes ami**s** ont l'air étonné**s**.

124

Vocabulaire spécialisé: expressions de temps

un **jour**	day	le **jour**	during the day
un **matin**	morning	le **matin**	in the morning
un **après-midi**	afternoon	l'**après-midi**	in the afternoon
un **soir**	evening	le **soir**	in the evening
une **nuit**	night	la **nuit**	at night

Activité 1. **Questions personnelles**

1. Quelle est la date de votre prochain examen?
2. Quand le professeur annonce un examen, est-ce que les élèves ont l'air heureux?
3. Si vous rentrez tard la nuit, est-ce que vos parents ont l'air furieux?
4. Quand travaillez-vous à la bibliothèque? le matin? l'après-midi? le soir?

ÉTUDE DE PRONONCIATION

La voyelle /u/

The letters **ou** represent the sound /u/. When pronouncing /u/, keep your lips rounded and tense.

Prononcez: Vous jouez avec nous?
Loulou nous a joué un tour.
Où voulez-vous jouer au tennis?

ÉTUDE DE LANGUE

A. Révisons: LES VERBES *VOIR* ET *CROIRE*

The verbs **voir** (*to see*) and **croire** (*to believe*) are irregular and have a similar conjugation pattern, with the exception of the future stem.

Infinitive	**voir**	**croire**
Present tense	je vois	je crois
	tu vois	tu crois
	il/elle voit	il/elle croit
	nous voyons	nous croyons
	vous voyez	vous croyez
	ils/elles voient	ils/elles croient
Future	je verrai	je croirai
Passé composé	j'ai **vu**	j'ai **cru**

Activité 2. *A la fenêtre*

Les amis de Colette regardent par la fenêtre. Dites ce que chacun voit et croit voir, d'après le modèle.

MODÈLE: David (une fille / Hélène)   **David voit une fille. Il croit que c'est Hélène.**

1. Paul (un garçon / Pierre)
2. Nous (une dame / la concierge)
3. Vous (un monsieur / le père de Colette)
4. Moi (une moto / une Honda)
5. Toi (une voiture / une Peugeot)
6. Jacques et Henri (une fille / Louise)

Activité 3. *Aux États-Unis*

Des touristes français visitent les États-Unis. Dites ce que chacun a vu hier et ce qu'il verra demain.

MODÈLE: Colette (le Capitole / la Maison Blanche)

Hier Colette a vu le Capitole. Demain elle verra la Maison Blanche.

1. George (Washington / New York)
2. Marc et Louis (Boston / Concord)
3. Vous (San Francisco / Berkeley)
4. Nous (Miami / Disney World)
5. Moi (le Texas / l'Oklahoma)
6. Toi (le Nevada / le Colorado)

B. Révisons: LES DÉTERMINATIFS DÉMONSTRATIFS

Here are the forms of the demonstrative determiners:

ce (cet)[1]	(before a masculine noun)	Regardez **cet** homme et **ce** garçon. *Look at that man and that boy.*
cette	(before a feminine noun)	Qui est **cette** fille? *Who is this girl?*
ces	(before a plural noun)	Tu prends **ces** disques? *Are you taking those records?*

NOTES: 1. The determiners **ce, cet, cette** may mean *this* or *that*. The determiner **ces** means *these* or *those*.

2. To reinforce the meaning of the demonstrative determiner, the French often add **-ci** or **-là** after the noun it introduces.

-ci refers to this particular one, over here
-là refers to that particular one, over there

Qui habite **cet** immeuble-**ci**?   *Who lives in this building over here?*
Qui habite **cet** immeuble-**là**?   *Who lives in that building over there?*

[1] **Cet** is used before a masculine singular noun beginning with a vowel sound.

Activité 4. **Au Quartier Latin**

Paul et Colette font un tour au Quartier Latin. Paul montre certaines personnes et certaines choses à Colette. Colette demande des précisions. Paul précise. Jouez le rôle de Paul et de Colette d'après le modèle.

MODÈLE: une fille   Paul: **Regarde cette fille!**
                 Colette: **Cette fille-ci?**
                 Paul: **Non, cette fille-là!**

1. un garçon	3. un homme	5. une moto	7. des touristes
2. une voiture	4. un immeuble	6. des voitures	8. des magasins

C. Révisons: LES ADVERBES EN *-MENT*

Many French adverbs are derived from adjectives as follows:

> feminine adjective + **ment**

MASCULINE	FEMININE	ADVERB	
certain	certaine	certaine**ment**	*certainly*
probable	probable	probable**ment**	*probably*
idiot	idiote	idiote**ment**	*idiotically*

NOTES: 1. Note the following exceptions:

vraiment *really*
absolument *absolutely*

2. The ending **–ment** usually corresponds to the English ending *-ly*.

Activité 5. **Une partie de Monopoly** (*game of Monopoly*)

Paul et ses amis jouent au Monopoly. Dites que chacun joue suivant son caractère.

MODÈLE: Henri est idiot.   **Il joue idiotement.**

1. Paul est adroit (*skillful*).	5. Max est rapide.
2. Colette est calme.	6. Irène est bête.
3. Michèle est sérieuse.	7. Marc est stupide.
4. Philippe est timide.	8. Louise est nerveuse.

D. LA PLACE DES ADVERBES

Note the position of adverbs of manner (**bien, mal,** etc., as well as adverbs in **-ment**) and adverbs of quantity (**beaucoup, trop,** etc.)

Vous parlez **bien** français.	*You speak French **well.***
Vous avez **bien** parlé français.	*You spoke French **well.***
Je vais **réellement** à Paris.	*I am **really** going to Paris.*
Je suis **réellement** allé à Paris.	*I **really** went to Paris.*
J'aime **beaucoup** le champagne.	*I like champagne **very much.***
David a **beaucoup** aimé le champagne.	*David liked the champagne **very much.***

NOTES: 1. In simple tenses (present, future), adverbs of manner and quantity follow immediately the verb they modify.

2. In compound tenses **(passé composé)**, most adverbs come between the auxiliary verb and the past participle. Long adverbs in **-ment,** however, may come after the past participle.

Activité 6. *Expression personnelle*

Demandez à un(e) camarade s'il (si elle) aime les choses suivantes. Votre camarade répondra en utilisant un des adverbes suivants: **beaucoup, peu, pas beaucoup, pas trop.**

MODÈLE: la musique pop?

> Vous: **Tu aimes la musique pop?**
>
> Votre camarade: **Oui, j'aime beaucoup la musique pop.**
>
> ou: **Non, je n'aime pas beaucoup la musique pop.**

1. la musique classique?	5. le français?	9. la télévision?
2. la danse?	6. les examens?	10. le cinéma?
3. les sports?	7. les devoirs?	11. l'opéra?
4. l'école?	8. les vacances?	12. les surprises-parties?

Activité 7. *De retour aux États-Unis* (back in the U.S.A.)

Paul est rentré aux États-Unis. Sa sœur Christine lui demande s'il a aimé les choses suivantes. Il lui répond, en utilisant les adverbes entre parenthèses. Jouez le rôle de Paul et de Christine.

MODÈLE: Paris (beaucoup)   Christine: **Tu as aimé Paris?**
Paul: **Oui, j'ai beaucoup aimé Paris.**

1. la France (beaucoup)
2. le champagne (trop)
3. les musées (pas beaucoup)
4. les monuments (pas spécialement)
5. ton voyage (énormément)
6. les cours de l'Alliance Française (pas particulièrement)

À votre tour

Un voyage

Décrivez un voyage que vous avez fait récemment, ou un voyage imaginaire. Dites ce que vous avez vu, ce que vous avez aimé ou pas aimé. Expliquez pourquoi.

EXEMPLE: Je suis allé(e) à... J'ai vu... J'ai beaucoup aimé...

Récréation

La marguerite

Vous, les filles, voulez-vous savoir si les garçons vous aiment? Et vous, les garçons, êtes-vous sûrs que vos amies vous aiment? Si vous n'êtes pas sûrs, consultez la *marguerite*.

daisy

Voici une marguerite. Enlevez ses pétales un à un.

Commençons!

Il m'aime un peu. . .

Il m'aime beaucoup. . .

Il m'aime passionnément. . .

Il m'aime à la folie. . .

Il ne m'aime pas du tout!

Continuez jusqu'au dernier pétale.

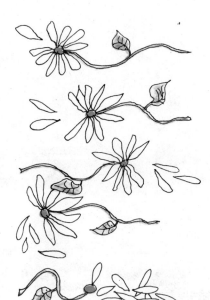

Il vous aime à la folie, n'est-ce pas? D'accord, mais *c'était prévu*. Alors, maintenant recommencez avec une vraie marguerite.

was arranged in advance

Chapitre trois

Écrivez vos réponses sur une feuille de papier. Puis, vérifiez vos réponses à la page 453.

VERBES

Test 1. *La bonne forme*

Complétez chaque paragraphe avec la forme qui convient du verbe en gros caractères.

1. Je **dis** que vous ne —— pas la vérité. Vous avez —— que je suis idiot. Je vais —— que c'est vous qui êtes idiot.

2. Je **lis** souvent. J'aime ——. Hier j'ai —— un livre de Steinbeck. Et vous, qu'est-ce que vous —— en ce moment?

3. Quand je voyage, je **prends** le train. Mes amis —— le bus. Je n'ai jamais —— l'avion. Mais je vais —— l'avion cet été pour aller en France.

4. —— -vous souvent Jacques? Moi, je le **vois** souvent. Ce soir, par exemple, nous allons —— «Jules César» ensemble. Avez-vous —— cette pièce?

5. **Connaissez**-vous Henri? Je l'ai —— en France. Je ne —— pas ses parents. Je vais les —— la semaine prochaine quand ils viendront ici.

6. —— -vous pourquoi Philippe est puni? Moi, je **sais**. C'est parce qu'il n'a pas —— sa leçon Avec son professeur, il est préférable de —— ses leçons.

Test 2. *Demain*

Les vacances commencent demain. Les amis de Colette feront ce qu'ils aiment faire. Complétez les phrases avec un verbe au futur.

1. Colette aime *jouer* au tennis. Demain, elle —— au tennis.
2. J'aime *jouer* au basketball. Demain, je —— au basketball.
3. Mes cousins aiment *écouter* de la musique pop. Demain, ils —— de la musique pop.
4. Nous aimons *danser*. Demain, nous ——
5. Vous aimez *regarder* la télé. Demain, vous —— la télé.
6. Tu aimes *voyager*. Demain, tu ——
7. Marie aime *prendre* des photos. Demain, elle —— des photos.
8. Jacqueline aime *sortir*. Demain, elle ——
9. François aime *aller* au cinéma. Demain, il —— au cinéma.
10. Henri aime *faire* du ping-pong. Demain, il —— du ping-pong.

Test 3. *Savoir ou connaissance?*

Complétez les phrases par **sais** ou **connais**.

1. Je —— Henri.
2. Je —— qu'il a deux sœurs.
3. Je —— Christine.
4. Mais, je ne —— pas Suzanne.
5. Je —— seulement qu'elle habite à Paris.
6. Je —— aussi qu'elle est jolie.

STRUCTURE

TEST 4. *A la surprise-partie*

Chacun invite un ami, une amie ou un membre de sa famille. Complétez les phrases avec le déterminatif <u>possessif</u> qui convient.

1. André invite _sa_ cousine Nathalie.
2. Marie invite _son_ cousin Louis.
3. Monique arrive avec _elle_ cousine Lucie.
4. Jean vient avec _leur_ cousins Pierre et Jacques.
5. Philippe vient avec _son_ ami Henri.
6. Marc danse avec _son_ amie Suzanne.
7. Robert et Raymond viennent avec _leur_ cousines.
8. Tu invites _son_ cousin Albert.
9. J'invite _son_ amie Sylvie.
10. Nous sommes avec _leur_ amis.
11. Vous parlez avec _leur_ cousines.
12. Je reste avec _leur_ amis Jean et Christine.

TEST 5. *Curiosité*

A la surprise-partie, Michèle demande qui sont certaines personnes qu'elle ne connaît pas. Complétez les phrases avec le déterminatif <u>démonstratif</u> qui convient.

1. Qui est _cette_ fille?
2. Qui est _ce_ garçon blond?
3. Qui sont _ces_ Américains?
4. Qui sont _ce_ deux Anglais?
5. Qui est _cet_ Italien?
6. Qui est _ce_ jeune Canadien?

TEST 6. *L'exploration du réfrigérateur*

Marc ouvre le réfrigérateur et donne son opinion sur les choses qu'il trouve. Complétez les phrases avec l'article (<u>partitif</u> ou <u>défini</u>) qui convient.

1. Voilà _le_ Coca-Cola. J'aime le Coca-Cola.
2. Il y a de la salade. Je ne mange jamais _de_ salade.
3. Voici _de l'_ eau minérale. Je déteste l'eau minérale.
4. Il y a de la crème. J'aime _la_ crème.
5. J'ai trouvé _ce_ rosbif très bon. Chez nous on mange toujours du rosbif.
6. Il n'y a pas _de_ glace. J'aime beaucoup la glace.
7. Il y a de la salade de tomates. Il y a aussi —— salade de fruits.
8. Voici du jambon. Je déteste —— jambon.

TEST 7. *A Paris*

Jacqueline est à Paris. Elle écrit ce qu'elle fait. Complétez sa lettre avec **beaucoup** ou **beaucoup de**.

Je sors ——(1). Je connais ——(2) garçons. Je vais à ——(3) surprises-parties. Je vois ——(4) films. J'aime ——(5) aller au Quartier Latin. J'aime ——(6) ce quartier de Paris.

TEST 8. *Voyage en France*

Des amis américains de Colette visitent la France. Jacques demande ce qu'ils ont fait. Colette répond. Complétez ses réponses avec le pronom **(en, l', les)** qui convient.

JACQUES	COLETTE
1. Ils ont visité la Tour Eiffel?	Oui, ils —— ont visitée.
2. Ils ont bu du champagne?	Oui, ils —— ont bu.
3. Ils ont acheté beaucoup de souvenirs?	Oui, ils —— ont acheté beaucoup.
4. Ils ont pris des photos?	Oui, ils —— ont pris.
5. Combien de photos ont-ils prises?	Ils —— ont pris 30.
6. Combien de films ont-ils utilisés?	Ils —— ont utilisé deux.
7. Ils ont aimé les restaurants français?	Oui, ils —— ont aimés.
8. Ils ont vu le château de Versailles?	Non, ils ne —— ont pas vu.

VOCABULAIRE

TEST 9. *Le mot exact*

Complétez les phrases avec les mots qui conviennent.

1. En général, le réfrigérateur est situé dans la c _ _ _ _ _ _ .
2. En général, on mange dans la s _ _ _ _ à m _ _ _ _ _ _ .
3. En général, on regarde la télévision au s _ _ _ _ _ .
4. Quand on est malade, on reste dans sa ch _ _ _ _ _ _ .
5. On ouvre la p _ _ _ _ avec une clé.
6. Pour avoir de l'air, on ouvre la f _ _ ê _ _ _ _ .
7. Dans une b _ bl _ _ _ _ _ _ _ _ _ , il y a beaucoup de livres.
8. Dans un i _ m _ _ _ _ _ _ , il y a plusieurs appartements.
9. Pour aller du premier étage au deuxième étage, on peut prendre l'e _ c _ _ _ _ _ _ .

TEST 10. *Au choix*

Complétez les phrases suivantes avec l'un des deux mots entre parenthèses.

1. J'ai parlé à —— de très intéressant. (quelque chose / quelqu'un)
2. J'ai lu —— de très drôle. (quelque chose / quelqu'un)
3. J'ai acheté —— disques. (plusieurs / longtemps)
4. Je ne —— pas pourquoi vous êtes furieux. (apprends / comprends)
5. Est-ce que vous —— le français? (apprenez / surprenez)
6. Mon père a une voiture qui va ——. (vite / vraiment)

Chapitre quatre

ACCIDENT

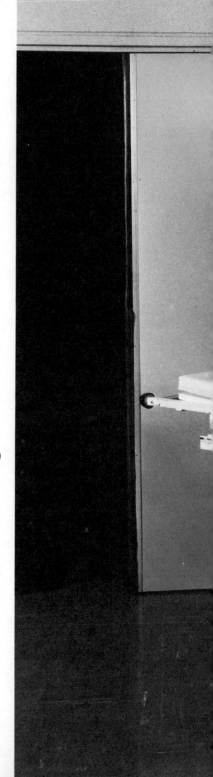

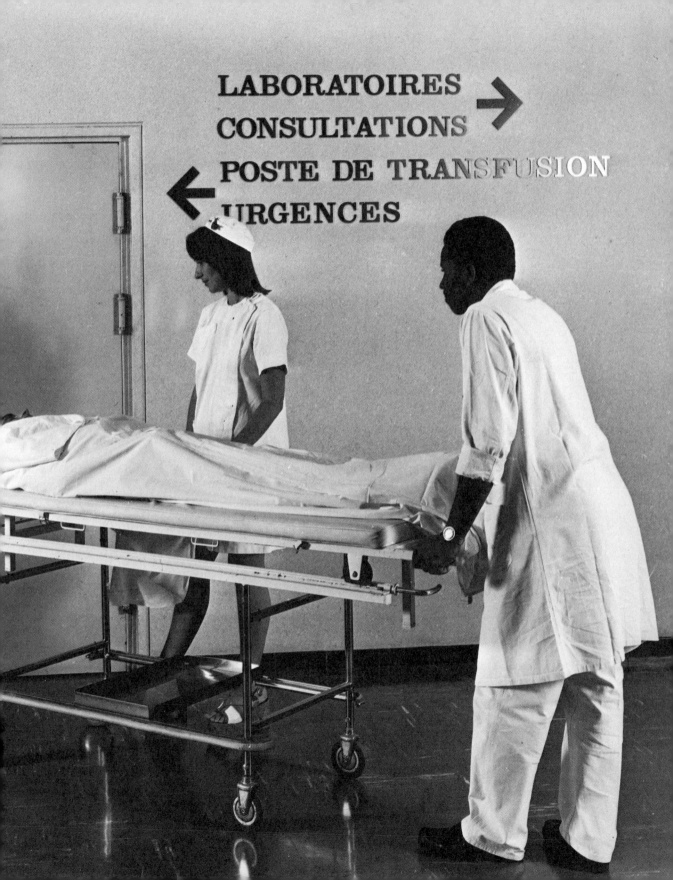

4.1 *UN RENDEZ-VOUS MANQUÉ*

Hélène rentre chez elle furieuse. Son frère Jean-Michel lui demande pourquoi elle est de mauvaise humeur.

JEAN-MICHEL: Qu'est-ce qu'il y a?	
HÉLÈNE: Henri est un *mufle!*	"clod"
JEAN-MICHEL: Pourquoi dis-tu cela? Je *croyais* que *c'était* ton meilleur ami.	thought; was
HÉLÈNE: C'est vrai! C'était mon meilleur ami... *jusqu'à* cet après-midi.	until
JEAN-MICHEL: *Qu'est-ce qui est arrivé?*	What happened?
HÉLÈNE: J'*avais rendez-vous* avec lui. Nous *avions l'intention* d'aller au cinéma à deux heures... Eh bien, il n'est pas venu, et moi, j'ai passé une heure sous la neige!	had a date; planned
JEAN-MICHEL: Tu lui as téléphoné?	
HÉLÈNE: Oui, mais *il n'y avait* personne chez lui.	there was
JEAN-MICHEL: Retéléphone-lui.	
HÉLÈNE: *Pas question!* Je suis trop furieuse!	That's out of the question!

NOTE CULTURELLE: **Les rendez-vous**

En France, quand un garçon sort avec une fille, il ne va généralement pas la chercher° chez elle. Très souvent, il lui donne
rendez-vous dans un café, ou devant un cinéma, un magasin, un
monument, etc. . . . En général, les jeunes Français rencontrent
leurs copains dans un endroit public, plutôt que° chez eux. La
maison est en effet un domaine privé°, réservé principalement à
la famille.

chercher to pick up; **plutôt que** rather than; **privé** private

Vrai ou faux?

1. A deux heures, Hélène **était** au cinéma.
2. A trois heures, Henri n'**était** pas chez lui.
3. Henri et Hélène **étaient** au cinéma ensemble.
4. Hélène **a passé** une heure sous la neige.
5. Henri n'**a** pas **manqué** son rendez-vous.

OBSERVATIONS

Relisez **Vrai ou faux** ci-dessus. Les cinq phrases (*sentences*) expriment un événement passé.
Notez que pour exprimer un événement passé, les Français n'utilisent pas toujours le passé
composé. Ils utilisent aussi un autre temps (*tense*): **l'imparfait.**

- Trouvez les deux phrases où le verbe est au passé composé.
- Quels sont les trois verbes qui sont à l'imparfait?

ÉTUDE DE MOTS

Petit vocabulaire

NOMS:	un **événement**	*event*	la **neige**	*snow*
	un **rendez-vous**	*date, appointment*		
VERBES EN **-er**:	**exprimer**	*to express*		
	manquer	*to miss*		
EXPRESSIONS:	**avoir l'intention de**		*to plan to, intend to, decide to*	
	avoir rendez-vous avec		*to have a date (appointment) with*	
	donner rendez-vous à		*to arrange to meet (someone)*	
	être de bonne (mauvaise) humeur		*to be in a good (bad) mood*	
	qu'est-ce qu'il y a?		*what's wrong? what's the matter?*	
	qu'est-ce qui est arrivé?		*what happened?*	

137

Activité 1. **Questions personnelles**

1. Êtes-vous souvent de bonne humeur?
2. Êtes-vous souvent de mauvaise humeur?
3. Êtes-vous de très mauvaise humeur quand un ami ne vient pas à un rendez-vous?
4. Quand êtes-vous de mauvaise humeur?
5. Est-ce que vos parents sont parfois de mauvaise humeur? Pourquoi?

Vocabulaire spécialisé: prépositions

avant	*before*	**Avant** le dîner, j'étudie.
pendant	*during*	**Pendant** le dîner, je parle à mes frères.
après	*after*	**Après** le dîner, je vais au cinéma.
avec	*with*	Je sors **avec** mes amis, . . .
sans	*without*	mais **sans** ma sœur.
devant	*in front of*	J'ai rendez-vous avec eux **devant** le cinéma. . .
derrière	*in back of*	qui est **derrière** le musée.
pour	*for*	Je suis **pour** les personnes. . .
contre	*against*	qui sont **contre** la pollution.
sur	*on, over*	Où est votre valise? **Sur** la table. . .
sous	*under*	ou **sous** le lit?
jusqu'à	*until, up to*	**Jusqu'à** quelle heure jouez-vous au tennis?
entre	*between*	Nous allons jouer **entre** midi et deux heures.
dans	*in*	Ma raquette est **dans** ma chambre.
chez	*to, at . . .'s place*	Je vais rentrer **chez** moi . . .
vers	*toward, around*	**vers** cinq heures et demie.
par	*by, through*	Je ne passe pas **par** le stade.

Activité 2. **Questions personnelles**

1. Qu'est-ce que vous faites avant le dîner? après le dîner?
2. Le week-end, sortez-vous avec ou sans vos amis?
3. Allez-vous au cinéma avec ou sans vos parents?
4. Jusqu'à quelle heure sortez-vous le soir?
5. Entre quelle heure et quelle heure regardez-vous la télé le soir?

ÉTUDE DE PRONONCIATION

La terminaison «-tion»

In French the ending **-tion** is practically always pronounced /sjɔ̃/. Words ending in **-tion** are feminine.

Prononcez: inten<u>tion</u> éduca<u>tion</u> solu<u>tion</u> admira<u>tion</u> pollu<u>tion</u> na<u>tion</u>

Quelle est la solu<u>tion</u> au problème de la pollu<u>tion</u>?

J'ai l'inten<u>tion</u> de continuer mon éduca<u>tion</u>.

ÉTUDE DE LANGUE

A. L'IMPARFAIT DU VERBE *ÊTRE*

The French use several tenses to describe past events. One is the **passé composé,** which you already know. Another is the imperfect (**l'imparfait**). Here are the forms of the verb **être** in the imperfect.[1]

j'	étais	*I was*	Hier, j'**étais** au cinéma.
tu	étais	*you were*	Et toi, où **étais**-tu?
il/elle	était	*he/she was*	Henri **était** avec un ami.
nous	ét**ions**	*we were*	Nous n'**étions** pas en classe.
vous	ét**iez**	*you were*	Quand **étiez**-vous en France?
ils/elles	ét**aient**	*they were*	Cet été, ils **étaient** à Paris.

NOTES: 1. All verbs have the same endings in the imperfect.

2. The endings **–ais, –ait,** and **–aient** are all pronounced the same.

Activité 3. **Vacances à l'étranger** (*vacation abroad*)

Dites où les personnes suivantes étaient pendant les vacances. Utilisez l'imparfait du verbe **être.**

MODÈLE: Hélène (à Madagascar)   **Hélène était à Madagascar.**

1. Jean-Michel (à Genève)
2. Sylvie (à Montréal)
3. Moi (à Bruxelles)
4. Nous (à Londres)
5. Vous (à Rome)
6. Daniel et François (à Madrid)
7. Henri et Francine (à Mexico)
8. Toi (à Québec)

Activité 4. **Pas de chance**

Hélène a téléphoné à ses amis, mais personne n'était chez lui. Exprimez cela d'après le modèle. Dites aussi que chacun était à l'endroit indiqué entre parenthèses.

MODÈLE: Jean-Michel (en ville)

Jean-Michel n'était pas à la maison. Il était en ville.

1. Simone (au cinéma)
2. Paul et Alice (à la piscine)
3. Moi (chez un ami)
4. Nous (au stade)
5. Toi (dans un café)
6. Vous (à la bibliothèque)

[1] In Module **4.2** you will learn more about how to form the imperfect. In Modules **4.3** and **4.4** you will learn when to use this tense.

Activité 5. **Expression personnelle**

Demandez à un(e) ami(e) où il (elle) était hier.

MODÈLE: hier   Vous: **Où étais-tu hier?**
                  Votre ami(e): **J'étais en classe.**

1. hier matin
2. hier à midi
3. le week-end dernier
4. pendant les vacances
5. en octobre
6. en 1973

À votre tour

Excuses!

Imaginez que vous avez séché (*cut*) la dernière classe de français avec six camarades. Le professeur demande où chacun de vous était. Inventez sept excuses différentes.

EXEMPLE: Je n'étais pas en classe. J'étais chez le docteur.
            Mon ami Paul était en ville avec sa mère. Mon amie Linda était. . .

4.2 À L'HÔPITAL

Henri ouvre les *yeux*. Il ne *reconnaît* pas la chambre où il est. Le *lit* est
blanc, les murs sont *blancs*, la table est *blanche*. Henri constate qu'il est à
l'hôpital... Pourquoi est-il là? Peu à peu il reconstitue les événements
de la *veille*:

eyes; recognize; bed
white

= *jour avant*

«...J'étais chez moi. Je finissais de déjeuner quand le téléphone a
sonné... C'était Hélène qui voulait aller au cinéma. Je lui ai dit qu'il
neigeait et que je ne voulais pas sortir... Elle m'a dit que si je ne voulais
pas sortir avec elle, elle allait téléphoner à *quelqu'un d'autre*... Alors j'ai
changé *d'avis* et je lui ai donné rendez-vous devant le cinéma... Puis j'ai
pris ma moto et...»

Toc! Toc! Toc!

Une *infirmière* vient d'entrer dans la chambre d'Henri.

«Voici le journal! Si vous voulez le regarder! A la page quatre il y a le
récit de votre accident.»

«Merci.»

someone else
my mind

nurse

story

Questions

1. Où est Henri?
2. De quelle couleur sont les murs? la table? le lit?
3. Hier, qui lui a téléphoné?
4. Pourquoi est-ce qu'Henri ne voulait pas sortir?
5. Est-ce qu'il est sorti?

OBSERVATIONS

Relisez le monologue d'Henri.

- Quels sont les verbes au passé composé?
- Quels sont les verbes à l'imparfait? Identifiez l'infinitif de ces verbes.

ÉTUDE DE MOTS

Petit vocabulaire

NOMS:	un **avis** *opinion*	une **infirmière**	*nurse*
	un **hôpital** *hospital*	la **veille**	*the day before*
	un **journal** *newspaper*		
	un **récit** *story*		
VERBES EN **-er**:	**changer (de)**[1] *to change*		
	reconstituer *to reconstruct*		
VERBE IRRÉGULIER:	**reconnaître** *to recognize*		
	(comme **connaître**)		
EXPRESSIONS:	**à la page** *on page. . .*		
	peu à peu *little by little, gradually*		
	quelqu'un d'autre *someone else*		

NOTES DE VOCABULAIRE

1. **L'accent circonflexe.** Dans beaucoup de mots français, l'accent circonflexe (^) remplace la lettre **s** qui a disparu. Cette lettre **s** est souvent restée dans les mots anglais correspondants.

un **hôpital**	*hospital*		une **fête**	*feast*
une **hôtesse**	*hostess*		une **forêt**	*forest*
la **hâte**	*haste*			

2. **Une question d'avis**

changer d'avis	*to change one's mind*	Moi, je ne **change** jamais **d'avis.**
être de [ton] avis	*to be of [your] opinion*	Hélène n'**est** pas **de ton avis.**

Activité 1. *Équivalences*

Lisez attentivement les phrases suivantes. Trouvez le mot anglais qui correspond au mot français en italique.

1. Mes *ancêtres* sont français.
2. Hier, il y a eu une *tempête* sur l'Atlantique.
3. Le lion et le tigre sont des *bêtes* sauvages.
4. La police a *arrêté* un bandit dangereux.
5. Comme viande, il y a du *rôti*.
6. Comme dessert, il y a des *pâtisseries*.

[1] Note the spelling in the **nous**-form: Nous chang**e**ons de voiture cette année.

Vocabulaire spécialisé: le mobilier (*furniture*)

un **buffet**	*buffet, sideboard*	une **armoire**	*wardrobe*
un **bureau**	*desk*	une **chaise**	*chair*
un **fauteuil**	*armchair*	une **commode**	*dresser*
un **lit**	*bed*	une **table**	*table*
un **meuble**	*piece of furniture*		
un **placard**	*closet, (kitchen) cabinet*		
un **sofa**	*sofa*		

NOTE CULTURELLE: **Le mobilier français**

En général, le mobilier français ressemble au mobilier américain. Il y a pourtant certaines différences. Dans les maisons anciennes, par exemple, il n'y a pas beaucoup de placards. A la place des placards, on utilise des buffets et des armoires. Le buffet est un meuble de cuisine ou de salle à manger où l'on met les assiettes°. L'armoire est un meuble où l'on met les vêtements.

assiettes *f.* plates

Activité 2. **Questions personnelles**

1. Y a-t-il un sofa dans votre salon?
2. Y a-t-il un bureau dans votre chambre?
3. Combien y a-t-il de fauteuils dans votre salon?
4. Décrivez le mobilier de votre cuisine.
5. Quel est le meuble le plus confortable chez vous?
6. Décrivez le mobilier de votre chambre.

ÉTUDE DE PRONONCIATION

La terminaison: consonne + re

In French the letter combination *consonant* + **re** is pronounced so that no vowel sound is heard between the consonant and the /r/.

Prononcez: ren<u>tre</u>   au<u>tre</u>   septem<u>bre</u>   cham<u>bre</u>   qua<u>tre</u>   con<u>tre</u>

Je vais ven<u>dre</u> l'au<u>tre</u> mon<u>tre</u>.
Vo<u>tre</u> cham<u>bre</u> est au cen<u>tre</u>.
Ou<u>vre</u> no<u>tre</u> fenê<u>tre</u>.

ÉTUDE DE LANGUE

A. Révisons: LES VERBES *POUVOIR* ET *VOULOIR*

Pouvoir (*to be able to*) and **vouloir** (*to want*) are two irregular verbs with somewhat similar forms:

Infinitive	**pouvoir**		**vouloir**	
Present	je	peux	je	veux
	tu	peux	tu	veux
	il/elle	peut	il/elle	veut
	nous	pouvons	nous	voulons
	vous	pouvez	vous	voulez
	ils/elles	peuvent	ils/elles	veulent
Future	je	pourrai	je	voudrai
Passé composé	j'ai	**pu**	j'ai	**voulu**

Note the following French-English equivalents:

Je **peux** sortir.

$\begin{cases} \textbf{\textit{I can}}\ go\ out. \\ \textbf{\textit{I may}}\ go\ out. \\ \textbf{\textit{I am able to}}\ go\ out. \\ \textbf{\textit{I am allowed to}}\ go\ out. \end{cases}$

but: **Je sais** danser.   ***I can*** *dance.* = *I know how to dance.*

Je **veux** danser. $\begin{cases} \textbf{\textit{I want to}}\ dance. \\ \textbf{\textit{I wish to}}\ dance. \end{cases}$

The verb **vouloir** cannot stand alone: it is used with a negative, an infinitive, a noun, a pronoun, or another complement.

Veux-tu téléphoner à Henri?	*Do you want to call Henri?*
Oui, je **veux** bien.	*Yes, I do.* (*Yes, I want to.*)

Activité 3. *A l'hôpital*

Les personnes suivantes sont à l'hôpital. Elles veulent faire certaines choses, mais elles ne peuvent pas. Exprimez cela d'après le modèle.

MODÈLE: Henri (aller au cinéma)   **Henri veut aller au cinéma, mais il ne peut pas.**

1. Nous (jouer au football)
2. Vous (faire du ski)
3. Charles (aller en ville)
4. Suzanne et Nathalie (danser)
5. Mes cousins (faire un pique-nique)
6. Mathilde (sortir)
7. Moi (faire du camping)
8. Toi (voyager)

B. FORMATION DE L'IMPARFAIT

The imperfect is a simple tense which is formed as follows:

> **stem:**
> **nous**-form of present minus **-ons** + ending

The following chart shows the imperfect forms of four types of verbs. Pay attention to the endings in heavy type.

Infinitive	demander (regular -er verb)	choisir (regular -ir verb)	vendre (regular -re verb)	faire (irregular verb)
Present	nous **demand**ons	nous **choisiss**ons	nous **vend**ons	nous **fais**ons
Imperfect	je demand**ais**	choisiss**ais**	vend**ais**	fais**ais**
	tu demand**ais**	choisiss**ais**	vend**ais**	fais**ais**
	il/elle demand**ait**	choisiss**ait**	vend**ait**	fais**ait**
	nous demand**ions**	choisiss**ions**	vend**ions**	fais**ions**
	vous demand**iez**	choisiss**iez**	vend**iez**	fais**iez**
	ils/elles demand**aient**	choisiss**aient**	vend**aient**	fais**aient**

NOTES: 1. **Être** is the only verb which has an irregular imperfect stem.

2. For verbs in **-cer,** the imperfect stem ends in **ç** before **-ais, -ait, -aient:** nous commencions, ils commen**ç**aient.

3. For verbs in **-ger,** the imperfect stem ends in **ge** before **-ais, -ait, -aient:** nous changions, ils chang**ge**aient.

4. For verbs in **-ier,** the imperfect stem ends in **i**; note the following forms: nous étud**ii**ons, vous étud**ii**ez; nous remerc**ii**ons, vous remerc**ii**ez; nous oubl**ii**ons, vous oubl**ii**ez.

Activité 4. **Hier à midi**

Dites ce que les amis d'Henri faisaient hier à midi.

MODÈLE: Hélène (déjeuner)   **Hier à midi, Hélène déjeunait.**

1. Marc (rentrer chez lui)
2. Suzanne (téléphoner)
3. Vous (étudier la leçon)
4. Moi (manger un sandwich)
5. Philippe et Mathilde (travailler)
6. Alain et Louis (jouer au tennis)
7. Toi (commencer tes devoirs)
8. Nous (regarder la télé)

Activité 5. **Pendant la classe de français**

Personne n'écoutait le professeur. Chacun faisait autre chose. Dites ce que chacun faisait.

MODÈLE: Hélène (finir son problème de math)

Hélène finissait son problème de math.

1. Hubert (manger du chocolat)
2. Nous (commencer une lettre)
3. Vous (penser aux vacances)
4. Toi (finir tes exercices d'anglais)
5. Moi (regarder par la fenêtre)
6. Vous (réfléchir au week-end)
7. Pierre (écrire une lettre)
8. Suzanne et Philippe (attendre la fin de la classe)

Activité 6. **Excuses!**

Marc n'est pas un garçon très populaire. Le week-end dernier il a organisé une surprise-partie mais ses amis ne sont pas venus. Donnez l'excuse de chacun.

MODÈLE: Philippe (faire ses devoirs)

Philippe n'a pas pu venir parce qu'il faisait ses devoirs.

1. Nous (avoir des invités)
2. Vous (être à la campagne)
3. Toi (faire du camping)
4. Moi (être à Lyon)
5. Michèle (être en voyage)
6. Suzanne (avoir des amies chez elle)
7. Robert et Roger (faire un voyage)
8. Alain et Jean (être malades)

A votre tour

A six heures hier

En un paragraphe de dix lignes, dites quelles étaient les occupations de votre famille hier à six heures du soir. Mettez les verbes à l'imparfait. Pensez aux verbes suivants:

parler / travailler / téléphoner / étudier / regarder / écouter / préparer / dîner / être / avoir / faire

EXEMPLE: Mon père regardait la télé. Il y avait un film policier...

4.3 *LA VISITE DU COMMISSAIRE*

Henri lit l'article qui décrit son accident:

UN JEUNE MOTOCYCLISTE,
PREMIÈRE VICTIME DE LA NEIGE

Un accident **a eu** lieu hier après-midi à *l'angle* du boulevard Pasteur et de l'avenue de la République. Une automobile, non identifiée, **a dérapé** sur la neige et **a renversé** un motocycliste. Le motocycliste, Monsieur Henri Poret, un jeune *lycéen* de dix-sept ans, **a été** transporté à l'hôpital Velpeau. Son *état* n'inspire pas d'*inquiétude*.

= *l'intersection*

= *un élève au lycée*

= *condition*
a dérapé skidded;
a renversé knocked
down; = *alarme*

Pendant qu'Henri lisait le journal, quelqu'un est entré. C'est le *commissaire* Duclos qui fait son *enquête* sur l'accident.

while; = *un officier de la police*
= *investigation*

148

LE COMMISSAIRE:	HENRI:	
Vous **avez eu** votre accident hier, n'est-ce pas?	Oui, il **était** deux heures de l'après-midi. **J'allais** en ville.	
Une voiture vous **a renversé** boulevard Pasteur?	Non, c'**était** dans l'avenue de la République, mais la voiture **venait** du boulevard Pasteur.	
Elle **a dérapé** et vous **êtes tombé**?	Oui, il y **avait** de la neige.	*êtes tombé* fell
Avez-vous **noté** la marque de la voiture?	C'**était** une 504 bleue.	
Avez-vous **noté** le numéro de la voiture?	Non, la visibilité **était** trop mauvaise.	
Avez-vous **vu** le *conducteur*?	Oui, c'**était** un homme assez jeune. Il **portait** un *manteau* gris. Il n'y **avait** pas d'autres passagers dans la voiture.	driver coat
Est-ce qu'il vous **a vu**?	Non, il **allait** trop vite.	
Je vous remercie.		

Avez-vous bien compris?

Complétez les phrases suivantes:

1. Une automobile a renversé ——
2. Le motocycliste a été transporté à ——
3. Au moment de l'accident, Henri allait ——
4. La voiture venait du ——
5. La visibilité était ——
6. Le conducteur portait ——

OBSERVATIONS

Relisez l'article du journal. Faites attention aux verbes en gros caractères. Le journaliste décrit des faits précis et bien définis.

- Parle-t-il au présent ou au passé?
- Quel temps utilise-t-il: le passé composé ou le présent?

Relisez le dialogue entre le commissaire et Henri. Ils parlent de l'accident de la veille.

- Parlent-ils au présent ou au passé?

Le commissaire parle de l'accident. Il décrit des faits précis et pose des questions sur ces faits précis. (Qu'est-ce que la voiture a fait? etc.)

- Quel temps emploie le commissaire: le passé composé ou l'imparfait?

Henri, lui, parle des circonstances de l'accident. (Quel temps faisait-il? etc.)

- Quel temps emploie Henri: le passé composé ou l'imparfait?

NOTE CULTURELLE: **Les Français et la voiture**

Savez-vous que ce sont des Français qui ont gagné° les fameux 500 miles d'Indianapolis en 1913 et en 1914? Aujourd'hui, les Français sont toujours des passionnés de la voiture.° En fait, la France est le pays° européen qui a la plus grande densité de voitures pour 100 habitants. Il y a quatre grands constructeurs° de voitures et chaque constructeur a plusieurs modèles, identifiés généralement par des lettres ou un nombre. Voici les quatre grandes marques de voitures françaises avec certains de leurs modèles:

Citroën	DS	ID	SM
Renault	R5	R12	R16
Peugeot	204	304	504
Simca	1000 (mille)	1100 (onze cents)	1600 (seize cents)

ont gagné won; **passionnés de la voiture** car buffs; **pays** country; **constructeurs** builders

La Citroën SM

ÉTUDE DE MOTS

Petit vocabulaire

NOMS:	un **accident**	*accident*	une **marque**	*make; brand*
	un **conducteur**	*driver*	une **victime**	*victim* (male or female)
	un **état**	*state, condition*		
	un **passager**	*passenger*		
VERBES EN -er:	**déraper**	*to skid*	**renverser**	*to knock down (over)*
	gagner	*to win; earn*	**tomber**	*to fall*
	porter	*to carry; wear*		(passé composé: **je suis tombé**)
EXPRESSIONS:	**assez**	*rather, fairly*	**pendant que**	*while*
	avoir lieu	*to take place*		

Vocabulaire spécialisé: les vêtements

un **chapeau**	*hat*	des **chaussettes**	*socks*
des **collants**	*tights*	des **chaussures**	*shoes*
un **costume**	*suit*	une **chemise**	*shirt*
un **foulard**	*(silk) scarf*	une **cravate**	*tie*
un **manteau**	*coat*	une **jupe**	*skirt*
un **pantalon**	*pants*	une **robe**	*dress*
un **pull-over**	*sweater*	une **veste**	*jacket*

LES COULEURS: **rouge** *red*, **jaune** *yellow*, **bleu** *blue*, **orange**[1] *orange*, **violet, violette** *purple*, **vert** *green*, **blanc, blanche** *white*, **noir** *black*, **marron**[1] *brown*, **gris** *gray*

Activité 1. *Questions personnelles*

1. Que portez-vous aujourd'hui?
2. Que portiez-vous hier?
3. Que portez-vous quand vous allez à une surprise-partie?
4. Que porte le professeur aujourd'hui?
5. Que portez-vous en hiver?
6. Que portez-vous en été?

ÉTUDE DE PRONONCIATION

La terminaison: consonne + le

In French the letter combination *consonant* + **le** is pronounced so that no vowel sound is heard between the consonant and the /l/.

Prononcez: arti<u>cle</u>   an<u>gle</u>   visi<u>ble</u>   possi<u>ble</u>   impossi<u>ble</u>   sim<u>ple</u>

J'habite un immeu<u>ble</u> formida<u>ble</u>.
Mes meu<u>ble</u>s sont aussi sim<u>ple</u>s que possi<u>ble</u>.
Mon on<u>cle</u> habite à l'an<u>gle</u> de la rue Blomet.

---

[1] The adjectives **orange** and **marron** are invariable; that is, they do not take adjective endings: une jupe **marron**, des collants **orange**.

ÉTUDE DE LANGUE

A. L'USAGE DE L'IMPARFAIT: CIRCONSTANCES D'UN ÉVÉNEMENT

In talking about past events, the French use both the *imperfect* and the **passé composé.** The choice of tense depends on the point of view from which they consider the past event.

> The **passé composé** is used to describe a well-defined action, completed at a specific point in time. (The mention of time may be omitted.)

Hier, Henri **a eu** un accident.	*Yesterday Henri **had** an accident.*
Henri **a eu** un accident.	*Henri **had** an accident.*

> The *imperfect* is used to describe conditions and circumstances which form the background of another past action.

(*a*) Time and weather:

Il **était** deux heures.	*It **was** two (o'clock).*
La visibilité **était** mauvaise.	*(The) visibility **was** poor.*
Il y **avait** de la neige.	*There **was** snow.*

(*b*) Outward appearance; physical, mental, or emotional state:

C'**était** un homme assez jeune.	*He **was** a rather young man.*
Il **portait** un manteau gris.	*He **was wearing** a gray coat.*

(*c*) External circumstances:

Il n'y **avait** pas d'autres passagers.	*There **were** no other passengers.*
L'homme **allait** trop vite.	*The man **was going** too fast.*

(*d*) Other actions in progress:

Henri **lisait.**	*Henri **was reading.***

Compare the use of the **passé composé** and the *imperfect* in the following sentences:

La voiture **a dérapé** parce qu'il y **avait** de la neige.

Action occurring at one point in time: La voiture **a dérapé.** (*The car skidded.*)
Background conditions: Il y **avait** de la neige. (*There was snow.*)

Pendant qu'Henri **lisait** le journal, quelqu'un **est entré.**

Action occurring at one point in time: Quelqu'un **est entré.** (*Someone came in.*)
Background conditions: Henri **lisait** le journal. (*Henri was reading the paper.*)

Helpful hint:

If the English verb indicates what someone *was doing* or what events *were happening,* the equivalent French verb is usually in the imperfect.

J'allais en ville quand j'ai vu l'accident.

I was going downtown when I saw the accident.

Activité 2. *La journée d'un lycéen*

Henri explique ce qu'il a fait le jour avant l'accident. Il donne l'heure de chaque action. Jouez le rôle d'Henri, d'après le modèle.

MODÈLE: Henri a pris son petit déjeuner à sept heures et demie.

Henri: **J'ai pris mon petit déjeuner. Il était sept heures et demie.**

1. Henri est parti de la maison à huit heures.
2. Il a pris le bus à huit heures et quart.
3. Il est arrivé à l'école à neuf heures moins dix.
4. Il est entré en classe à neuf heures.
5. Il a déjeuné à midi.
6. Il a joué avec ses amis à quatre heures.
7. Il est rentré à la maison à six heures.
8. Il a téléphoné à Hélène à huit heures.
9. Il a commencé à étudier à neuf heures.
10. Il a dit bonsoir à ses parents à dix heures et demie.

Activité 3. *Tout est bien qui finit bien.* (All's well that ends well.)

Hélène raconte l'accident d'Henri. Jouez le rôle d'Hélène. Combinez les deux phrases avec **parce que** et mettez la nouvelle phrase au passé. (La première phrase décrit une action précise: utilisez le passé composé. La seconde phrase décrit les circonstances: utilisez l'imparfait.)

MODÈLE: Je lui téléphone. Je veux aller au cinéma.

Je lui ai téléphoné parce que je voulais aller au cinéma.

1. Il prend sa veste. Il fait froid.
2. Il prend sa moto. Il veut être à l'heure.
3. Une voiture dérape. Il y a de la neige.
4. On transporte Henri à l'hôpital. Il est blessé (*injured*).
5. Henri regarde le journal. Il y a la description de l'accident.
6. Le commissaire lui parle. Il veut connaître les détails de l'accident.
7. Henri reste quinze jours à l'hôpital. Il est fatigué.
8. Il aime l'hôpital. Les infirmières sont très sympathiques.

Activité 4. **Rapports de détectives**

Que faisaient les criminels quand les détectives les ont arrêtés? Les détectives consultent leurs notes et répondent au commissaire. Jouez le rôle du commissaire et du détective, d'après le modèle.

MODÈLE: Note du détective: Il téléphone.

> Le commissaire: **Que faisait-il quand vous l'avez arrêté?**
> Le détective: **Quand je l'ai arrêté, il téléphonait.**

Notes du détective:

1. Il entre dans un bar.
2. Il parle à un ami.
3. Il joue au poker.
4. Il entre dans une banque.
5. Il va dans un magasin.
6. Il est dans un café.
7. Il va dîner.
8. Il a un rendez-vous.
9. Il regarde un magazine.
10. Il attend un ami.

Activité 5. **Questions de circonstances**

Vous n'avez pas fait certaines choses parce que les circonstances n'étaient pas favorables. Expliquez ces circonstances. Utilisez votre imagination.

MODÈLE: Je ne suis pas allé(e) au cinéma. . .

> **Je ne suis pas allé(e) au cinéma parce que je n'avais pas d'argent.**

1. Je n'ai pas été en classe. . .
2. Je n'ai pas téléphoné à mes amis. . .
3. Je n'ai pas regardé la télévision. . .
4. Je n'ai pas appris la leçon. . .
5. Je n'ai pas dîné à la maison. . .
6. Je n'ai pas écrit à ma grand-mère. . .
7. Je n'ai pas étudié. . .
8. Je n'ai pas fait de sport. . .

À votre tour

Souvenirs

Racontez l'un des événements suivants, en employant au moins 5 verbes à l'imparfait et 5 verbes au passé composé.

Voici les événements:

1. votre dernier dîner de Thanksgiving
2. votre dernière fête de Noël
3. un pique-nique ou une surprise-partie
4. votre anniversaire

Et voici ce que vous pouvez décrire:

Les circonstances. . .

La date: le jour? l'heure?
L'endroit: la ville? chez vous? chez des amis?
Les invités: combien étaient-ils? qui étaient-ils?
Le repas: qu'est-ce qu'il y avait à manger? à boire?

Ce que vous avez fait. . .

A qui avez–vous parlé? De quoi avez–vous parlé?
Qu'est-ce que vous avez mangé? bu?
Y a–t–il eu une surprise? pour vous? pour vos amis?
Qu'est-ce que vous avez fait d'ordinaire? d'extraordinaire?

vocab ?'s
story
imp.

4.4 *LA VISITE DU MÉDECIN*

Le Docteur Alquier examine Henri. Après son examen, il *bavarde* avec le *blessé*.

= *parle*
= *personne qui a eu un accident*

LE MÉDECIN:

Vous êtes en bonne *santé*. Vous faites du sport?

Ce n'est pas votre premier accident. J'ai remarqué que vous avez une *cicatrice* dans le *dos*.

Cette fois ce n'est pas trop grave. Une fracture de la *jambe* et quelques contusions. Vous allez tout de même rester quelques jours à l'hôpital.

HENRI:

Plus maintenant, mais avant je faisais beaucoup de sport.

Oui, *c'est arrivé* quand j'avais douze ans. Je passais les vacances dans les Pyrénées avec mes cousins. Nous faisions d'habitude de longues *promenades*. Nous allions souvent dans la montagne, et nous *escaladions* les *rochers*. Un jour, j'ai escaladé un rocher très *élevé* et je suis tombé. . . J'ai passé un mois à l'hôpital.

Tant mieux! Je trouve la *vie* à l'hôpital formidable.

médecin = docteur

health

happened

scar; back

hikes

= *montions sur*

rocks

high

= *existence*

leg

Questions

1. Où Henri passait-il ses vacances?
2. Avec qui passait-il ses vacances?
3. Qu'est-ce qu'il faisait dans la montagne?
4. Comment a-t-il eu un accident?
5. Combien de temps est-il resté à l'hôpital?

156

OBSERVATIONS

Lisez les phrases suivantes:

<table>
<tr><td>D'habitude. . .</td><td>Un jour. . .</td></tr>
<tr><td>J'**allais** en montagne avec mes cousins.</td><td>Je **suis allé** seul.</td></tr>
<tr><td>J'**escaladais** des rochers.</td><td>J'**ai escaladé** un rocher très élevé.</td></tr>
<tr><td>Je **faisais** attention.</td><td>Je n'**ai** pas **fait** attention.</td></tr>
<tr><td>Je ne **tombais** jamais.</td><td>Je **suis tombé.**</td></tr>
</table>

- Quel temps utilise Henri quand il parle de ce qu'il faisait d'habitude?
- Quel temps utilise-t-il quand il parle de ce qu'il a fait un certain jour?

NOTE CULTURELLE: **Les Pyrénées**

Les Pyrénées sont des montagnes élevées qui forment frontière° entre la France et l'Espagne. Pour les sportifs°, c'est une région idéale. En été, on peut faire de longues promenades en montagne. En hiver, on y fait du ski.

frontière *f.* border; **sportifs** = **personnes qui aiment les sports**

ÉTUDE DE MOTS

Petit vocabulaire

NOMS: le **médecin** *doctor*

une **habitude** *habit, custom*
la **montagne** *mountain, mountains*
une **promenade** *walk, drive, hike*
la **santé** *health*
la **vie** *life*

ADJECTIFS: **élevé** *high*
formidable *great, terrific*
grave *serious, grave*
long (longue) *long*
seul *alone; lonely*

VERBES EN **-er**: **bavarder** *to talk, chat*
trouver *to find; think*

EXPRESSIONS: **d'habitude** *usually*
faire une promenade *to take a walk; go for a drive*
plus maintenant *not anymore, no longer*
tant mieux *so much the better*
tout de même *all the same*

Activité 1. *Questions personnelles*

1. Faites-vous souvent des promenades? Où? Avec qui?
2. Êtes-vous en bonne santé?
3. Avez-vous déjà eu un accident? comment?
4. Avez-vous déjà été à l'hôpital? Pourquoi?
5. Comment s'appelle votre médecin?
6. Plus tard, voulez-vous être médecin? Pourquoi, ou pourquoi pas?

ÉTUDE DE PRONONCIATION

Les sons /ɔ̃/ et /ɔn/

The letters **on (om)** represent the sound /ɔ̃/, unless they are followed by a vowel or another **n (m)**. In that case they represent the sound /ɔn/ (/ɔm/).

Contrastez: b**on** – b**onn**e   s**on** – s**onn**e   m**on** – m**on**otone
comp**te** – c**omm**ence   t**om**be – t**om**ate   li**on** – li**onn**e
Sim**on** – Sim**on**e

Prononcez: T**on** ami Lé**on** s**onn**e à la porte.
Nous all**ons** à Ly**on** en avi**on** avec Sim**on**e.

ÉTUDE DE LANGUE

A. L'USAGE DE L'IMPARFAIT: ÉVÉNEMENTS HABITUELS

The French distinguish between habitual events in the past and past events which were unique in some way.

The *imperfect* is used to describe habitual or repeated events.

> D'habitude nous **passions** nos vacances dans les Pyrénées.
> *We usually spent our vacations in the Pyrenees.*
> *We usually would spend our vacations in the Pyrenees.*

The **passé composé** is used to describe a particular or specific event.

> Mais, l'année dernière je **suis allé** dans les Alpes.
> *But last year I went to the Alps.*

Helpful hints:

(a) The French use the imperfect in sentences where the English equivalent contains the expressions *used to* or *would* (in the sense of "used to").

> Le dimanche, j'**allais** au cinéma.   *On Sundays, I **would** (I **used to**) go to the movies.*

(b) In describing past events, the French use the imperfect in sentences containing expressions such as: **d'habitude, habituellement, toujours, l'après-midi, le matin, le dimanche,** etc.

Activité 2. **Ah, les belles vacances!**

Les vacances sont finies et vous ne faites plus ce que vous faisiez habituellement pendant les vacances. Dites ce que chacun faisait.

MODÈLE: Je ne rentre plus chez moi à deux heures du matin.

> **En vacances, je rentrais chez moi à deux heures du matin.**

1. Je ne vais plus à la plage.
2. Tu n'écoutes plus tes disques.
3. Nous ne faisons plus de pique-niques.
4. Vous ne regardez plus la télévision.
5. Marie ne va plus au cinéma.
6. Jean-Michel ne fait plus de tennis.
7. Vous ne jouez plus aux cartes.
8. Elles ne vont plus dans les magasins.
9. Je ne fais plus de longues promenades.
10. Nous n'invitons plus nos amis.
11. Tu n'organises plus de surprises-parties.
12. Hélène ne joue plus de la guitare.

Activité 3. **Une existence bien réglée** (*a well-ordered life*)

Quand il était jeune, Patrick, le cousin d'Henri, avait une existence bien réglée. Dites ce qu'il faisait habituellement aux heures suivantes:

MODÈLE: 7 h 30: descendre dans la cuisine

> **A sept heures et demie, il descendait dans la cuisine.**

1. 8 h: monter dans sa chambre
2. 8 h 10: faire son lit
3. 8 h 15: chercher ses livres
4. 8 h 30: attendre le bus
5. 8 h 50: arriver à l'école

6. de 9 h à 12 h 20: être en classe
7. 12 h 30: déjeuner
8. 1 h: jouer
9. 4 h 30: rentrer chez lui
10. 5 h: regarder la télé

Activité 4. **«Une fois n'est pas coutume.»**
    (*Just doing something once doesn't make it a habit.*)

Hélène demande à Henri s'il faisait toujours les choses suivantes pendant les vacances. Henri dit qu'un jour il a fait des choses différentes. Jouez le rôle d'Henri et d'Hélène, d'après le modèle.

MODÈLE: aller dans les montagnes (à la plage)

> Hélène: **Tu allais toujours dans les montagnes?**
> Henri: **Non, un jour je suis allé à la plage.**

1. jouer au football (au tennis)
2. déjeuner chez toi (au restaurant)
3. bavarder avec tes copains (avec une jeune Américaine)
4. dîner à 7 heures (à 9 heures)

5. sortir avec ta cousine (avec une amie)
6. danser le rock (le cha-cha-cha)
7. aller au cinéma (au concert)
8. rentrer à dix heures (à minuit)

A votre tour

Avez-vous bonne mémoire?

Quelles sont les choses que vous faisiez habituellement quand vous étiez plus jeune. . .

pendant les vacances?   (J'allais à la plage avec des copains. . .)
à la maison?   (Je regardais la télé. . .)
quand vous invitiez des amis?   (Nous bavardions. . .)
avec votre meilleur(e) ami(e)?   (J'allais au cinéma. . .)

4.5 *LA VISITE D'HÉLÈNE*

Hélène rend visite à Henri.

HÉLÈNE: Alors, tu es ici depuis samedi?

HENRI: Oui, je suis ici depuis le jour de notre rendez-vous manqué.

HÉLÈNE: Tu dois trouver le temps long.

HENRI: Penses-tu!

Depuis que je suis ici, je fais des choses très intéressantes:

je lis les *bandes dessinées*,   comics
j'écoute mes disques,
je bavarde avec les infirmières (elles sont *épatantes!*)   = *formidables*
et je regarde la télévision.

Justement, ce soir il y a un film de Jacques Cousteau que je ne
veux pas manquer. En somme, *c'est la vie de château.*   it's the life!

HÉLÈNE: Dis! C'est vraiment un accident, cet accident?

Note à l'étudiant: Il y a une interview de Jacques Cousteau à la page 168.

Questions

1. Est-ce qu'Henri trouve le temps long?
2. Qu'est-ce qu'il écoute?
3. Avec qui est-ce qu'il parle?
4. Qu'est-ce qu'il regarde?

OBSERVATIONS

Lisez les phrases suivantes:

Henri **est** à l'hôpital.   *Henri **is** in the hospital.*
Henri **est** à l'hôpital depuis samedi.   *Henri **has been** in the hospital since Saturday.*

La première phrase exprime une situation présente.

● Quel temps utilise-t-on en français? en anglais?

La seconde phrase exprime une situation commencée dans le passé et qui continue dans le présent.

● Quel temps utilise-t-on en français? en anglais?

NOTE CULTURELLE: **Les Français et la télévision**

En France, la télévision (ou «télé») est une distraction très importante. Pourtant, les émissions sont beaucoup moins nombreuses° qu'aux États-Unis. Il y a trois chaînes° seulement et les programmes ne durent que° quelques heures par jour (entre midi et une heure, et de six heures du soir à onze heures et demie).

En général, il n'y a qu'un poste° de télévision par famille. On regarde donc la télévision en famille. Beaucoup de Français regardent la télévision pendant le dîner. Quelles sont les émissions que les Français préfèrent? Les sports, les spectacles de variété, et aussi les films et les drames historiques.

nombreuses ≠ **rares; chaînes** *f.* channels; **ne. . .que** = **seulement; poste** set

| 20.25 | **Présentation des programmes** |
| 20.30 | «L'ODYSSEE SOUS-MARINE DE L'EQUIPE DU COMMANDANT COUSTEAU» Emission de Jacques-Yves Cousteau et Marshall Flaum. «Hippo! Hippo! Pour la première fois, l'équipe de la Calypso s'est transportée au cœur de l'Afrique pour filmer les hippopotames en Zambie, dans le lac Tanganyika. |

ÉTUDE DE MOTS

Petit vocabulaire

NOMS:	un **château**	*castle, palace*		une **bande dessinée**	*comic strip*
	le **temps**	*time; weather*		une **chaîne**	*(TV) channel*
ADJECTIF:	**intéressant**	*interesting*			
VERBES EN **-er**:	**durer**	*to last*			
	supposer	*to suppose*			
EXPRESSIONS:	**depuis**	*since*			
	depuis que	*since*			
	en somme	*all in all, to sum it up*			
	justement	*precisely, exactly, just*			
	penses-tu!	*that's what you think!*			

NOTES DE VOCABULAIRE

1. **Une question de temps**

temps *weather*	**Quel temps** fait-il? Il fait **un temps** splendide.	
temps *time*[1]	Hélène **trouve le temps long**.	*Hélène finds that time passes slowly.*
	Tu **prends ton temps**.	*You're taking your time.*
	Elle lit **de temps en temps**.	*She reads from time to time.*
	Combien de temps as-tu?	*How much time do you have?*

2. **Depuis** et **depuis que**

depuis + nom	**Depuis** trois jours je regarde la télé.
depuis que + sujet + verbe	**Depuis que** je suis ici, je regarde souvent la télé.

Activité 1. *Questions personnelles*

1. Trouvez-vous le temps long quand vous êtes en classe? Pourquoi? Pourquoi pas?
2. Trouvez-vous le temps long quand vous êtes avec vos amis? Pourquoi? Pourquoi pas?
3. Quel temps faisait-il le week-end dernier?
4. Le week-end, avez-vous le temps d'étudier?
5. Allez-vous de temps en temps au cinéma? au théâtre? au concert?
6. Le dimanche, trouvez-vous le temps de lire les bandes dessinées?

---

[1] In talking about clock time, the French use the word **heure**: Quelle **heure** est-il? Est-ce que tu as l'**heure**? (*Do you have the time?*) Hélène est **à l'heure**. (*Hélène is on time.*)

ÉTUDE DE PRONONCIATION

La semi-voyelle /ɥ/

The letter **u** followed by a vowel represents the sound /ɥ/. This sound is produced with the lips rounded and the tip of the tongue against the lower front teeth.

Prononcez: l<u>u</u>i   s<u>u</u>is   ens<u>u</u>ite   p<u>u</u>is   j<u>u</u>in   h<u>u</u>it   j<u>u</u>illet

> En j<u>u</u>in, je s<u>u</u>is en S<u>u</u>isse.
> Ens<u>u</u>ite, je vais en S<u>u</u>ède (*Sweden*).

ÉTUDE DE LANGUE

A. L'USAGE DU PRÉSENT AVEC *DEPUIS*

To express an action which began in the past and which continues in the present, the French use the present tense.

J'**étudie** le français.	*I'm studying French.*
J'**étudie** le français depuis vingt ans.	*I've been studying French for 20 years.*
Mes cousins **habitent** Paris.	*My cousins live in Paris.*
Ils **habitent** Paris depuis 1970.	*They have been living in Paris since 1970.*

Several expressions may be used to mark the beginning of a continuing action:

depuis + time	J'habite Genève **depuis** le premier mars. *I have been living in Geneva **since March 1**.*
il y a + time + **que**	**Il y a trois ans que** j'habite Genève. *I have been living in Geneva **for three years**.*
depuis que + clause	**Depuis que** j'habite Genève, je parle français. *Since I have been living in Geneva, I have been speaking French.*

Note the following interrogative expressions:

Depuis quand?	**Depuis quand** habites-tu Genève? *Since when have you been living in Geneva?*
Depuis combien de temps?	**Depuis combien de temps** parles-tu français? *How long have you been speaking French?*
Il y a combien de temps que. . .?	**Il y a combien de temps que** tu es ici? *How long have you been here?*

Activité 2. **Expression personnelle**

Demandez à un(e) camarade depuis combien de temps certains événements durent. Votre camarade répondra à vos questions.

MODÈLE: Tu habites cette ville.

> Vous: **Depuis combien de temps habites-tu cette ville?**
> Votre camarade: **J'habite cette ville depuis dix ans.**

1. Tu étudies le français.
2. Tu connais ton meilleur ami.
3. Vous êtes amis.
4. Tu connais ta meilleure amie.
5. Vous sortez ensemble.
6. Tu vas en surprise-partie.
7. Tes parents ont leur voiture.
8. Tes amies sont mariées.

Activité 3. **Une interview**

Une journaliste interviewe un musicien célèbre. Elle lui demande depuis combien de temps il fait certaines choses. Le musicien répond. Jouez le rôle de la journaliste et du musicien d'après le modèle.

MODÈLE: Vous jouez du piano. (15 ans)

> La journaliste: **Il y a combien de temps que vous jouez du piano?**
> Le musicien: **Il y a quinze ans que je joue du piano.**

1. Vous étudiez la clarinette. (8 ans)
2. Vous donnez des concerts. (12 ans)
3. Vous faites des disques. (10 ans)
4. Vous habitez à Paris. (8 ans)
5. Vous voyagez. (6 ans)
6. Vous venez aux États-Unis. (4 ans)
7. Vous jouez avec cet orchestre. (2 ans)
8. Vous avez cet imprésario (un an)

B. L'USAGE DU PRÉSENT ET DU PASSÉ COMPOSÉ CONTRASTÉ

The **passé composé** is used to describe a fact or event which happened at one point in time.

The present is used with **depuis, il y a. . .que,** and **depuis que** to describe an action which began in the past and which still continues in the present.

Contrast the use of the **passé composé** and the present in the following sentences:

Jean-Michel **est arrivé** au café à trois heures et quart.
*Jean-Michel **arrived** at the café at three-fifteen.*

Il attend Hélène **depuis trois heures et quart.**
He has been waiting for Hélène since three fifteen.

Activité 4. **Au bureau d'immigration**

Un officier de l'immigration veut savoir à quelle date certaines personnes sont arrivées dans la ville où elles habitent maintenant. Dites:

    (*a*) à quelle date chaque personne est arrivée dans la ville.
    (*b*) depuis combien de temps cette personne habite dans la ville.

MODÈLE: Henri (New York: 18 février)

    (*a*) **Henri est arrivé à New York le 18 février.**
    (*b*) **Henri habite New York depuis le 18 février.**

1. Jean-Claude (Montréal: 2 mars)
2. Véronique (Toulon: 4 avril)
3. Denise (Marseille: 8 mai)
4. Guy (San Francisco: 15 septembre)
5. Moi (Londres: 7 octobre)
6. Nous (Rome: septembre)
7. Elles (Tokyo: novembre)
8. Toi (Amsterdam: mai)
9. Marc et Luc (Paris: juin)
10. Mireille (Berlin: Noël)

À votre tour

Autobiographie

Imaginez que vous avez gagné un prix important. Un journaliste vous interviewe. Il vous demande quelles sont vos activités et depuis combien de temps vous les exercez. Répondez-lui en un paragraphe de 8 phrases. Vous pouvez utiliser les verbes suivants:

habiter / étudier / travailler / avoir / jouer / aller / parler

EXEMPLE: J'habite à la Nouvelle-Orléans depuis un an.
         Je vais à cette école depuis . . .

Récréation

Interview (imaginaire) avec un explorateur (véritable)

Vous allez lire une interview avec un très grand explorateur d'aujourd'hui. Avant de commencer la lecture de cette interview, lisez attentivement le **Petit vocabulaire.**

Petit vocabulaire

NOMS MASCULINS :

un **bureau**	*office*	Est-ce que votre père travaille dans un **bureau?**
un **but**	*purpose, goal*	Quels sont vos **buts** dans l'existence?
un **siècle**	*century*	Un **siècle** égale cent ans.
un **visage**	*face*	Cet homme a un **visage** énergique.

NOMS FÉMININS :

une **caméra**	*movie camera*	Avec ma **caméra** je prends de bons films.
une **carte**	*map*	Passez-moi la **carte** de France.
une **centaine**	*hundred*	En France j'ai pris des **centaines** de photos.
une **expérience**	*experiment*	Les chimistes font des **expériences.**
une **guerre**	*war*	Avant la **guerre** d'Indochine, il y a eu la **guerre** de Corée.
une **mer**	*sea*	Marseille est un port de la **mer** Méditerranée.
une **recherche**	*research*	Quelles **recherches** fait cet archéologue?

ADJECTIF :

nombreux **(nombreuses)**	*numerous*	J'ai de **nombreux** amis français.

VERBES :

diriger	*to direct, be in charge of*	Qui **dirige** cette expédition?
entourer	*to surround*	La ville est **entourée** par l'ennemi.
être situé	*to be located*	San Francisco est **situé** en Californie.
raconter	*to tell*	Qu'est-ce que vous **racontez** à vos parents quand vous rentrez tard?

EXPRESSION :

c'est-à-dire	*that is to say*	Mon meilleur ami, **c'est-à-dire** Paul. . .

INTRODUCTION

Il est là, dans son bureau. C'est un endroit où on le trouve rarement. Il est grand et *mince*. Il n'est plus très jeune. Pourtant, son *allure* sportive, son visage *bruni* par le *soleil* expriment une jeunesse éternelle. Vous le connaissez *peut-être*. Ses films ont été présentés à la télévision américaine où

thin; manner

tanned; sun

= *probablement*

ils ont connu un succès extraordinaire. Cet homme, c'est Jacques-Yves Cousteau, l'un des plus grands explorateurs du vingtième siècle. Ce n'est pas un explorateur ordinaire. Son domaine est le «*monde* du silence», c'est-à-dire le monde de la mer et des espaces *sous-marins*.

= *univers*

underwater

PREMIÈRE PARTIE

L'INTERVIEWER: Vous êtes connu surtout pour vos expéditions sous-marines, mais vous êtes aussi un inventeur.

J.-Y. COUSTEAU: C'est *exact*. Avant la guerre, j'ai inventé un *scaphandre autonome* qui facilite l'exploration sous-marine. J'ai *également* créé une caméra sous-marine. Ces inventions ont beaucoup contribué au succès de mes expéditions.

= *vrai*; aqualung

= *aussi*

L'INTERVIEWER: Ces expéditions sont très nombreuses. Vous avez exploré les *fonds* sous-marins de la mer Rouge, de l'océan Indien, de l'Atlantique et du Pacifique. Vous avez aussi exploré les *côtes* de la Grèce, de Madagascar, du Brésil, de l'Égypte...

bottom

shores (coasts)

J.-Y. COUSTEAU: ...et même les côtes françaises. Une de nos expéditions les plus intéressantes a été une expédition archéologique *à quelques kilomètres seulement* de Marseille.

within a few miles

L'INTERVIEWER: Pouvez-vous nous raconter cette expédition?

J.-Y. COUSTEAU: Eh bien, voilà. En 1952, nous avons *découvert* une *épave* très, très ancienne. C'était l'épave d'un *navire* grec de l'Antiquité. Elle était située exactement ici.

= *trouvé*; wreckage

= *bateau*

(Cousteau indique un point sur la carte.)

Ce navire *faisait le transport* de vin entre la Grèce et Marseille, probablement au troisième siècle *avant Jésus-Christ*. *Au cours d'*une tempête, il *s'est échoué* juste *en face* de Marseille. Dans ce «super-tanker» de l'Antiquité, nous avons récupéré des centaines d'*amphores*. Ces amphores étaient en parfait *état* de conservation. Certaines contenaient encore du vin. Imaginez! Du vin de plus de deux mille deux cents ans!

= *transportait*

B.C.

= *Pendant*; sank; across

amphorae (*vases*)

= *condition*

Questions

1. Qui est Jacques-Yves Cousteau?
2. Quel est son aspect physique?
3. Quel est le domaine de cet explorateur?
4. Qu'a-t-il inventé?

5. Où a-t-il été?
6. Qu'a-t-il découvert près de Marseille?
7. Que transportait le navire antique?
8. Qu'est-ce que Cousteau a trouvé dans l'épave?

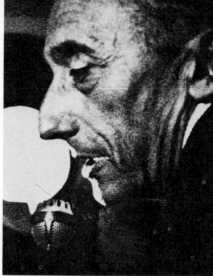

DEUXIÈME PARTIE

Jacques-Yves Cousteau

L'INTERVIEWER: En 1965, vous avez dirigé une *importante* expédition en Méditerranée. Pouvez-vous nous décrire brièvement cette expédition?

= *grande*

J.-Y. COUSTEAU: Vous *faites sans doute allusion à* l'expédition «Précontinent III». Le but de cette expédition était d'étudier les conditions d'adaptation de l'homme à la *vie* sous-marine. Pour cela, mes *compagnons* et moi, nous avons *construit* une *véritable* «maison sous la mer», où nous sommes restés plusieurs semaines à explorer le monde qui nous entourait.

= *parlez probablement de*

= *existence*

= *camarades*; built

= *vraie*

L'INTERVIEWER: Et quelles ont été les conclusions de cette expérience?

J.-Y. COUSTEAU: Cette expérience a prouvé que l'homme peut très bien *vivre* sous la mer.

= *habiter*

L'INTERVIEWER: Vous avez écrit de nombreux livres. Vous avez *également* tourné de nombreux films. Savez-vous que vos films ont connu un très grand succès aux États-Unis?

= *aussi*

J.-Y. COUSTEAU: Je suis heureux d'apprendre l'intérêt des jeunes en général pour la recherche sous-marine.

L'INTERVIEWER: Maintenant que faites-vous?

J.-Y. COUSTEAU: Je fais des films. Je continue mes explorations et recherches sur le *milieu* marin... Et je *prêche* une nouvelle *croisade.*

= *environnement*; preach crusade

L'INTERVIEWER: Quelle croisade?

J.-Y. COUSTEAU: Une croisade pour la protection de la nature et la *lutte* contre la pollution. Si le monde d'aujourd'hui veut survivre, il est absolument essentiel qu'il préserve ses ressources naturelles. A mon avis, le problème de la conservation de la nature est devenu le problème numéro un.

= *guerre*

170

Questions

1. Quel était le but de l'expédition «Précontinent III»?
2. Qu'ont fait Cousteau et ses compagnons?
3. Quelles ont été leurs conclusions?
4. Comment Cousteau a-t-il communiqué les résultats de ses recherches?
5. Aujourd'hui que fait Cousteau?
6. D'après lui, quel est le problème numéro un?

TESTS DE CONTRÔLE
Chapitre quatre

Écrivez-vos réponses sur une feuille de papier. Puis, vérifiez vos réponses à la page 455.

VERBES

TEST 1. *La bonne forme*

Complétez les phrases avec la forme qui convient du verbe en gros caractères.

1. Toi, tu **veux** aller au théâtre? Moi, je —— aller au cinéma. Henri —— aller au café. Vous, vous —— rentrer chez vous. Vraiment! Je ne sais pas pourquoi j'ai —— sortir ce soir!
2. **Peux**-tu téléphoner à Marc? Dis-lui que je n'ai —— acheter que deux billets de cinéma. Dis-lui qu'il ne —— pas venir avec nous. Mais si tu veux, nous deux, nous —— aller au cinéma.

TEST 2. *Les immigrants*

Les personnes suivantes habitent au Canada. Dites où elles habitaient avant. Pour cela, complétez les phrases avec l'imparfait d'**habiter.**

1. Nous —— en France.
2. Vous —— en Angleterre.
3. Mario —— en Italie.
4. Teresa —— au Portugal.
5. Paul et Charles —— à New York.
6. Anne et Marie —— à Boston.
7. J'—— à Lyon.
8. Tu —— en Australie.

TEST 3. *La panne d'électricité* (*blackout*)

Hier il y a eu une panne d'électricité. Dites ce que chacun faisait au moment de la panne. Pour cela, mettez les verbes entre parenthèses à l'imparfait.

1. (travailler) Paul ——.
2. (regarder) Philippe —— la télé.
3. (commencer) Louise —— ses devoirs.
4. (manger) Danièle ——.
5. (finir) Georges —— une lettre.
6. (prendre) Nathalie —— le bus.
7. (répondre) Pierre —— au téléphone.
8. (écrire) Monique ——.
9. (faire) Nicole —— du piano.
10. (lire) Lili ——.

STRUCTURE

TEST 4. *Le week-end de Jacques*

Hélène pose à Jacques certaines questions sur le week-end. Complétez les réponses de Jacques avec la forme du verbe (imparfait ou passé composé) qui convient.

HÉLÈNE	JACQUES
1. Quel temps faisait-il?	Il —— beau.
2. Avec qui es-tu sorti?	Je —— avec un copain.
3. Où êtes-vous allés?	Nous —— au cinéma.
4. Qu'est-ce qu'on jouait?	On —— un western.
5. Est-ce que ce film était intéressant?	Oui, ce film —— très intéressant.
6. Est-ce qu'il y avait beaucoup de spectateurs?	Oui, il y en —— beaucoup.
7. Es-tu rentré directement chez toi après le film?	Oui, je —— directement chez moi.

TEST 5. *Au choix*

Complétez les phrases avec la forme du verbe qui convient.

1. Aujourd'hui, je n'ai pas travaillé. Je (J') —— à la plage. (allais, suis allé)
2. J'ai demandé à Charles s'il —— venir avec moi. (voulait, a voulu)
3. Il m'a dit qu'il —— trop froid. (faisait, a fait)
4. J'ai vu des garçons qui —— au football. (jouaient, ont joué)
5. J'ai parlé à une fille qui —— un journal anglais. (lisait, a lu)
6. J'ai rencontré des amis qui m'—— chez eux. (invitaient, ont invité)

TEST 6. *Souvenirs de vacances*

Les amis d'Henri ont passé leurs vacances sur la Côte d'Azur. Racontez ce qu'ils ont fait. Pour cela, complétez les phrases avec **allaient** ou **sont allés**.

1. D'habitude, ils —— à la plage.
2. L'après-midi, ils —— dans un café.
3. Le soir, ils —— dans une discothèque.
4. Un jour, ils —— à Marseille.
5. Le 14 juillet, ils —— à Nice.
6. Dimanche dernier, ils —— en Italie.

TEST 7. *Résidences*

Henri et ses amis parlent de leurs résidences. Complétez les phrases avec **habite** ou **a habité**.

1. Jacques —— à Paris depuis deux ans.
2. Michèle —— à Lyon depuis 1970.
3. Henri —— deux ans à Marseille, puis il est allé à Paris.
4. Jamais François n'—— à Toulouse.
5. Il y a trois ans que Louise —— à Montpellier.
6. Depuis qu'il va à l'université, Claude —— à Paris.

VOCABULAIRE

TEST 8. *Le mot exact*

Complétez les phrases par l'une des expressions entre parenthèses.

1. Quand je suis malade, je reste ——. (au lit, sur l'armoire)
2. Vous trouverez du papier et des enveloppes dans ——. (mon divan, mon bureau)
3. Un fauteuil est plus grand et plus confortable qu'——. (une chaise, un placard)
4. Mon père met ses costumes dans ——. (un buffet, une armoire)
5. Mes chaussures sont dans ——. (ce placard, ce fauteuil)
6. Dans la cuisine, il y a une table et ——. (des chaises, une commode)

TEST 9. *De la tête aux pieds*

Décrivez ce que portent Annie et Philippe, en commençant par le haut (*top*).

1. Philippe porte un ch——, une ch——, une cr——, un p——, des ch—— et des ch——.
2. Annie porte un f——, une v——, une j——, des c—— et des ch——.

Images du monde français

LA FRANCE ET L'ORIENT: rêve et exotisme

Un peu d'histoire

1766. Un marin° français entreprend° un long voyage autour du monde.° Il s'appelle Louis de Bougainville. C'est un ancien soldat° qui a combattu les Anglais en Amérique. Cette fois-ci, son expédition n'est pas militaire, mais scientifique. Bougainville veut en effet rapporter° des spécimens de la végétation tropicale en France. Avec lui, il y a des botanistes, des naturalistes, des zoologistes. . .même des astronomes.

Au cours de° son voyage, Bougainville explore l'Océanie.° Il passe par Tahiti, les Nouvelles-Hébrides. Il découvre° des îles inconnues.° A l'une d'elles, il donne son nom: Bougainville.

Cent ans après le voyage de Bougainville, d'autres Français viendront dans ces îles.

Ce sont des missionnaires ou des administrateurs qui prennent possession de plusieurs îles du Pacifique au nom de la France. D'autres colonisateurs arrivent en Indochine. Eux, aussi, ils implantent l'administration française dans cette région du monde.°

Aujourd'hui, Tahiti, «île enchantée», la Nouvelle-Calédonie et quelques autres îles du Pacifique sont restées françaises. Par contre,° les pays de l'Indochine (c'est-à-dire° le Nord Vietnam, le Sud Vietnam, le Laos, le Cambodge) sont aujourd'hui des nations indépendantes. Le français y est encore parlé par une partie importante° de la

population. C'est la seconde langue
officielle du Laos.

marin sailor; **entreprend** = **commence; autour du monde**
around the world; **ancien soldat** former soldier; **rapporter** =
apporter avec lui; Au cours de = **pendant; Océanie** =
Pacifique Sud; découvre = **trouve; inconnues** = **qu'on ne
connaît pas; monde** world; **Par contre** On the other hand;
c'est-à-dire that is to say; **partie importante** = **grand
pourcentage**

À PROPOS DU TEXTE

Questions de fait

1. Comment s'appelle le marin français du texte?
2. Quelle est la nature de son exploration?
3. Quelles sont les personnes qui vont avec lui?
4. Par quels endroits passe-t-il?
5. Qu'est-ce qu'il découvre?

6. Que font les Français qui vont dans les mêmes
   îles cent ans plus tard?
7. Que font les colonisateurs français en Indochine?
8. Quels sont les territoires qui sont restés français?

Sujets de discussion

1. Voudriez-vous aller dans le Pacifique Sud?
   Pourquoi ou pourquoi pas?
2. Voudriez-vous visiter les pays de l'Indochine?
   Pourquoi ou pourquoi pas?

PROJET CULTUREL

Projet de classe

Préparez une carte (map) *murale des territoires
français du Pacifique. Illustrez cette carte.*

Portrait d'hier : le peintre de l'exotisme —Paul Gauguin (1848–1903)

Mars 1895. Un bateau quitte le port de Marseille. Sur le pont,° un homme regarde la côte.° Pour cet homme, le spectacle de la côte qui disparaît° petit à petit sera sa dernière image de la France. Il ne reviendra jamais plus.

Pourquoi part-il? Pour chercher fortune? Pour la gloire? Pour l'aventure? Non! S'il part, c'est parce qu'il a décidé de renoncer à la civilisation. Pour toujours!° Il veut vivre° loin de° la France, loin de l'Europe, loin de ses amis, loin de la société qu'il a connue. Son rêve° est de mener° une vie simple et tranquille dans une île au bout du monde.°

A quoi pense-t-il ce soir-là? Peut-être° à l'existence tumultueuse qu'il quitte. Il a d'abord° été marin. Puis il a travaillé dans une banque. Il avait alors une vie confortable et bien organisée. Le dimanche, il se consacrait° à son passe-temps° préféré: la peinture.° Brusquement,° ce passe-temps s'est transformé en° passion. Alors, à l'âge de 35 ans, il a tout° abandonné, sa famille, son emploi,° sa maison. . .pour la peinture.

Les critiques ont rapidement remarqué son talent. Il a exposé avec les grands peintres de l'époque: Degas, Renoir. . . Il est devenu l'ami de Van Gogh. Mais un jour

il s'est rendu compte° que son art ne progressait plus. Alors, pour renouveler° son inspiration, il a décidé de voyager. Il est allé à Panama, à la Martinique, à Tahiti. Il a été très impressionné° par les paysages° exotiques de Tahiti, et surtout par la beauté et la simplicité des indigènes.° Et c'est à Tahiti qu'il retourne.

L'artiste expatrié° arrive à Tahiti en juillet 1895. Il pense s'établir° à Papeete, la capitale de l'île. Mais là, il a une grosse déception. La ville s'est° européanisée. Il y a maintenant l'électricité, des hôtels, des maisons de commerce.° Pire,° l'administration française s'y est installée°. . .

pont deck; **côte** coast; **disparaît** disappears; **Pour toujours** Forever; **vivre** to live; **loin de** far from; **rêve** dream; **mener** to lead; **bout du monde** ends of the earth; **Peut-être** Maybe; **d'abord** = premièrement; **se consacrait** devoted himself; **passe-temps** hobby; **peinture** painting; **Brusquement** Suddenly; **s'est transformé en** = est devenu; **tout** everything; **emploi** job; **s'est rendu compte** = a constaté; **renouveler** renew; **impressionné** impressed; **paysages** *m.* landscapes; **indigènes** *m.* or *f.* natives; **expatrié** = qui a quitté son pays; **s'établir** = habiter; **s'est** = est devenu; **maisons de commerce** *f.* = magasins *m.*; **Pire** ≠ mieux; **s'y est installée** has settled in

The Metropolitan Museum of Art

L'artiste déçu° quitte Papeete. Il s'installe dans un petit village indigène où il construit° une hutte. Là, il réalise enfin son rêve°: vivre° libre dans un cadre° primitif, avec des gens simples et heureux. Il recommence à peindre.° Ses modèles sont les indigènes du village où il habite. Il apprend leur langue. Il les protège° contre les tracasseries de° l'administration. Il devient leur ami. . .

Quand il meurt° en 1903, les Tahitiens perdent leur protecteur. Le monde perd un grand artiste. Cet artiste s'appelle Paul Gauguin. C'est l'un des plus grands° artistes français.

déçu = désappointé; construit builds; réalise enfin son rêve finally sees his dream come true; vivre to live; cadre setting; peindre to paint; protège = défend; tracasseries de = difficultés créées par; meurt dies; plus grands greatest

À PROPOS DU TEXTE

Questions de fait

1. Qu'est-ce que l'homme regarde?
2. Est-ce qu'il reviendra en France?
3. Pourquoi quitte-t-il la France?
4. Qu'est-ce qu'il a fait avant d'être peintre?
5. A trente-cinq ans, qu'est-ce qu'il a fait brusquement?
6. Pourquoi a-t-il décidé de voyager?
7. Où retourne-t-il?
8. Où est Papeete?
9. Pourquoi est-ce que l'artiste ne reste pas à Papeete?
10. Où va-t-il?
11. Qu'est-ce qu'il fait?
12. Comment s'appelle-t-il?

Sujets de discussion

1. Préférez-vous habiter dans une grande ville moderne, ou dans une ferme à la campagne? Expliquez les avantages et les désavantages de chaque situation.
2. Imaginez que vous avez le choix d'habiter sur le continent américain ou à Hawaii. Que choisirez-vous? Expliquez votre choix.

PROJET CULTUREL

Projet de classe

Préparez une exposition sur Gauguin.

PHILIPPE: Non, c'est un territoire. C'est différent. La Nouvelle-Calédonie est un peu ce qu'est° Porto Rico pour les Américains.

JEAN-PAUL: Tu es français, par conséquent?°

PHILIPPE: Oui, bien sûr.

JEAN-PAUL: Est-ce que ta famille vient de la France métropolitaine?

PHILIPPE: Ma famille, mon vieux, vient des quatre coins° du monde.° Ma mère, par exemple, est vietnamienne. Mon père est d'origine européenne, mais il a du sang° indigène.° Et si tu veux tout savoir, je suis l'arrière-arrière-petit-fils° d'un bagnard!°

JEAN-PAUL: Explique.

PHILIPPE: C'est simple! Mon arrière-arrière-grand-père° a été déporté ici en 1871. C'était un prisonnier politique qui avait participé en France à un mouvement insurrectionnel. Il est resté dix ans prisonnier. Quand il a été libéré,° il a préféré rester ici que de retourner en France. Il a épousé° une femme canaque.

JEAN-PAUL: Canaque?

PHILIPPE: Oui, c'est le nom des indigènes de la Nouvelle-Calédonie.

JEAN-PAUL: Parle-moi de ce que tu fais tous les jours.°

PHILIPPE: Eh bien, je vais au lycée, comme les Français de France. Après les cours, je vais à la plage. Je me baigne° et je fais de la pêche sous-marine.°

JEAN-PAUL: Tous les jours?

PHILIPPE: Bien sûr. La Nouvelle-Calédonie est une île tropicale. Il fait toujours très chaud et il y a de belles plages ici.

JEAN-PAUL: Il doit y avoir° beaucoup de touristes.

PHILIPPE: Heureusement, non! La Nouvelle-Calédonie est loin de tout, tu sais.

JEAN-PAUL: Qu'est-ce que tu veux faire plus tard?

PHILIPPE: Je voudrais° travailler à l'Institut d'Océanographie de Nouméa.

JEAN-PAUL: Tu n'as pas l'intention d'aller en France?

PHILIPPE: Non! Pourquoi? Je suis parfaitement° heureux dans mon île.

Portrait d'aujourd'hui: Philippe Simonet

Voici une interview avec Philippe Simonet, un jeune homme de la Nouvelle-Calédonie.

JEAN-PAUL: Tu t'appelles Philippe Simonet et tu habites en Nouvelle-Calédonie?

PHILIPPE: C'est ça! J'habite à Nouméa, qui est la capitale de l'île.

JEAN-PAUL: Est-ce que la Nouvelle-Calédonie est une colonie française?

ce qu'est what is; par conséquent consequently; coins *m.* corners; monde earth; sang blood; indigène native; arrière-arrière-petit-fils great-great-grandson; bagnard convict; arrière-arrière-grand-père great-great-grandfather; il a été libéré = on lui a rendu sa liberté; a épousé married; tous les jours every day; me baigne go swimming; pêche sous-marine underwater fishing; Il doit y avoir There must be; voudrais would like; parfaitement perfectly

180

À PROPOS DU TEXTE

Questions de fait

1. Comment s'appelle la capitale de la Nouvelle-Calédonie?
2. Quel est le statut de la Nouvelle-Calédonie?
3. D'où vient la famille de Philippe?
4. D'où vient son arrière-arrière-grand-père?
5. Pourquoi est-ce qu'il est venu en Nouvelle-Calédonie?
6. Comment appelle-t-on les indigènes de la Nouvelle-Calédonie?
7. Quel est le climat de la Nouvelle-Calédonie?
8. Pourquoi est-ce que les touristes ne vont pas en Nouvelle-Calédonie?
9. Où Philippe veut-il travailler?

Sujet de discussion

Plus tard, avez-vous l'intention de rester dans la ville ou dans le village où vous habitez? Pourquoi ou pourquoi pas?

PROJETS CULTURELS

Projet de classe

Préparez une exposition sur Tahiti ou la Nouvelle-Calédonie. Utilisez des photos, des cartes postales, des brochures touristiques. Remarquez les costumes des habitants de ces îles. Remarquez l'usage du français: noms de rues, pancartes (signs), magasins, etc.

Projets individuels

1. *Préparez un bref exposé sur l'histoire de Tahiti.*
2. *Préparez un bref exposé sur l'histoire de la Nouvelle-Calédonie.*

Chapitre cinq

LE MARIAGE DE JACQUELINE

Betty Jensen, une jeune Américaine, a passé
l'été en France avec la famille Lefèvre.
Pendant deux mois, elle a participé aux
événements de la vie familiale. Le grand
événement a été le mariage de Jacqueline,
la fille aînée des Lefèvre, avec Louis Jacomme.

5.1 *DERNIERS PRÉPARATIFS*

Le grand jour est arrivé!

AU SALON

Jacqueline est un peu *émue*.   = *nerveuse*
Pour la *centième fois*,   100th time
elle regarde sa robe.
Puis, elle se regarde dans la *glace*.   mirror

DANS LA CHAMBRE DE ROBERT

Robert, le frère de Jacqueline, prépare son appareil-photo. Il a l'intention de prendre beaucoup de photos ce matin.

Puis, il se prépare pour la cérémonie.

AU JARDIN

Martine et Lisette, les deux sœurs de Jacqueline, préparent un grand bouquet de fleurs.

Lisette: Je *coupe* d'autres fleurs?   cut
Martine: Oui, mais fais attention!
  Ne te coupe pas!

On installe les tables.
Les premiers *invités* arrivent.   guests
Ils s'installent dans les fauteuils.

184

Vrai ou faux?

1. Jacqueline regarde sa robe.
2. Jacqueline se regarde dans la glace.
3. Robert prépare son appareil-photo.
4. Robert se prépare dans sa chambre.
5. Lisette coupe des fleurs.
6. Lisette se coupe.
7. Les invités installent les tables.
8. Les invités s'installent au jardin.

NOTE CULTURELLE: **Un mariage français**

En France, les mariages peuvent être très solennels° ou très simples. Le mariage de Jacqueline se passe° dans un petit village provençal° où les Lefèvre ont une maison de campagne.° C'est surtout une cérémonie familiale. Il y a une trentaine° d'invités. Les invités se retrouveront° dans la villa° des Lefèvre. Vers dix heures, tout le monde ira à la mairie (pour le mariage civil) et à l'église (pour le mariage religieux). Le repas de mariage aura lieu dans le jardin de la villa.

solennels formal; **se passe = a lieu; provençal = de Provence; campagne** *f.* country; **une trentaine = 30 (approximativement)**

se retrouveront will meet; **villa = maison**

MONSIEUR ET MADAME BERNARD LEFÈVRE

ONT L'HONNEUR DE VOUS FAIRE PART DU MARIAGE DE

LEUR FILLE, JACQUELINE, AVEC MONSIEUR LOUIS JACOMME

MONSIEUR ET MADAME HENRI JACOMME

ONT L'HONNEUR DE VOUS FAIRE PART DU MARIAGE DE LEUR

FILS, LOUIS, AVEC MADEMOISELLE JACQUELINE LEFÈVRE

ET VOUS DEMANDENT DE PARTAGER LEUR JOIE EN PARTICIPANT

À LA CÉLÉBRATION DU MARIAGE QUI AURA LIEU

LE SAMEDI 10 AOÛT EN L'ÉGLISE DE VIDAUBAN

LE CLOS · 83550 VIDAUBAN

14, AVENUE MARBEAU 75016 PARIS

OBSERVATIONS

Lisez les phrases suivantes:

(1) Voici Louis: Jacqueline **le** regarde.   *Here is Louis: Jacqueline looks at **him.***

(2) Puis elle **se** regarde dans la glace.   *Then she looks at **herself** in the mirror.*

● Quelle personne Jacqueline regarde-t-elle dans la phrase (1)?
Par quel pronom complément cette personne est-elle désignée?

● Quelle personne Jacqueline regarde-t-elle dans la phrase (2)?
Par quel pronom complément cette personne est-elle désignée?

Remarquez que dans la phrase (2), le sujet **(elle)** et le complément **(se)** représentent la même personne (Jacqueline). L'action est réfléchie (*reflected*) sur le sujet.

On dit que le pronom **se** est un **pronom réfléchi** (*reflexive pronoun*). Le verbe **se regarder** est un **verbe réfléchi** (*reflexive verb*).

● Quel est l'équivalent anglais du pronom réfléchi **se** de la phrase (2)?

ÉTUDE DE MOTS

Petit vocabulaire

NOMS:	un **appareil-photo**	*camera*	une **fleur**	*flower*
	un **bouquet**	*bouquet*	une **glace**	*mirror*
	un **cadeau**[1]	*gift, present*	une **invitée**	*guest (female)*
	un **invité**	*guest*	une **photo**	*photograph, picture*

ADJECTIFS:	**ému**	*nervous*
	religieux (religieuse)	*religious*

VERBES EN **-er**:	**couper**	*to cut*	**se couper**	*to cut oneself*
	installer	*to install*	**s'installer**	*to install oneself, sit down*
	préparer	*to prepare*	**se préparer**	*to prepare oneself, get ready*

EXPRESSION:	**tout le monde**	*everyone, everybody*

[1] Note the plural: un cadeau, des cadeaux.

Vocabulaire spécialisé: le mariage

le **fiancé**	*fiancé*	la **fiancée**	*fiancée*
		les **fiançailles**	*engagement*
		la **bague de fiançailles**	*engagement ring*
le **mariage**	*wedding*		
le **marié**	*groom*	la **mariée**	*bride*
le **mari**	*husband*	la **femme**	*wife*
le **témoin**	*witness (best man)*	l'**alliance**	*wedding ring*
le **maire**	*mayor*	la **mairie**	*city hall*
le **prêtre**	*priest*	l'**église**	*church*
le **faire-part**	*announcement, (wedding) invitation*		

Activité 1. *Questions personnelles*

1. Avez-vous déjà été à un mariage?
2. Qui était le marié? la mariée?
3. Qui étaient les témoins?
4. Où a eu lieu le mariage?
5. Combien y avait-il d'invités?
6. Quels cadeaux y avait-il?
7. Avez-vous fait un cadeau? Quel cadeau?

ÉTUDE DE PRONONCIATION

Les sons /ɛ̃/ et /in/

The letters **in (im)** represent the sound /ɛ̃/, unless they are followed by a vowel or another **n (m).** In that case, they represent the sound /in/ (/im/).

Contrastez: installer – inactif   invité – initiative   important – immeuble
impossible – image   impression – imiter   intention – innocent

Prononcez: As-tu l'intention d'inviter Aline et Inès?
Martin et Martine s'installent dans cet immeuble.

ÉTUDE DE LANGUE

A. Révisons: LES VERBES COMME *ACHETER* ET *PRÉFÉRER*

Most French verbs which end in **e** + consonant + **er** in the infinitive are conjugated like **acheter** (*to buy*). All verbs which end in **é** + consonant + **er** in the infinitive are conjugated like **préférer** (*to prefer*).

Infinitive		**acheter**		**préférer**
Present	j'	**achèt**e	je	**préfèr**e
	tu	**achèt**es	tu	**préfèr**es
	il/elle	**achèt**e	il/elle	**préfèr**e
	nous	achetons	nous	préférons
	vous	achetez	vous	préférez
	ils/elles	**achèt**ent	ils/elles	**préfèr**ent
Imperfect	j'	achetais	je	préférais
Future	j'	**achèt**erai	je	préférerai
Passé composé	j'ai	acheté	j'ai	préféré

Note the grave accent (**è**) in the **je, tu, il,** and **ils** forms of the present. The grave accent also appears in the future stem of **acheter,** but not **préférer.**

Review the following verbs:

(like **acheter**)

amener	*to bring*	**J'amène** un ami.

(like **préférer**)

célébrer	*to celebrate*	Demain nous **célébrerons** le mariage
considérer	*to consider*	Je **considère** que c'est un garçon intelligent.
espérer	*to hope*	**J'espère** qu'il viendra.
répéter	*to repeat*	**Répétez** la phrase, si'l vous plaît.

Activité 2. *Questions personnelles*

1. Préférez-vous aller au théâtre ou au cinéma?
2. Préférez-vous aller à un mariage ou à une surprise-partie?
3. Quand vous allez à une surprise-partie, amenez-vous vos copains?
4. Espérez-vous être invité à un mariage cet été?
5. Espérez-vous aller en France cet été?
6. Considérez-vous que le mariage est une institution importante?

B. LES PRONOMS RÉFLÉCHIS

In a reflexive construction the subject and the object of the verb represent the same person (or thing). In such a construction the object of the verb is a reflexive pronoun.

The chart below shows the forms of the reflexive pronouns and gives the present tense of the reflexive verb **se couper** (*to cut oneself*).

SUBJECT PRONOUN	CORRESPONDING REFLEXIVE PRONOUN	**se couper**	
je (j')	**me (m')***	je **me** coupe	*I cut myself*
tu	**te (t')***	tu **te** coupes	*you cut yourself*
il	**se (s')***	il **se** coupe	*he cuts himself*
elle	**se (s')***	elle **se** coupe	*she cuts herself*
nous	**nous**	nous **nous** coupons	*we cut ourselves*
vous	**vous**	vous **vous** coupez	*you cut yourself (yourselves)*
ils	**se (s')***	ils **se** coupent	*they cut themselves*
elles	**se (s')***	elles **se** coupent	*they cut themselves*

NOTES: 1. The reflexive pronouns, like all object pronouns, come before the verb, except in affirmative commands (see **Étude de langue,** Section C, p. 196.)

2. The reflexive pronouns **me, te,** etc. often correspond to the English pronouns *myself, yourself,* etc.

Activité 3. **Devant la glace**

Dites que chaque invité se regarde dans la glace avant d'aller au mariage. Dites aussi qu'il s'admire.

MODÈLE: Tante Denise   **Tante Denise se regarde dans la glace.**
                                Elle s'admire.

1. Monsieur Lefèvre   5. Toi   9. Irène
2. Robert et sa sœur   6. Les cousines de Nice   10. Suzanne et Sophie
3. Betty   7. Moi   11. Philippe
4. Nous   8. Vous   12. Marc

*Before a vowel sound: Je **m'**installe, etc.

C. LES PRONOMS RÉFLÉCHIS ET LES PRONOMS NON-RÉFLÉCHIS

The reflexive pronoun is either the direct or the indirect object of the verb:

Direct object:	Il **s'**admire.	*He admires **himself**.*
	Elle **se** trouve jolie.	*She finds **herself** pretty.*
Indirect object:	Nous **nous** préparons des sandwichs.	*We are fixing sandwiches **for ourselves**.*
	Je **m'**achète un appareil-photo.	*I am buying **myself** a camera.*

NOTES: 1. The reflexive pronouns **me, te, nous,** and **vous** are the same as the corresponding direct and indirect object pronouns.

Direct object:	Lisette **m'**invite.	*Lisette **invites me**.*
Indirect object:	Lisette **me** parle.	*Lisette speaks **to me**.*
Reflexive object:	Je **me** prépare.	*I get **myself** ready.*

2. The reflexive pronoun **se** (which can be singular or plural, masculine or feminine) is different from the corresponding direct and indirect object pronouns.

DIRECT OBJECT	NON-REFLEXIVE	REFLEXIVE

Madame Lefèvre prépare. . .

. . .**la table.**	Elle **la** prépare.	⎫
. . .**le déjeuner.**	Elle **le** prépare.	⎬ Puis, elle **se** prépare.
. . .**les desserts.**	Elle **les** prépare.	⎭

INDIRECT OBJECT	NON-REFLEXIVE	REFLEXIVE

Monsieur Lefèvre achète un cadeau. . .

. . .**pour Louis.**	Il **lui** achète un cadeau.	⎫
. . .**pour Jacqueline.**	Il **lui** achète un cadeau.	⎬ Puis, il **s'**achète une
. . .**pour ses nièces.**	Il **leur** achète un cadeau.	⎭ nouvelle cravate.

Activité 4. *Avant le mariage*

Les amis de Jacqueline préparent leurs cadeaux. Puis ils se préparent pour le mariage. Dites ce que chacun fait d'après le modèle.

MODÈLE: Hélène (son cadeau)   **Hélène le prépare. Puis elle se prépare.**

1. Betty (son cadeau)
2. René (son cadeau)
3. Henri et Roger (leurs cadeaux)
4. Nous (nos cadeaux)
5. Vous (votre cadeau)
6. Tu (ton cadeau)
7. Les cousins de Jacqueline (leurs cadeaux)
8. Ses cousines (leurs cadeaux)

Activité 5. **Cadeaux de mariage**

Les invités s'achètent les mêmes choses qu'ils achètent à Jacqueline. Exprimez cela avec deux phrases d'après le modèle.

MODÈLE: Hélène (une lampe)   **Hélène lui achète une lampe.**
Elle s'achète une lampe.

1. Irène (des fleurs)
2. Louise (un vase)
3. Les parents de Jacqueline (une voiture)
4. Gérard (un transistor)

5. Henri (des disques)
6. Tante Louise (un réfrigérateur)
7. Oncle André (une télévision)
8. Les cousins Lavergne (une caméra)

D. LES VERBES RÉFLÉCHIS DANS LES PHRASES NÉGATIVES

In negative sentences the word order with reflexive verbs is the same as that used with non-reflexive verbs.

Vous préparez la table?   Non, je **ne** la prépare **pas.**
Vous vous préparez?   Non, je **ne** me prépare **pas.**

Jacqueline trouve la table jolie?   Non, elle **ne** la trouve **pas** jolie.
Jacqueline se trouve jolie?   Non, elle **ne** se trouve **pas** jolie.

Activité 6. **Économies**

Les amis de Louis font des économies. Dites qu'ils ne s'achètent pas les objets entre parenthèses.

MODÈLE: Marc (des disques)   **Marc ne s'achète pas de disques.**

1. Roger (une voiture)
2. Vous (une moto)
3. Nous (des livres)
4. Moi (des vêtements)

5. Suzanne (des souvenirs)
6. Antoine et Jacques (un appareil-photo)
7. Toi (une raquette)
8. Sylvie et Nathalie (des cassettes)

À votre tour

Le «grand prix»

Vous avez gagné 1.000 dollars dans un concours publicitaire (*sweepstakes*). Comme vous êtes généreux (généreuse), vous amenez votre meilleur(e) ami(e) dans les magasins suivants. Dites ce que vous vous achetez et ce que vous lui achetez.

EXEMPLE: dans une pâtisserie

Je m'achète une glace. Je lui achète un énorme gâteau.

dans un magasin de sports
dans un supermarché
chez un marchand de journaux

chez un marchand de disques
dans un grand magasin (*department store*)

5.2 *LES PHOTOS*

PHOTOS DE FIANÇAILLES

Betty et Martine sont *prêtes*. Pendant qu'elles attendent les autres, Martine
sort l'album de photos. Elle montre à Betty les photos de fiançailles de
sa sœur.

ready

Là, Jacqueline et Louis se rencontrent devant
la maison.

Sur cette photo, ils se regardent tendrement. . .

Ici, ils se parlent tout bas. Qu'est-ce qu'ils
se disent? C'est leur secret.

Voici le grand moment! Ils se promettent
solennellement de s'aimer éternellement.
Ils s'embrassent. C'est romantique, n'est-ce pas?

Questions

1. Qu'est-cè que Martine montre à Betty?
2. Comment s'appelle le fiancé de Jacqueline?
3. Qu'est-ce que Louis et Jacqueline se promettent?

192

PHOTOS DE MARIAGE

Les invités sont là. Robert, *photographe* amateur, décide de prendre   = *personne qui prend des photos*
quelques photos avant la cérémonie. Il donne ses instructions:

> «Toi, Martine, mets-toi *à côté de* Louis.   next to
> «Vous, Oncle André, mettez-vous à côté de Maman.
> «Toi, Lisette, ne te mets pas derrière. Mets-toi devant.
> «Vous, Tante Denise, ne vous mettez pas trop *loin*. Je ne vous vois pas.   far

Mettez-vous ici.

> «Vous, Jacqueline et Louis, regardez–vous.
> «Toi, Daniel, *tais-toi!*   = *ne parle pas*
> «Voilà, c'est parfait!
> «Un *sourire* maintenant!»   smile
> Clic clac!

Robert a pris plusieurs photos. Il va prendre la dernière photo quand il
s'aperçoit que Jean-Claude n'est pas là. Jean-Claude est le meilleur ami de   = *constate*
Louis. Pourquoi n'est-il pas là?

Questions

1. Qui prend les photos?   3. Qui est Jean-Claude?
2. Qui n'est pas là?

NOTE CULTURELLE: **Les fiançailles**

La cérémonie des fiançailles précède° le
mariage. C'est une cérémonie familiale où le
jeune homme et la jeune fille se font la
promesse solennelle de se marier. Comme
symbole de cette promesse, le fiancé offre°
une bague — la bague de fiançailles — à sa
fiancée.

précède = vient avant; offre gives

OBSERVATIONS

Lisez les phrases suivantes:

$$\text{Louis et Jacqueline } \textbf{se } \text{parlent.} = \begin{cases} \text{Louis parle à Jacqueline.} \\ \text{Jacqueline parle à Louis.} \end{cases}$$

La phrase **Louis et Jacqueline se parlent** (*Louis and Jacqueline are talking* **to each other**)
exprime une action réciproque.

- Quel pronom utilise-t-on dans cette phrase pour exprimer la réciprocité (ou interaction)?
  Est-ce que ce pronom est un pronom réfléchi?
- Quels pronoms anglais utilise-t-on pour indiquer la réciprocité?

ÉTUDE DE MOTS

Petit vocabulaire

NOMS:	un **secret**	*secret*	une **promesse**	*promise*
ADJECTIFS:	**bas (basse)**	*low; soft*		
	haut	*high; loud*		
	parfait	*perfect*		
	prêt	*ready*		
VERBES EN **-er**:	**donner**	*to give*		
	embrasser	*to kiss; hug, embrace*		
	montrer	*to show*		
VERBE IRRÉGULIER:	**sortir**	*to get out*		
EXPRESSIONS:	**à côté de**	*next to*		
	tout bas	*in a low voice, softly*		

NOTES DE VOCABULAIRE

1. **Haut.** Il n'y a ni liaison ni élision devant **haut**:

   la haute couture (*high fashion*)   Regardez les hautes montagnes.

2. **Sortir (quelque chose).** Quand le verbe **sortir** (ou un autre verbe conjugué avec **être** au passé composé) prend un complément direct, le passé composé se forme avec **avoir**.

   Contrastez: Je **suis sorti** hier.   J'**ai sorti** l'album hier.
   Je **suis monté** chez toi.   J'**ai monté** ta valise chez toi.
   Je **suis descendu**.   J'**ai descendu** ton manteau.

ÉTUDE DE PRONONCIATION

La consonne /r/

The sound /r/ is pronounced at the back of the throat. In the middle and at the end of a word it is pronounced very softly.

Prononcez: Leur sœur sort avec Robert.
Robert et René sont des photographes amateurs.
Roger se marie avec Irène le trente mars.
Montre-moi l'autre livre.

ÉTUDE DE LANGUE

A. Révisons: LE VERBE *METTRE*

Review the forms of the irregular verb **mettre** (*to put, place*; *put on*).

Infinitive	**mettre**			
Present	je mets		nous	mettons
	tu mets		vous	mettez
	il/elle met		ils/elles	mettent
Imperfect	je mettais			
Future	je mettrai			
Passé composé	j'ai **mis**			

Other verbs conjugated like **mettre** are:

permettre de   *to permit, allow*   Est-ce que vos parents vous **permettent d'**aller au cinéma en semaine?

promettre de   *to promise, make a promise*   Je **promets d'**obéir.

Activité 1. **Questions personnelles**

1. Est-ce que vos parents vous permettent de sortir le soir?
2. Est-ce que vos parents vous permettent de sortir le week-end?
3. Jusqu'à quelle heure est-ce qu'ils vous permettent de sortir?
4. Est-ce que vous leur promettez d'être à l'heure?
5. Qu'est-ce que vous mettez quand vous sortez le samedi soir?

B. LES VERBES RÉFLÉCHIS ET L'ACTION RÉCIPROQUE

Reflexive verbs are sometimes used to express reciprocal action or interaction between two or more subjects.

J'aime Louis.⎱
Il m'aime. ⎰ Nous **nous** aimons.   *We love **each other.***

Robert téléphone à Lisette.⎱
Lisette téléphone à Robert.⎰ Ils **se** téléphonent.   *They call **each other.***

NOTES: 1. Since interaction involves at least two people, the subject of reflexive verbs indicating reciprocal action is always plural.

2. In French, reflexive pronouns indicating reciprocal action cannot be omitted. (In English, the expression *each other* or *one another* is frequently left out.)

Compare: Ils s'embrassent.   *They are kissing (each other).*
          Ils se disputent.   *They are arguing (with each other).*

PROVERBE FRANÇAIS: **Qui se ressemble s'assemble.**
"Birds of a feather flock together."
(Literally: *People who resemble each other get together.*)

Activité 2. *Réciprocité*

Louis parle des relations entre ses amis. Jacqueline demande si ces relations sont réciproques. Louis répond que oui. Jouez le rôle de Jacqueline et de Louis d'après le modèle.

MODÈLE: Jacques invite souvent André.

> Louis: **Jacques invite souvent André.**
> Jacqueline: **Est-ce qu'André invite souvent Jacques?**
> Louis: **Oui, ils s'invitent souvent.**

1. Michel téléphone à Georges.
2. Jean-Luc insulte Bernard.
3. Jean-Michel déteste Charles.
4. François aime Monique.
5. Henri parle à Robert.
6. Julien adore Martine.
7. Alain connaît Patrick.
8. Gilles répond à Nathalie.
9. Raymond rend visite à Jean-Claude.
10. Gérard achète une glace à Mireille.
11. Mathieu invite Sophie.
12. Delphine regarde Marc.

Activité 3. *Tante Denise*

Tante Denise, qui ne voit pas souvent Jacqueline, lui pose un grand nombre de questions. Répondez comme Jacqueline d'après le modèle.

MODÈLE: Tante Denise: Tu vois souvent Louis?

> Jacqueline: **Oui, nous nous voyons souvent.**

Tante Denise:

1. Tu téléphones souvent à Louis?
2. Tu parles souvent à Betty?
3. Tu invites souvent tes amis?
4. Tu connais Irène?
5. Tu aides ta mère?
6. Tu détestes toujours Léon?

C. L'IMPÉRATIF DES VERBES RÉFLÉCHIS

In the imperative, reflexive verbs follow the same pattern as non-reflexive verbs.

Prépare-**toi!**	*Get ready.*	Ne **te** prépare pas!	*Don't get ready.*
Préparons-**nous!**	*Let's get ready.*	Ne **nous** préparons pas!	*Let's not get ready.*
Préparez-**vous!**	*Get ready.*	Ne **vous** préparez pas!	*Don't get ready.*

NOTES: 1. In affirmative commands, reflexive pronouns come after the verb and the stressed forms are used: **te** becomes **toi.**

2. In negative commands, reflexive pronouns come before the verb.

The following reflexive verbs are frequently used in the imperative:

s'asseoir	to sit down	se taire	to be quiet
Assieds-toi!	*Sit down!*	**Tais-toi!**	*Be quiet!*
Asseyez-vous!	*Sit down!*	**Taisez-vous!**	*Be quiet!*

Activité 4. A table

Martine place les invités pour le repas de mariage. Jouez le rôle de Martine, d'après le modèle.

MODÈLE: Toi, Hélène   Martine: **Toi, Hélène, mets-toi ici.**

1. Vous, Oncle André
2. Vous, Tante Denise
3. Toi, Betty
4. Toi, Jean-François

5. Toi, Alain
6. Vous, Charles et Henri
7. Vous, Claudine et Michèle
8. Toi, Louis

Activité 5. Changement de place

Les invités n'ont pas compris. Martine leur dit de changer de place. Jouez le rôle de Martine. Utilisez les noms de l'Activité 4.

MODÈLE: Toi, Hélène   Martine: **Toi, Hélène, ne te mets pas ici! Assieds-toi là-bas!**

Activité 6. Roméo et Juliette: version moderne

Juliette Capulet déclare à sa mère qu'elle aime Roméo. Madame Capulet lui demande de cesser leurs relations. Jouez le rôle de Juliette et de Madame Capulet, d'après le modèle.

MODÈLE: Nous nous parlons.   Juliette: **Nous nous parlons.**
Madame Capulet: **Ne vous parlez plus!**

1. Nous nous téléphonons.
2. Nous nous écrivons.
3. Nous nous rencontrons.

4. Nous nous voyons.
5. Nous nous donnons rendez-vous.
6. Nous nous aimons.

A votre tour

La photo de la classe

Vous prenez une photo de la classe. Vous dites à vos camarades où ils doivent se mettre. Faites cinq phrases.

EXEMPLE: Patricia, mets-toi à côté de Paul!
Paul et Sally, ne vous asseyez pas!

5.3 *JEAN-CLAUDE*

Jean-Claude est le témoin de Louis. On ne peut pas célébrer le mariage sans lui... Madame Lefèvre *s'inquiète*. Monsieur Lefèvre *s'impatiente*. Jacqueline *s'énerve*. Louis reste calme.

is getting worried;
= devient impatient
is getting upset

LOUIS: Jean-Claude habite loin. Aujourd'hui il y a beaucoup de *circulation*...

= voitures sur la route

JACQUELINE: Écoute! Je sais bien que Jean-Claude est ton ami mais quand même, il exagère. Il est toujours en retard, ce garçon!

LISETTE (*à Louis et à Jacqueline*): Vous n'allez pas vous disputer, non? Tiens, voilà justement Jean-Claude qui arrive!

Jean-Claude vient d'arriver. Mais dans quel état! Sa cravate est défaite. Son *habit* est *couvert* de *poussière*. Il veut s'excuser mais Louis lui dit:

«Tu n'as pas le temps de t'excuser maintenant. Le maire nous attend. Allez! Viens!»

= costume pour le mariage; covered; dust

Vrai ou faux?

1. Monsieur Lefèvre reste calme.
2. Jacqueline s'énerve.
3. Louis s'impatiente.
4. Jean-Claude est toujours à l'heure.
5. Quand Jean-Claude arrive, il se dispute avec Jacqueline.

Le mariage – cérémonie civile et religieuse

En France, le mariage est une cérémonie à la fois° officielle et religieuse. Il est célébré d'abord obligatoirement à la mairie par le maire, en présence de deux témoins. Après cette cérémonie civile, les époux° vont à l'église pour le mariage religieux. En France, la cérémonie religieuse est généralement beaucoup plus solennelle que la cérémonie civile.

à la fois both; **époux** = le marié et la mariée

OBSERVATIONS

Lisez les phrases suivantes:

Je vais **me** préparer.   *I am going to get myself ready.*
Louis va **se** préparer.   *Louis is going to get himself ready.*

Dans la conversation on emploie souvent la construction **aller + infinitif** pour exprimer le futur.

- Quand l'infinitif est un verbe réfléchi (comme **se préparer**), est-ce que le pronom réfléchi est placé avant **aller?** avant l'infinitif? après l'infinitif?
- Est-ce que le pronom réfléchi représente la même personne que le sujet?

ÉTUDE DE MOTS

Petit vocabulaire

VERBES EN **-er**:	**se disputer**	*to argue, fight, quarrel*
	exagérer (comme **préférer**)	*to exaggerate, overdo*
VERBE IRRÉGULIER:	**défaire** (comme **faire**)	*to undo*
EXPRESSIONS:	**à l'heure**	*on time*
	allez!	*come on!*
	d'abord	*first, at first*
	en retard	*late*

NOTE DE VOCABULAIRE

Allez! Viens! (*Come on! Let's go!*)

    Allez! Viens! (vous parlez à une personne que vous connaissez bien)
    Allez! Venez! (vous parlez à plusieurs personnes)

Activité 1. **Questions personnelles**

1. Vous disputez-vous avec vos frères et sœurs? Pourquoi?
2. Vous disputez-vous avec vos parents? Pourquoi?
3. Vous disputez-vous avec vos amis? Pourquoi?
4. Êtes-vous toujours à l'heure?

ÉTUDE DE PRONONCIATION

La consonne /l/

As you pronounce the French /l/, be sure that the tip of your tongue touches your upper front teeth.

Prononcez: Voilà Louis.

Lisette est calme.

Quelle belle demoiselle!

L'oncle de Lili est malade.

Il lui parle de la belle Hélène.

ÉTUDE DE LANGUE

A. VERBES RÉFLÉCHIS INDIQUANT UN CHANGEMENT D'ÉTAT

Many reflexive verbs correspond to English expressions beginning with *to get*.

Jacqueline se marie aujourd'hui.   *Jacqueline is getting married today.*

Note the following verbs:

s'embêter	*to get bored*	**s'impatienter**	*to get impatient*
s'énerver	*to get nervous, upset*	**s'inquiéter**	*to get worried*
se fâcher	*to get angry*	**se marier**	*to get married*
se fatiguer	*to get tired*	**se mettre en colère**	*to get angry*
se fiancer	*to get engaged*	**se préparer**	*to get ready*

Activité 2. **Question de tempérament!**

Les amis de Louis ont des personnalités différentes. Faites des phrases d'après le modèle. Utilisez une expression réfléchie dérivée des mots en italique.

MODÈLE: Michel est toujours *impatient*.   **Michel s'impatiente facilement.**

1. Jacques est très *nerveux*.
2. Henri est toujours *en colère*.
3. Charles est toujours *fatigué*.
4. Valérie est toujours *fâchée*.
5. Lisette est toujours *inquiète*.
6. Monique et Sylvie sont toujours *impatientes*.

Activité 3. **Expression personnelle**

1. Est-ce que vous vous embêtez en classe? Pourquoi? Pourquoi pas?
2. Est-ce que vos amis s'embêtent en classe?
3. Est-ce que vous vous énervez facilement? En quelles occasions?
4. Est-ce que vous vous fâchez avec certains camarades? Pourquoi?
5. Est-ce que vous vous mettez en colère? En quelles occasions?
6. Est-ce que vos parents s'inquiètent quand vous n'êtes pas à l'heure?

B. L'INFINITIF DES VERBES RÉFLÉCHIS

The basic infinitive of a reflexive verb is always given with the pronoun **se:**

> **se fâcher** *to get angry*

When the reflexive infinitive is used in a sentence, the reflexive pronoun usually represents the same person as the subject. Note the form of the reflexive pronoun in sentences expressing the near future (**aller** + infinitive):

Nous nous téléphonons souvent.	Nous allons **nous téléphoner** ce soir.
Je me marie.	Je vais **me marier** avec Mathilde.
Ils se fiancent.	Ils vont **se fiancer** en juillet.

Activité 4. **L'exemple de Jacqueline**

Les amies de Jacqueline décident de se marier. Dites que chaque amie va se marier à la date indiquée entre parenthèses.

MODÈLE: Hélène (en juillet)   **Hélène va se marier en juillet.**

1. Christine (en août)
2. Michèle (le 15 septembre)
3. Mireille et Colette (le 1er octobre)
4. Toi (après les vacances)
5. Vous (avant Noël)
6. Moi (l'année prochaine)
7. Elles (en juin)
8. Nous (en mai)

À votre tour

Réactions

Qu'est-ce qui arrive chez vous quand. . .

> vous rentrez à trois heures du matin?
> votre frère casse (*breaks*) un vase?
> le poste de télévision ne fonctionne pas?

Décrivez les réactions des membres de votre famille dans chaque cas. Vous pouvez utiliser les verbes suivants:

> se fâcher / s'impatienter / s'excuser / s'énerver / se mettre en colère

EXEMPLE: Mes parents s'impatientent rarement. Mais quand je rentre à trois heures du matin, mon père se met en colère. . .

5.4 *UN GARÇON TROP PRESSÉ*

C'est vrai! Jean-Claude, le témoin de Louis, n'est pas très ponctuel. Pourtant, hier il a promis à Louis d'être à l'heure pour le mariage.

Alors, pourquoi est-il en retard? C'est simple. Il a été victime de *son zèle.* Voici ce qui *est arrivé:*

= *sa hâte;* happened

JEAN-CLAUDE SE DÉPÊCHE

Ce matin Jean-Claude se lève tôt.　Il se rase.　Il se lave.

Il s'habille
en vitesse.　= *vite*

Il se brosse les
cheveux.

Puis il se précipite
dans sa voiture. . .

LA PANNE

breakdown

Pour aller plus vite, Jean-Claude a pris les petites routes où il n'y a pas beaucoup de *circulation.*

= *voitures*

. . .Encore dix kilomètres[1]. . . Jean-Claude se *félicite:* il ne sera pas en retard aujourd'hui!

congratulates

Mais tout à coup la voiture *ralentit.* Puis, elle s'arrête. . . Jean-Claude *se rend compte* qu'il n'a plus d'*essence.*

= *va moins vite* realizes; gas

Eh oui, dans sa hâte, il a oublié d'en prendre ce matin!

Jean-Claude se met en colère. . ., mais *à quoi bon?* Il est bien obligé de *se résigner!* Il n'y a pas de stations-service sur les petites routes.

what's the use?
= *accepter la situation*

Il sort de sa voiture, prend ses clés, et *se met* à marcher. . .

= *commence*

[1] A peu près (approximativement) six miles.

Vrai ou faux?

1. Jean-Claude est le témoin de Louis.
2. Il veut être à l'heure.
3. Dans sa hâte, il oublie de se raser.
4. Il prend sa voiture.
5. Il oublie de prendre de l'essence.
6. Il prend un taxi pour aller au mariage.

NOTE CULTURELLE: **Les routes françaises**

En France, il n'y a pas beaucoup d'autoroutes, comme aux États-Unis. La majorité des routes sont des petites routes, pittoresques° mais pas très rapides. A chaque° kilomètre, une borne° indique la distance du prochain village.

pittoresques picturesque; **chaque** each; **borne** milestone

OBSERVATIONS

Lisez les phrases suivantes:

Jean-Claude: Je **me** lave **les** cheveux.   *I am washing my hair.*

- Est-ce que Jean-Claude utilise un pronom réfléchi en français? en anglais?
- Avec le mot **cheveux** (*hair*), est-ce que Jean-Claude utilise un adjectif possessif en français? en anglais?

ÉTUDE DE MOTS

Petit vocabulaire

ADJECTIF:	**pressé**	*in a hurry*	
VERBES EN **–er**:	**s'arrêter**	*to stop*	**marcher** — *to walk; function, work*
	se dépêcher	*to hurry*	**se précipiter** — *to rush, dash*
EXPRESSIONS:	**lentement**	*slowly*	**tôt** — *early*
	se rendre compte	*to realize*	**tout à coup** — *suddenly, all of a sudden*
	tard	*late*	

NOTE DE VOCABULAIRE

Marcher. Le verbe **marcher** a plusieurs significations:

La voiture de Jean-Claude ne marche plus.   *Jean-Claude's car does not **work** anymore.*
Jean-Claude est obligé de marcher.   *Jean-Claude has to **walk**.*

203

Vocabulaire spécialisé: la toilette

LE MATIN:	**se réveiller**	*to wake up*
	se lever (comme **acheter**)	*to get up*
	se laver	*to wash up, wash oneself*
	se raser	*to shave*
	se brosser (**les dents, les cheveux**)	*to brush (one's teeth, one's hair)*
	se peigner	*to comb one's hair*
	s'habiller	*to get dressed*
	se maquiller	*to put on makeup*
LE SOIR:	**se déshabiller**	*to get undressed*
	se coucher	*to go to bed*

ARTICLES DE TOILETTE:	des **ciseaux**	*scissors*	une **brosse à cheveux**	*hairbrush*
	un **peigne**	*comb*	une **brosse à dents**	*toothbrush*
	du **savon**	*soap*		

Activité 1. **Questions personnelles**

1. Aimez-vous marcher?
2. Avez-vous une montre qui marche bien?
3. Est-ce que vous vous levez tôt d'habitude?
4. Est-ce que vous vous levez tard le dimanche?
5. Est-ce que vous vous couchez tôt en semaine?
6. Est-ce que vous vous couchez tard le samedi?
7. (pour les filles) Est-ce que vous vous maquillez pour aller à l'école? pour aller en surprise-partie?

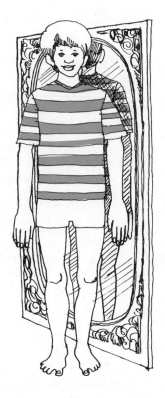

Vocabulaire spécialisé: les parties du corps

le **bras**	*arm*		la **bouche**	*mouth*
les **cheveux**	*hair*		les **dents**	*teeth*
le **cœur**	*heart*		la **figure**	*face*
le **cou**	*neck*		la **jambe**	*leg*
les **doigts**	*fingers*		la **main**	*hand*
le **dos**	*back*		les **oreilles**	*ears*
le **nez**	*nose*		la **tête**	*head*
l'**œil** (les **yeux**)	*eye*			
les **ongles**	*nails*			
le **pied**	*foot*			
le **ventre**	*stomach*			

ÉTUDE DE PRONONCIATION

La voyelle /ə/

The **e** of short words like **ne, te, se, de, ne, ce** is pronounced /ə/. In rapid conversation, the vowel /ə/ of such words is dropped when the preceding word ends with a vowel sound.

Prononcez:	*lentement*	*rapidement*
	Je me lave.	Je mé lave.
	Tu te lèves.	Tu té lèves.
	Marie se peigne.	Marie sé peigne.
	Louis se dépêche.	Louis sé dépêche.
	Ma moto ne marche pas.	Ma moto né marche pas.

ÉTUDE DE LANGUE

A. LA CONSTRUCTION: *JE ME LAVE LES MAINS*

To indicate that the subject performs a certain action on a part of his body, the French use the following construction:

subject + reflexive verb + definite article + part of the body

Je me lave **les** mains.	*I am washing **my** hands.*
Tu te coupes **les** ongles.	*You are cutting **your** nails.*
Il se brosse **les** dents.	*He is brushing **his** teeth.*

The French use the definite article **(le, la, les)** before parts of the body. (The equivalent English expression generally uses the possessive adjective.)

Activité 2. *Les amis de Jean-Claude*

Les amis de Jean-Claude l'aident à pousser sa voiture. Quand ils rentrent, ils se lavent. Complétez les phrases d'après le modèle.

MODÈLE: Alain – les mains   **Alain se lave les mains.**

1. Antoine – les ongles
2. Raymond – les oreilles
3. Jacques – la figure
4. Édouard – les cheveux
5. Pierre – le cou
6. Lucien – les jambes
7. Éric – les bras
8. Yves – les pieds

Activité 3. **Toilette** (*personal care*)

Voici certains objets de toilette. Dites ce qu'on fait avec ces objets.

MODÈLE: avec du savon   **Avec du savon, on se lave les mains.**

1. avec une brosse à ongles
2. avec une brosse à cheveux
3. avec une brosse à dents
4. avec du dentifrice (*toothpaste*)
5. avec des ciseaux à ongles
6. avec un peigne
7. avec un rasoir (*razor*)
8. avec du shampooing

B. VERBES RÉFLÉCHIS ET VERBES NON-RÉFLÉCHIS

As you have seen, reflexive verbs in French are often used to express —

a reflexive action: Je **me lave**.   *I wash myself.*
a reciprocal action: Ils **s'aiment**.   *They love each other.*

In the above instances, the reflexive verb has a meaning directly related to that of the non-reflexive verb from which it was formed:

NON–REFLEXIVE		REFLEXIVE	
laver	*to wash*	**se laver**	*to wash oneself*
aimer	*to love*	**s'aimer**	*to love each other* (*one another*)

Frequently, however, there isn't such a close relationship between the non-reflexive verb and the reflexive verb. We may divide such verbs into three categories.

(1) The meanings of the non-reflexive verb and the reflexive verb are somewhat related:

amuser	*to amuse*	**s'amuser**	*to have fun*
arrêter	*to arrest, stop* (*someone, something*)	**s'arrêter**	*to stop*
coucher	*to put to bed*	**se coucher**	*to go to bed*
demander	*to ask*	**se demander**	*to wonder*
excuser	*to excuse*	**s'excuser**	*to apologize*
promener	*to walk (a dog)*	**se promener**	*to take a walk, drive*
réveiller	*to wake (someone)*	**se réveiller**	*to wake up*

(2) The meanings of the non-reflexive verb and the reflexive verb have no close relationship.

lever	*to raise, lift*	**se lever**	*to get up*
mettre	*to place, put*	**se mettre à**	*to begin, start*
rendre	*to give back*	**se rendre à**	*to go to*
reposer	*to put back*	**se reposer**	*to rest*
trouver	*to find*	**se trouver**	*to be located*

(3) A few reflexive verbs have no equivalent non-reflexive verb:

se souvenir de[1]   *to remember*

Reflexive verbs are also used in idiomatic expressions, such as:

se rendre compte	*to realize*	Il **se rend compte** de son erreur.
Ça se peut.	*That's possible.*	
Que se passe-t-il?	*What's happening?*	
Qu'est-ce qui se passe?	*What's happening?*	

Activité 4. *Question de style*

Vous travaillez comme éditeur. Vous revoyez le manuscrit d'un auteur français. Vous n'aimez pas son style. Vous suggérez certains changements. Remplacez les mots soulignés par des verbes réfléchis de la liste suivante:

se coucher / se trouver / se lever / se demander / se mettre à / se rendre compte / s'habiller / se promener / se réveiller

MODÈLE: Je <u>sors du lit</u>.   **Je me lève.**

1. Est-ce que tu <u>mets tes vêtements</u>?
2. A quelle heure est-ce que François <u>va au lit</u>?
3. La Tour Eiffel <u>est située</u> à Paris.
4. Je <u>constate</u> que c'est vrai.
5. Je <u>suis curieux de savoir</u> pourquoi il n'est pas venu.
6. Nous <u>faisons une promenade</u> dans la montagne.
7. Après le dîner, je <u>commence à</u> travailler.
8. Il <u>ouvre les yeux</u>.

Activité 5. *Classe de géographie*

Supposez que vous êtes le professeur de géographie. Demandez à un(e) camarade si les villes suivantes sont dans les pays indiqués entre parenthèses. Votre camarade vous donnera la réponse exacte.

MODÈLE: Paris (en Italie)

Vous: **Est-ce que Paris se trouve en Italie?**

Votre camarade: **Non, Paris ne se trouve pas en Italie. Paris se trouve en France.**

1. Los Angeles (en Suisse)
2. Acapulco (au Canada)
3. Liverpool (au Mexique)
4. Québec (en France)
5. Genève (aux États-Unis)
6. Rome (en Angleterre)

[1] Conjugated like **venir**: Je **me souviens** de Jacques. Je **me suis souvenu** de son adresse. Est-ce que tu **te souviendras** de me téléphoner?

Activité 6. ***Questions personnelles***

  1. Où se trouve votre école?
  2. A quelle heure vous réveillez-vous le matin?
  3. A quelle heure vous levez-vous?
  4. A quelle heure est-ce que vous vous couchez?
  5. Est-ce que vous vous dépêchez pour aller à l'école?
  6. Est-ce que vous vous amusez en classe?
  7. Est-ce que vous vous amusez avec vos amis?
  8. Où aimez-vous vous promener?
  9. Avec qui est-ce que vous vous promenez?
10. Est-ce que vous vous souvenez de vos vacances?

1. En colonie de vacances

Avez-vous jamais été dans une colonie de vacances (*camp*)? Dites en six phrases quelles étaient vos activités habituelles. Mettez tous les verbes à l'imparfait si possible. Utilisez les verbes réfléchis suivants:

> se lever / s'amuser / se reposer / se laver / se promener / se coucher

> EXEMPLE: Quand j'étais au Camp Shoshoni, je me levais (nous nous levions) à sept
> heures. Je me lavais rarement. . .

2. Vous êtes pressé!

Imaginez que demain vous vous réveillerez beaucoup plus tard que d'habitude. En six phrases, dites ce que vous ferez (ou ce que vous ne ferez pas) pour arriver en classe à l'heure. Mettez tous les verbes au futur si possible. Utilisez les verbes réfléchis suivants:

> se laver / se brosser / se dépêcher / se précipiter / se peigner / s'habiller / s'excuser

> EXEMPLE: Je ne me laverai pas. Je me peignerai rapidement. . .

Morzine, Haute-Savoie

5.5 *UNE PAGE DE JOURNAL*

Dans son journal, Betty a noté les événements de cette *journée* mémorable: = *jour*

> Aujourd'hui, Jacqueline s'est mariée.
>
> Pour l'occasion, je me suis levée très tôt. Précaution inutile, car la cérémonie s'est déroulée avec une heure de retard! Le coupable, Jean-Claude, s'est excusé avec une histoire impossible. Monsieur Lefèvre, qui commençait à s'impatienter, s'est moqué de lui.
>
> Nous nous sommes dépêchés d'aller à la mairie. Puis nous nous sommes rendus à l'église. Je me suis mise au premier rang avec la famille.
>
> A table, je me suis mise à côté de Jean-Claude. (Ou c'est peut-être lui qui s'est mis à côté de moi, je ne me souviens plus.) Nous nous sommes bien amusés pendant le repas. Nous nous sommes raconté des tas d'histoires. Nous nous sommes donné rendez-vous pour samedi prochain. Nous nous sommes donné nos adresses et nous nous sommes promis de nous écrire.
>
> (Lisette, qui est une fille insupportable, m'a demandé si nous allions nous fiancer! Je me suis bien amusée de cette réflexion. Qui sait...? Peut-être l'année prochaine...)

= *parce que*; = *a eu lieu*; a one-hour delay guilty one; story

made fun

row

told; = *beaucoup*

unbearable

NOTE CULTURELLE: **Le repas de noces**

Le repas de noces° est organisé par la famille de la mariée. Il a lieu généralement chez elle, et parfois au restaurant. C'est un repas très joyeux. On mange bien. On boit bien. Souvent on raconte des histoires et on chante° des chansons.° Au dessert, il y a une «pièce montée», c'est-à-dire un gâteau avec une architecture compliquée.

noces *f.* = **mariage**; **on chante** one sings; **chansons** *f.* songs

Questions sur le texte

1. Qui **s'est marié?**
2. Est-ce que la cérémonie **s'est déroulée** à l'heure?
3. Qui **s'est impatienté?**
4. Où les invités **se sont-ils rendus?**
5. Où Betty **s'est-elle mise** à l'église?
6. Où **s'est-elle mise** à table?
7. Pour quand Jean-Claude et Betty **se sont-ils donné** rendez-vous?
8. Qui **s'est amusé** de la réflexion de Lisette?

OBSERVATIONS

Lisez les Questions sur le texte. Dans ces questions les verbes sont au passé composé.

● Quel auxiliaire (**être** ou **avoir**) utilise-t-on pour former le passé composé des verbes réfléchis?

Comparez les phrases suivantes:

(a) COMPLÉMENT DIRECT

1. Jean-Claude a invité **Betty.**
2. Betty a invité **Jean-Claude.**
3. Jean-Claude et Betty **se sont invités.**

(b) COMPLÉMENT INDIRECT

1. Jean-Claude a téléphoné **à Betty.**
2. Betty a téléphoné **à Jean-Claude.**
3. Betty et Jean-Claude **se sont téléphoné.**

Dans la phrase (a)-3, le pronom **se** joue le rôle d'un complément *direct* masculin pluriel.

● Est-ce qu'il y a accord entre **se** et le participe passé (**invités**)?

Dans la phrase (b)-3, le pronom **se** joue le rôle d'un complément *indirect* masculin pluriel.

● Est-ce qu'il y a accord entre **se** et le participe passé (**téléphoné**)?

ÉTUDE DE MOTS

Petit vocabulaire

NOMS:	un **journal**	*diary*	une **chanson**	*song*
	un **rang**	*row; rank*	une **histoire**	*story*
ADJECTIF:	**coupable**	*guilty*		
VERBES EN **-er**:	**chanter**	*to sing*	**se moquer de**	*to make fun of*
	raconter	*to tell*		
EXPRESSION:	**peut-être**	*perhaps, maybe*		

NOTES DE VOCABULAIRE

1. «**Le coupable**». En français, un adjectif peut souvent être employé comme nom:

   un **coupable** *guilty one*   des **jeunes** *young people*   la **petite** *the little girl*

2. **Peut-être.** Si la phrase commence par **peut-être**, l'inversion est souvent utilisée.

   Nous allons peut-être nous amuser.⎫
   Peut-être allons-nous nous amuser.⎭ *Maybe we will have fun.*

Activité 1. **Questions personnelles**

1. Avez-vous un journal?
2. Quels événements notez-vous dans ce journal?
3. Est-ce que vous connaissez des histoires drôles?
4. A qui est-ce que vous les racontez?
5. Est-ce que vous vous moquez parfois de vos amis?
6. Est-ce que vos amis se moquent parfois de vous?

ÉTUDE DE PRONONCIATION

La voyelle /ə/ *(suite)*

Within a word, the letter **e** followed by a single consonant + vowel represents the sound /ə/. In rapid conversation, this vowel sound is often dropped.

Prononcez:	*lentement*	*rapidement*
	Je suis en retard.	Je suis en r∉tard.
	Tu t'es levé tôt.	Tu t'es l∉vé tôt.
	Achetons ces disques.	Ach∉tons ces disques.
	Comment vous appelez-vous?	Comment vous app∉lez-vous?

ÉTUDE DE LANGUE

A. LES VERBES COMME *APPELER*

Certain French verbs which end in **e** + consonant + **er** in the infinitive are conjugated like **appeler** *(to call)*.

Infinitive	**appeler**			
Present	j'	**appell**e	nous	appelons
	tu	**appell**es	vous	appelez
	il/elle	**appell**e	ils/elles	**appell**ent
Imperfect	j'	appelais		
Future	j'	**appeller**ai		
Passé composé	j'ai	appelé		

Note that the final consonant of the infinitive stem (the **l**) is doubled in the **je, tu, il,** and **ils** forms of the present, and also in the future stem.

Another verb conjugated like **appeler**:

s'appeler Comment **vous appelez**-vous? Je **m'appelle** Betty.

Activité 2. **Questions personnelles**

1. Comment vous appelez-vous?
2. Comment s'appelle votre meilleur ami?
3. Comment s'appelle votre meilleure amie?
4. Comment s'appelle votre professeur de français?

B. LE PASSÉ COMPOSÉ DES VERBES RÉFLÉCHIS

To form the **passé composé** of reflexive verbs, the French use:

> **être** + past participle

Compare the following sentences:

NON–REFLEXIVE VERBS	REFLEXIVE VERBS
J'**ai coupé** le pain.	Je **me suis coupé.**
Tu **as lavé** ta voiture.	Tu **t'es lavé.**
Il **a mis** une cravate.	Il **s'est mis** au premier rang.
Nous **avons regardé** des photos.	Nous **nous sommes regardés** dans la glace.
Vous **avez rencontré** Françoise.	Vous **vous êtes rencontrés** à une surprise-partie.
Elles **ont vu** Françoise.	Elles **se sont vues.**

Note the negative constructions:

Tu t'es impatienté?	Non, je **ne** me suis **pas** impatienté.
Ils se sont téléphoné?	Non, ils **ne** se sont **pas** téléphoné.

In reflexive verbs as well as non-reflexive verbs in the **passé composé,** the negative word **(pas, jamais, plus, rien)** is placed between the auxiliary and the past participle.

Activité 3. **La mésaventure de Jean-Claude**

Jean-Claude raconte sa matinée à Betty. Jouez le rôle de Jean-Claude.

MODÈLE: Je me lève tôt.   Jean-Claude: **Je me suis levé tôt.**

1. Je me lave en vitesse.
2. Je m'habille.
3. Je me rase.
4. Je me dépêche.
5. Je me précipite dans ma voiture.
6. Je m'arrête à cause de la panne.
7. Je m'impatiente.
8. Je m'énerve.
9. Je me calme.
10. Je me mets à marcher.

Activité 4. **Le lendemain** (*the next day*)

Jean-Claude est rentré très tard chez lui. Le lendemain, il n'a pas fait ce qu'il fait d'habitude. Dites ce qu'il n'a pas fait.

MODÈLE: D'habitude, il se lève à huit heures.

> **Le lendemain, il ne s'est pas levé à huit heures.**

1. Il se rase.
2. Il s'habille en vitesse.
3. Il se dépêche.
4. Il se rend à son travail.
5. Il s'arrête dans un café.
6. Il s'achète un sandwich.
7. Il se promène.
8. Il se couche tard.

C. L'ACCORD DU PARTICIPE PASSÉ DES VERBES RÉFLÉCHIS

When a reflexive verb is in the **passé composé,** the past participle agrees in gender and number with a *direct object* that comes *before* the verb.

Case A. The reflexive verb is not followed by a direct object.

In this case, the past participle agrees with the reflexive pronoun, if that pronoun is the *direct* object. This is usually, but not always, the case.

Au mariage, Jean-Claude **s'**est amus**é.**

Betty **s'**est amus**ée** aussi.

Est-ce que les invités **se** sont amus**és?**

Les sœurs de Jacqueline **se** sont amus**ées.**

In the above sentences, **se** is a direct object.

In the next sentence, **se** is an indirect object. There is no agreement.

Jean-Claude et Betty **se** sont parl**é.**   *They spoke to each other.*

Activité 5. *Avant la surprise-partie de Martine*

Martine a invité des amis. Dites que les invités se sont préparés avant la surprise-partie.

MODÈLE: Lisette   Lisette s'est préparée.

1. Betty
2. Jean-Claude
3. Moi
4. Hélène et Catherine
5. Jim et Jules
6. Toi, Charlotte, tu. . .
7. Vous, Irène et Francine, vous. . .
8. Vous, Paul et Édouard, vous. . .

Case B. The reflexive verb is followed by a direct object.

In this case, the reflexive pronoun is always an indirect object. There is no agreement of the past participle.

Compare:

SENTENCES WITH ONE OBJECT	SENTENCES WITH TWO OBJECTS
reflexive pronoun is direct object	reflexive pronoun is indirect object
— agreement of past participle —	— NO agreement —
Marie **s'**est lav**ée.**	Marie s'est lav**é** les mains.
Betty **s'**est mis**e** près de Jean-Claude.	Betty s'est mis du parfum.
Les garçons **se** sont peign**és.**	Les garçons se sont peign**é** les cheveux.

Activité 6. **Avant la surprise-partie de Martine (*fin*)**

Voici comment les invités se sont préparés. Mettez les phrases suivantes au passé composé.

MODÈLE: Janine se peigne.   **Janine s'est peignée.**

1. Je me regarde dans la glace.
2. Betty s'admire dans la glace.
3. Jean-Claude se lave les mains.
4. Robert se brosse les cheveux.
5. Tu te brosses les dents.
6. Nous nous achetons des chaussures noires.
7. Elles s'achètent une robe longue.
8. Gérard s'achète une cravate.
9. Lucie se met du parfum.
10. Jacques et André se mettent de l'eau de cologne.

Activité 7. **Irène n'a pas de chance.**

Irène n'a pas pu venir à la surprise-partie de Martine. Elle téléphone pour expliquer ce qui s'est passé. Jouez le rôle d'Irène. Mettez toutes les phrases au passé composé.

MODÈLE: Elle s'habille.   Irène: **Je me suis habillée.**

1. Elle se maquille.
2. Elle se peigne les cheveux.
3. Elle se lave les mains.
4. Elle se dépêche.
5. Elle tombe dans l'escalier.
6. Elle se casse (*breaks*) la jambe.

Activité 8. **Questions personnelles: Aujourd'hui. . .**

1. Est-ce que vous vous êtes amusé(e)? Comment?
2. Est-ce que vous vous êtes embêté(e)? Quand?
3. Est-ce que vous vous êtes promené(e)? Où? Avec qui?
4. Est-ce que vous vous êtes arrêté(e) dans un magasin? Quel magasin?
5. Qu'est-ce que vous vous êtes acheté?

À votre tour

Votre journal

Écrivez une page de journal qui raconte les événements d'une journée réelle ou imaginaire. Mettez votre passage au passé. Employez au moins cinq verbes réfléchis. Voici quelques idées:

un mariage
le jour de la rentrée
hier
mon premier rendez-vous

Vous pouvez utiliser les verbes réfléchis suivants:

s'amuser / se dépêcher / s'habiller / s'impatienter / s'arrêter / se mettre à / se trouver / se rendre à / se rendre compte

Récréation

Le test des sportifs

Les Français pensent que les jeunes Américains sont sportifs. C'est certainement vrai. Et vous, personnellement, est-ce que vous vous intéressez aux sports? Pour savoir cela, répondez aux douze questions du test des sportifs. Mais avant, lisez attentivement le vocabulaire.

Vocabulaire spécialisé: les sports

l'**athlétisme**	*track and field*	une **compétition**	*meet, competition*
un **ballon**	*ball*	une **équipe**	*team*
le **football**	*soccer*		
les **Jeux Olympiques**	*Olympic Games*		
un **joueur**	*player*		
le **patinage**	*skating*		

Petit vocabulaire

NOM:	le **milieu**	*middle*	
VERBES:	se faire des illusions	*to fool oneself*	Ne **vous faites** pas **d'illusions:** vous n'irez pas en France cet été!
	s'intéresser à	*to be interested in*	Est-ce que **vous vous intéressez aux** sports?
	se jouer	*to be played*	Aux États-Unis, l'hymne national **se joue** avant les matches de football.
	se mesurer en	*to be measured in*	Aux États-Unis, les distances **se mesurent en** miles.
	se passionner pour	*to be very enthusiastic about*	Est-ce que **vous vous passionnez pour** les sports?

Le test des sportifs

1. Le football se joue avec deux équipes de

   A. onze joueurs
   B. dix joueurs

2. L'Astrodome se trouve à

   A. Cincinnati
   B. Houston

3. Aux Jeux Olympiques, les distances se mesurent en

   A. yards
   B. mètres

4. En rugby, le ballon se passe

   A. au pied
   B. à la main

5. En football, le joueur du milieu s'appelle

   A. le centre
   B. le goal

6. L'équipe de baseball de Boston s'appelle

   A. les «White Sox»
   B. les «Red Sox»

7. L'équipe de hockey de Montréal s'appelle

    A. les «Expos»
    B. les «Canadiens»

8. Dans les compétitions internationales, les voitures françaises se reconnaissent à la couleur

    A. bleue
    B. rouge

9. Mickey Mantle s'est distingué

    A. en baseball
    B. en tennis

10. Jesse Owens s'est distingué

    A. en athlétisme
    B. en ski

11. Billie Jean King s'est distinguée

    A. en tennis
    B. en water-polo

12. Janet Lynn et Peggy Fleming se sont distinguées

    A. en ski
    B. en patinage

Résultats

Les réponses justes sont: 1A, 2B, 3B, 4B, 5A, 6B, 7B, 8A, 9A, 10A, 11A, 12B.

Si vous avez 11 ou 12 points, vous vous passionnez pour le sport.
Si vous avez de 6 à 10 points, vous vous intéressez assez au sport.
Si vous avez de 2 à 5 points, vous vous intéressez peu au sport.
Si vous avez moins de 2 points, ne vous faites pas d'illusions: les sports ne sont pas votre distraction préférée.

TESTS DE CONTRÔLE
Chapitre cinq

Écrivez vos réponses sur une feuille de papier. Puis, vérifiez vos réponses à la page 456.

VERBES

TEST 1. *La bonne forme*

Complétez les phrases avec la forme qui convient du verbe entre parenthèses.

1. **(acheter)** Pour le pique-nique, Marc —— de la limonade. Sophie et Sylvie —— des fruits. Nous, nous —— du rosbif. Et vous, qu'est-ce que vous ——?

2. **(espérer)** Plus tard, j'—— voyager. Mon frère —— aller aux États-Unis. Mes cousins —— aller à l'université. Et vous, qu'est-ce que vous —— faire?

3. **(mettre)** Pour la cérémonie, je —— mon costume bleu. Ma sœur —— une jolie robe. Mes cousins —— leur nouveau costume. André a —— une cravate orange. Et vous, qu'est-ce que vous ——?

STRUCTURE

TEST 2. *A la surprise-partie*

Nathalie donne une surprise-partie. Décrivez ce que font les invités. Pour cela, complétez les phrases avec le pronom réfléchi qui convient.

1. Roger —— installe au buffet.
2. Henri —— prépare un sandwich.
3. Irène et Paul —— disputent.
4. Philippe et Louis —— racontent des histoires.
5. Marie-Françoise —— regarde dans la glace.
6. Nous —— parlons.
7. Vous —— amusez.
8. Tu —— embêtes.
9. Je —— amuse.
10. Je —— moque d'Henri.

TEST 3. *Avant le départ*

Nathalie et ses amis partent en vacances. Avant le départ, ils font certaines choses. Décrivez ces choses en complétant les phrases avec l'un des pronoms entre parenthèses.

1. Nathalie achète un pain. Elle —— coupe pour faire des sandwiches. (le, se)
2. Philippe amène sa voiture et il —— lave au garage. (la, se)
3. André —— achète une caméra et des films. (s', l')
4. Irène —— prépare pour le voyage. (la, se)
5. Je vais —— installer dans la voiture. (m', s')
6. Nous allons —— préparer dans notre chambre. (se, nous)
7. Henri se lave —— figure. (sa, la)
8. Michèle se brosse —— dents. (ses, les)

TEST 4. *Conseils* (*advice*)

Michèle connaît la valeur de l'argent. Elle conseille à ses amis d'acheter ou de ne pas acheter certains objets. Complétez ses phrases. Pour cela, utilisez l'impératif du verbe **s'acheter.**

1. Louise, —— cet appareil-photo!
2. Jacques et Pierre, —— ces disques!
3. Philippe, ne —— pas cette bicyclette!
4. Suzanne et Nicole, ne —— pas ces horribles robes!
5. Henri, —— ce beau costume!
6. Marc, ne —— pas cette horrible cravate!

TEST 5. *Routine*

Hier, Philippe a fait ce qu'il fait aujourd'hui. Décrivez cela en mettant les phrases au passé composé.

AUJOURD'HUI	HIER
1. Il se réveille.	Il ——
2. Il se lave.	Il ——
3. Il se rase.	Il ——
4. Il s'habille.	Il ——
5. Il se rend à l'école.	Il ——
6. Il s'embête.	Il ——

TEST 6. *Le jour d'après*

Nathalie demande si les personnes suivantes ont passé une soirée agréable. Répondez en utilisant le passé composé du verbe **s'amuser,** à la forme affirmative dans les phrases qui commencent par **oui,** à la forme négative dans les phrases qui commencent par **non.**

1. Robert?   Oui, il ——.   4. Irène?   Oui, elle ——.
2. Henri?   Non, il ——.   5. Louise?   Non, elle ——.
3. Philippe et Paul? Oui, ils ——.   6. Michèle et Monique? Oui, elles ——.

TEST 7. *L'amour*

Marie et Marc-André s'aiment. Dites qu'ils ont fait toutes les choses suivantes hier. Mettez les phrases au passé composé.

1. Ils se téléphonent.   4. Ils se donnent rendez-vous.
2. Ils se parlent.   5. Ils se préparent en vitesse.
3. Ils se disputent.   6. Ils s'embrassent.

VOCABULAIRE

TEST 8. *L'objet qui convient*

Complétez les phrases avec les mots suivants: une glace, des fleurs, des ciseaux, du savon, un journal, un peigne

1. Je coupe du papier avec ——.   4. Je m'arrange les cheveux avec ——.
2. Je fais un bouquet avec ——.   5. Je note mes impressions dans ——.
3. Je me lave avec ——.   6. Je me regarde dans ——.

TEST 9. *Le verbe exact*

Complétez les phrases avec l'un des verbes entre parenthèses.

1. Philippe ——. (se rase, se maquille)
2. Je suis fatigué. Je vais ——. (me moquer, me reposer)
3. Je —— sur mon lit. (me coupe, me couche)
4. Si vous ne —— pas, vous allez être en retard. (vous dépêchez, vous rendez)
5. Nous —— souvent dans cette forêt. (nous promenons, nous peignons)
6. Le bus —— ici. (se réveille, s'arrête)
7. Jacques est furieux. Il —— souvent. (se fâche, s'habille)
8. Savez-vous où —— la mairie? (se trouve, s'installe)

TEST 10. *Anatomie*

Écrivez la partie du corps correspondant à chaque nombre.

1. les c____   3. la b____   5. un b____   7. une j____
2. le n____   4. le c____   6. une m____   8. un p____

Chapitre six

CAMPING À PÂQUES

6.1 LA VEILLE DU DÉPART

Les vacances de *Pâques* commencent demain. Pour Jacques, c'est aussi le
jour du grand départ. Il va en effet passer quinze jours dans le Midi avec
ses cousins Bernard et Roger, deux campeurs *expérimentés!* Jacques est
très heureux de partir avec eux. C'est en effet la première fois qu'il fait
du camping. Ce soir, les trois garçons préparent leur itinéraire.

Easter

*= avec de
l'expérience*

JACQUES: Où allons-nous camper demain?

BERNARD (*c'est le chef de l'expédition*): *Près de* Montpellier, je suppose.

Near

ROGER: Il y a combien de kilomètres entre Paris et Montpellier?

BERNARD: Huit cents... Pour être là-bas avant la nuit, nous devrons
partir à six heures demain matin.

JACQUES: A six heures du matin...?

BERNARD: Avec ma Deux Chevaux, nous n'avons pas le choix. Et encore,
il ne faudra pas perdre de temps en route.

= on ne doit pas

JACQUES: Bon, bon. D'accord. Moi, je vais me coucher.

ROGER: Moi aussi. Bonsoir!

BERNARD: Bonsoir. A demain...

1. Le Midi

Le Midi, c'est le Sud de la France et plus spécialement la côte° méditerranéenne. Montpellier est une ville du Midi qui est située près de la Méditerranée. C'est un centre touristique important.°

2. La Deux Chevaux (2CV)[1]

La Deux Chevaux (2CV) est une voiture française fabriquée par Citroën. Elle est petite, économique, mais. . .pas très rapide.

côte coast; **important** = **grand**

La cathédrale de Montpellier

Vrai ou faux?

1. Pendant les vacances de Pâques, Jacques va faire du camping.
2. Les cousins de Jacques s'appellent Robert et Bertrand.
3. Jacques est un campeur expérimenté.
4. Les garçons devront partir à six heures du matin.
5. Les garçons vont partir en voiture.

OBSERVATIONS

Lisez les phrases suivantes:

Il faut partir à six heures.	*We must leave at six.*
Il faut se coucher tôt.	*We have to go to bed early.*

- Quelle expression utilise-t-on en français pour exprimer une obligation?
- Est-ce que cette expression est suivie par l'infinitif?

ÉTUDE DE MOTS

Petit vocabulaire

NOMS:	le **camping**	*camping*	la **côte**	*coast*
	un **chef**	*leader, chief*	**Pâques**	*Easter*
	un **choix**	*choice*		
	un **départ**	*departure*		
	un **itinéraire**	*itinerary; travel plan*		
	un **kilomètre**	*kilometer* (about 0.6 miles)		
ADJECTIF:	**expérimenté**	*experienced*		
VERBE EN **-er**:	**camper**	*to camp*		
EXPRESSION:	**près de**	*near*		

[1] Literally, **Deux Chevaux** means *two horses.* It is an abbreviation for **deux chevaux-vapeur,** two (French) horsepower (2 h.p.).

Activité 1. **Questions personnelles**

1. Avez-vous déjà fait du camping?
2. Avec qui êtes-vous allé?
3. Où êtes-vous allé?
4. Qui était le chef de l'expédition?
5. Qui a préparé l'itinéraire?

6. Êtes-vous un campeur expérimenté?
7. Connaissez-vous des campeurs expérimentés? Qui?
8. Selon vous, est-ce que le camping est une expérience intéressante? Pourquoi?

ÉTUDE DE PRONONCIATION

La consonne /r/

Prononcez: Roger est un campeur expérimenté.

Il faudra partir à trois heures.

Il ne faudra pas perdre de temps en route.

Robert partira avec Marc.

ÉTUDE DE LANGUE

A. Révisons: L'INFINITIF

Note the use of the infinitive in the following sentences:

J'aime **voyager.**	*I like **to travel.***
Nous devons **partir** à six heures.	*We must **leave** at six o'clock.*
Mes cousins vont **faire** du camping.	*My cousins are going **to go** camping.*

NOTES: 1. In French the infinitive form consists of one word, whereas in English it usually consists of two words (*to travel, to go*).

2. French infinitives end in **-er, -ir,** or **-re.**

3. As we will see in the next modules, the infinitive is used more frequently in French than in English.

Activité 2. **Une bonne raison**

Voici ce que font certaines personnes. Dites que c'est parce qu'elles aiment faire ces choses.

MODÈLE: Les Américains jouent au baseball. **Ils aiment jouer au baseball.**

1. Les Français jouent au football.
2. Les jeunes dansent.
3. Michèle voyage.

4. Jacques téléphone.
5. Roger regarde la télévision.
6. Bernard fait du camping.

B. Révisons: *DEVOIR* + INFINITIF

Review the forms of **devoir** (*should, must; to owe*).

Infinitive	**devoir**			
Present	je	dois	nous	devons
	tu	dois	vous	devez
	il/elle	doit	ils/elles	doivent
Future	je	devrai		
Passé composé	j'ai	**dû**		

Devoir has several English equivalents:

Il **doit** partir.
$\begin{cases} He \textbf{ must } go. \\ He \textbf{ has to } go. \\ He \textbf{ is supposed to } go. \; He \textbf{ should } go. \end{cases}$

Il **devait** partir.
$\begin{cases} He \textbf{ was to } go. \\ He \textbf{ had to } go. \end{cases}$

Il **a dû** partir.
$\begin{cases} He \textbf{ had to } go. \\ He \textbf{ must have } gone. \end{cases}$

Note that in French **devoir** cannot stand alone. It is usually followed by an infinitive.

Est-ce que **nous devons partir**
à six heures?

Do we have to leave at six?

Oui, **nous devons partir**
à six heures.

Yes, we do. Yes, we have to (leave at six).

The verb **devoir** also means *to owe:*

Je te **dois** dix francs, n'est-ce pas?

I owe you ten francs, don't I?

Activité 3. *Avant le départ*

Bernard va faire du camping avec des amis. Dites ce que chacun doit faire avant le départ.

MODÈLE: Jacques (préparer l'itinéraire)   **Jacques doit préparer l'itinéraire.**

1. Roger (réparer la voiture)
2. Nous (acheter une tente)
3. Vous (prendre de l'argent)
4. Moi (acheter des fruits)
5. Toi (chercher de l'eau)
6. Paul et Denis (préparer les valises)

Activité 4. **Expression personnelle: obligations familiales**

Demandez à un(e) camarade s'il (si elle) doit faire les choses suivantes à la maison.

MODÈLE: étudier   Vous: **Dois-tu étudier?**

Votre camarade: **Oui, je dois étudier.**

ou: **Non, je ne dois pas étudier.**

1. aider ta mère
2. aider ton père
3. écrire à tes grands-parents
4. préparer les repas
5. faire des courses (*go shopping*)
6. acheter le journal
7. faire ton lit
8. faire ta chambre

C. L'EXPRESSION: *IL FAUT* + INFINITIF

Usually the construction **il faut** + infinitive expresses a general obligation:

Pour faire du camping, **il faut** avoir une tente.

In order to go camping, $\begin{cases} you\ need\ to \\ you\ have\ to \\ it\ is\ necessary\ to \\ one\ must \end{cases}$ *have a tent.*

Faut-il avoir une voiture?   *Do you need to have a car?*

Non, **il** ne **faut** pas nécessairement avoir une voiture.   *No, one must not necessarily have a car.*

Study the forms of **il faut** in the following tenses:

Imperfect: **il fallait**   **Il fallait** préparer l'itinéraire.
We had to prepare the itinerary.

Future: **il faudra**   **Il faudra** partir à six heures.
We will have to leave at six.

Near future: **il va falloir**   **Il va falloir** prendre de l'essence.
We will have to get gas.

Passé composé: **il a fallu**   **Il a fallu** acheter une tente.
We had to buy a tent.

NOTE: The construction **il faut** + noun expresses necessity.

Faut-il de l'argent pour être heureux?   *Does one need money to be happy?*

Activité 5. **Expression personnelle: *Pour passer de bonnes vacances...***

Les choses suivantes sont-elles nécessaires pour passer de bonnes vacances? Exprimez votre opinion personnelle. Utilisez l'expression **il faut** ou **il ne faut pas nécessairement.**

MODÈLE: avoir beaucoup d'argent?

> **Oui, il faut avoir beaucoup d'argent.**
> ou: **Non, il ne faut pas nécessairement avoir beaucoup d'argent.**

1. avoir une voiture?
2. avoir un job?
3. rester avec ses parents?
4. voyager?
5. aller dans des surprises-parties?
6. avoir beaucoup d'amis?
7. être riche?
8. faire du sport?

Activité 6. **Expression personnelle: *obligations***

Certaines choses sont-elles obligatoires pour obtenir certains résultats? Exprimez votre opinion personnelle d'après le modèle.

MODÈLE: réussir / travailler

> **Pour réussir, il faut travailler.**
> ou: **Pour réussir, il ne faut pas nécessairement travailler.**

1. être heureux / être riche
2. avoir des amis / avoir de l'argent
3. aller en France / avoir un passeport
4. faire du camping / avoir une tente
5. parler français / étudier
6. aller à l'université / être intelligent

Activité 7. **Le tour de l'Europe**

Jacques a fait le tour de l'Europe avec des amis. Il dit qu'il a fallu faire les choses suivantes. Pierre va faire le tour de l'Europe. Il dit qu'il faudra faire les choses suivantes. Jouez le rôle de Jacques et de Pierre.

MODÈLE: préparer un itinéraire   Jacques: **Il a fallu préparer un itinéraire.**
                                   Pierre: **Il faudra préparer un itinéraire.**

1. acheter des traveller-chèques
2. préparer les valises
3. avoir un passeport
4. avoir des visas
5. téléphoner à l'agence de voyages
6. prendre des billets
7. réserver des chambres d'hôtel
8. prendre l'adresse des consulats

À votre tour

La clé du succès

Composez un paragraphe de six phrases sur l'un des sujets suivants:

A. Pour avoir beaucoup d'amis... B. Pour réussir dans l'existence... C. Pour être heureux...

6.2 *LE CHEF*

Avant de partir, Bernard a déclaré que c'était lui le chef de l'expédition. Après tout, c'est normal: c'est lui qui a la voiture et c'est lui qui *conduit!*   drives
Roger et Jacques ont accepté cette décision et à six heures l'expédition est partie. . .comme *prévu.*   = *c'était arrangé*

Il fait bon, pas trop chaud, une journée idéale pour *rouler.* . . Et les   = *voyager*
garçons ont roulé *toute la journée,* sans déjeuner, sans s'arrêter *sauf* pour   = *la journée entière;*   = *excepté*
prendre de *l'essence.* Finalement, à cinq heures, ils arrivent sur *les bords*   gas; = *la côte*
de la Méditerranée. Jacques et Roger sont *morts de fatigue.* Bernard, lui, est   = *très fatigués*
frais comme une rose. . . Jacques remarque un terrain de camping. Il   fresh
propose de s'arrêter là pour la nuit, mais Bernard n'est pas d'accord.

«Il y a beaucoup trop de *monde* dans ce *camping.* Nous n'allons pas   = *personnes;* = *terrain de camping*
camper avec *tous ces gens.* . . Il y a un autre camping un peu plus loin.»   all those people

TEUF -TEUF -TEUF

Et au lieu de s'arrêter, Bernard *accélère.*   = *va plus vite*

A six heures, les garçons arrivent au deuxième camping. Il n'est pas   = *il y a encore plus de monde*
aussi bien équipé que le premier et *il est encore plus encombré.* Cette fois-ci
c'est Roger qui propose de s'arrêter. Mais Bernard, *une fois de plus,* refuse.   once again

«*Pas question de* nous arrêter ici. . . Je connais un autre camping près   = *Nous n'allons pas*
d'ici. Il est beaucoup plus grand. Je vous garantis qu'il y aura moins de
monde.»

Jacques et Roger *ont bien envie de* protester. Mais c'est Bernard qui   = *veulent*
décide. Et il décide de continuer. A six heures et demie, les garçons
arrivent au troisième camping. . .

Là, une *pancarte* en lettres rouges annonce: sign
no vacancy

228

NOTE CULTURELLE: **Le camping en France**

En France, le camping est une forme de tourisme très populaire. Chaque° année, plusieurs millions de Français font du camping. Les campeurs vont dans des terrains de camping spécialement équipés. Les terrains sont classés° d'après leur confort. La majorité des terrains de camping ont l'eau courante.° Pour être sûr d'avoir une place dans un terrain de camping, il faut souvent réserver cette place longtemps à l'avance.

Chaque Each; **classés** ranked; **courante** running

Questions

1. Qui est-ce qui conduit la voiture?
2. Quel temps fait-il?
3. Est-ce que Bernard est fatigué?
4. Pourquoi est-ce que Bernard ne veut pas s'arrêter au premier camping?
5. Est-ce que Bernard veut s'arrêter au deuxième camping?
6. Pourquoi est-ce que les garçons ne peuvent pas s'arrêter au troisième camping?

ÉTUDE DE MOTS

Petit vocabulaire

NOMS:	un **terrain**	*plot of land, area, place, field*	l'**essence**	*gas*
			une **lettre**	*letter*
	un **terrain de camping**	*campground*	une **pancarte**	*sign*
ADJECTIFS:	**complet (complète)**	*complete; full*		
	frais (fraîche)	*fresh; cool*		
VERBE EN **-er**:	**rouler**	*to roll; drive*		
VERBE EN **-ir**:	**garantir**	*to guarantee*		
VERBE IRRÉGULIER:	**conduire**	*to drive*		
EXPRESSIONS:	**après tout**	*after all*		
	avoir envie de	*to want*		
	sauf	*except*		

NOTE DE VOCABULAIRE

En voiture. Notez les expressions suivantes:

conduire	Jacques **conduit** vite.	*Jacques **drives** fast.*
rouler	Nous **roulons** sur une route nationale.	*We **are driving** along a national highway.*
marcher	Nous **marchons** à 100 à l'heure.	*We **are going** 100 miles per hour.*
faire une promenade en voiture	Nous **faisons une promenade en voiture.**	*We **are going for a drive.***

Activité 1. *Questions personnelles*

1. Avez-vous une voiture?
2. De quelle voiture avez-vous envie?
3. Qui est-ce qui sait conduire dans votre famille?
4. Est-ce que votre père conduit vite?
5. Le week-end faites-vous des promenades en voiture? Où? Avec qui?

Vocabulaire spécialisé: prépositions

pour	*in order to*	J'économise de l'argent **pour** aller en France.
au lieu de	*instead of*	**Au lieu de** rester ici, je vais voyager.
sans	*without*	Ne pars pas **sans** prendre de l'argent.
avant de	*before*	Téléphonez **avant d'**aller chez vos amis.

NOTE DE VOCABULAIRE

Avant et **avant de.** En français, on utilise les constructions suivantes:

avant + nom (pronom)	Téléphonez-moi **avant** midi.
avant de + verbe	Téléphonez-moi **avant de** partir.

OBSERVATION

Relisez les quatre phrases du Vocabulaire spécialisé.

● Quelle est la forme du verbe qui vient après la préposition en gros caractères?

ÉTUDE DE PRONONCIATION

La consonne initiale /k/

In French the sound /k/ is pronounced without releasing a puff of air.

Prononcez: Quel camping est complet?
Caroline conduit son cousin à Cannes.
Combien coûte le Coca-Cola?
Quand commencent les vacances?

ÉTUDE DE LANGUE

A. LE VERBE *CONDUIRE*

The verbe **conduire** (*to drive*) is irregular. Here are the basic forms of the verb:

Infinitive	**conduire**			
Present	je	conduis	nous	conduisons
	tu	conduis	vous	conduisez
	il/elle	conduit	ils/elles	conduisent
Future	je	conduirai		
Passé composé	j'ai	**conduit**		

Here are some other verbs conjugated like **conduire**:

construire	*to build, construct*	Le maçon (*mason*) **construit** une maison.
produire	*to produce, create*	Ce musicien **produit** une symphonie.
traduire	*to translate*	Qu'est-ce que vous **traduisez?**
se conduire bien	*to behave*	Est-ce que vous **vous conduisez bien** en classe?
se conduire mal	*to misbehave*	Non, nous **nous conduisons mal.**

Activité 2. **Traductions**

Supposez que vous et vos amis travaillez comme traducteurs (*translators*) aux Nations Unies. Dites ce que chacun traduit.

MODÈLE: Hélène (un document)   **Hélène traduit un document.**

1. Moi (un livre)
2. Toi (un magazine)
3. Nous (un télégramme)
4. Vous (un article technique)
5. Gilbert (un article politique)
6. Suzanne et Robert (des revues scientifiques)

Activité 3. **Questions personnelles**

1. Savez-vous conduire?
2. Qui conduit chez vous?
3. Est-ce que vos parents conduisent?
4. Quelle voiture conduisent-ils?
5. Avez-vous déjà conduit la voiture de vos parents?
6. Quelles voitures avez-vous conduites?
7. Est-ce que vous vous conduisez bien en classe?
8. Est-ce que vous construisez des projets d'avenir (*future*)? Quels projets?

B. L'USAGE DE L'INFINITIF APRÈS UNE PRÉPOSITION

Note the use of the infinitive after prepositions such as **à, de, avant de, au lieu de, sans, pour.**

Jacques rêve **de faire** du camping.	*Jacques dreams **of going** camping.*
Bernard a peur **d'être** en retard.	*Bernard is afraid **of being** late.*
Il est prêt **à partir.**	*He is ready **to leave.***
Avant de partir, il parle à Jacques.	***Before leaving,** he talks to Jacques.*
Ils roulent **sans s'arrêter.**	*They drive **without stopping.***
Au lieu de déjeuner, ils continuent.	***Instead of having lunch,** they keep going.*
C'est une journée idéale **pour voyager.**	*It is an ideal day **for traveling.***

NOTES: 1. After all prepositions (except **en**) the French use the infinitive form of the verb. (After a preposition English usually uses a verb in **–ing.**)

2. **Pour** + infinitive expresses the meaning of *in order to:*

Pour être à l'heure, il faut se dépêcher.	*To be on time we have to hurry.* *(In order to be on time we have to hurry.)*

Activité 4. *Une question de priorité*

On fait certaines choses avant d'en faire d'autres. Pour exprimer cela, transformez les phrases suivantes d'après le modèle. Utilisez **avant de** + infinitif.

MODÈLE: Bernard consulte l'itinéraire et il part.

Bernard consulte l'itinéraire avant de partir.

1. Je me lave les mains et je déjeune.
2. Vous téléphonez et vous allez chez des amis.
3. Ils étudient et ils regardent la télévision.
4. Hélène se brosse les cheveux et elle se couche.
5. Nous prenons des leçons et nous conduisons.
6. Tu prends de l'essence et tu pars.
7. Nous cherchons nos passeports et nous allons en France.
8. Je demande la permission et j'organise une surprise-partie.

Activité 5. *Étourderies* (oversights)

Les personnes suivantes oublient de faire certaines choses essentielles. Pour exprimer cela, transformez les phrases suivantes d'après le modèle. Utilisez la construction **sans** + infinitif.

MODÈLE: Il part mais il ne prend pas d'essence.　　**Il part sans prendre d'essence.**

1. Mes amis viennent chez moi mais ils ne téléphonent pas.
2. Tu parles mais tu n'écoutes pas les autres.
3. Vous êtes partis mais vous ne dites pas au revoir.
4. Nous partons du restaurant mais nous ne payons pas.
5. Bernard conduit mais il ne fait pas attention.
6. Tu parles mais tu ne connais pas la réponse.

Activité 6. *Questions personnelles: Pourquoi?*

Dites pour quelles raisons vous voudriez faire ou avoir certaines choses. Complétez avec la construction **pour** + infinitif. Utilisez votre imagination.

MODÈLE: Je voudrais avoir de l'argent. . .

Je voudrais avoir de l'argent pour acheter une guitare.

1. Je voudrais avoir une voiture. . .
2. Je voudrais aller à l'université. . .
3. Je voudrais parler français. . .
4. Je voudrais aller en France. . .
5. Je voudrais être riche. . .
6. Je voudrais réussir à mes examens. . .

A votre tour

Avez-vous bonne mémoire?

En un paragraphe de six phrases, décrivez ce que vous avez fait hier dans l'ordre chronologique inversé.

EXEMPLE: Je me suis couché. Avant de me coucher, j'ai regardé la télé. Avant de regarder la télé, j'ai dîné. Avant de dîner. . .

6.3 *DISPUTE ET RÉCONCILIATION*

Où passer la nuit? *Chacun* a une idée différente.

Each one (person)

BERNARD: *Si on allait* camper dans un *champ!*

What about; field

ROGER: Ah non! Moi, je déteste camper dans un endroit *isolé!* Je préfère passer la nuit à l'hôtel.

isolated

JACQUES: Moi, je veux prendre le train et rentrer à la maison!

BERNARD: Rentrer?! Tu n'es pas fou? Nous sommes à plus de huit cents kilomètres de chez nous!

LA DISPUTE

Bernard *cherche* **à** *convaincre* Roger et Jacques.

tries; convince

Roger continue **à** protester.

Jacques commence **à** s'énerver.

Roger et Jacques se mettent **à** insulter Bernard.

Bernard, alors, *songe* **à** partir seul.

= *pense*

LA RÉCONCILIATION

Quand Bernard *menace* **de** partir, Roger et Jacques acceptent **de** l'écouter.

threatens

Chacun *essaie* **de** trouver une solution acceptable pour tout le monde.

is trying

Bernard propose **de** chercher un endroit pour camper.

S'il ne trouve rien de *convenable* très vite, il promet **de** chercher un hôtel.

= *acceptable*

Roger et Jacques décident **d'**accepter cette solution.

234

L'ENDROIT IDÉAL

Les garçons repartent. Ils découvrent bientôt un endroit parfait: une rivière, une forêt, une prairie.

ROGER: Inutile d'aller plus loin.

JACQUES: Il *serait* impossible de trouver un endroit plus convenable.   would be

BERNARD: Vous voyez, ce n'est pas compliqué d'être d'accord.

Bernard *monte* la tente pendant que Jacques et Roger préparent le dîner.   puts up
Tout le monde mange avec appétit. Après le dîner, Bernard prend sa
guitare... La soirée se termine dans l'harmonie la plus complète. *Une*   = *Après une bonne*
bonne nuit fera oublier la fatigue et les émotions de la journée.   *nuit on oubliera*

Questions

1. Qui **déteste** camper dans un endroit isolé?   4. Qui **commence à** s'énerver?
2. Qui **veut** prendre le train?   5. Qui **menace de** partir?
3. Qui **continue à** protester?   6. Qui **promet de** chercher un hôtel?

OBSERVATIONS

Relisez les Questions 1 et 2.

- Est-ce que les verbes **déteste** et **veut** sont immédiatement suivis par l'infinitif?

Relisez les Questions 3 et 4.

- Est-ce que les verbes **continue** et **commence** sont immédiatement suivis par l'infinitif?
- Quel mot vient avant l'infinitif?

Relisez les Questions 5 et 6.

- Est-ce que les verbes **menace** et **promet** sont immédiate-ment suivis par l'infinitif?
- Quel mot vient avant l'infinitif?

NOTE CULTURELLE: **Les hôtels en France**

La France est un pays° très touristique. Il y a donc beaucoup d'hôtels en France. Certains sont très luxueux,° d'autres sont très simples. Certains sont très modernes, d'autres sont très anciens. En général, les hôtels français sont moins confortables que les hôtels américains. Par exemple, il y a rarement la télé-vision dans les chambres. Certains hôtels font pension° pendant l'été: on y déjeune, on y dîne et on y séjourne° pendant une, deux, trois ou quatre semaines.

pays country; **luxueux** = **élégants; font pension** give room and board;
séjourne = **reste**

ÉTUDE DE MOTS

Petit vocabulaire

NOMS:	un **champ**	*field*		une **forêt**	*forest*
	un **endroit**	*place, spot*		une **idée**	*idea*
				une **prairie**	*meadow*
				une **rivière**	*river*
				une **tente**	*tent*

ADJECTIFS:	**convenable**	*acceptable, appropriate, fitting, suitable*
	différent	*different*

VERBES EN **-er**:	**continuer (à)**	*to continue*
	essayer (de)	*to try (to)*
	menacer (de)	*to threaten (to)*
	songer (à)	*to think (of), dream (of)*
	terminer	*to end*
	se terminer	*to come to an end*

VERBE IRRÉGULIER:	**découvrir**[1]	*to discover*

ÉTUDE DE PRONONCIATION

La consonne initiale /r/

At the beginning of a word, the consonant /r/ is more distinctly pronounced than in the middle or at the end of a word.

Prononcez: Roger répond rarement à Robert. Bernard et Robert repartent.
Bernard renonce à rentrer à Paris. René recommence à protester.

ÉTUDE DE LANGUE

A. LES VERBES COMME *PAYER*

French verbs which end in **-yer** in the infinitive are conjugated like **payer** (*to pay, pay for*).

Infinitive	**payer**			
Present	je	**pai**e	nous	payons
	tu	**pai**es	vous	payez
	il/elle	**pai**e	ils/elles	**pai**ent
Imperfect	je	payais		
Future	je	**pai**erai		
Passé composé	j'ai	payé		

[1] The present tense of **découvrir** is formed like that of regular **-er** verbs:
  je découvr**e**, tu découvre**s**, il découvr**e**, nous découvr**ons**, vous découvr**ez**, ils découvr**ent**

NOTE: The **y** of the stem becomes **i** in the present tense when followed by a silent ending (je pa**i**e, tu pa**i**es, il pa**i**e, ils pa**i**ent). This change also occurs in the future stem (je pa**i**erai).

Here are some common verbs in **–yer**:

essayer	*to try*	J'**essaie** de réparer ma voiture.
employer	*to use; employ*	Quels instruments **employez**-vous?
envoyer[1]	*to send*	J'**envoie** mon frère à la station-service.

Activité 1. *Envois*

Des jeunes Américains passent leurs vacances à Montpellier. Dites ce que chacun envoie à sa famille.

MODÈLE: Suzanne (des photos) **Suzanne envoie des photos.**

1. Moi (un télégramme)
2. Toi (une lettre)
3. Marc (son adresse)
4. Sylvie et Louise (un paquet)
5. Nous (des cartes postales)
6. Vous (des livres)

B. LA CONSTRUCTION: VERBE + INFINITIF

French verbs are frequently followed by infinitives. Such constructions follow one of three patterns:

main verb + infinitive	Je **veux** camper ici.
main verb + **à** + infinitive	J'**hésite à** camper ici.
main verb + **de** + infinitive	Je **décide de** camper ici.

The choice of the pattern depends on what the main verb is.

Here are some verbs which follow the pattern: main verb + infinitive.

aimer	J'**aime** travailler.	*I like to work.*
aller	Je **vais** travailler.	*I am going to work.*
détester	Je **déteste** travailler.	*I hate to work.*
devoir	Je **dois** travailler.	*I have to work.*
pouvoir	Je **peux** travailler.	*I can work.*
préférer	Je **préf**è**re** travailler.	*I prefer working.*
savoir	Je **sais** travailler.	*I know how to work.*
vouloir	Je **veux** travailler.	*I want to work.*

[1] **Envoyer** has an irregular future stem: j'**enverr**ai.

Here are some verbs which follow the pattern: main verb + **à** + infinitive.

apprendre à	J'**apprends à** travailler.	*I am learning to work.*
chercher à	Je **cherche à** travailler.	*I am trying to work.*
commencer à	Je **commence à** travailler.	*I am beginning to work.*
continuer à	Je **continue à** travailler.	*I am continuing to work.*
hésiter à	J'**hésite à** travailler.	*I'm hesitant about working.*
penser à	Je **pense à** travailler.	*I'm thinking of working.*
réussir à	Je **réussis à** travailler.	*I manage to work.*
songer à	Je **songe à** travailler.	*I am thinking of working.*

Here are some verbs which follow the pattern: main verb + **de** + infinitive.

décider de	Je **décide de** travailler.	*I decide to work.*
demander de	Je lui **demande de** travailler.	*I ask him to work.*
dire de	Je lui **dis de** travailler.	*I tell him to work.*
essayer de	J'**essaie de** travailler.	*I try to work.*
finir de	Je **finis de** travailler.	*I finish working.*
oublier de	J'**oublie de** travailler.	*I forget to work.*

NOTE: In French, whenever the main verb is followed by another verb, the second verb is always an infinitive. In English, the second verb is frequently an *-ing* form.

Activité 2. *Un campeur sans talent*

Bernard demande à Jacques de faire certaines choses, mais Jacques ne sait pas les faire. Jouez le rôle de Bernard et de Jacques d'après le modèle.

MODÈLE: préparer le repas   Bernard: **Essaie de préparer le repas.**

                                  Jacques: **Je ne sais pas préparer le repas.**
                                             Je ne réussis pas à préparer le repas.

1. planter (*put up*) la tente
2. consulter l'itinéraire
3. faire la cuisine
4. utiliser la boussole (*compass*)
5. faire du feu (*fire*)
6. couper du bois (*wood*)

Activité 3. *Contestataire* (*complainer*)

Roger aime protester. Complétez les phrases avec le verbe **protester.** Ajoutez **à** ou **de** si c'est nécessaire.

MODÈLE: Il n'hésite pas. . .   **Il n'hésite pas à protester.**

1. Il aime. . .
2. Il pense toujours. . .
3. Il songe. . .
4. Il ne finit pas. . .
5. Il continue. . .
6. Il cherche. . .
7. Il préfère. . .
8. Il va. . .
9. Il essaie toujours. . .
10. Il n'oublie jamais. . .
11. Il veut. . .
12. Il commence. . .

Activité 4. **Expression personnelle**

Demandez à un(e) camarade s'il (si elle) apprend à faire les choses suivantes.

MODÈLE: jouer de la guitare

> Vous: **Apprends-tu à jouer de la guitare?**
> Votre camarade: **Oui, j'apprends à jouer de la guitare.**
> ou: **Non, je n'apprends pas à jouer de la guitare.**

1. jouer du piano
2. jouer au tennis
3. parler chinois
4. faire la cuisine
5. conduire
6. danser

Activité 5. **Questions personnelles**

Dites si vous oubliez souvent ou si vous n'oubliez jamais de faire les choses suivantes.

MODÈLE: Oubliez-vous souvent de vous laver les cheveux?

> **Oui, j'oublie souvent de me laver les cheveux.**
> ou: **Non, je n'oublie jamais de me laver les cheveux.**

Oubliez-vous souvent de (d'). . .

1. prendre le petit déjeuner?
2. être à l'heure?
3. faire vos devoirs?
4. étudier vos leçons?
5. regarder la télévision?
6. vous brosser les dents?

Activité 6. **Questions personnelles**

Dites si vous aimez ou si vous détestez les activités suivantes:

MODÈLE: Aimez-vous aller en classe? **J'aime aller en classe.**
ou: **Je n'aime pas aller en classe.**

Aimez-vous. . .

1. danser?
2. faire du sport?
3. faire du camping?
4. écouter le professeur?
5. lire?
6. voyager?
7. étudier?
8. travailler?
9. parler français?
10. écouter de la musique?
11. aller aux concerts?
12. regarder la télévision?

C. LA CONSTRUCTION: ADJECTIF + INFINITIF

French adjectives are frequently followed by an infinitive. The most common pattern is:

> adjective + **de** + infinitive

Je suis **heureux de camper** ici.   *I am happy to camp here.*

Il est **difficile de trouver** un   *It is hard to find a place to camp.*
endroit pour camper.

Activité 7. **Questions personnelles**

Donnez votre opinion sur les sujets suivants:

MODÈLE: Utile ou inutile?   **Il est utile de parler français.**
parler français   ou: **Il est inutile de parler français.**

Utile ou inutile?	Facile ou difficile?	Possible ou impossible?
1. savoir écrire	7. jouer du piano	13. faire du ski en Floride
2. savoir lire	8. jouer de la guitare	14. voir la Tour Eiffel à Paris
3. parler chinois	9. faire la cuisine	15. visiter le Louvre à New York
4. apprendre la musique	10. obéir au professeur	16. marcher sur les mains
5. aller à l'université	11. comprendre le français	17. marcher sur la tête
6. apprendre les math	12. piloter un avion	18. parler quatre langues

Activité 8. **Expression personnelle: satisfaction**

Demandez à un(e) camarade s'il (si elle) est heureux (heureuse) des choses suivantes:

MODÈLE: apprendre le français

Vous: **Es-tu heureux (heureuse) d'apprendre le français?**

Votre camarade: **Oui, je suis heureux (heureuse) d'apprendre le français.**

ou: **Non, je ne suis pas heureux (heureuse) d'apprendre le français.**

1. aller en classe
2. étudier les sciences
3. habiter aux États-Unis

4. avoir des vacances
5. avoir des amis
6. être américain (américaine)

À votre tour

Une querelle

En dix phrases, décrivez une querelle récente que vous avez eue avec un ami, une amie, un frère, une sœur. Essayez d'utiliser les verbes suivants:

aimer / préférer / vouloir / devoir / commencer / décider / hésiter / songer / chercher / demander / dire / essayer / oublier

EXEMPLES: Le week-end dernier, mon ami et moi, nous avons décidé d'aller au cinéma. Moi, je voulais voir une comédie. Mon ami préférait voir un «western». Nous avons commencé à nous disputer. . .

Mon ami Frank m'a invité à une surprise-partie. Il m'a demandé d'être à l'heure. J'ai oublié l'heure du rendez-vous. . .

6.4 UN SPECTACLE SAISISSANT

saisissant striking

Il est deux heures du matin. Dans la tente, l'atmosphère est *suffocante*. Jacques se réveille et sort. *Dehors*, un spectacle étonnant l'attend. Des *lueurs* bleues, rouges, vertes *illuminent* le *ciel*. Le spectacle est peut-être saisissant, mais il n'est pas très rassurant! Tremblant, Jacques rentre dans la tente et réveille ses cousins.

suffocating
Outside
flashes; light up;
sky

JACQUES: Réveillez-vous, les *gars!*

BERNARD (*de mauvaise humeur*): Qu'est-ce qu'il y a...?

JACQUES: Je ne sais pas. Quelque chose d'extraordinaire. Il y a des lueurs dans le ciel.

ROGER: Mais, mon pauvre vieux, ce sont des *éclairs*...

JACQUES: Des éclairs? Tu as déjà vu des éclairs rouges, verts et bleus, toi?

BERNARD: Écoute, tu *as rêvé*. Laisse-nous *dormir, sinon*...!

JACQUES: J'ai peur.

= *garçons*

(flashes of) lightning

dreamed; sleep;
otherwise, watch
out...

Tout à coup, des explosions *interrompent* le silence de la nuit... Jacques ouvre la tente. Dans la direction de la forêt, on *aperçoit* des *ombres* mena-çantes. Ces ombres *s'approchent*... Cette fois, les cousins de Jacques se réveillent complètement.

= *coupent*
notices; shadows
= *viennent plus près*

Questions

1. A quelle heure Jacques se réveille-t-il?
2. Qu'est-ce qu'il voit dans le ciel?
3. Qu'est-ce qu'il fait?
4. Qu'est-ce qu'on aperçoit dans la forêt?

242

OBSERVATIONS

Lisez les phrases suivantes:

C'est un spectacle intéress**ant**.   *It's an interest**ing** sight.*
C'est un spectacle saisiss**ant**.   *It's a strik**ing** sight.*
Ce spectacle n'est pas rassur**ant**.   *It's not a reassur**ing** sight.*

- Quelles sont les trois dernières lettres des adjectifs français?
- Quelles sont les trois dernières lettres des adjectifs anglais correspondants?

NOTE CULTURELLE: **Les forêts en France**

Il y a beaucoup de forêts en France. Certaines sont privées° et il est interdit° d'y camper. D'autres sont des forêts publiques. Ces forêts, privées ou publiques, sont souvent utilisées comme réserves de chasse.° Les Français en effet aiment chasser.° En automne, beaucoup pratiquent leur sport favori: la chasse.

Pour préserver la vie animale, l'État° a décidé de créer des parcs nationaux où il est interdit de chasser. Le plus grand parc national se trouve dans les Alpes et s'appelle le Parc de la Vanoise.

privées private; **interdit** forbidden; **réserves de chasse** *f.* game preserves; **chasser** to hunt; **État** *m.* = **gouvernement français**

ÉTUDE DE MOTS

Petit vocabulaire

NOMS:	le **ciel**	*sky; heaven*	une **ombre**	*shadow; shade*
	un **spectacle**	*show; sight*		
VERBES EN **-er**:	**étonner**	*to astonish*		
	rassurer	*to reassure, comfort*		
	rêver	*to dream*		
	trembler	*to tremble*		
VERBE IRRÉGULIER:	**apercevoir**	*to notice*		
EXPRESSIONS:	**à l'intérieur**	*inside*		
	avoir peur	*to be afraid, frightened, scared*		
	dehors	*outside*		

Activité 1. **Questions personnelles**

1. Rêvez-vous la nuit?
2. Avez-vous peur la nuit?
3. La nuit, avez-vous peur des ombres?
4. De quelles choses avez-vous peur?
5. Qu'est-ce que vous faites la nuit, quand vous ne dormez pas?
6. Est-ce que vous aimez regarder le ciel la nuit?
7. Quelles choses faites-vous à l'intérieur?
8. Quelles choses faites-vous dehors?

Mots apparentés: *-ary* → *-aire*

Many English nouns and adjectives end in *-ary*. The majority of these words have French cognates in **-aire**.

an extraordinary sight	un spectacle extraordin**aire**
a *French dictionary*	un dictionn**aire** français

Many English words ending in *-ar* and *-arian* also have French cognates in **-aire**.

a spectacular explosion	une explosion spectacul**aire**
a vulgar attitude	une attitude vulg**aire**
a totalitarian state	un état totalit**aire**

Exceptions: *particular*	particulier (particulière)
regular	régulier (régulière)

Activité 2. **Jeux de mots élémentaires**

Terminez les phrases suivantes, en utilisant un adjectif en **-aire** qui a la même signification que les mots soulignés. (Si vous ne trouvez pas ces mots, cherchez-les à la fin de l'exercice. Mais attention! Ils ne sont pas dans le même ordre que les phrases!)

MODÈLE: Une aventure exceptionnelle. . .

Une aventure exceptionnelle est une aventure extraordinaire.

1. La première école où l'on va. . .
2. Un convoi de soldats. . .
3. Une attitude qui édifie. . .
4. Quelqu'un de commun. . .
5. Une table ronde. . .
6. Une réforme obligatoire. . .
7. Une théorie qui change tout. . .
8. Une décision qui n'est pas justifiée. . .
9. Un président qui est aimé par le peuple. . .
10. Une conclusion qui n'est pas de première importance. . .

(exemplaire, secondaire, populaire, nécessaire, ordinaire, militaire, élémentaire, circulaire, révolutionnaire, arbitraire)

ÉTUDE DE PRONONCIATION

Le son /s/

The following letters represent the sound /s/:

    s   (at the beginning of a word) Je sais   silence

   ss rassurant

    s   (before or after a consonant) atmosphère personne

    c   (+ **e, i, y**) ciel

    ç je reçois

(Note: **s** between vowels represents the sound /z/; **c** — except before **e, i, y** — represents the sound /k/.)

Prononcez: Le spectacle est saisissant, mais pas très rassurant.
               On aperçoit des personnes menaçantes.
               Qui sont ces garçons si sérieux?
               L'atmosphère est absolument suffocante.

ÉTUDE DE LANGUE

A. LE VERBE *APERCEVOIR*

Study the forms of **apercevoir** (*to see, catch sight of*):

Infinitive	**apercevoir**			
Present	j'	aperçois	nous	apercevons
	tu	aperçois	vous	apercevez
	il/elle	aperçoit	ils/elles	aperçoivent
Future	j'	apercevrai		
Passé composé	j'ai	**aperçu**		

Other verbs conjugated like **apercevoir**:

recevoir	*to receive; entertain*	J'ai **reçu** une lettre hier.
décevoir	*to deceive, disappoint*	Mon cousin me **déçoit**.
s'apercevoir de	*to note, realize*	Je **m'aperçois de** mon erreur.

Activité 3. **Promenade nocturne**

Un groupe d'amis se promène la nuit. Dites ce que chacun aperçoit.

MODÈLE: Roger (une forêt)   **Roger aperçoit une forêt.**

1. Suzanne (une prairie)
2. Monique et Caroline (des voitures)
3. Jacques et Bernard (un animal)
4. Marc (une rivière)

5. Nous (des gens)
6. Vous (une maison)
7. Toi (des lueurs)
8. Moi (des éclairs)

Activité 4. **Questions personnelles**

1. Quels cadeaux avez-vous reçus à Noël dernier?
2. Et vos frères?
3. Et vos sœurs?
4. Recevez-vous vos amis chez vous?
5. Avez-vous jamais (*ever*) déçu vos parents? Comment?
6. Qu'est-ce que vous apercevez dans cette classe?
7. Chez vous, qu'est-ce que vous apercevez de la fenêtre de votre chambre?

B. LES ADJECTIFS EN -*ANT*

Many French adjectives end in **-ant.** These adjectives are often derived from verbs as follows:

STEM	+	ENDING
nous-form of the present minus **-ons**	+	**-ant**

nous **décev**ons → **décev** + **ant**   un film **décevant**   *a disappointing movie*

Look at the adjective forms in the following examples:

un spectacle **étonnant**   *an astonishing sight*
(= un spectacle qui étonne)

une remarque **amusante**   *an amusing remark*
(= une remarque qui amuse)

des propos **choquants**   *shocking observations*
(= des propos qui choquent)

NOTES: 1. Often, but not always, adjectives in **-ant** correspond to English adjectives in -*ing*.

intéressant   *interesting*

but: **désobéissant**   *disobedient*

2. Adjectives in **-ant** (like all adjectives) agree in number and gender with the nouns they modify. They have four forms. Note their endings.

	SINGULAR	PLURAL
Masculine	trembl**ant**	trembl**ants**
Feminine	trembl**ante**	trembl**antes**

Activité 5. **Dispute**

Roger et Jacques se disputent. Jouez le rôle de Roger et de Jacques d'après le modèle. (L'adjectif entre parenthèses est au masculin. Faites l'accord nécessaire.)

MODÈLE: Tes amis sont stupides! (amusant)   Roger: **Tes amis sont stupides!**
                                                 Jacques: **Non, ils sont amusants!**

1. Ta sœur est idiote. (charmant)
2. Ces livres sont stupides. (intéressant)
3. Mes idées sont remarquables. (irritant)
4. Mes décisions sont intelligentes. (choquant)
5. Mes manières sont polies. (embarassant)
6. Tes idées sont stupides. (brillant)

Activité 6. **Définitions**

Complétez les définitions en utilisant un adjectif en **-ant**.

MODÈLE: Un livre qui intéresse. . .   **Un livre qui intéresse est un livre intéressant.**

1. Une histoire qui étonne. . .
2. Un remède qui calme. . .
3. Une réflexion qui irrite. . .
4. Une nouvelle qui réconforte. . .
5. Une action qui déconcerte. . .
6. Une activité qui amuse. . .
7. Une idée qui trouble. . .
8. Un symptôme qui alarme. . .
9. Des garçons qui obéissent. . .
10. Des spectacles qui saisissent. . .

À votre tour

Portraits

Faites deux mini-portraits. Utilisez au moins trois adjectifs en **-ant** par portrait.

EXEMPLE: votre frère ou votre cousin

J'ai un frère qui n'est pas brillant. Il n'est pas amusant, et ses réflexions sont toujours irritantes.

votre sœur ou votre cousine
vos parents
un de vos camarades
un de vos professeurs

6.5 *LES MANŒUVRES*

En voyant les ombres, les trois garçons ont voulu sortir de la tente. Ils n'en ont pas eu le temps. Huit hommes armés les ont immédiatement *entourés.* Leur chef s'est adressé à Bernard:

surrounded

LE CHEF: Qu'est-ce que vous faites ici?

BERNARD *(qui ne comprend absolument rien)*: Eh bien... Vous voyez... Nous faisons du camping.

LE CHEF: Du camping! Mais vous ne savez donc pas qu'en campant ici, vous risquez votre *peau?*

= *vie*

BERNARD: Euh, non... Pourquoi?

LE CHEF: Comment? Vous n'avez pas vu la pancarte en arrivant sur ce terrain? Eh bien, si vous ne l'avez pas vue, je vous conseille de la regarder en partant! Allez, *décampez* immédiatement!

= *partez*

Les trois garçons ont quitté précipitamment *les lieux.* En partant, ils ont vu une énorme pancarte avec cette inscription:

= *l'endroit*

Do not enter!

Au matin, ils se sont installés dans le premier camping qu'ils ont trouvé. Il y a beaucoup de *monde.* Bernard a déclaré *en plaisantant* que la *foule* donne un certain sentiment de sécurité...un sentiment qui, après tout, est assez *réconfortant.*

= *campeurs;* jokingly; crowd

= *rassurant*

Questions

1. Qu'est-ce que les garçons ont fait **en voyant** les ombres?
2. Qu'est-ce qu'ils n'ont pas vu **en arrivant** sur le terrain?
3. Qu'est-ce qu'ils ont vu **en partant?**
4. Qu'est-ce que Bernard a dit **en plaisantant?**

OBSERVATIONS

Relisez les questions. Regardez les verbes qui viennent après la préposition **en.**

● Quelles sont les trois dernières lettres de ces verbes?

NOTE CULTURELLE: **Le service militaire**

En France, le service militaire est obligatoire. En principe, tous les jeunes gens doivent faire leur service militaire avant 21 ans. Il y a des sursis° pour les étudiants. Le service militaire dure un an.

A l'heure actuelle, beaucoup de jeunes Français font leur service militaire dans la «Coopération». Cela signifie qu'ils passent un an dans les pays africains d'expression française.° Là, ils enseignent le français ou d'autres disciplines.

L'attitude des jeunes Français devant le service militaire est très variable. Certains pensent que le service militaire est complètement inutile. D'autres pensent que c'est une bonne transition entre l'adolescence et l'âge adulte. (On n'est pas «un homme» si on n'a pas fait son service militaire.) Mais en général, les jeunes Français font leur service militaire sans trop protester. Ils savent qu'il n'y a pas de discrimination sociale: en France, tout le monde fait son service militaire.

sursis *m.* (draft) deferments; **d'expression française** = **où on parle français**

ÉTUDE DE MOTS

Petit vocabulaire

NOMS:	un **sentiment**	*feeling*	la **foule**	*crowd*
			la **peau**	*skin*
ADJECTIFS:	**armé**	*armed*		
	énorme	*large, enormous*		
	militaire	*military*		
VERBES EN **-er**:	**conseiller**	*to advise*		
	entourer	*to surround*		
	plaisanter	*to joke*		
	quitter	*to leave; quit*		
	risquer	*to risk*		
EXPRESSION:	**donc**	*therefore; indeed*		

NOTES DE VOCABULAIRE

1. **Quitter** et **partir.** **Quitter** est toujours accompagné d'un complément d'objet direct. Le passé composé se conjugue avec **avoir.**

Contrastez:

D'habitude je **quitte** la maison à sept heures. Hier je l'**ai quittée** à huit heures.
D'habitude je **pars de** la maison à sept heures. Hier je **suis parti** à huit heures.

2. **Donc.** L'expression **donc** a souvent la signification de *therefore.*

Descartes (1596–1650), mathématicien et philosophe français, a écrit:

«Je pense, donc je suis.»   *I think, therefore I am.*

Donc est souvent employé dans une phrase pour accentuer le verbe:

Viens **donc!** *Come!*   Tu ne sais **donc** pas que. . . *Don't you* **know** *that. . .*

Activité 1. **Le service militaire**

Répondez aux questions suivantes.

1. Est-ce que le service militaire est obligatoire aux États-Unis?
2. Allez-vous faire votre service militaire? Quand?
3. A quel âge part-on pour le service militaire?
4. Est-ce qu'on doit quitter sa famille quand on fait son service militaire?
5. Est-ce qu'on quitte parfois les États-Unis? Où va-t-on?
6. Êtes-vous pour ou contre le service obligatoire?

ÉTUDE DE PRONONCIATION

La consonne initiale /p/

In French the sound /p/ is pronounced without releasing a puff of air.

Prononcez: Pierre ne plaisante pas.   Paul part parfois à Paris.
         Pourquoi parlez-vous à Paul?   Ne prenez pas la pancarte.

ÉTUDE DE LANGUE

A. LE PARTICIPE PRÉSENT

The French present participle is formed like the adjective in **-ant:**

$$\boxed{\textbf{nous}\text{-form of the present minus } \textbf{-ons} \; + \; \textbf{-ant}}$$

camper	(nous campons)	En **campant** ici, vous prenez des risques.
partir	(nous partons)	En **partant,** regardez la pancarte!
voir	(nous voyons)	En **voyant** la pancarte, ils ont compris.

NOTES: 1. The present participle has only one form. It does not take adjective endings.

2. There are three irregular present participles:

être	**étant**	En **étant** prudent, vous n'aurez pas d'accident.
avoir	**ayant**	En **ayant** de la patience, vous apprendrez à conduire.
savoir	**sachant**	En **sachant** conduire, vous aurez votre permis (*license*).

Activité 2. Prudence

Madame Mercier, la mère de Roger et de Bernard, est extrêmement prudente. Elle leur dit de faire attention dans les circonstances suivantes. Jouez le rôle de Madame Mercier. Pour cela, faites des phrases commençant par: **Faites attention en** + participe présent.

MODÈLE: quand vous voyagez　　**Faites attention en voyageant!**

1. quand vous allez en classe
2. quand vous rentrez à la maison
3. quand vous prenez le bus
4. quand vous conduisez
5. quand vous partez en vacances
6. quand vous choisissez un terrain de camping

B. L'EXPRESSION: *EN* + PARTICIPE PRÉSENT

Note the use of the present participle after the preposition **en:**

En restant ici, vous prenez des risques.	*By staying here, you are taking risks.*
En partant, ils ont vu la pancarte.	*On leaving, they saw the sign.*
En regardant la pancarte, ils ont compris.	*By looking at the sign, they understood*
Bernard chante **en conduisant.**	*Bernard sings while driving.*
Il a dit cela **en plaisantant.**	*He said that in joking (jokingly).*
Ils sont partis **en tremblant.**	*They left trembling.*

NOTES: 1. The preposition **en** is followed by the present participle.

2. The expression **en** (+ present participle) has several English equivalents: *upon, on, by, in, while. . .*

IMPORTANT!

The French present participle (in **-ant**) is used much less frequently than the English present participle (in **-ing**). The French present participle is *not* used to express actions in the present.

　　　　I am working.　　　　　　　　　　Je **travaille.**

The French present participle is *not* used to express continuing actions in the past.

　　　　*I was **working** when you came.*　　　　Je **travaillais** quand tu es venu.

The French present participle is *not* used as the object of a verb.

　　　　*I like **working.**　　　　　　　　　　J'aime **travailler.**

The French present participle is *not* used after prepositions (with the exception of **en**). The infinitive is used after **sans, pour, avant de,** etc.

　　　　*He rests **before working.**　　　　　　Il se repose **avant de travailler.**

PROVERBES FRANÇAIS: **L'appétit vient en mangeant.**
　　　　　　　　　　The more you eat the hungrier you get.
　　　　　　　　　　(Literally: *Your appetite grows as you eat.*)

　　　　　　　　　　C'est en forgeant qu'on devient forgeron.
　　　　　　　　　　Practice makes perfect.
　　　　　　　　　　(Literally: *It is by forging that you become a blacksmith.*)

Activité 3. *Proverbes nouveaux*

Composez des proverbes semblables à «C'est en forgeant qu'on devient forgeron.» Pour cela, transformez les phrases suivantes d'après le modèle.

MODÈLE: On cherche et on trouve.　　**C'est en cherchant qu'on trouve.**

1. On regarde et on voit.
2. On joue et on s'amuse.
3. On se lave et on est propre (*clean*).
4. On étudie et on apprend.
5. On danse et on apprend à danser.

6. On perd patience et on s'énerve.
7. On est égoïste et on perd ses amis.
8. On travaille et on se fatigue.
9. On se dépêche et on est à l'heure.
10. On parle tout le temps et on irrite le professeur.

Activité 4. *Expression personnelle: Comment vous occupez-vous?*
　　　　　　　　　　　　　　　　(How do you spend your time?)

Dites comment vous vous occupez. Vous pouvez utiliser des expressions comme:
regarder la télé / inviter des amis / faire du sport / aller au cinéma / aller à la plage / téléphoner

MODÈLE: Le soir, je m'occupe en. . .

　　　　Le soir, je m'occupe en regardant la télévision, en téléphonant à mes amis et en parlant avec mes parents.

1. Le week-end, je m'occupe en. . .
2. Avec mes amis, nous nous occupons en. . .

3. Pendant les vacances de Noël, je m'occupe en. . .
4. En été, je m'occupe en. . .

À votre tour

Réaction en chaîne

Un événement ne vient jamais tout seul. Continuez l'histoire en utilisant le participe présent du verbe précédent. Chaque élève ajoute une phrase.

EXEMPLE: En me promenant. . .

Élève 1: En me promenant, j'ai vu mon cousin.
Élève 2: En voyant mon cousin, je lui ai parlé.
Élève 3: En lui parlant, j'ai appris une nouvelle extraordinaire.
Élève 4: En apprenant cette nouvelle extraordinaire, j'ai. . ., etc.

1. En allant en classe. . .
2. En téléphonant à un ami. . .
3. En rentrant chez moi. . .
4. En regardant la télé. . .

5. En faisant les courses (*going shopping*). . .
6. En allant au cinéma. . .
7. En revenant de vacances. . .
8. En allant à une surprise-partie. . .

Récréation

Le test du bon conducteur

Plus tard vous apprendrez certainement à conduire. Pour juger si vous serez un bon conducteur, répondez aux huit questions du **Test du bon conducteur.** Avant, lisez le **Vocabulaire spécialisé.**

Vocabulaire spécialisé: la voiture

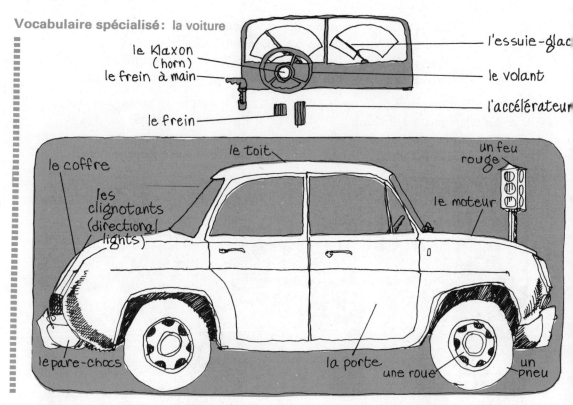

Le test du bon conducteur

1. En arrivant devant un feu rouge, que faites-vous?

   A. Vous accélérez.

   B. Vous vous arrêtez.

   C. Vous allez en arrière.

2. Pour aller plus vite, vous *appuyez*   step (push)

   A. sur le frein

   B. sur l'accélérateur

   C. sur le klaxon

3. Pour aller moins vite, vous appuyez

    A. sur le frein
    B. sur l'accélérateur
    C. sur l'essuie-glace

4. Si vous avez un accident, vous appelerez d'abord

    A. la police
    B. vos parents
    C. le garagiste

5. Pour sortir de voiture dans une rue où il y a beaucoup de
circulation, vous sortez de préférence par   traffic

    A. la porte de droite
    B. la porte de gauche
    C. le toit

6. Quelle est la chose la plus importante à faire avant
de commencer un très long voyage en voiture?

    A. *faire vérifier* la voiture   have. . .checked
    B. célébrer l'occasion avec des amis
    C. laver la voiture

7. Un jour où il neige beaucoup, il est plus prudent de

    A. prendre l'autobus
    B. mettre de l'eau dans le radiateur
    C. ne pas vous arrêter aux feux rouges

8. Quelle partie de la voiture fournit l'électricité?

    A. la batterie
    B. l'accélérateur
    C. les freins

Résultats

Marquez un point pour les réponses suivantes: 1B, 2B, 3A, 4A, 5A, 6A, 7A, 8A. Faites le total de vos points.

Si vous avez 7 ou 8 points, vous serez un bon conducteur.
Si vous avez 5 ou 6 points, vous devrez prendre des leçons.
Si vous avez 3 ou 4 points, gardez votre bicyclette encore quelque temps.
Si vous avez moins de 3 points, prenez le bus.

Chapitre six

Écrivez vos réponses sur une feuille de papier. Puis, vérifiez vos réponses à la page 458.

VERBES

TEST 1. *La bonne forme*

Marc et ses amis visitent Paris. Complétez les phrases avec la forme qui convient du verbe entre parenthèses.

1. **(payer)** Marc —— son hôtel avec des dollars. Je —— avec des francs. Nous —— avec de l'argent canadien. Ils —— avec des traveller-chèques. Combien as-tu —— ta chambre à l'hôtel?

2. **(apercevoir)** J'—— l'Arc de Triomphe. Marc —— Notre-Dame. ——-vous la Tour Eiffel? Nathalie et Sophie —— les Champs-Élysées. Hier, nous avons —— l'Opéra.

3. **(devoir)** Aujourd'hui, Marc —— prendre des photos. Henri et Patrick —— acheter des souvenirs. Je —— passer à la poste. Nous —— écrire à nos parents. Hier, Jacques a —— rester à l'hôtel (il était malade).

4. **(conduire)** Je —— une Renault. Pierre et Philippe —— une Simca. Hier, Catherine a —— une Citroën. Et vous, qu'est-ce que vous ——?

STRUCTURE

TEST 2. *Au travail*

Exprimez les réactions des personnes suivantes devant le travail. Pour cela, complétez les phrases avec **travailler.** Utilisez les prépositions **à** et **de,** si c'est nécessaire.

1. Paul aime ——.
2. Henri déteste ——.
3. Lucie ne réussit pas ——.
4. Jean-Michel hésite ——.
5. Georges décide ——.
6. Hélène essaie ——.
7. Nathalie préfère ——.
8. Marie ne veut pas ——.
9. Frédéric oublie ——.
10. Caroline continue ——.
11. Marie-Luce commence ——.
12. François cherche ——.

TEST 3. *Définitions*

Complétez les phrases suivantes avec l'adjectif en **-ant** formé sur le verbe en italique.

1. Un remède qui *calme* est un remède ——.
2. Une attitude qui *irrite* est une attitude ——.
3. Un livre qui *intéresse* est un livre ——.
4. Une remarque qui *amuse* est une remarque ——.
5. Des garçons qui *obéissent* sont des garçons ——.
6. Des filles qui *désobéissent* sont des filles ——.

TEST 4. *Avant le voyage*

Avant de partir en voyage, les touristes doivent faire certaines choses. Exprimez cela en utilisant l'expression **il faut.** Mettez cette expression au même temps (*tense*) que le verbe en italique.

1. Nous *allons* en France. Il —— obtenir un passeport.
2. Nous *sommes allés* en Russie. Il —— obtenir des visas.
3. Nous *irons* en Suisse. Il —— acheter des francs suisses.
4. Nous *allons aller* au Canada. Il —— chercher des brochures touristiques.

TEST 5. *A la surprise-partie*

Complétez les phrases avec **danser** ou **dansant.**

1. Paul invite Marie à ——.
2. En ——, Charles parle à Irène.
3. Jacqueline est venue pour ——.
4. Henri va au buffet au lieu de ——.
5. Avant de ——, Nicole mange un sandwich.
6. Robert s'amuse en ——.
7. Michèle vient de —— avec Philippe.
8. Roger demande à Louise de —— avec lui.
9. Maurice est heureux de —— avec Nathalie.
10. Irène est contente de —— avec ses amis.

VOCABULAIRE

TEST 6. *Le mot exact*

Complétez les phrases avec l'un des mots entre parenthèses.

1. On conduit ——. (une voiture, un immeuble)
2. On construit ——. (une maison, une rivière)
3. On envoie ——. (un champ, une lettre)
4. On traduit ——. (une ombre, un texte)
5. On campe dans ——. (un champ, un choix)
6. Quand on a peur, on ——. (termine, tremble)
7. Quand on est gai, on ——. (plaisante, étonne)
8. Dans une foule, il y a beaucoup de ——. (personnes, spectacles)

Images du monde français

Un peu d'histoire

En 1912, il y avait deux pays° indépendants en Afrique. Aujourd'hui il y en a 43. Dans dix-sept de ces pays, le français est la langue officielle. Dans quatre autres, c'est une langue couramment° utilisée. Les nations africaines d'expression française° sont d'anciennes° colonies françaises (comme le Sénégal, le Mali, la Côte-d'Ivoire, la Mauritanie, Madagascar) ou belges (comme le Zaïre). Ces nations ont acquis° leur indépendance vers 1960. Pourquoi ont-elles conservé le français comme langue nationale? La raison est très simple. La population de ces pays est composée de tribus° qui parlent des dialectes souvent différents. Pour unifier chacun° de ces pays, il était essentiel que les différentes tribus puissent° communiquer entre elles.° Pour cela, il fallait adopter une langue commune

258

et le français a été choisi comme langue
nationale. Dans la majorité des pays
africains d'expression française, l'instruction
secondaire se fait aujourd'hui exclusivement
en français. Ainsi, au lieu de diminuer,°
l'usage du français se développe rapidement
en Afrique.

Il y a d'autres régions du monde où le
français est utilisé par des gens d'origine

africaine: Haïti, par exemple, qui est un pays
indépendant . . . la Martinique et la Guadeloupe,
qui sont des départements français situés
dans la mer des Antilles° . . . la Guyane
française, qui se trouve en Amérique du Sud.

pays m. = **nations** f.; **couramment** = **très souvent**; **d'expression française** = **où on parle français**; **anciennes** former;
acquis = **gagné**; **tribus** f. tribes; **chacun** each; **puissent** be
able; **entre elles** among themselves; **diminuer** = **perdre de
l'importance**; **mer des Antilles** Caribbean

À PROPOS DU TEXTE

Questions de fait

1. Le français est la langue officielle de combien de pays africains?
2. Nommez certains pays africains d'expression française.
3. Quand est-ce que les colonies françaises d'Afrique ont acquis leur indépendance?
4. Pourquoi le français a-t-il été adopté comme langue nationale?
5. En quelle langue se fait l'instruction secondaire dans les pays d'expression française?
6. Quelle est l'origine de la population d'Haïti?
7. Où se trouvent la Martinique et la Guadeloupe?
8. Où se trouve la Guyane française?

Sujets de discussion

1. Avez-vous envie d'aller en Afrique? Pourquoi ou pourquoi pas?
2. Avez-vous envie d'aller aux Antilles? Pourquoi ou pourquoi pas?

PROJETS CULTURELS

Projet de classe

Préparez une carte (map) murale de l'Afrique. Marquez les pays d'expression française. Illustrez cette carte avec des photos et des cartes postales.

Projets individuels

1. *Préparez une exposition de timbres des pays d'Afrique d'expression française.*
2. *Faites une liste des pays africains d'expression française. Donnez leur capitale et leur population. (Source: un almanach récent)*
3. *Préparez un bref exposé sur l'un des pays suivants: le Sénégal, le Mali, Madagascar, le Zaïre.*

Portrait d'hier : un champion de la liberté—Toussaint L'Ouverture (1743–1803)

Vous savez certainement où est Haïti. Vous savez aussi que les habitants d'Haïti sont d'origine africaine et que la langue nationale est le français. Savez-vous qu'Haïti a été la première nation noire indépendante? Le héros de l'indépendance est un esclave.° Il s'appelle Toussaint L'Ouverture. Voici l'histoire de ce grand champion de la liberté.

Imaginez que vous vivez° à la fin du dix-huitième siècle.° La France est alors une nation très puissante.° C'est probablement la nation la plus puissante du monde.° Elle a des colonies en Amérique et dans les Antilles.° La colonie la plus prospère est Haïti, qui s'appelle alors Saint-Domingue. Saint-Domingue est peuplée de 20.000 Blancs et de 500.000 Noirs. Les Noirs sont des esclaves venus d'Afrique. Ils travaillent très durement° dans les plantations des Blancs. Certains s'échappent° et vont chercher refuge dans la montagne. Là ils mènent une existence très dangereuse. S'ils sont pris, ils sont immédiatement exécutés.

En 1789, les esclaves connaissent° un grand espoir.° Une révolution libérale vient en effet d'éclater° en France. Va-t-elle émanciper les Noirs? En principe oui. Les révolutionnaires français sont opposés à l'esclavage° qu'ils décident d'abolir° dans les colonies. Malheureusement°, Saint-Domingue est loin° de Paris et les Blancs de l'île refusent de libérer° leurs esclaves. Pour les Noirs, il n'y a qu'une seule solution: la rébellion.

En 1791, les Noirs de Saint-Domingue se révoltent. Trois ans plus tard, en 1794, les Anglais, qui sont en guerre° contre la France, veulent occuper Saint-Domingue. Pour les Français, la situation est extrêmement grave. C'est à cette époque° qu'a lieu une étrange° rencontre° entre un Blanc et un Noir.

Le Blanc s'appelle Laveaux. C'est l'homme le plus important de Saint-Domingue. Il est gouverneur de l'île et commandant en chef des armées.° Le Noir est Toussaint L'Ouverture. On dit qu'il est le fils d'un prince africain. C'est certainement une légende. On ne sait même pas quand il est né. Physiquement, c'est le contraire du héros romantique. Il est petit. Il est assez laid.° Il n'est plus jeune. En 1794, il a la cinquantaine.° Il a été esclave toute sa vie.°

Pourtant, cet esclave traite d'égal à égal° avec le général Laveaux. Toussaint L'Ouverture est en effet l'un des chefs de la rébellion noire. Il a 4.000 esclaves révoltés sous ses ordres. Voici ce qu'il propose à Laveaux: «Garantissez la liberté des Noirs et mes troupes combattront° avec vous contre les Anglais.» Laveaux n'a pas le choix. Il accepte.

Quelques semaines après, Toussaint L'Ouverture, l'ancien esclave, est nommé commandant. C'est un brillant stratège. Ses troupes noires réussissent là où les

esclave slave; **vivez** live; **siècle** century; **puissante** powerful; **monde** world; **Antilles** *f.* West Indies; **durement** hard; **s'échappent** escape; **connaissent** experience; **espoir** hope; **vient . . . d'éclater** has just broken out; **esclavage** *m.* slavery; **abolir** to abolish; **Malheureusement** ≠ **heureusement**; **loin** far; **libérer** to free; **en guerre** at war; **époque** *f.* = **période** *f.*; **étrange** strange; **rencontre** encounter; **armées** *f.* armies; **laid** = **moche**; **cinquantaine** about 50; **toute sa vie** = **sa vie entière**; **traite d'égal à égal** speaks as an equal; **combattront** will fight

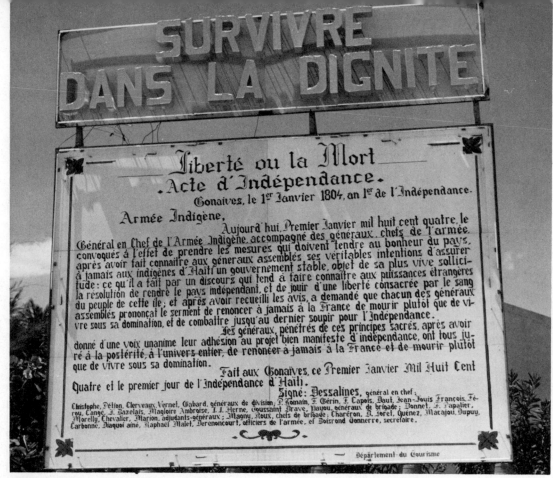

SURVIVRE DANS LA DIGNITE

Liberté ou la Mort
Acte d'Indépendance.
Gonaïves, le 1er Janvier 1804, an 1er de l'Indépendance.

Armée Indigène,
Aujourd'hui, Premier Janvier mil huit cent quatre, le Général en Chef de l'Armée Indigène, accompagné des généraux, chefs de l'armée, convoqués à l'effet de prendre les mesures qui doivent tendre au bonheur du pays, après avoir fait connaître aux généraux assemblés, ses véritables intentions d'assurer à jamais aux indigènes d'Haïti un gouvernement stable, objet de sa plus vive sollicitude: ce qu'il a fait par un discours qui tend à faire connaître aux puissances étrangères la résolution de rendre le pays indépendant, et de jouir d'une liberté consacrée par le sang du peuple de cette île; et après avoir recueilli les avis, a demandé que chacun des généraux assemblés prononçât le serment de renoncer à jamais à la France de mourir plutôt que de vivre sous sa domination, et de combattre jusqu'au dernier soupir pour l'Indépendance. Les généraux, pénétrés de ces principes sacrés, après avoir donné d'une voix unanime leur adhésion au projet bien manifesté d'indépendance, ont tous juré à la postérité, à l'univers entier, de renoncer à jamais à la France et de mourir plutôt que de vivre sous sa domination. Fait aux Gonaïves, ce Premier Janvier Mil Huit Cent Quatre et le premier jour de l'Indépendance d'Haïti.
Signé: Dessalines, général en chef.
Christophe, Pétion, Clerveaux, Vernet, Gabard, généraux de division; P. Romain, E. Gérin, F. Capois, Daut, Jean-Louis François, Férou, Cangé, J. Bazelais, Magloire Ambroise, J. J. Herne, Toussaint Brave, Bayou, généraux de brigade; Bonnet, F. Papalier, Morelly, Chevalier, Marion, adjudants-généraux; Magny, Roux, chefs de brigade; Charéron, B. Joref, Quénez, Macajou, Dupuy, Carbonne, Diaquoi aîné, Raphael Malet, Derenoncourt, officiers de l'armée, et Boisrond Tonnerre, secrétaire.

Département du Tourisme

troupes françaises ont échoué.° Elles chassent° les Anglais de Saint-Domingue.

En juillet 1795, Toussaint L'Ouverture est nommé général de brigade et vice-gouverneur de Saint-Domingue. En réalité, c'est maintenant lui l'homme le plus important de l'île.

Avec l'émancipation des esclaves, Toussaint L'Ouverture a réalisé° sa première ambition. Il a maintenant une autre ambition: obtenir° l'indépendance de Saint-Domingue. Oui, mais comment? Il faut d'abord organiser le pays. Toussaint L'Ouverture crée° une administration moderne. Il ouvre des écoles. Il développe le commerce. Il signe des traités° avec l'Angleterre. S'il réussit dans ses projets, c'est parce que c'est un homme éminemment° juste. Il ne fait pas de distinction entre les anciens maîtres° blancs et les anciens esclaves noirs. Ainsi, il peut mobiliser tous° les talents. Les résultats de cette politique° sont immédiats. En 1800, Saint-Domingue est un pays riche et prospère. Économiquement, c'est un pays indépendant.

Administrativement, cependant, Saint-Domingue reste toujours une colonie française. La France, à ce moment-là, est gouvernée par Napoléon Bonaparte. Napoléon est un général brillant mais très autoritaire. Il n'aime pas l'indépendance de Toussaint L'Ouverture. Il pense même rétablir° l'esclavage à Saint-Domingue. Pour cela il prépare une formidable expédition. Le premier février 1802, 22.000 soldats français arrivent dans l'île. C'est la guerre! La guerre d'indépendance commence mal pour les Noirs. Toussaint L'Ouverture est fait prisonnier et déporté en France. Le 7 avril 1803, il meurt° après dix mois de captivité. Sa mort° stimule° la résistance des Noirs. Ceux-ci° battent° l'armée française et, le premier janvier 1804, Saint-Domingue devient une nation indépendante et prend le nom d'Haïti.

échoué ≠ réussi; chassent chase; a réalisé saw come true; obtenir = gagner; crée creates; traités m. treaties; éminemment = très; maîtres m. = chefs m.; tous all; politique policy; rétablir reestablish; meurt dies; mort death; stimule = encourage; Ceux-ci = les Noirs; battent beat

À PROPOS DU TEXTE

Questions de fait

1. Quelle est la langue nationale d'Haïti?
2. Qui est Toussaint L'Ouverture?
3. Comment s'appelait Haïti au dix-huitième siècle?
4. Est-ce que c'était un pays indépendant?
5. Par qui était peuplé Haïti?
6. Quand est-ce que les Noirs d'Haïti se sont révoltés?
7. Pourquoi se sont-ils révoltés?
8. Comment s'appelait le gouverneur blanc d'Haïti?
9. Faites le portrait physique de Toussaint L'Ouverture.
10. Quel marché (*deal*) Toussaint L'Ouverture propose-t-il au général Laveaux?
11. Quelles sont les ambitions de Toussaint L'Ouverture?
12. Comment organise-t-il Haïti?
13. Qui est Napoléon?
14. Quelle est l'attitude de Napoléon à l'égard de Toussaint L'Ouverture?
15. Quand et où Toussaint L'Ouverture meurt-il?
16. Comment se termine la guerre entre les Noirs d'Haïti et les troupes de Napoléon?

Sujet de discussion

D'après vous, quels sont les grands champions américains de la liberté? Expliquez votre choix.

PROJETS CULTURELS

Projet de classe

Préparez une exposition sur Haïti.

Projets individuels

1. *Faites un bref exposé sur l'histoire d'Haïti après l'indépendance.*
2. *Préparez une petite biographie sur l'un des hommes politiques noirs suivants: Mobutu (Zaïre), Senghor (Sénégal), Houphouët-Boigny (Côte-d'Ivoire).*

Portrait d'aujourd'hui: Adjoua Amoulin

Voici une interview avec Adjoua Amoulin,
une jeune fille de la Côte-d'Ivoire.

JEAN-PAUL: Comment t'appelles-tu?

ADJOUA: Je m'appelle Adjoua.

JEAN-PAUL: Adjoua! C'est un joli nom. Est-ce
que cela signifie quelque chose?

ADJOUA: Bien sûr! Dans ma tribu,° le nom
qu'on donne aux enfants dépend du jour
où ils sont nés. Moi, par exemple, je suis
née un mardi. Voilà pourquoi je m'appelle
Adjoua. Si j'étais née un vendredi, je
m'appellerais Aya.

JEAN-PAUL: Tu parles de ta «tribu»? Est-ce
qu'il y a beaucoup de tribus en Côte-
d'Ivoire?

ADJOUA: Oh! oui, il y a un très grand nombre
de tribus. Je ne sais pas exactement
combien . . . Au moins, une centaine.°
Chaque tribu a sa religion, ses coutumes,°
sa langue . . . Moi, je suis une Baoulée.

JEAN-PAUL: Alors, tu parles le baoulé?

ADJOUA: Oui, avec mes parents. Mais en
classe, ou avec mes amis, je parle toujours
français. C'est notre langue nationale,
tu sais!

JEAN-PAUL: A quelle école vas-tu?

ADJOUA: Au Collège Moderne d'Aboisso.

JEAN-PAUL: Où est-ce, Aboisso?

ADJOUA: C'est une petite ville de 6.000
habitants qui se trouve à cent kilomètres
à l'est d'Abidjan.

JEAN-PAUL: Qu'est-ce que vous étudiez au
Collège Moderne?

ADJOUA: Surtout le français, les math et
l'histoire. L'anglais aussi. Nous avons
pratiquement les mêmes° programmes que
les écoles françaises. D'ailleurs,° tous mes
professeurs sont français, sauf mon
professeur d'anglais qui est américain.

JEAN-PAUL: Tiens! Qu'est-ce qu'il fait en
Côte-d'Ivoire?

ADJOUA: Il est avec le Corps de la Paix.°

JEAN-PAUL: Tu habites avec tes parents?

ADJOUA: Non, je suis pensionnaire.° Mes
parents habitent dans la savane.° Ce sont
des agriculteurs.°

JEAN-PAUL: Qu'est-ce que tu fais le samedi et
le dimanche?

ADJOUA: Ça dépend! Parfois, je vais à Abidjan.
Le plus souvent, je reste à Aboisso. Je
vais danser avec mes copains. J'adore ça.

JEAN-PAUL: Si tu aimes la danse, c'est que tu
aimes la musique, n'est-ce pas?

ADJOUA: Tu as raison. J'aime beaucoup
la musique.

JEAN-PAUL: Qu'est-ce que tu préfères? la
musique européenne ou la musique
africaine?

ADJOUA: Tu veux savoir la vérité°? Eh bien, je
préfère la musique américaine. Surtout
le «soul music». Tu sais, les chanteurs
américains, James Brown ou Otis
Redding, par exemple, sont très connus
en Côte-d'Ivoire.

JEAN-PAUL: Et la musique africaine?

ADJOUA: J'aime beaucoup le tam-tam! C'est
formidable pour danser. A Aboisso, il y a
de très bons orchestres de tam-tam.

JEAN-PAUL: Après le collège, tu as l'intention
de rester à Aboisso ou de retourner
chez toi?

ADJOUA: Ni l'un ni l'autre! Je voudrais° aller
à Abidjan.

JEAN-PAUL: A l'université?

ADJOUA: Non, cette année est ma dernière
année d'études. Je voudrais travailler dans
une administration. Peut-être dans un
ministère.°

JEAN-PAUL: Parle-moi un peu de ton pays!

ADJOUA: La Côte-d'Ivoire est un des pays les
plus modernes d'Afrique occidentale.
Autrefois,° c'était une colonie française.
Mais en 1960, nous sommes devenus
indépendants.

JEAN-PAUL: Que signifie l'indépendance
pour toi?

ADJOUA: Je ne comprends pas ta question.
J'ai toujours connu mon pays indépendant.
Demande aux vieux. Peut-être qu'ils
pourront te répondre.

tribu tribe; **centaine** (about) 100; **coutumes** f. = **habitudes** f.;
mêmes same; **D'ailleurs** Besides; **Paix** ≠ **guerre**; **pensionnaire**
= **élève qui habite à l'école**; **savane** = **plaines d'Afrique**;
agriculteurs farmers; **vérité** truth; **voudrais** would like; **ministère** government office; **Autrefois** = **dans le passé**

À PROPOS DU TEXTE

Questions de fait

1. Quelle est l'origine du nom «Adjoua»?
2. Quand Adjoua est-elle née?
3. Combien y a-t-il de tribus en Côte-d'Ivoire?
4. Comment s'appelle la tribu d'Adjoua?
5. Avec qui parle-t-elle la langue de sa tribu?
6. Avec qui parle-t-elle français?
7. Où est Aboisso?

8. Quelle est la nationalité des professeurs
   d'Adjoua?
9. Avec quelle organisation son professeur
   d'anglais est-il en Côte-d'Ivoire?
10. Quelle musique Adjoua préfère-t-elle?
11. Qu'est-ce qu'elle voudrait faire après l'école?
12. Où voudrait-elle travailler?

Sujets de discussion

1. Plus tard, voudriez-vous (*would you like*) aller
   dans un pays étranger avec le «Corps de la Paix»?
   Pourquoi ou pourquoi pas?
2. Quelle musique préférez-vous?

PROJET CULTUREL

Projet de classe

*Préparez une exposition sur la Côte-d'Ivoire. Faites
une carte murale où vous marquerez les villes.
Illustrez cette carte.*

265

Chapitre sept

UNE SOIRÉE MOUVEMENTÉE

Avant-propos

Cette leçon est un petit drame en cinq actes
que vous pouvez jouer en classe. Les
personnages de ce drame sont fictifs.
L'histoire est réelle.

7.1 *Acte I. DÉCEPTION ET DÉCISION*

SCÈNE I

Personnages: Olivier Roussel, Étienne, Thierry, Frédéric

(Olivier Roussel est au café avec ses amis. Dehors, il pleut.)

ÉTIENNE: Vous avez vu ce *temps?* — weather

THIERRY: *Ça dure* depuis ce matin et ça va continuer *toute la nuit.* — = *Il pleut;* = *la nuit entière*

FRÉDÉRIC: On n'a jamais eu un temps comme ça pour la Pentecôte.

ÉTIENNE: Moi, ce soir je reste à la maison. *Si on faisait* un bridge ensemble! Vous venez? — What about playing

THIERRY: D'accord!

FRÉDÉRIC: D'accord!

OLIVIER: Moi, je ne peux pas. Je sors.

ÉTIENNE: Tu veux sortir *par ce temps-là?* Tu es fou! — in this kind of weather

(Olivier pense au bal de ce soir. Il pense à Mireille, la fille qu'il a invitée. Il a de la chance. Quand *il s'agit* d'inviter Mireille, il y a toujours beaucoup *de concurrents.* Mais aujourd'hui, Olivier a eu la préférence. Ce n'est pas la *pluie* qui *l'empêchera* de sortir avec Mireille. Olivier pense tout à coup à quelque chose.) — = *il est question* = *d'autres garçons qui veulent l'inviter* rain; will prevent

OLIVIER (*en lui-même*): *Pourvu que* Papa me **prête** la voiture! Il me la prêtera. Il me la prête toujours, mais il *vaut* peut-être *mieux* que je **téléphone** à la maison... — to himself; Let's hope that; lends = *est préférable*

Questions

1. Où sont Olivier et ses amis?
2. Quel temps fait-il?
3. Qu'est-ce qu'Étienne propose de faire ce soir?
4. Pourquoi est-ce qu'Olivier refuse?
5. Avec qui sort-il?

SCÈNE II

Personnages: Monsieur Roussel, Madame Roussel

(C'est Madame Roussel qui répond au téléphone. Olivier lui présente sa *requête.* Elle va consulter son mari.) — = *demande*

MADAME ROUSSEL: Dis, Henri! C'est Olivier. Il demande s'il peut prendre la voiture.

MONSIEUR ROUSSEL: *Qu'il sorte,* s'il veut, mais ce soir je ne veux absolument pas qu'il **prenne** la voiture. — Let him go out

MADAME ROUSSEL: Mais d'habitude. . .

MONSIEUR ROUSSEL: D'habitude, d'habitude. . . As-tu vu le temps qu'il fait? D'habitude il ne pleut pas comme aujourd'hui!

MADAME ROUSSEL: Oui, je sais, mais Olivier est très *prudent*. . .   careful

MONSIEUR ROUSSEL: Écoute! Je ne veux pas que nous lui **prêtions** la voiture. *Un point, c'est tout!* S'il veut sortir, *qu'il* **prenne** le bus!   Period! let him take

Questions

1. Qu'est-ce qu'Olivier demande?
2. Est-ce que Monsieur Roussel est d'accord?
3. Pourquoi est-ce que Monsieur Roussel ne veut pas qu'Olivier prenne la voiture?

SCÈNE III

Personnage: Olivier

(Olivier rentre chez lui. Il est déçu, très déçu. Il comptait en effet sur la voiture de son père, une voiture de sport *toute neuve*, pour *impressionner* Mireille. Et *voilà que* son père ne veut pas la lui prêter. Pourtant, Olivier n'a pas perdu *tout espoir*. Il vient d'apprendre que ses parents sortent aussi ce soir. Ils sont invités chez les Mallet, des amis qui habitent *tout* près. *Bien entendu*, ils iront à pied. . . Une idée lui vient à l'esprit.)   brand-new; = *faire une impression sur* = *maintenant* / all hope / = *très* / = *Bien sûr*

OLIVIER *(en lui-même):* *Si je prenais* la voiture pendant que mes parents sont chez les Mallet!   Suppose I take

Je peux la prendre sans qu'ils s'en **aperçoivent.** Ce n'est pas difficile. . .

Il suffit que j'**efface** les traces de *pneu* en rentrant.   = *Il faut simplement*; get rid of; tire

*Pourvu qu'*ils ne **rentrent** pas avant moi. . .   Just as long as

269

Oh, je peux être *tranquille*. Quand ils sortent chez les Mallet, ils ne rentrent jamais avant deux heures du matin. ≠ *inquiet*

Je serai ici avant qu'ils **reviennent**.

C'est décidé! Je vais attendre qu'ils **partent** et ensuite, je prendrai la voiture. . .

Questions

1. Pourquoi est-ce qu'Olivier est déçu?
2. Que font ses parents ce soir?
3. Est-ce qu'Olivier obéit?
4. Qu'est-ce qu'il décide de faire?

NOTES CULTURELLES

1. Le bal du samedi soir

En France, les jeunes aiment danser et beaucoup vont danser le samedi soir. Où vont-ils? Ça dépend! En ville, on peut aller danser dans une discothèque. On peut aller aussi dans les surprises-parties, à condition qu'on soit° invité. Les jeunes qui habitent à la campagne° vont au «bal». Ce bal peut avoir lieu dans un café, ou même à la mairie. Un grand nombre de jeunes Français qui sont mariés se sont rencontrés au bal du samedi soir.

2. La Pentecôte

La France est un pays dans l'ensemble° catholique et les jeunes Français ont des vacances à l'occasion des fêtes° catholiques. La Pentecôte est l'une de ces fêtes. Cette fête est célébrée le dimanche, 50 jours après Pâques. Le lundi de la Pentecôte est aussi un jour de vacances.

soit were (*literally:* be); **campagne** country; **dans l'ensemble** on the whole; **fêtes** *f.* holidays

*Une procession
en Normandie*

OBSERVATIONS

Dans cette leçon, vous allez étudier un nouveau mode: le subjonctif.

En anglais, le subjonctif existe, mais il est rare.
En français, le subjonctif est très utilisé.

Par exemple, dans le texte que vous avez lu, les verbes en gros caractères sont au subjonctif.

Lisez les phrases suivantes:

INDICATIF	SUBJONCTIF
Olivier **sort.**	Son père ne veut pas qu'il **sorte.**
Olivier n'**obéit** pas.	Son père veut qu'il **obéisse.**
Olivier **prend** la voiture.	Son père ne veut pas qu'il **prenne** la voiture.
Olivier **rentre** tard.	Son père ne veut pas qu'il **rentre** tard.

Dans les phrases de gauche, les verbes sont au présent de l'indicatif (le présent que vous connaissez). Dans les phrases de droite, les verbes sont au subjonctif. Comparez ces verbes.

- Quels sont les trois verbes qui sont différents à l'indicatif et au subjonctif?
- Quel est le verbe qui est le même?

ÉTUDE DE MOTS

Petit vocabulaire

NOMS:	un **bal** *dance*	la **pluie** *rain*
ADJECTIFS:	**neuf (neuve)** *new*	
	prudent *careful*	
VERBES EN **-er**:	**durer** *to last*	
	empêcher (de) *to prevent (from)*	
	prêter *to loan, lend*	
EXPRESSION:	**pourvu que** (+ subjunctive) *let's hope that; provided that; so long as*	

ÉTUDE DE PRONONCIATION

Consonnes finales

In general, the final consonant of a verb is not pronounced. The final consonant of the stem of a verb is pronounced very distinctly when it is followed by a silent **e** or a pronounced ending.

Contrastez le singulier et le pluriel:

Il sort.	Ils sortent.	Je finis mon travail.	Nous finissons notre travail.
Il part.	Ils partent.	Il fait ses devoirs.	Vous faites vos devoirs.
Il répond.	Ils répondent.		

ÉTUDE DE LANGUE

A. TEMPS ET MODES

Verb tenses indicate the time of an action. The present, future, imperfect, etc., are tenses.

Verb modes indicate the attitude of the speaker toward the action. The indicative and the subjunctive are modes.

The *indicative* mode is used to make statements of fact about an action. It is the mode most frequently used in both French and English.

The *subjunctive* mode is used mainly to express attitudes of obligation, wish, doubt and uncertainty toward an action.

In English the subjunctive, although rare, is still occasionally used. Compare the following statements:

INDICATIVE	SUBJUNCTIVE
I **was** able to have the car last night.	I wish I **were** able to have the car tonight.
I **am** always on time.	It is necessary that **I be** on time tonight.
Olivier often **takes** the bus.	His father insists that he **take** the bus.

In French the subjunctive mode is required after many expressions.

INDICATIVE	SUBJUNCTIVE
D'habitude j'**ai** une voiture.	Ce soir, il faut que j'**aie** une voiture.
Je **suis** toujours à l'heure.	Il faut que je **sois** à l'heure ce soir.
Olivier **prend** souvent le bus.	Son père insiste pour qu'il **prenne** le bus.

NOTE: The French subjunctive is practically always introduced by **que (qu').** However, **que** may also be followed by the indicative.

The choice of whether to use the subjunctive or the indicative after **que** depends on the words which precede it.

Contrast:

INDICATIVE	SUBJUNCTIVE
Je vois ⎫	Je veux ⎫
Je dis ⎬ que tu **es** là.	J'insiste pour ⎬ que tu **sois** là.
Je sais ⎭	Je désire ⎭

In this module you will learn how to form the subjunctive of most French verbs. In the next modules you will learn when to use the subjunctive, and you will also learn the irregular subjunctive forms.

B. FORMATION DU SUBJONCTIF: FORMES RÉGULIÈRES

For all regular and most irregular verbs the present subjunctive is formed as follows:

	STEM	+ ENDING
je tu il/elle ils/elles	**ils**-stem of present indicative +	-e -es -e -ent
nous vous	**nous**-stem of present indicative +	-ions -iez

Here is the form chart for the present subjunctive of four verbs:

		demander (regular **-er** verb)	**finir** (regular **-ir** verb)	**répondre** (regular **-re** verb)	**venir** (irregular verb)
Present *indicative*		nous **demand**ons ils **demand**ent	nous **finiss**ons ils **finiss**ent	nous **répond**ons ils **répond**ent	nous **ven**ons ils **vienn**ent
Present *subjunctive*	que je que tu qu'il/elle	**demand**e **demand**es **demand**e	**finiss**e **finiss**es **finiss**e	**répond**e **répond**es **répond**e	**vienn**e **vienn**es **vienn**e
	que nous que vous qu'ils/elles	**demand**ions **demand**iez **demand**ent	**finiss**ions **finiss**iez **finiss**ent	**répond**ions **répond**iez **répond**ent	**ven**ions **ven**iez **vienn**ent

NOTES: 1. For all verbs (regular and irregular), the **je-, tu-, il-,** and **ils-**forms of the subjunctive sound the same.

2. For all **-er** verbs, the **je-, tu-, il-,** and **ils-**forms of the present subjunctive and the present indicative are the same.

Activité 1. **Dans le bureau du proviseur** (in the principal's office)

Un professeur dit que ses élèves n'étudient pas. Le proviseur demande qu'ils étudient. Jouez le rôle du proviseur d'après le modèle. Utilisez le subjonctif.

MODÈLES: Le professeur: Ils n'étudient pas.   Le proviseur: **Je veux qu'ils étudient.**
    Ils n'obéissent pas.   **Je veux qu'ils obéissent.**

Le professeur:

1. Ils ne travaillent pas.
2. Ils ne parlent pas français.
3. Ils n'écoutent pas en classe.
4. Ils ne finissent pas leurs devoirs.

5. Ils ne réussissent pas à leurs examens.
6. Ils n'obéissent pas.
7. Ils ne répondent pas aux questions.
8. Ils n'attendent pas la fin de la classe.

Activité 2. *Le cancre* (*the dunce*)

La situation est la même, mais le professeur ne parle que d'un seul élève. Jouez le rôle du professeur et du proviseur d'après le modèle. Utilisez les mêmes phrases que dans l'exercice précédent.

MODÈLES : Ils n'étudient pas.   Le professeur : **Il n'étudie pas.**
                                   Le proviseur : **Je veux qu'il étudie.**

          Ils n'obéissent pas.   Le professeur : **Il n'obéit pas.**
                                   Le proviseur : **Je veux qu'il obéisse.**

Activité 3. *Avant le bal*

Pour le succès de son projet, Olivier espère que ses parents vont (ou ne vont pas) faire les choses suivantes. Jouez le rôle d'Olivier d'après le modèle. Pour cela utilisez la construction **Pourvu que** + subjonctif.

MODÈLE : Ils sortent.   **Pourvu qu'ils sortent !**

1. Ils promettent aux Mallet d'aller chez eux.
2. Ils partent tôt.
3. Ils prennent un taxi.
4. Ils ne me voient pas.
5. Ils ne prennent pas les clés.
6. Ils reviennent tard.
7. Ils ne me posent pas de questions embarrassantes.
8. Ils me croient.

Activité 4. *Une fille très autoritaire* (*a bossy girl*)

Mireille insiste pour qu'Olivier imite ses autres amis. Jouez le rôle de Mireille d'après le modèle. Commencez vos phrases par **J'insiste pour que tu** + subjonctif.

MODÈLE : Mes amis me téléphonent avant le bal.

        Mireille : **J'insiste pour que tu me téléphones avant le bal.**

1. Mes amis arrivent à l'heure.
2. Ils me cherchent en voiture.
3. Ils m'invitent à danser.
4. Ils dansent bien.
5. Ils me raccompagnent.
6. Ils viennent au théâtre avec moi.
7. Ils choisissent un bon restaurant.
8. Ils conduisent bien.

Activité 5. *Le rêve d'Olivier*

La veille du bal, Olivier a rêvé des choses suivantes. Transformez son rêve en souhait. Employez la construction **Pourvu que** + subjonctif.

MODÈLE : le rêve : Nous dansons toute la nuit.

       le souhait : **Pourvu que nous dansions toute la nuit.**

1. Nous dansons beaucoup.
2. Nous aimons le bal.
3. Nous voyons nos amis.
4. Nous rencontrons des gens sympathiques.
5. Nous écoutons de la bonne musique.
6. Nous nous amusons.
7. Nous passons une bonne soirée.
8. Nous revenons tard.

Activité 6. **Une mère autoritaire**

La mère de Mireille, elle aussi, est autoritaire. Quand Olivier vient chercher Mireille, elle insiste sur les choses suivantes. Jouez le rôle de la mère de Mireille. Pour cela, commencez vos phrases par **J'insiste pour que...**

MODÈLE: Vous me téléphonez.   La mère: **J'insiste pour que vous me téléphoniez.**

1. Vous partez maintenant.
2. Vous ne rentrez pas tard.
3. Vous revenez à minuit.
4. Vous ne buvez pas de vin.

5. Vous ne fumez pas. (*You don't smoke.*)
6. Vous buvez de l'eau minérale.
7. Vous vous conduisez bien.
8. Vous m'obéissez.

Activité 7. **Expression personnelle: projets de week-end**

Demandez à un(e) camarade s'il (si elle) veut faire les choses suivantes avec vous ce week-end. Utilisez la construction **Es-tu d'accord pour que nous** + subjunctive. (*Are you willing to...?*)

MODÈLE: sortir ensemble

Vous: **Es-tu d'accord pour que nous sortions ensemble?**

Votre camarade: **Oui, je suis d'accord pour que nous sortions ensemble.**

ou: **Non, je ne suis pas d'accord pour que nous sortions ensemble.**

1. organiser une surprise-partie
2. regarder un match de football
3. jouer au tennis
4. jouer au ping-pong

5. inviter des amis
6. travailler
7. visiter un musée
8. organiser un pique-nique

À votre tour

Souhaits

Exprimez un souhait pour chacune des situations suivantes. Commencez ces souhaits par **Pourvu que** + subjonctif. Pour formuler ces souhaits, vous pouvez utiliser l'un des verbes ou expressions entre parenthèses.

EXEMPLE: Vous allez à un match de baseball entre votre école et une école rivale. (gagner / jouer / marquer des points)

Pourvu que nous gagnions le match!

1. Vous allez à une surprise-partie. (danser / venir / s'amuser)
2. C'est votre anniversaire. (donner / recevoir / venir)
3. Vous passez un examen. (répondre / réussir / comprendre)

7.2 *Acte II.* CATASTROPHE!

SCÈNE I

Personnages: Olivier

(Olivier est seul dans la voiture. Il va chercher Mireille.)

OLIVIER: C'est vrai! Il fait un temps *épouvantable*. . . La visibilité est très   = *horrible*
mauvaise. Il va falloir que je **sois** très prudent si je veux *éviter*   avoid
un accident. . . Ah, enfin. Voilà la maison de Mireille!

Question

Pourquoi Olivier doit-il être prudent?

SCÈNE II

Personnages: Olivier, Mireille

(Olivier et Mireille vont au bal. La voiture de sport des Roussel produit
l'effet *escompté*.)   = *désiré*

MIREILLE: Elle est magnifique, cette voiture. Qu'est-ce que c'est?
OLIVIER   (*très flatté*): C'est une Lancia. . . Une voiture italienne.   *flatté* flattered
MIREILLE: Dis donc, tu as de la chance que ton père te **prête** sa voiture!
OLIVIER: Tu sais, dans la famille on est très généreux!
MIREILLE: Tu permets que je la **conduise**?
OLIVIER: Non, pas aujourd'hui. C'est trop dangereux. Une autre fois,
peut-être.

Questions

1. Quelle sorte de voiture Olivier conduit-il?
2. Est-ce qu'il prête la voiture à Mireille?

SCÈNE III

Personnages: Olivier, Mireille

(Au bal. Olivier et Mireille s'amusent beaucoup. Vers onze heures la pluie *cesse*. Mireille et Olivier décident *d'aller prendre l'air*. Mireille sort la première. Quand Olivier la *rejoint*, elle a une très mauvaise nouvelle à lui annoncer.)

= s'arrête; to get some fresh air
= retrouve

MIREILLE: Dis, Olivier, ta voiture!
OLIVIER: Quoi? Qu'est-ce qu'il y a?
MIREILLE: Eh bien, quelqu'un *est rentré dedans*.
OLIVIER: Qu'est-ce que tu dis? Ce n'est pas possible!
MIREILLE: Eh bien, va voir!

ran into it

(Olivier se précipite dans le *parking*. Hélas, il faut bien qu'il **accepte** l'évidence. La voiture de son père est *endommagée*. Le *feu arrière* est complètement *défoncé*.)

parking lot
damaged; taillight
smashed in

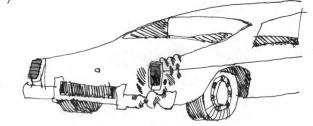

OLIVIER: Dis, Mireille, tu n'as vu personne quand tu es sortie?
MIREILLE: Non, je n'ai vu personne.
OLIVIER: Et quand on était à l'intérieur, tu as entendu quelque chose?
MIREILLE: Non.
OLIVIER: Moi non plus. Mais c'est vrai que l'orchestre joue très *fort*...

loudly

(Olivier est *désespéré*.)

≠ très heureux

OLIVIER: Mon *Dieu*, c'est une véritable catastrophe. Qu'est-ce que je vais faire?
MIREILLE: Téléphone à ton cousin Jean-Jacques. Il te réparera ta voiture demain.
OLIVIER: Ah, c'est vrai! Il y a Jean-Jacques! Pourvu qu'il **soit** chez lui!

God

Questions

1. Quelle mauvaise nouvelle Mireille annonce-t-elle à Olivier?
2. Est-ce que Mireille a vu quelqu'un en sortant?
3. Est-ce qu'elle a entendu quelque chose?
4. A qui Olivier va-t-il téléphoner?

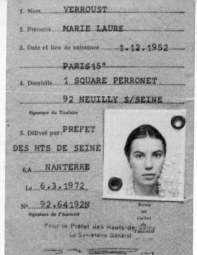

1. Nom	VERROUST
2. Prénoms	MARIE LAURE
3. Date et lieu de naissance	1.12.1952
	PARIS 15°
4. Domicile	1 SQUARE PERRONET
	92 NEUILLY S/SEINE

Signature du Titulaire

5. Délivré par : PREFET
DES HTS DE SEINE

6.A NANTERRE

Le 6.3.1972

N° 92.64192N

Signature de l'Autorité

Pour le Préfet des Hauts-de-Seine
Le Secrétaire Général

PERMIS DE CONDUIRE

ORIGINAL

NOTE CULTURELLE: **La voiture familiale**

En général, les familles françaises ont une voiture, rarement deux. C'est le père qui conduit la voiture familiale. Pour lui, cette voiture est l'objet d'une grande attention, et il la prête rarement à ses enfants. En France, 18 ans est l'âge minimum pour conduire une voiture. Il faut aussi avoir un permis de conduire° qu'on obtient° après un examen assez difficile.

permis de conduire driver's license; **obtient** = reçoit

OBSERVATIONS

Lisez les phrases suivantes:

Mireille veut **conduire**.
Olivier ne veut pas que Mireille **conduise**.

Mireille wants to drive.
Olivier doesn't want Mireille to drive.

Dans la première phrase, le sujet **(Mireille)** veut faire l'action.

● Le verbe **conduire** est-il à l'infinitif ou au subjonctif?

Dans la seconde phrase, le sujet **(Olivier)** veut qu'une autre personne **(Mireille)** fasse l'action.

● Le verbe **conduire** est-il à l'infinitif ou au subjonctif?

ÉTUDE DE MOTS

Petit vocabulaire

NOM:	un **feu arrière (un feu)**	*backlight, taillight*
ADJECTIFS:	**fort**	*strong*
	véritable	*true, real*
VERBES EN **-er**:	**rentrer dans**	*to run into; collide with*
	réparer	*to repair*
EXPRESSION:	**fort**	*strongly, loudly*

NOTE DE VOCABULAIRE

Fort. Le mot **fort** peut être un adjectif:

Ces hommes sont très **forts**.

These men are very strong.

Le mot **fort** est aussi un adverbe:

Tu parles trop **fort**.

You speak too loudly.

ÉTUDE DE PRONONCIATION

Les consonnes /ʒ/ et /g/

The sound /ʒ/ is represented by the letters **j, g (+ e, i, y), ge (+ a, o).** Be sure not to pronounce a /d/ before /ʒ/.

Prononcez: Jean-Jacques est généreux.
　　　　　Je joue avec Gigi.
　　　　　Georges déjeune avec Roger.

The sound /g/ is represented by the letters **g (+ a, o, u,** consonant) and **gu (+ e, i, y).**

Prononcez: Guy est un grand garçon.
　　　　　Regarde la guitare de Gaby.
　　　　　Gaston va au garage.

ÉTUDE DE LANGUE

A. L'USAGE DU SUBJONCTIF: APRÈS *VOULOIR QUE*

In French the subjunctive is used after verbs expressing *will* or *desire*:

vouloir	*to want, wish*	Je **veux que** tu **viennes.**	*I want you to come.*
		Je ne **veux** pas **qu'**il **prenne** la voiture.	*I don't want him to take the car.*
vouloir bien	*to be willing (to let)*	Je **veux bien que** vous **sortiez.**	*I am willing to let you go out.*
désirer	*to wish, want*	Je **désire que** tu **restes.**	*I wish that you would stay. (I want you to stay.)*
souhaiter	*to wish, want*	Je **souhaite qu'**elle **parte.**	*I wish that she would leave. (I want her to leave.)*
préférer	*to prefer*	Je **préf ère qu'**il **vienne.**	*I prefer that he come.*

NOTES:　1. To indicate that a person (subject) wants someone else to do something, the French use the construction: **vouloir que** + subjunctive.

　　　　2. To indicate that a person (subject) wants to do something himself, the French use the construction: **vouloir** + infinitive.

Contrast:

Je désire **rester.**	*I want **to stay.***
Je désire **que vous restiez.**	*I want **you to stay.***
Olivier veut **sortir.**	*Olivier wants **to go out.***
Olivier veut **que Mireille sorte** avec lui.	*Olivier wants **Mireille to go out** with him.*

Activité 1. *Bonne volonté* (*good will*)

Olivier désire faire les choses suivantes. Il désire aussi que Mireille les fasse. Mireille est d'accord. Jouez le rôle d'Olivier et de Mireille d'après le modèle.

MODÈLE: danser

> Olivier: **Je désire que tu danses avec moi.**
> Mireille: **Je veux bien danser avec toi.**

1. dîner
2. sortir
3. organiser une surprise-partie
4. jouer au tennis
5. préparer un pique-nique
6. rendre visite à des amis
7. prendre une glace
8. visiter la ville

Activité 2. *Non!*

Olivier déteste les amis de son frère. Quand ils sont chez lui, Olivier ne veut pas qu'ils fassent les choses suivantes. Jouez le rôle d'Olivier en commençant vos phrases par **Je ne veux pas que.**

MODÈLE: Marc prend mes disques.

> **Je ne veux pas que Marc prenne mes disques.**

1. Tu écoutes ma radio.
2. Vous prenez ma bicyclette.
3. Philippe joue avec ma guitare.
4. Henri reste dans ma chambre.
5. François prend ma raquette.
6. Monique regarde la télé.
7. Vous téléphonez pendant une heure.
8. Tu prends mes livres.

Activité 3. *Expression personnelle: la permission familiale*

Demandez à un(e) camarade s'il (si elle) peut faire les choses suivantes le soir. Votre camarade vous dira si ses parents lui donnent la permission, d'après le modèle.

MODÈLE: inviter des amis.

> Vous: **Tu peux inviter des amis?**
> Votre camarade: **Oui, mes parents veulent bien que j'invite des amis.**
> ou: **Non, mes parents ne veulent pas que j'invite des amis.**

1. sortir avec des garçons
2. sortir avec des filles
3. regarder la télé
4. rentrer à deux heures du matin
5. organiser des surprises-parties
6. téléphoner toute la nuit
7. jouer de la guitare
8. prendre la voiture

B. L'USAGE DU SUBJONCTIF: APRÈS *IL FAUT QUE*

In French the subjunctive is used after *expressions of necessity.*

il faut	Il faut que tu viennes au garage.	*You have to (must) come to the garage.*
	Il faudra que je me dépêche.	*I will have to hurry.*
	Il va falloir que nous rentrions.	*We will have to be going home.*
il vaut mieux	Il vaut mieux que nous partions.	*It would be better if we left.*
il est essentiel	Il est essentiel que tu partes.	*It is essential that you leave.*

NOTES: 1. To state a personal obligation, that is, that a specific person has to do something, the French use the following construction:

il faut que + subject (the person) + subjunctive

2. To express a general, impersonal obligation, the French use the following construction:

il faut + infinitive

Contrast:

Est-ce qu'il faut **que vous parliez** français en classe?	*Do you (personally) have to speak French in class?*
Est-ce qu'il faut **parler** français en classe?	*Do you (that is, the students in general) have to speak French in class?*

PROVERBE FRANÇAIS: **Il faut qu'une porte soit ouverte ou fermée.**

"You can't have your cake and eat it too."
(Literally: *A door must be either open or shut.*)

Activité 4. Pique-nique

Imaginez que vous organisez un pique-nique. Vous demandez à chacun de prendre quelque chose avec lui.

MODÈLE: Marie / des oranges

Il faut que Marie prenne des oranges.

1. Toi, Étienne / des bananes
2. Vous, Annette et Claudine / du pain
3. Marc et Thierry / de la limonade
4. Vincent et moi, nous / du fromage
5. Jean-Claude / du jambon
6. Michèle / du Coca-Cola
7. Moi / de la mayonnaise
8. Toi, Frédéric / des œufs

Activité 5. **Recommandations**

Avant le bal, les parents d'Olivier lui font les recommandations suivantes. Jouez le rôle des parents. Pour cela, transformez les phrases à l'impératif en phrases commençant par **Il faut que tu.**

MODÈLES: Prends un taxi! **Il faut que tu prennes un taxi.**
Ne prends pas la voiture! **Il ne faut pas que tu prennes la voiture.**

1. Dîne!
2. Pars après le dîner!
3. Prends les clés de la maison!
4. Cherche Mireille!

5. Ne dépense (*spend*) pas trop d'argent!
6. Ne reste pas trop longtemps au bal!
7. Ne mange pas trop!
8. Rentre avant minuit!

Activité 6. **Expression personnelle: obligations**

Demandez à un(e) camarade s'il (si elle) doit faire les choses suivantes à la maison.

MODÈLE: étudier Vous: **Est-ce qu'il faut que tu étudies?**

Votre camarade: **Oui, il faut que j'étudie.**

ou: **Non, il ne faut pas que j'étudie.**

1. obéir
2. travailler
3. aider ton père
4. aider ta mère

5. mettre de l'ordre dans ta chambre
6. laver la voiture
7. finir tes devoirs
8. sortir les ordures (*take out the garbage*)

C. LE SUBJONCTIF D'*ÊTRE* ET D'*AVOIR*

Note the irregular subjunctive forms of **être** and **avoir**:

être			avoir		
Il faut que	je	**sois** patient.	Il faut que	j'	**aie** de la patience.
Il faut que	tu	**sois** courageux.	Il faut que	tu	**aies** du courage.
Il faut qu'	il	**soit** énergique.	Il faut qu'	il	**ait** de l'énergie.
Il faut que	nous	**soyons** sincères.	Il faut que	nous	**ayons** de la sincérité.
Il faut que	vous	**soyez** persévérant.	Il faut que	vous	**ayez** de la persévérance.
Il faut qu'	ils	**soient** ambitieux.	Il faut qu'	ils	**aient** de l'ambition.

NOTE: The imperative forms of **être** and **avoir** are taken from the subjunctive rather than from the present indicative:

Soyez sage! *Be good!*
Ayez de la patience! *Have patience! (Be patient!)*

Activité 7. **A midi**

A midi, les amis d'Olivier doivent être à certains endroits. Dites où chacun doit être.

MODÈLE: Olivier (au restaurant)   **Il faut qu'Olivier soit au restaurant.**

1. Mireille (chez elle)
2. Marc et Philippe (à l'hôtel)
3. Nous (en ville)
4. Vous (avec vos amis)

5. Moi (à la banque)
6. Toi (au café)
7. Roger (chez un ami)
8. Suzanne et Françoise (à la maison)

Activité 8. **Camping**

Imaginez que vous allez faire du camping avec des amis. Vous organisez le voyage. Dites ce que chacun doit avoir.

MODÈLE: Gilbert (un peu d'argent)   **Il faut que Gilbert ait un peu d'argent.**

1. Henri (une tente)
2. Vous (vos brosses à dents)
3. Nous (des ustensiles de cuisine)
4. Roger et François (leurs bicyclettes)

5. Moi (une voiture)
6. Toi (ta guitare)
7. Suzanne (une lampe)
8. Marc et Robert (des vêtements chauds)

A votre tour

Pique-nique

Imaginez que vous organisez un pique-nique avec vos amis de classe. Dites à six amis ce qu'ils doivent faire. Vous pouvez utiliser les verbes suivants:

acheter / prendre / venir / être / oublier / inviter / préparer

EXEMPLE: Toi, Betty, il faut que tu achètes du pain. Il ne faut pas que tu oublies de prendre aussi du jambon, car il faut que tu prépares les sandwiches. . .

7.3 *Acte III.* JEAN-JACQUES

SCÈNE I

Personnages: Olivier, Jean-Jacques

(Oui, il y a Jean-Jacques! Jean-Jacques, le cousin d'Olivier, est *garagiste*.   owner of a garage
C'est la seule personne qui **puisse** l'aider! Olivier va lui téléphoner. Une
voix endormie répond.)   sleepy voice

JEAN-JACQUES: Allô...
      OLIVIER: Jean-Jacques? Il faut que tu m'**aides.**
JEAN-JACQUES: Ah, c'est toi, Olivier. *Qu'est-ce qui t'arrive?*   What's up?
      OLIVIER: Un accident!
JEAN-JACQUES: Grave?
      OLIVIER: Je ne sais pas. Au moins un feu d'*enfoncé.*   smashed (in)
JEAN-JACQUES: Et c'est pour ça que tu me réveilles? Dis donc, tu peux
                bien attendre à demain!   = *facilement*
      OLIVIER: Non, non! Il faut que j'**aille** chez toi immédiatement.
JEAN-JACQUES: Dis! Tu sais l'heure qu'il est?
      OLIVIER: Écoute, c'est très sérieux.

(Olivier a expliqué *toute* la situation: le refus de son père, sa *désobéissance*,   = *la totalité de;*
le bal, l'accident.)   disobedience

JEAN-JACQUES: Bon, bon! J'ai compris! Si tu veux que je **fasse** cette
                réparation avant une heure du matin, il faut que tu
                viennes *tout de suite!*   = *immédiatement*
      OLIVIER: Merci, Jean-Jacques! Tu es un vrai copain!

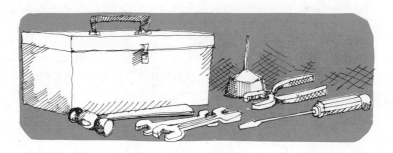

Questions

    1. Qui est Jean-Jacques?
    2. Pourquoi est-ce qu'Olivier lui téléphone?
    3. Est-ce que Jean-Jacques accepte de faire la réparation?

SCÈNE II

Personnages: Olivier, Mireille

(Olivier est retourné au bal. Quand il annonce à Mireille qu'il doit partir,
elle *explose*.)   explodes

OLIVIER: Excuse-moi, Mireille. Il faut que j'**aille** tout de suite chez
              Jean-Jacques.

MIREILLE: Quelle idée as-tu de réparer ta voiture *au milieu* de la nuit! Tu   in the middle
              es fou ou quoi?

OLIVIER: Je suis désolé que tu ne **comprennes** pas, mais. . .

MIREILLE: Veux-tu que je te **dise** quelque chose? Tu es un vrai *mufle*. Et   "clod"
              la prochaine fois, il est inutile que tu m'**invites.** Après tout,
              j'ai d'autres copains!

Questions

1. Qu'est-ce qu'Olivier annonce à Mireille?
2. Quelle est la réaction de Mireille?
3. Est-ce qu'elle a l'intention de sortir encore avec Olivier?

OBSERVATIONS

Comparez les phrases suivantes:

Mireille est furieuse de **partir.**
Mireille est furieuse qu'Olivier **parte.**

L'expression **être furieux** exprime une émotion.

Dans la première phrase, c'est Mireille qui est furieuse et c'est elle qui part.

● Le verbe **partir** est-il à l'infinitif ou au subjonctif?

Dans la seconde phrase, c'est Mireille qui est furieuse parce qu'Olivier part.

● Le verbe **partir** est-il à l'infinitif ou au subjonctif?

NOTE CULTURELLE: **Les copains**

Les jeunes Français sortent souvent en bande,
c'est-à-dire avec un groupe de garçons et de
filles de leur âge. Ensemble, ils vont au
cinéma, à la plage, au bal, en surprise-partie.

ÉTUDE DE MOTS

Vocabulaire spécialisé: expressions d'émotion

avoir peur	*to be afraid*
être désolé/content	*to be very sorry/glad*
être triste/heureux (heureuse)	*to be sad/happy*
être furieux (furieuse)/ravi	*to be mad, furious/delighted*

Activité 1. Questions personnelles

1. Êtes-vous heureux (heureuse) quand vous êtes en vacances?
2. Êtes-vous triste quand vous êtes en classe?
3. Êtes-vous content (contente) quand vous sortez avec vos copains?
4. Est-ce que vous êtes content (contente) quand vos copains sortent sans vous?
5. Êtes-vous furieux (furieuse) quand vos amis sont en retard?
6. Êtes-vous ravi (ravie) quand un ami vous invite au cinéma?
7. Avez-vous peur de rester seul (seule) le samedi soir?

ÉTUDE DE PRONONCIATION

Les lettres: voyelle + ill (il)

The combination *vowel* + **ill** or **il** (at the end of a word) often represents the sound /j/.

Prononcez: /aj/ trav<u>aille</u>   <u>aille</u>   trav<u>ail</u>
Je veux que tu <u>ailles</u> trav<u>aill</u>er.

/ɛj/ rév<u>eille</u>   Mir<u>eille</u>   sol<u>eil</u>
A Mars<u>eille</u>, il y a du sol<u>eil</u>.

ÉTUDE DE LANGUE

A. L'USAGE DU SUBJONCTIF: APRÈS LES EXPRESSIONS D'ÉMOTION

In French the subjunctive is used after *expressions of emotion*.

avoir peur que	*to be afraid that*	Olivier **a peur que** son cousin ne **soit** pas là.
être content que	*to be glad that*	Il **est content que** Jean-Jacques **réponde**.
être désolé que	*to be sorry that*	Il **est désolé que** son cousin **soit** au lit.
être furieux que	*to be mad that*	Il **est furieux que** la voiture **soit** endommagée.
être heureux que	*to be happy that*	Il **est heureux que** son cousin **puisse** la réparer.
être triste que	*to be sad that*	Il **est triste que** Mireille **soit** furieuse.
être ravi que	*to be delighted that*	Il **est ravi que** sa voiture **soit** réparée.

NOTES: 1. To express someone's feelings about someone else's actions, the French use the following construction:

expression of emotion + **que** + subjunctive

2. To express someone's feelings about his or her own actions, the French use the following construction:

expression of emotion + **de** + infinitive

Contrast:

Je suis désolé **de partir.**	*I am sorry to leave. (I am sorry I'm leaving.)*
Je suis désolé **que tu partes.**	*I am sorry you're leaving.*
Il a peur **de tomber.**	*He is afraid to fall. (He is afraid he'll fall.)*
Il a peur **que tu tombes.**	*He is afraid you'll fall.*

Activité 2. *Différences d'humeur*

Olivier est heureux à cause des événements suivants. Mireille, elle, est furieuse. Jouez les deux rôles d'après le modèle.

MODÈLE: Jean-Jacques répond au téléphone.

Olivier: **Je suis heureux que Jean-Jacques réponde au téléphone.**
Mireille: **Je suis furieuse que Jean-Jacques réponde au téléphone.**

1. Jean-Jacques est chez lui.
2. Il est garagiste.
3. Il répare la voiture.
4. Jean-Jacques est un vrai copain.

5. La voiture est réparée.
6. Nos amis comprennent la situation.
7. Ils nous aident.
8. Le bal est fini.

Activité 3. *Expression personnelle: content ou pas content?*

Dites si vous êtes content(e) ou pas content(e) en raison des événements suivants.

MODÈLE: Vos professeurs sont sévères.

Vous: **Je suis content(e) que mes professeurs soient sévères.**
ou: **Je ne suis pas content(e) que mes professeurs soient sévères.**

1. Vos amis sont sympathiques.
2. Vos amies organisent des surprises-parties.
3. Vos professeurs donnent des examens.
4. Vos parents sont assez généreux.

5. Vos amies sont quelquefois égoïstes.
6. Vos amis partent en vacances.
7. Les vacances commencent en juin.
8. Les vacances finissent en septembre.

Activité 4. **Un rendez-vous**

Imaginez que vous téléphonez à votre meilleure amie, pour lui donner rendez-vous. Dites quelles sont vos réactions aux événements suivants. Pour cela, commencez vos phrases par **Je suis heureux (heureuse) que,** ou **Je suis furieux (furieuse) que,** ou **Je suis triste que,** ou **Je suis ravi (ravie) que.**

MODÈLE: Elle répond au téléphone.

Vous: **Je suis heureux (heureuse) qu'elle réponde au téléphone.**

1. Elle accepte.
2. Elle est d'accord avec vous.
3. Elle promet d'être à l'heure.
4. Elle oublie ses rendez-vous.

5. Elle ne vient pas.
6. Elle s'excuse.
7. Elle accepte un autre rendez-vous.
8. Elle vient à l'autre rendez-vous.

B. SUBJONCTIFS IRRÉGULIERS: *ALLER, FAIRE, POUVOIR, SAVOIR, VOULOIR*

In the present subjunctive the following verbs have irregular stems but regular endings:

	TWO SUBJUNCTIVE STEMS		ONE SUBJUNCTIVE STEM		
	aller	**voul**oir	faire	pouvoir	savoir
que je (j')	aille	veuille	fasse	puisse	sache
que tu	ailles	veuilles	fasses	puisses	saches
qu'il/elle	aille	veuille	fasse	puisse	sache
que nous	**all**ions	**voul**ions	fassions	puissions	sachions
que vous	**all**iez	**voul**iez	fassiez	puissiez	sachiez
qu'ils/elles	aillent	veuillent	fassent	puissent	sachent

NOTE: **Aller** and **vouloir** have regular subjunctive forms in the **nous-** and **vous-**forms.

Activité 5. **Excuses**

Mireille a invité des amis à une surprise-partie, mais personne ne veut venir. Chacun dit qu'il doit aller quelque part. Donnez l'excuse de chacun.

MODÈLE: Jean-Jacques (à son garage)   **Il faut que Jean-Jacques aille à son garage.**

1. Nous (chez nous)
2. Vous (chez des amis)
3. Moi (à Paris)
4. Toi (à l'hôpital)

5. Suzanne (chez le dentiste)
6. Marc et Philippe (chez le docteur)
7. Henri (à la banque)
8. Sophie et Denise (chez elles)

Activité 6. **Le trac** (*fright*)

Demain c'est le jour des examens. Les amis d'Olivier ont le trac. Exprimez leurs sentiments d'après le modèle. Commencez vos phrases par **Pourvu que** + subjonctif.

MODÈLE: Je sais la réponse.   **Pourvu que je sache la réponse!**

1. Je peux répondre.
2. Tu fais attention.
3. Mes amis veulent m'aider.
4. Nous savons les réponses.

5. Le professeur veut poser des questions faciles.
6. Nous pouvons utiliser le dictionnaire.
7. Vous ne faites pas d'erreur.
8. Mes amis savent les réponses.

À votre tour

1. Non!

Imaginez qu'un ami vous demande de lui prêter votre bicyclette pour la journée. Vous avez peur qu'il la casse et vous ne la lui prêtez pas. Inventez trois excuses. Vous pouvez utiliser les verbes suivants:

aller / sortir / partir / faire / rendre visite à

2. Réactions

Exprimez vos réactions devant les situations suivantes. Pour chaque situation, faites deux phrases commençant par une expression d'émotion.

EXEMPLE: Vous avez accidenté la voiture de votre père.

Je suis heureux que personne ne soit blessé.
J'ai peur que mon père soit furieux.

Votre cousin gagne $100 dans un concours.
Vos grands-parents viendront chez vous demain.
Vos parents partent ce week-end sans vous.
Votre meilleur(e) ami(e) ne vient pas au rendez-vous que vous lui avez donné.
Votre cousine va se marier.
Votre frère a cassé (*has broken*) votre bicyclette.

7.4 *Acte IV. TOUT S'ARRANGE!*

Personnages: Olivier, Jean-Jacques

(Olivier vient d'arriver chez Jean-Jacques. *Celui-ci* examine la voiture.) = *Jean-Jacques*

OLIVIER: Alors?

JEAN-JACQUES: Quand tu m'as téléphoné, j'ai eu peur que ton accident **soit** plus grave.

OLIVIER: Et?

JEAN-JACQUES: Eh bien, ce n'est pas trop sérieux. Il va falloir que je **répare** le *pare-chocs* et que je **change** le feu arrière. Tu as de la chance que j'**aie** les *pièces de rechange*. Malheureusement *ça va te coûter* 150 francs. bumper / spare parts / = *tu dois me payer*

OLIVIER: Ne t'inquiète pas pour cela. Je suis assez content que tu **sois** là.

(Jean-Jacques est un mécanicien très *habile*. En une heure, il a fini la *réparation*. Il rassure Olivier.) skillful / repair job

JEAN-JACQUES: Voilà. C'est fini.

OLIVIER: Crois-tu qu'on **puisse** voir les traces de l'accident?

JEAN-JACQUES: Non, je ne pense pas.

OLIVIER: C'est vrai. On ne voit rien. Tu es vraiment formidable!

JEAN-JACQUES: Évidemment, ce n'est pas parfait, mais ne t'inquiète pas. Ton père *est myope*. Avec sa mauvaise *vue*, je ne pense pas qu'il **puisse** *s'apercevoir* de la réparation. = *ne voit pas bien*; eyesight / notice

OLIVIER: Je souhaite que tu **aies** raison.

290

(Jean-Jacques a une dernière question.)

JEAN-JACQUES: Au fait, Olivier, il y a quelque chose que je ne comprends pas dans ton accident.

OLIVIER: Quoi?

JEAN-JACQUES: *D'ordinaire*, quand un feu *se brise*, il y a toujours des *morceaux de verre* à l'intérieur. Eh bien, je n'en ai pas trouvé. C'est toi qui *as démonté* le feu?

= D'habitude; is broken
pieces of glass
took apart

OLIVIER: Non, ce n'est pas moi et ce n'est certainement pas le *type* qui m'est rentré dedans!

guy

JEAN-JACQUES: Ça ne fait rien. Je dois *me tromper*. . .

be mistaken

Questions

1. Est-ce que l'accident est très sérieux?
2. Combien coûte la réparation?
3. Pourquoi Olivier est-il content?
4. Pourquoi est-ce que son père ne remarquera pas l'accident?
5. Est-ce qu'Olivier a démonté le feu?

OBSERVATIONS

Comparez les phrases suivantes:

Je suis sûr qu'Olivier **est** ici.
Je ne suis pas sûr qu'Olivier **soit** ici.

I'm sure that Olivier is here.
I'm not sure that Olivier is here.

Dans la première phrase, vous exprimez une chose certaine.

- A quel mode (indicatif ou subjonctif) est le verbe en gros caractères?

Dans la seconde phrase, vous exprimez un doute (*doubt*).

- A quel mode est le verbe en gros caractères?

NOTE CULTURELLE: **Le garagiste**

Dans beaucoup de villages français, il y a généralement un seul garagiste. Ce garagiste habite avec sa famille dans une maison située à proximité de° la station-service. La station-service est souvent une entreprise familiale. La femme distribue l'essence pendant que son mari répare les voitures. Les garagistes français ont la réputation d'être d'excellents mécaniciens.

à proximité de = près de

ÉTUDE DE MOTS

Petit vocabulaire

NOM:	un **mécanicien**	*mechanic*
ADJECTIF:	**sûr**	*sure, certain*
VERBES EN **-er**:	**arranger**	*to arrange, fix*
	s'arranger	*to arrange things; get things fixed, manage*
	coûter	*to cost*
	douter	*to doubt*
	se tromper	*to be mistaken*
EXPRESSION:	**évidemment**	*obviously, evidently*

ÉTUDE DE PRONONCIATION

Les lettres: voyelle + n (m)

The combination *vowel* + **n (m)** represents a nasal vowel, unless followed by a vowel or another **n (m).** In a vowel sound the **n** is not pronounced except in liaison.

Contrastez: je comprends   vous comprenez
             combien?   comment?
             un bon mécanicien   une bonne mécanicienne

Prononcez: Demandons au mécanicien de démonter mon vélo.
            Monique et Jean ne sont pas contents.
            Ton ami André ne comprend pas la question.

ÉTUDE DE LANGUE

A. L'USAGE DU SUBJONCTIF: APRÈS LES EXPRESSIONS DE DOUTE

In French the subjunctive is used after *expressions of doubt.*

After an expression of certainty, however, the French use the indicative.

EXPRESSIONS OF DOUBT (subjunctive)	EXPRESSIONS OF CERTAINTY (indicative)
Je ne crois pas qu'il le sache. **Crois-tu qu'il le sache?**	**Je crois qu'il le sait.**
Je ne pense pas qu'il vienne. **Penses-tu qu'il vienne?**	**Je pense qu'il vient.**

EXPRESSIONS OF DOUBT (subjunctive)	EXPRESSIONS OF CERTAINTY (indicative)
Je ne suis pas sûr que nous sortions. **Es-tu sûr que** nous sortions?	**Je suis sûr que** nous sortons.
Il n'est pas vrai qu'il soit riche. **Est-il vrai qu'**il soit riche?	**Il est vrai qu'**il est riche.
Il est possible que tu viennes. **Il est impossible que** tu viennes. **Je doute que** tu viennes.	**Il est certain que** tu viens.

NOTE: An expression of certainty becomes an expression of doubt when it is used in the negative or in the interrogative.

Compare:

Je crois que ma voiture **est** endommagée.
I think that my car is damaged.

In saying **je crois,** you express a certainty; therefore the following verb is in the indicative.

Je ne crois pas que ma voiture **soit** endommagée.
I don't think that my car is damaged.

In saying **je ne crois pas,** you express a doubt; therefore the following verb is in the subjunctive.

Crois-tu que ma voiture **soit** endommagée?
Do you believe that my car is damaged?

In asking **crois-tu,** you express uncertainty; therefore the following verb is in the subjunctive.

Activité 1. **Une querelle**

Olivier et Mireille se disputent. Olivier dit oui, Mireille dit non. Jouez le rôle de Mireille et d'Olivier d'après le modèle.

MODÈLE: Jean-Jacques est un bon mécanicien.

Olivier: **Je pense que Jean-Jacques est un bon mécanicien.**
Mireille: **Je ne pense pas que Jean-Jacques soit un bon mécanicien.**

1. Il est minuit.
2. L'accident est sérieux.
3. Nous sommes en retard.
4. Mes parents sont charmants.
5. Cette soirée est réussie.
6. Nous nous amusons.
7. Nos amis sont intelligents.
8. Nous avons de la chance.

Activité 2. **Expression personnelle: analyse de caractère**

Vous analysez la personnalité d'Olivier, de Mireille et de Jean-Jacques. Donnez votre opinion personnelle, en commençant chaque phrase par **Je pense que** ou **Je ne pense pas que**. Utilisez **être** avec les phrases 1 à 6 et **avoir** avec les phrases 7 à 12.

MODÈLES: patient

Je pense qu'Olivier est patient.
Je ne pense pas que Mireille soit patiente.
Je pense que Jean-Jacques est patient.

de la patience

Je pense qu'Olivier a de la patience.
Je ne pense pas que Mireille ait de la patience.
Je pense que Jean-Jacques a de la patience.

1. prudent
2. intelligent
3. amusant
4. sympathique
5. généreux
6. habile (*skillful*)

7. bon caractère
8. de l'énergie
9. du sang-froid (*calm*)
10. de la bonne volonté (*good will*)
11. du mérite
12. de la maîtrise de soi (*self-control*)

Activité 3. **Expression personnelle: opinions**

Donnez votre opinion sur les sujets suivants. Utilisez **Je crois que** + indicatif ou **Je doute que** + subjonctif.

MODÈLE: Les filles sont plus intelligentes que les garçons?

Je crois que les filles sont plus intelligentes que les garçons.
ou: Je doute que les filles soient plus intelligentes que les garçons.

1. Les Américains sont sportifs?
2. Les Américains sont plus sportifs que les Français?
3. Les Françaises sont jolies?
4. Les Françaises sont impatientes?
5. Les Français sont intelligents?
6. Les voitures françaises vont vite?
7. Les voitures françaises sont confortables?
8. La France est un grand pays (*country*)?
9. Le français est facile?
10. Le français est une langue utile?

À votre tour

La vérité

Un élève prépare cinq phrases sur un sujet donné. Un autre élève exprime son accord (il utilise l'expression **Il est vrai que** + indicatif), ou son désaccord (il utilise l'expression **Je ne crois pas** + subjonctif).

EXEMPLE: les jeunes Français

        Élève 1: Les jeunes Français sont très sportifs.

        Élève 2: Je ne crois pas que les jeunes Français soient très sportifs.

          ou: Il est vrai que les jeunes Français sont très sportifs.

Sujets possibles:

les jeunes Américains
la France
les États–Unis
les filles
les garçons

Université de Paris

7.5 *Acte V. SAUVÉ? PAS TOUT À FAIT!*

SCÈNE I

Personnage: Olivier

(Olivier est rentré à une heure du matin, avant ses parents. Il s'est couché, mais il n'a pas pu *dormir*. Vers deux heures et demie, ses parents sont rentrés. Ils n'ont rien remarqué. Olivier *rumine les* événements de la soirée.)

sleep

= *pense aux*

OLIVIER: Quelle soirée! Elle avait *si* bien commencé! Et puis, il y a eu cet imbécile, ce fou qui m'est rentré dedans... *A cause de* lui, j'ai perdu 150 francs et maintenant je ne peux plus sortir avec Mireille. Enfin, l'essentiel, c'est que la voiture **soit** réparée et que Papa ne s'**aperçoive** de rien! S'il savait ce qui s'est passé, ce *serait* une véritable tragédie! Heureusement, il ne saura rien! *Tant pis* pour les 150 francs! Tant pis pour Mireille! Je suis *sauvé*, sauvé, sauvé, sauvé...

= *tellement*

Because of

would be

Too bad

saved

(Olivier *s'est* finalement *endormi* sur cette pensée *réconfortante*.)

fell asleep;
= *rassurante*

Questions

1. A quelle heure est rentré Olivier?
2. Est-ce que ses parents ont remarqué quelque chose?
3. Combien d'argent a-t-il dépensé pour la réparation?

SCÈNE II

Personnages: Olivier, Madame Roussel

(Le *lendemain*, Olivier s'est levé tôt. Dans la cuisine il a rencontré sa mère.)   = *le jour après*

MADAME ROUSSEL: Tu sais, Olivier, il ne faut pas que tu *en **veuilles*** à ton   = *sois fâché*
père pour hier soir. *Moi-même* j'ai été très surprise   = *Moi*
quand il t'a refusé la voiture. C'est vrai, il était d'une
humeur *épouvantable*, mais il y a *de quoi!* Il faut que je   = *horrible*; = *une explication*
t'**explique** ce qui *s'est passé*. Voilà: hier après-midi,   happened
comme d'habitude, ton père avait laissé sa voiture *en
stationnement* devant son *bureau*. Quand il a voulu la   parked; office
reprendre, il s'est aperçu qu'un imbécile lui était rentré
dedans. Évidemment le type qui a fait cela est parti
sans laisser de trace. Il *paraît* que le *pare-chocs* et le feu   appears; bumper
arrière sont assez endommagés. Ton père a voulu
réparer le feu *lui-même*. Il a commencé à le *démonter*,   himself; take apart
mais c'est *tout*. Quand il est rentré à la maison, il   all
était furieux. Il était si furieux qu'il n'a rien dit à
personne. Enfin, il s'est calmé, et chez les Mallet il a
tout raconté. Tu t'imagines? Une voiture *toute neuve!*   brand new
Tu comprends maintenant pourquoi il n'a pas voulu
te prêter la voiture hier soir!

Questions

1. Pourquoi le père d'Olivier était-il de mauvaise humeur?
2. Qu'est-ce qu'il a voulu faire après l'accident?
3. Pourquoi est-ce qu'il n'a rien dit à la maison?

NOTE CULTURELLE: **La famille française et l'autorité paternelle**

En général, la famille française est très unie.° Par exemple, les divorces sont relativement rares en France. Souvent, les enfants, spécialement les filles, continuent à habiter avec leur famille jusqu'à leur mariage.

La famille française est très structurée. Le père est le chef. C'est lui le symbole de l'autorité, et on respecte ses décisions. Par exemple, dans l'histoire que vous avez lue, Olivier ne demande pas à son père pourquoi il ne peut pas avoir la voiture. Même quand il a l'idée de désobéir, il accepte l'autorité paternelle.

unie close, united

ÉTUDE DE MOTS

Petit vocabulaire

NOM:	un **bureau**	*office*
VERBE EN **-er**:	**sauver**	*to save*
VERBES IRRÉGULIERS:	**dormir**	*to sleep*
	s'endormir	*to fall asleep*
EXPRESSIONS:	**à cause de**	*because of*
	tout	*all, everything*

NOTES DE VOCABULAIRE

1. **A cause de** et **parce que**

   à cause de + nom (pronom)   Olivier est triste **à cause de** Mireille.
   parce que + sujet + verbe   Il est triste **parce que** Mireille est fâchée.

2. **Si.** L'expression **si** a trois équivalents anglais:

   si = *if, whether*   Olivier se demande **si** son père sera fâché.
   si = *yes* (to a negative question)   Il n'a rien payé? **Si,** il a payé 150 francs.
   si = *so* (before adjective, adverb)   Pourquoi est-il **si** triste?

Activité 1. **Questions personnelles**

1. Est-ce que vous avez déjà eu un accident? Quand? Comment? Où?
2. Est-ce que votre père ou votre mère a déjà eu un accident? Quand? Comment? Où?
3. Est-ce que vos parents sont parfois furieux à cause de vous? Pourquoi?
4. Est-ce que vous êtes parfois furieux (furieuse) à cause de vos parents? Pourquoi?
5. Êtes-vous parfois furieux (furieuse) à cause de vos amis? Pourquoi?

ÉTUDE DE PRONONCIATION

La lettre «s»

The letter **s** represents the following sounds:

/z/ between two vowels: refu_s_e   surpri_s_e   cui_s_ine
/s/ otherwise: lai_ss_e   pa_ss_e   e_ss_entiel   e_s_père   _s_ort

Prononcez: _S_uzanne refu_s_e de _s_ortir _s_ans _s_a cou_s_ine.
_S_ylvie _s_ort de la cui_s_ine.
_S_amedi, les touri_s_tes pa_ss_ent à Mar_s_eille.

ÉTUDE DE LANGUE

A. LE VERBE *DORMIR*

Here are the forms of the irregular verb **dormir** (*to sleep*):

Infinitive	**dormir**			
Present	je	dors	nous	dormons
	tu	dors	vous	dormez
	il/elle	dort	ils/elles	dorment
Future	je	dormirai		
Passé composé	j'ai	**dormi**		

Note that the conjugation of **dormir** is like that of **sortir,** with the exception of the **passé composé** which is formed with **avoir.** Other common verbs conjugated like **dormir** are:[1]

consentir à	*to consent, accept*	**Consentez**-vous à me prêter votre voiture?
s'endormir	*to fall asleep*	Le samedi soir, je **m'endors** tard.
sentir	*to sense, smell, have a feeling*	Je **sens** que vous ne voulez pas sortir avec moi.
se sentir	*to feel*	Pendant les examens, je ne **me sens** pas très bien.
servir	*to serve*	Qu'est-ce que vous **servez** pour le déjeuner?
se servir de	*to use*	Je ne **me sers** jamais **de** la voiture de mon père.

EXPRESSION FRANÇAISE: **Je ne peux pas le sentir!**
I can't stand him!

Activité 2. **Questions personnelles**

1. Consentez-vous à étudier après le dîner?
2. Consentez-vous à étudier le week-end?
3. A quelle heure vous endormez-vous en semaine? le samedi?
4. Quand vous êtes-vous endormi(e) hier?
5. Vous sentez-vous en bonne forme le week-end? pendant les examens de français?
6. Est-ce que vous vous servez parfois de la voiture familiale?

---

[1] As in **dormir,** the last consonant of the infinitive stem (**m, t,** or **v**) is dropped in the singular forms of the present.

B. Récapitulation: LE SUBJONCTIF ET L'INFINITIF

Compare the use of the subjunctive and the infinitive in the following sentences.

I. After an expression of *obligation*:

	SUBJUNCTIVE		INFINITIVE	
il faut	Il faut		Il faut	**étudier.**
il est nécessaire	Il est nécessaire	que j'**étudie.**	Il est nécessaire	d'**étudier.**
il est important	Il est important		Il est important	

II. After an expression of *will* or *wish*:

	SUBJUNCTIVE		INFINITIVE	
vouloir	Je veux		Je veux	
désirer	Je désire	que tu **viennes.**	Je désire	**venir.**
souhaiter	Je souhaite		Je souhaite	
préférer	Je préfère		Je préfère	

III. After an expression of *emotion*:

	SUBJUNCTIVE		INFINITIVE	
être heureux	Je suis heureux	que mes parents **sortent.**	Je suis heureux	de **sortir.**
être content	Je suis content		Je suis content	
avoir peur	J'ai peur	que tu **aies** un accident.	J'ai peur d'**avoir** un accident.	

NOTES: 1. In section I above, the subjunctive is used to express a *personal* obligation. The infinitive is used to express an *impersonal* obligation.

2. In sections II and III above, the subjunctive is used when the subject of the first and second clauses are two different persons. The infinitive is used when the subject is doing the action expressed by the infinitive.

Activité 3. *Expression personnelle*

Dites si vous voulez faire les choses suivantes. Dites si vous voulez que votre meilleur ami fasse ces choses avec vous.

MODÈLE: aller en France

> **Je veux aller en France.**
> ou: **Je ne veux pas aller en France.**
>
> **Je veux que mon meilleur ami aille en France avec moi.**
> ou: **Je ne veux pas que mon meilleur ami aille en France avec moi.**

1. voyager
2. visiter l'Europe
3. étudier
4. jouer au tennis
5. réussir aux examens

6. aller à une surprise-partie
7. aller au restaurant
8. aller au cinéma
9. aller à l'université
10. faire du sport

Activité 4. *Révolte*

Le père de Mireille demande à sa fille de faire certaines choses. Mireille refuse. Jouez les deux rôles.

MODÈLE: Travaille!   Le père: **Travaille!**

Mireille: **Je ne veux pas travailler.**

1. Étudie!
2. Prépare le dîner!
3. Finis tes devoirs!
4. Sois à l'heure!

5. Rentre avant minuit!
6. Attends Olivier!
7. Réponds à Jean-Jacques!
8. Va en classe!

Activité 5. *Une grande joie*

Imaginez que vos parents ont décidé d'aller cet été en France et que vous allez avec eux. Exprimez votre joie, d'après le modèle. Faites deux phrases pour chaque événement.

MODÈLE: Mes parents vont en France.

Je suis heureux (heureuse) que mes parents aillent en France.
Je suis heureux (heureuse) d'aller avec eux.

1. Ils partent en juillet.
2. Ils prennent l'avion.
3. Ils passent par Paris.
4. Ils vont en Provence.

5. Ils s'arrêtent à Cannes.
6. Ils font des excursions.
7. Ils visitent la Normandie.
8. Ils rentrent en bateau.

Activité 6. *Expression personnelle: important ou non?*

Dites si les choses suivantes sont importantes (*a*) en général, (*b*) pour vous en particulier.

MODÈLE: être riche

(*a*) **En général, il est important d'être riche.**
ou: **En général, il n'est pas important d'être riche.**

(*b*) **Il est important que je sois riche.**
ou: **Il n'est pas important que je sois riche.**

1. étudier
2. parler français
3. comprendre les math
4. avoir un bon job
5. avoir des amis sympathiques

6. être sincère
7. voyager
8. aller à l'université
9. faire du sport
10. avoir une voiture

C. Récapitulation: LE SUBJONCTIF ET L'INDICATIF

Compare the uses of the subjunctive and the indicative in the following sentences:

SUBJUNCTIVE	INDICATIVE
(expressions of doubt)	(expressions of certainty)
Je doute que tu ailles en France.	**Je sais** que tu vas au Canada.
Il est possible que j'aille à Paris.	
Il est probable que j'aille à Paris.	**Il est certain** que j'irai à Québec.
Je ne crois pas que vous soyez intelligent.	**Je crois** que vous êtes idiot.

NOTES: 1. The following interrogative and negative constructions are expressions of doubt:

Croyez-vous que. . .?   Je ne crois pas que. . .
Est-il sûr que. . .?   Je ne suis pas sûr que. . .

2. Expressions of doubt can also be followed by the future of the indicative.

Je ne crois pas que j'**irai** en France cet été.
Croyez-vous que vous **resterez** aux États-Unis?

Activité 7. *Expression personnelle: rumeurs*

Demandez à un(e) camarade si les choses suivantes sont vraies.

MODÈLE: Tu as une voiture.

    Vous: **Est-il vrai que tu aies une voiture?**
    Votre camarade: **Oui, j'ai une voiture.**
              ou: **Non, je n'ai pas de voiture.**

1. Tu organises une surprise-partie.
2. Tu as une guitare.
3. Tu joues du tennis.
4. Tu sors samedi.
5. Tu vas en France cet été.
6. Tes parents voyagent beaucoup.
7. Ton père est pilote.
8. Tes grands-parents habitent New York.

A votre tour

1. Acte VI

Maintenant, composez vous-même le dernier acte du drame que vous avez lu. Il est évidemment très important que Monsieur Roussel ne sache pas que sa voiture a été mystérieusement réparée. Voici quelques scénarios que vous pouvez utiliser si l'inspiration ne vient pas:

> Olivier explique à son père qu'il connaît un garagiste formidable. Il lui propose d'aller lui-même chez ce garagiste.
> Olivier réaccidente la voiture de son père.
> Olivier persuade son père que celui-ci (*the latter*) a rêvé et qu'il n'a jamais eu d'accident.

2. Souhaits

Faites quatre souhaits pour chacune des circonstances suivantes. Commencez ces souhaits par **Je voudrais** ou **Je voudrais que**. Vous pouvez utiliser les verbes entre parenthèses.

> EXEMPLE: Ce soir (être / aller / faire / regarder / manger / préparer / prendre)
>
> Je voudrais manger du rosbif. Je voudrais que ma mère prépare un dessert extraordinaire. Je voudrais regarder la télé. Je voudrais qu'il y ait un «western».

Le week-end prochain (être / aller / avoir / faire / venir / danser / jouer)
Les grandes vacances (être / aller / avoir / faire / venir / voyager / visiter)
Dans dix ans (être / avoir / faire / travailler / habiter / gagner)

Récréation

Avez-vous le sens de l'orientation?

Si oui, vous pouvez aider Marc et Émilie à trouver leur hôtel. Maintenant, lisez le **Vocabulaire spécialisé** suivant.

Vocabulaire spécialisé: la direction

à droite	*to the right*	Le monument est **à droite.**
à gauche	*to the left*	Ma maison est **à gauche.**
tout droit	*straight ahead*	Allez **tout droit.**
continuer	*to continue, keep on*	**Continuez** à marcher.
tourner	*to turn*	**Tournez** à gauche dans la rue Lamartine.

Voici l'histoire de Marc et d'Émilie:

Marc et sa sœur Émilie sont deux jeunes touristes. Ils viennent d'arriver à Marnes-la-Forêt, la ville où vous habitez. Ce matin ils ont décidé de se promener, mais ils se sont perdus. Ils ne se souviennent pas du nom de leur hôtel. Ils se souviennent seulement. . .

1. que leur hôtel se trouve près d'un monument;
2. qu'ils sont passés devant ce monument ce matin;
3. qu'ils se sont arrêtés dans un café;
4. que ce café s'appelle «Chez Jean»;
5. qu'ils ont acheté une glace chez un marchand de glaces;
6. qu'ils se sont assis sur un banc (*bench*);
7. qu'ils se sont acheté un gâteau dans une pâtisserie;
8. qu'ils se sont rendus ensuite rue Lamartine.

Marc vous explique tout cela et vous lui proposez de les raccompagner à leur hôtel. Expliquez à Marc et à Émilie ce qu'ils doivent faire. Utilisez des phrases comme celle du modèle.

MODÈLE: Il faut que vous tourniez à droite dans la rue de Provence.

Le plan de Marnes-la-Forêt

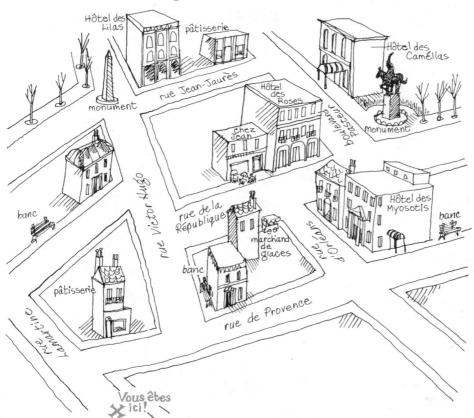

TESTS DE CONTRÔLE
Chapitre sept

Écrivez vos réponses sur une feuille de papier. Puis, vérifiez vos réponses à la page 459.

VERBES

Test 1. *La bonne forme*

Complétez les phrases avec la forme qui convient du verbe entre parenthèses.

1. **(s'endormir)** Mes parents s'—— à dix heures. Mon frère s'—— à onze heures. D'habitude, je m'—— aussi à onze heures. Hier il y avait un bon film à la télé et je me suis —— à une heure du matin.

2. **(se servir)** Maman, les hors d'œuvre sont formidables! Je me suis déjà —— de jambon. Maintenant, je me —— de tomates. Roger, lui, se —— de radis. Et vous, de quoi est-ce que vous vous ——?

Test 2. *Savoir ou vouloir?*

Complétez les phrases avec **je sais** (*I know*) si le verbe qui suit est à l'indicatif, ou avec **je veux** (*I want*) si le verbe qui suit est au subjonctif.

1. —— que vous téléphonez souvent à François.
2. —— que vous lui téléphoniez demain.
3. —— que vous invitiez Jacques.
4. —— que vous invitez Henri.
5. —— que Marc sort avec vous.
6. —— que Paul sorte avec Michèle.
7. —— que Hélène va au théâtre.
8. —— que Marie aille au cinéma.
9. —— que tu viens avec tes amis.
10. —— que tu viennes avec nous.

Test 3. *Les suggestions du professeur*

Le professeur suggère que les élèves changent leurs habitudes. Pour exprimer cela, complétez les phrases avec le subjonctif du verbe en italique.

1. Les élèves ne *travaillent* pas. Le professeur suggère qu'ils ——.
2. Les garçons n'*obéissent* pas. Le professeur suggère qu'ils ——.
3. Ces filles ne *répondent* pas aux questions. Le professeur suggère qu'elles —— aux questions.
4. Ces élèves ne *viennent* pas en classe. Le professeur suggère qu'ils —— en classe.
5. Marc n'*étudie* pas. Le professeur suggère qu'il ——.
6. Philippe n'*obéit* pas. Le professeur suggère qu'il ——.
7. Hélène ne *répond* pas. Le professeur suggère qu'elle ——.
8. Gilbert ne *vient* pas en classe. Le professeur suggère qu'il —— en classe.
9. Vous n'*écoutez* pas. Le professeur suggère que vous ——.
10. Vous ne *répondez* pas. Le professeur suggère que vous ——.
11. Nous ne *travaillons* pas. Le professeur suggère que nous ——.
12. Nous ne *lisons* pas. Le professeur suggère que nous ——.

Test 4. *Avant les vacances*

Vos amis vont en vacances. Vous leur suggérez certaines choses. Pour cela, complétez les phrases avec le subjonctif du verbe entre parenthèses.

1. (**aller**) Il faut que tu —— en Europe. Il faut que Marc —— en France. Il faut que vous —— à Paris. Il faut que Pierre et Annie —— sur la Côte d'Azur.

2. (**faire**) Il faut que tu —— du tennis. Il faut que François —— des promenades. Il faut que vous —— du camping. Il faut que Philippe et Jacques —— de la moto.

3. (**être**) Il faut que tu —— de bonne humeur. Il ne faut pas que Michèle —— de mauvaise humeur. Il faut que vous —— prudents. Il faut que Suzanne et Marguerite —— généreuses avec leurs amis.

4. (**avoir**) Il faut que tu —— un passeport valide. Il faut que vous —— vos visas. Il faut que Michel —— de l'argent. Il faut que Jacques et Philippe —— des chèques de voyage.

STRUCTURE

Test 5. *Jacqueline*

Chacun a une idée différente sur Jacqueline. Complétez les phrases avec **est** (indicatif) ou **soit** (subjonctif).

1. Jacques sait qu'elle —— généreuse.
2. Irène pense qu'elle —— sympathique.
3. Bernard croit qu'elle —— idiote.
4. Gilbert a peur qu'elle —— de mauvaise humeur.
5. Ses parents veulent qu'elle —— médecin.
6. Je suis heureux qu'elle —— prudente.
7. Henri est furieux qu'elle ne —— pas son amie.
8. Nous sommes très contents qu'elle —— d'accord avec nous.
9. Jacques ne croit pas qu'elle —— heureuse.
10. Pensez-vous qu'elle —— sérieuse?

Test 6. *Tourisme*

Complétez les phrases avec **aille** (subjonctif) ou **aller** (infinitif).

1. Je veux —— au Canada.
2. Je voudrais aussi —— en France.
3. Je veux que Marc —— avec moi.
4. Pierre veut que j'—— avec lui.
5. Je suis heureux d'—— en Europe.
6. Sylvaine est heureuse d'—— en Espagne.
7. Nous sommes contents que Philippe —— au Portugal.
8. Êtes-vous heureux que j'—— à Paris?
9. Si vous allez à Paris, il faut —— à la Tour Eiffel.
10. Il faut que Frédéric —— à Rome.

VOCABULAIRE

Test 7. *Semblables ou différents?*

Voici plusieurs paires de mots. Mettez le signe (=) si ces mots sont synonymes, ou le signe (≠) si ces mots ont un sens opposé.

1. triste —— gai
2. content —— heureux
3. ravi —— désolé
4. neuf —— ancien
5. garagiste —— mécanicien
6. souhaiter —— espérer
7. se tromper —— avoir raison
8. se servir de —— utiliser
9. s'endormir —— se réveiller
10. consentir —— refuser

Chapitre huit

PERSONNALITÉS

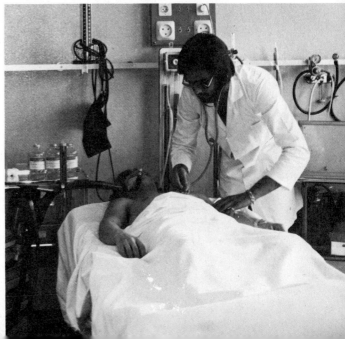

8.1 Jeu-test: ÊTES-VOUS SUPERSTITIEUX?

Pour savoir si vous êtes superstitieux, répondez par **oui** ou par **non** à ces questions:

1. Savez-vous sous quel signe du Zodiaque vous êtes né?
2. Consultez-vous souvent votre horoscope?
3. D'après vous, est-il dangereux de voyager un vendredi 13?
4. Est-il dangereux de passer sous une *échelle?*   ladder
5. Croyez-vous aux *fantômes?*   ghosts
6. Avez-vous peur dans un *cimetière?*   cemetery
7. Avez-vous peur la nuit?
8. Avez-vous peur de *l'orage?*   storm

Maintenant, marquez un point pour chaque réponse affirmative. Comptez vos points.

> Si vous avez 8 points, vous êtes trop superstitieux et trop impressionnable.
>
> Si vous avez 5, 6 ou 7 points, vous n'êtes pas très courageux. Soyez plus dynamique!
>
> Si vous avez 2, 3 ou 4 points, vous êtes un peu superstitieux... comme tout le monde.
>
> Si vous avez un point, vous êtes sûr de vous.
>
> Si vous avez zéro point, vous êtes trop sérieux et trop réaliste. Mettez un peu de fantaisie dans votre vie!

Questions personnelles

1. Êtes-vous superstiti**eux**? (superstiti**euse**?)
2. Êtes-vous séri**eux**? (séri**euse**?)
3. Êtes-vous cur**ieux**? (cur**ieuse**?)
4. Êtes-vous courag**eux**? (courag**euse**?)

OBSERVATIONS

Relisez les **Questions personnelles.** Les adjectifs entre parenthèses sont féminins.

- Quelle est la terminaison (3 lettres) des adjectifs masculins?
- Quelle est la terminaison (4 lettres) des adjectifs féminins?
- Quelle est la terminaison (3 lettres) des adjectifs anglais correspondants?

NOTE CULTURELLE: **Les superstitions en France**

En général, les superstitions françaises sont semblables aux° superstitions américaines. Par exemple, les gens superstitieux ne passent pas sous les échelles. Ils ne voyagent pas le vendredi 13. Ils pensent que les chats° noirs portent malheur,° etc. . . . En France, il y a aussi un grand nombre de superstitions locales, surtout dans les régions isolées° comme la Bretagne ou l'Auvergne. Dans ces provinces, il y a beaucoup de légendes, beaucoup d'histoires de fantômes et de maisons hantées.°

semblables aux = comme les; chats cats; **malheur** ≠ **de la chance; isolées** isolated; **hantées** haunted

ÉTUDE DE MOTS

Petit vocabulaire

NOMS:	un **cimetière**	*cemetery*	une **échelle**	*ladder*
	un **signe**	*sign*	la **fantaisie**	*fantasy*
VERBE EN **-er**:	**marquer**	*to mark, score*		
EXPRESSION:	**d'après**	*according to*		

Adjectifs apparentés: -eux → -ous

Many French adjectives end in **-eux.** These adjectives are generally used to describe a state of mind or a character trait. Many French adjectives in **-eux** have English cognates in *-ous:*

ambiti**eux**	*ambiti**ous***	séri**eux**	*seri**ous***
curi**eux**	*curi**ous***	génér**eux**	*gener**ous***

NOTES: 1. Some French adjectives in **-eux** do not have English cognates in *-ous.*

paress**eux** *lazy*   heur**eux** *happy*   malheur**eux** *unhappy*

2. Many English adjectives in *-ous* do not have French equivalents in **-eux.**

*jeal**ous*** jaloux (jalouse)   *ridicul**ous*** ridicule

Mots apparentés: -iste → *-ist, -istic*

Most English adjectives and nouns in *-ist* or *-istic* have French cognates in **-iste**.

Pierre est un garçon optim**iste**.   *Pierre is an optim**istic** boy.*
C'est un optim**iste**.   *He's an optim**ist**.*

ÉTUDE DE PRONONCIATION

Les voyelles /œ/ et /φ/

The letters **eu** and **œu** usually represent the following sounds:

/œ/ before a final pronounced consonant other than /z/:

l**eu**r   s**œu**r   doct**eu**r   h**eu**re   bonh**eu**r   j**eu**ne

/ø/ in other positions:

h**eu**r**eu**x   sér**ieu**se   cur**ieu**x   fur**ieu**se   malh**eu**r**eu**x

Prononcez: Ma s**œu**r est cur**ieu**se.
            Math**ieu** a p**eu**r d'être s**eu**l.
            Le doct**eu**r arrive à n**eu**f h**eu**res.

ÉTUDE DE LANGUE

A. Révisons: LES ADJECTIFS RÉGULIERS

Regular adjectives have the following forms:

	SINGULAR	PLURAL		
Masculine	—	**-s**	un garçon intelligent	des garçons intelligent**s**
Feminine	**-e**	**-es**	une fille intelligent**e**	des filles intelligent**es**

NOTES: 1. Masculine adjectives ending in **-e** do not change in the feminine.

un ami **dynamique**   une amie **dynamique**

2. Masculine adjectives ending in **-s** do not change in the plural.

un copain **anglais**   des copains **anglais**

Activité 1. **Expression personnelle**

Demandez à une amie quels sont les garçons qu'elle préfère. Ensuite, demandez à un ami quelles sont les filles qu'il préfère. Les adjectifs suivants sont au masculin singulier.

MODÈLE: blond / brun

> Vous (à votre amie): **Tu préfères les garçons blonds ou les garçons bruns?**
> Votre amie: **Je préfère les garçons blonds** (ou **bruns**).

> Vous (à votre ami): **Tu préfères les filles blondes ou les filles brunes?**
> Votre ami: **Je préfère les filles blondes** (ou **brunes**).

1. sincère / riche
2. romantique / pratique
3. grand / petit
4. intelligent / sympathique
5. calme / dynamique
6. idéaliste / réaliste

B. LES ADJECTIFS EN -*EUX*

Adjectives in **-eux** have the following forms:

	SINGULAR	PLURAL		
Masculine	**-eux**	**-eux**	François est **sérieux.**	François et Charles sont **sérieux.**
Feminine	**-euse**	**-euses**	Martine est **sérieuse.**	Martine et Caroline sont **sérieuses.**

Exception: The feminine of **vieux** (*old*) is **vieille.**

NOTE: All adjectives which end in **-x** in the masculine singular end in **-x** in the masculine plural.

Marc est jaloux.   **Ses frères ne sont pas jaloux.**

Activité 2. **Les jumeaux** (*twins*)

Quand vous connaissez le caractère du garçon, vous pouvez facilement deviner le caractère de sa sœur jumelle. Décrivez les filles suivantes.

MODÈLE: Jean est sérieux. (Jeanne)   **Jeanne est sérieuse.**

1. Martin est généreux. (Martine)
2. Jacques est curieux. (Jacqueline)
3. Joël est courageux. (Joëlle)
4. Luc est mystérieux. (Lucie)
5. Louis est nerveux. (Louise)
6. Henri est toujours heureux. (Henriette)
7. Michel est souvent malheureux. (Michèle)
8. Marcel est prétentieux. (Marcelle)
9. Charles est ambitieux. (Charlotte)
10. François est paresseux. (Françoise)

C. LES VERBES EN *-GER* ET *-CER*

Although regular in their spoken forms, verbs in **-ger** (like **changer**) and **-cer** (like **placer**) present a special feature in their written forms. Note the change in the stems before an ending which starts with **a** or **o.**

Infinitive	**changer**		**placer**	
Present	je	change	je	place
	tu	changes	tu	places
	il/elle	change	il/elle	place
	nous	**change**ons	nous	**pla**çons
	vous	changez	vous	placez
	ils/elles	changent	ils/elles	placent
Imperfect	je	**change**ais	je	**pla**çais
	nous	changions	nous	placions
Passé composé	j'ai	changé	j'ai	placé
Present participle		**change**ant		**pla**çant

NOTES: 1. To maintain the sound /ʒ/ of the stem, **g** becomes **ge** before **a** and **o.**

2. Similarly, to maintain the sound /s/ in the stem, **c** becomes **ç** before **a** and **o.**

The verbs below, which you have already learned, follow the same patterns.

-ger: arranger, s'arranger, interroger, manger, obliger, voyager
-cer: annoncer, commencer, effacer, se fiancer, menacer, recommencer, remplacer

Activité 3. *Voyages en Europe*

Un groupe de touristes américains visitent l'Europe. Dites où chacun voyage et par quelle ville il commence.

MODÈLE: Linda (en France / Paris)

Linda voyage en France. Elle commence par Paris.

1. Toi (au Portugal / Lisbonne)
2. Vous (en Espagne / Madrid)
3. Nous (en Suisse / Genève)
4. Mes cousins (en Hollande / Amsterdam)
5. Philippe (en Allemagne / Munich)
6. Suzanne (en France / Lyon)
7. Nous (en Italie / Venise)
8. Max (en Grèce / Athènes)

À votre tour

Avez-vous des amis superstitieux?

Proposez le jeu-test «Êtes-vous superstitieux?» à six personnes que vous connaissez. Analysez leurs réponses et dites combien de ces personnes sont très superstitieuses, un peu superstitieuses, pas du tout (*not at all*) superstitieuses.

8.2 *HOROSCOPE*

Voulez-vous connaître votre personnalité? Voulez-vous connaître la personnalité de vos amis? Consultons l'horoscope!

Si vous êtes né entre le...	et le...	Votre signe est...	Vos qualités Vous êtes...	Vos défauts Vous êtes...
21 mars	20 avril	le Bélier	courageux sportif optimiste	impulsif impatient
21 avril	21 mai	le Taureau	patient aimable honnête	un peu paresseux matérialiste trop conservateur
22 mai	21 juin	les Gémeaux	intelligent ambitieux	instable capricieux
22 juin	23 juillet	le Cancer	sentimental imaginatif romantique	rêveur timide jaloux
24 juillet	23 août	le Lion	courageux ambitieux loyal	trop personnel émotif tyrannique
24 août	23 septembre	la Vierge	logique réaliste patient	avare égoïste
24 septembre	23 octobre	la Balance	artiste juste doux	indécis[1] critique
24 octobre	22 novembre	le Scorpion	patient perspicace intuitif	jaloux coléreux[2]

[1] qui n'aime pas prendre de décisions
[2] qui se met facilement en colère

Si vous êtes né		Votre signe	Vos qualités	Vos défauts
entre le...	et le...	est...	Vous êtes...	Vous êtes...
23 novembre	21 décembre	le Sagittaire	sportif indépendant optimiste	impulsif indiscret
22 décembre	20 janvier	le Capricorne	ambitieux ingénieux travailleur	arrogant sarcastique
21 janvier	19 février	le Verseau	intuitif imaginatif musicien	rêveur trop secret
20 février	20 mars	les Poissons	patient généreux romantique	instable trop émotif

Questions

1. Quand êtes-vous né(e)?
2. Sous quel signe êtes-vous né(e)?
3. D'après l'horoscope, quelles sont les qualités des personnes nées sous votre signe?
4. Quelles sont leurs défauts?
5. Avez-vous ces qualités?
6. Avez-vous ces défauts?

NOTE CULTURELLE: **L'horoscope**

Par quelle page commencez-vous la lecture° de votre journal préféré? Beaucoup de Français commencent par la page de l'horoscope. Un grand nombre de journaux et de magazines français ont en effet une section réservée à l'horoscope. Qui lit l'horoscope? Les personnes superstitieuses qui croient que leur destinée est inscrite dans les étoiles°? Pas nécessairement! La majorité des Français lisent l'horoscope pour s'amuser.

lecture reading; **étoiles** *f.* stars

LION
23 JUILLET - 22 AOUT

MONSIEUR

AMOUR : Votre esprit inquiet et torturé vous fait préférer le mensonge à la vérité. C'est dommage car le personnage que vous vous donnez vous dessert considérablement.

TRAVAIL : Vous manquez de courage et d'initiative. Reprenez donc vos affaires en main au plus vite sinon vous allez droit à la catastrophe.

SANTE : Limitez votre consommation de tabac.

FOYER : Evitez les discussions en ce moment, elles pourraient mal se terminer.

MADAME

AMOUR : Votre arrogance et votre orgueil nuisent à vos amours. Changez d'attitude et montrez-vous plus souple ou bien alors faites une cure de solitude.

TRAVAIL : Vous vous montrez agressive et vous voulez commander à tout le monde. Vous avez tort, vous risquez de vous priver d'appuis sérieux.

SANTE : Vous vous laissez aller sans réagir; réveillez-vous avant qu'il ne soit trop tard.

FOYER : Vives disputes avec votre conjoint sur des questions d'argent.

TIERCE	
1er décan :	1, 5, 14, 6, 10, 18.
2e décan :	9, 3, 19, 2, 13, 12.
3e décan :	16, 15, 8, 4, 7, 11.

(JOUR DE CHANCE : LE 7 – CHIFFRE : LE 2)

OBSERVATIONS

Dans l'horoscope, les adjectifs sont au masculin singulier. Comparez les adjectifs des phrases suivantes:

Ce garçon est travail**leur**, imagina**tif**, mais trop personn**el** (*self-centered*).
Cette fille est travail**leuse**, imagina**tive**, mais trop personn**elle**.

- Quel est le féminin de l'adjectif **travailleur? imaginatif? personnel?**
- Est-ce que ces adjectifs sont réguliers ou irréguliers?

ÉTUDE DE MOTS

Vocabulaire spécialisé: la personnalité

NOMS: un **défaut** *shortcoming, fault*   une **qualité** *quality*

ADJECTIFS

équivalences: **aimable**   = **charmant, sociable**
              émotif   = **impressionnable**
              personnel = **égoïste** (*selfish*)

contraires: **travailleur**   ≠ **paresseux**   **généreux**   ≠ **avare, radin**
          conservateur ≠ **libéral**   **doux (douce)** ≠ **dur** (*hard, tough*)
          juste (*fair*)   ≠ **injuste**   (*soft, gentle, sweet*)
          rêveur (*dreamer*) ≠ **réaliste**

Activité 1. **Un jeu**

Faites le portrait du principal de votre école. Utilisez six adjectifs.

Mots apparentés: -ique → *-ic, -ical*

Most English words in *-ic* and *-ical* have French cognates in **-ique.**

Les chats sont des animaux domes**tiques.**   *Cats are domestic animals.*
Êtes-vous toujours log**ique?**   *Are you always logical?*
Êtes-vous dynam**ique?**   *Are you dynamic?*

Exception: *idiotic* idiot   C'est une question **idiote.**

Activité 2. **Le jeu des contraires**

Remplacez les adjectifs par leurs contraires en **-ique.**

(publique, synthétique, tragique, tyrannique, énergique, illogique, méthodique, comique, classique)

MODÈLE: la musique moderne   **la musique classique**

1. une décision logique
2. une histoire comique
3. une salle privée
4. un gouvernement libéral
5. un produit naturel
6. une attitude timide
7. une situation tragique
8. une personne désordonnée

ÉTUDE DE PRONONCIATION

La voyelle /i/

Keep your lips tense as you pronounce the French vowel /i/. Remember: in French, the letter **i** never represents the English vowel in the word *it*.

Prononcez: Philippe est réaliste.
Sylvie est dynamique.
Alice est timide.

ÉTUDE DE LANGUE

A. LE FÉMININ DE CERTAINS ADJECTIFS IRRÉGULIERS

Many adjectives have irregular feminine forms. Here are the more common irregular patterns:

MASCULINE ENDING	FEMININE ENDING		
-el	**-elle** (1)	naturel	naturelle
-en	**-enne** (2)	musicien	musicienne
-on	**-onne** (2)	bon	bonne
-er	(usually) **-ère** (3)	premier	première
-et	(usually) **-ète** (3)	discret	discrète
-eur	**-euse**	travailleur	travailleuse
-teur	**-trice**	conservateur	conservatrice
-if	**-ive**	impulsif	impulsive

NOTES DE PRONONCIATION

1 (above): The masculine and feminine forms of the adjective sound the same.

2 (above): The masculine forms of the adjectives end in a nasal vowel sound; the feminine forms end in a non-nasal vowel + /n/.

3 (above): The final consonant of these adjectives is usually silent in the masculine form. It is pronounced in the feminine form.

Here are some other frequently used irregular adjectives:

MASCULINE	FEMININE	
doux	**douce**	*soft, gentle, sweet*
jaloux	**jalouse**	*jealous*
fou	**folle**	*crazy*
beau (bel)*	**belle**	*beautiful, nice, pretty; handsome*
nouveau (nouvel)*	**nouvelle**	*new*
gentil	**gentille**	*nice, sweet*

*Before a vowel sound: Un **bel** appartement. Un **nouvel** ami.

Activité 3. **Les amies de Sylvie**

Sylvie parle de ses amies. Robert est d'accord avec elle. Jouez le rôle de Sylvie et de Robert. Pour cela, faites une phrase avec le féminin de l'adjectif entre parenthèses, d'après le modèle.

MODÈLE: Jacqueline aime les sports. (sportif)

> Sylvie: **Jacqueline aime les sports.**
> Robert: **Oui, elle est très sportive.**

1. Suzanne étudie beaucoup. (travailleur)
2. Irène croit tout. (naïf)
3. Jeanne a un caractère violent. (impulsif)
4. Colette a beaucoup d'imagination. (imaginatif)
5. Hélène est bizarre. (particulier)
6. Sophie adore la musique. (musicien)
7. Martine n'est pas égoïste. (bon)
8. Anne a beaucoup de talent. (créateur)
9. Yvette est très spontanée. (naturel)
10. Nadine ne parle pas beaucoup. (discret)
11. Claire est très logique. (rationnel)
12. Lise a beaucoup d'intuition. (intuitif)

Activité 4. **Expression personnelle**

Demandez à un(e) camarade quelles qualités il (elle) préfère, d'après le modèle. (Le mot **personne** est féminin.)

MODÈLE: impulsif ou patient?

> Vous: **Tu préfères les personnes impulsives ou les personnes patientes?**
> Votre camarade: **Je préfère les personnes impulsives** (ou **patientes**).

1. sportif ou intellectuel?
2. imaginatif ou réaliste?
3. discret ou démonstratif?
4. travailleur ou paresseux?
5. intuitif ou raisonneur?
6. conservateur ou libéral?
7. émotif ou stable?
8. impulsif ou calme?

B. LE PLURIEL DES ADJECTIFS EN *-AL*

Most adjectives that end in **-al** in the masculine singular end in **-aux** in the masculine plural.

> Philippe est un garçon origin**al**.   Il a des amis origin**aux**.

The feminine forms of adjectives ending in **-al** have regular endings.

> Sylvie est une fille origin**ale**.   Elle a des amies origin**ales**.

Activité 5. **Critique**

Sylvie et Jacques se critiquent mutuellement. Jouez le rôle de Sylvie et de Jacques. Pour le rôle de Jacques, remplacez les mots en italique par les mots entre parenthèses. (Attention: ces mots sont au masculin pluriel.)

MODÈLE: Tes *idées* ne sont pas originales. (projets)

> Sylvie: **Tes idées ne sont pas originales.**
> Jacques: **Tes projets ne sont pas originaux.**

1. Tes *amies* ne sont pas loyales. (amis)
2. Tes *cousines* ne sont pas originales. (cousins)
3. Tes *sœurs* ne sont pas géniales. (frères)
4. Tes *opinions* ne sont pas impartiales. (jugements)
5. Tes *relations* avec tes professeurs ne sont pas cordiales. (rapports)
6. Tes *idées* sont trop radicales. (principes)
7. En plus, *elles* sont trop générales. (ils)
8. Tes *attitudes* ne sont pas amicales. (sentiments)

C. LE PLURIEL DES NOMS EN *-AL*

Most nouns that end in **-al** in the singular end in **-aux** in the plural.

> Philippe achète un journ**al**.   Pierre achète deux journ**aux**.

but: un bal, des bals; un festival, des festivals

Activité 6. **Questions personnelles**

1. Quels journaux lisez-vous?
2. Quels journaux lisent vos parents?
3. Quels journaux français connaissez-vous?
4. Quels sont les principaux journaux de votre ville?
5. Avez-vous des animaux domestiques? Comment s'appellent-ils?

A votre tour

Vos amis

1. Faites le portrait de l'ami idéal (l'amie idéale). Utilisez huit adjectifs différents.
2. Faites le portrait de trois amies différentes. Pour cela, utilisez l'horoscope à la page 316. Ensuite, toujours d'après l'horoscope, comparez leur personnalité avec leur personnalité réelle.

EXEMPLE: Mon amie Linda est née le premier avril. D'après l'horoscope, elle est courageuse, sportive, optimiste. Elle est aussi impulsive et impatiente. En réalité, elle n'est pas courageuse. Elle déteste les sports. Mais, elle est assez optimiste. . .

8.3 *FAITS ET OPINIONS*

Voici comment deux jeunes Français (un jeune homme
et une jeune fille) ont répondu à une enquête:

LE JEUNE HOMME

1. Comment vous appelez-vous?

   Je m'appelle Robert Maréchal.

2. Quel âge avez-vous?

   J'ai quinze ans et demi.

3. Avez-vous des sœurs et des frères?

   Oui, j'ai un frère plus jeune et une sœur
   qui est *plus âgée* que moi.   older

4. Que pensez-vous faire plus tard?

   Je voudrais être *ingénieur-électronicien*. C'est l'un des *métiers*   electronics engineer;
   les plus intéressants *à l'heure actuelle*. C'est aussi un métier   = *professions*
   qui est bien payé.   = *aujourd'hui*

5. Pour vous, est-ce que l'argent est une chose importante?

   Oui, parce qu'aujourd'hui le confort matériel est plus im-
   portant qu'*autrefois*.   = *dans le passé*

6. Quelle est la chose qui compte le plus pour vous?

   En ce moment, la chose la plus importante pour moi, ce sont
   mes études.

7. Que pensez-vous des Américains?

   Ce sont des gens pratiques et dynamiques. Ce sont probablement les gens les plus dynamiques du monde.

LA JEUNE FILLE

1. Comment vous appelez-vous?

   Je m'appelle Catherine Martinot.

2. Quel âge avez-vous?

   J'ai seize ans.

3. Avez-vous des sœurs et des frères?

   J'ai deux autres sœurs. Je suis la plus jeune.

4. Que pensez-vous faire plus tard?

   J'ai l'intention de voyager. J'ai décidé de *faire le tour du monde* avec   go around the world
   ma meilleure amie.

5. Pour vous, est-ce que l'argent est une chose importante?

   Pas particulièrement. C'est moins important que l'amour ou l'*amitié*.   friendship

6. Quelle est la chose qui compte le plus pour vous?

   La chose qui compte le plus, c'est d'être heureuse là où je suis. C'est
   plus important que d'être riche.

7. Que pensez-vous des Américains?

   Je ne connais pas beaucoup d'Américains. J'ai l'impression qu'ils sont
   plus *expansifs* et plus généreux que nous. Ils sont aussi moins affectés,   open
   plus sincères. . . Ils sont peut-être moins *cultivés*. Personnellement, je   cultured
   les trouve aussi sympathiques que mes autres amis.

NOTE CULTURELLE: **Les Français et l'Amérique**

Qu'est-ce que les Français pensent des Américains? Ça
dépend! Il y a des critiques et il y a des admirateurs. Dans
l'ensemble,° cependant,° les Français sont assez pro-américains.
Les jeunes, surtout, sont très au courant° de l'actualité° américaine. Ils écoutent les disques de musique pop américaine. Ils
vont voir les films américains. (Les Français aiment beaucoup
les «westerns».) Ils applaudissent les exploits des champions
américains. En vacances ils portent des blue-jeans, et au café
ils boivent du Coca-Cola. Beaucoup de jeunes Français font le
rêve d'aller aux États-Unis, et certains réalisent° ce rêve.

Dans l'ensemble On the whole; **cependant** = **pourtant**; **au courant** up-to-
date; **l'actualité** what's happening; **réalisent** see come true

Opinions personnelles

Exprimez votre opinion personnelle.

1. Est-ce que l'argent est **plus** important **que** l'amitié?
2. Est-ce que la culture est **moins** importante **que** le confort matériel?
3. Est-ce que l'amitié est **aussi** importante **que** l'amour?
4. Quelle est la profession **la plus** intéressante?
5. Quelle est la profession **la moins** intéressante?

OBSERVATIONS

Relisez **Opinions personnelles.** Quand on compare deux personnes ou deux choses, on utilise la forme *comparative.* Dans les questions 1, 2, 3, l'adjectif **important** est à la forme comparative.

- Quel est le mot qui vient avant l'adjectif **important** dans la question 1? dans la question 2? dans la question 3?
- Quel est le mot qui vient après?

Quand on compare une personne ou une chose avec tout un (*a whole*) groupe, on utilise la forme *superlative.* Dans les questions 4 et 5, l'adjectif **intéressant** est à la forme superlative.

- Quels sont les mots qui viennent avant l'adjectif **intéressante** dans la question 4? dans la question 5?

ÉTUDE DE MOTS

Petit vocabulaire

NOMS:	l'**argent**	*money*	l'**amitié**	*friendship*
	l'**amour**	*love*	une **chose**	*thing*
	un **métier**	*profession, job*	une **enquête**	*survey*
	un **rêve**	*dream*	une **impression**	*impression*

ADJECTIFS:	**actuel (actuelle)**	*present*
	âgé	*old*
	matériel (matérielle)	*material*
	pratique	*practical*

EXPRESSIONS:	**autrefois**	*formerly; in the past, before*
	faire le tour du monde	*to go around the world*
	quinze ans et demi	*15 1/2 (years old)*

Vocabulaire spécialisé: les gens

une **personne**	*a person*	Connaissez-vous cette **personne?**
quelqu'un	*someone*	Oui, c'est **quelqu'un** qui habite ici.
ne. . .personne	*no one, nobody*	Je **ne** connais **personne** à Paris.
les **gens**	*people*	Vos amis sont des **gens** sympathiques.
un **peuple**	*a people*	Les Français sont un **peuple** cultivé.
le **monde**	*the world*	Le **monde** a 3 milliards d'habitants.
tout le monde	*everyone, everybody*	En France, est-ce que **tout le monde** parle français?
du monde	*(a lot of) people*	Y a-t-il **du monde** au cinéma?
beaucoup de monde	*many people*	Non, il n'y a pas **beaucoup de monde** ce soir.

Activité 1. **Opinions personnelles**

Complétez les phrases avec un adjectif qui reflète votre opinion personnelle.

1. Les Français sont un peuple ——.
2. Les Américains sont un peuple ——.
3. Mes parents sont des gens ——.
4. Les amis de mes parents sont des gens ——.
5. Autrefois, tout le monde était ——.
6. Maintenant, tout le monde est trop ——.
7. S'il y a beaucoup de monde à une surprise-partie, je me sens ——.
8. Je crois que les personnes âgées sont ——.

ÉTUDE DE PRONONCIATION

Les voyelles /y/ **et** /u/

Distinguish between the vowels /y/ and /u/.

Contrastez: /y/ t<u>u</u> p<u>l</u>us répond<u>u</u> <u>u</u>ne c<u>u</u>ltivé ét<u>u</u>des
        /u/ v<u>ou</u>s t<u>ou</u>t n<u>ou</u>s t<u>ou</u>r am<u>ou</u>r tr<u>ou</u>ve

Prononcez: Est-ce que t<u>u</u> tr<u>ou</u>ves que n<u>ou</u>s ét<u>u</u>dions beauc<u>ou</u>p?
        T<u>u</u> j<u>ou</u>es le pl<u>u</u>s s<u>ou</u>vent avec J<u>u</u>les J<u>ou</u>rdain.

ÉTUDE DE LANGUE

A. Révisons: LE COMPARATIF DES ADJECTIFS

To make comparisons with adjectives, the French use the following construction:

$$\left.\begin{array}{l} \textbf{plus} \\ \textbf{moins} \\ \textbf{aussi} \end{array}\right\} + \text{adjective} + \textbf{que (qu')}$$

Je suis **plus jeune que** mon frère.	*I am **younger than** my brother.*
Mais, je suis **plus intelligent que** lui.	*But I am **more intelligent than** he is.*
Il est **moins patient que** moi.	*He is **less patient than** I am.*
Je suis **aussi dynamique que** ma sœur.	*I am **as energetic as** my sister.*

NOTES: 1. The construction **plus. . .que** corresponds to *more. . .than, . . .er than.*
2. In comparisons, the French use a stressed pronoun after **que.**
3. The comparative of **bon** (*good*) is **meilleur.**

Activité 2. *Orgueil national* (*national pride*)

Un jeune Américain et une jeune Française se disputent. Le jeune Américain dit que les Américains sont supérieurs aux Français. La jeune Française le contredit. Jouez les deux rôles d'après le modèle.

MODÈLE: dynamiques

Le jeune Américain: **Nous sommes plus dynamiques que vous.**

La jeune Française: **Ce n'est pas vrai! Nous sommes aussi dynamiques que vous.**

1. travailleurs	4. sportifs	7. indépendants
2. sincères	5. courageux	8. généreux
3. honnêtes	6. logiques	9. expansifs

Activité 3. *La querelle continue*

Le jeune Américain continue à parler de la supériorité de son pays. La jeune Française continue à le contredire. Jouez les deux rôles d'après le modèle.

MODÈLE: Les automobiles sont confortables.

Le jeune Américain: **En Amérique, les automobiles sont plus confortables qu'en France.**

La jeune Française: **Non! En Amérique les automobiles sont moins confortables qu'en France.**

1. Les gens sont sympathiques.
2. Les filles sont belles.
3. Les garçons sont sportifs.
4. La télévision est intéressante.
5. Les villes sont grandes.
6. Les artistes sont créateurs.
7. La cuisine est bonne.
8. Les vins sont bons.

Activité 4. **Expression personnelle**

Comparez les choses suivantes, en utilisant l'adjectif entre parenthèses.

MODÈLE: Paris / New York (grand)   **Paris est moins grand que New York.**
ou: **New York est plus grand que Paris.**

1. une Corvette / une Jaguar (rapide)
2. une Ford / une Cadillac (confortable)
3. le français / l'espagnol (difficile)
4. les romans policiers / les poèmes (intéressants)
5. le cinéma / le théâtre (intéressant)
6. l'argent / l'amour (important)

B. LE SUPERLATIF DES ADJECTIFS

To form the superlative of adjectives, the French use the following construction:

$$\left.\begin{array}{l}\textbf{le}\\\textbf{la}\\\textbf{les}\end{array}\right\} + \left.\begin{array}{l}\textbf{plus}\\\textbf{moins}\end{array}\right\} + \text{adjective}$$

Henri est le garçon **le plus travailleur** de la classe.

*Henri is **the hardest working** boy in the class.*

Anne est **la plus belle** fille de la classe.

*Anne is **the prettiest** girl in the class.*

Michel et Robert sont les garçons **les moins ambitieux.**

*Michel and Robert are **the least ambitious** boys.*

NOTES: 1. The superlative of **bon (bonne)** is **le meilleur, la meilleure.**

Je suis **le meilleur** élève de la classe.

2. The definite article **(le, la, les)** may be replaced by a possessive determiner.

Comment s'appelle **votre** meilleur ami?

3. After the superlative, **de** is used to express the idea of *in.*

C'est le restaurant le plus cher **de** la ville.

4. If the superlative adjective comes after the noun, the definite article is repeated.

Je suis **la** fille **la** plus âgée de notre famille.

Activité 5. *Expression personnelle: votre ville*

Connaissez-vous votre ville? Demandez à un(e) camarade certains renseignements (*information*) d'après le modèle.

MODÈLE: un grand magasin

> Vous: **Quel est le plus grand magasin de la ville?**
> Votre camarade: **Je pense que le plus grand magasin est. . .**

1. un magasin intéressant
2. une grande rue
3. une belle avenue
4. un grand monument
5. une jolie statue
6. des magasins chers
7. une église ancienne
8. des jolis parcs

Activité 6. *Expression personnelle: le vote*

La classe va voter. Chaque élève va écrire ou dire son choix pour les candidats suivants. Pour chaque catégorie, élisez (*elect*) une fille et un garçon.

MODÈLE: **Le garçon le plus amusant de la classe est Robert Hope.**
La fille la plus amusante de la classe est Barbara Brunette.

LE GARÇON	LA FILLE
1. le plus élégant	la plus élégante
2. le plus dynamique	la plus dynamique
3. le plus curieux	la plus curieuse
4. le plus sportif	la plus sportive
5. le plus généreux	la plus généreuse
6. le plus populaire	la plus populaire
7. le plus beau	la plus belle
8. le meilleur en français	la meilleure en français

Activité 7. *Opinion personnelle*

Exprimez votre opinion personnelle.

1. Quel est le meilleur acteur de cinéma?
2. Quelle est la meilleure actrice?
3. Quel est le comédien le plus drôle?
4. Quelle est la comédienne la plus drôle?
5. Quel est le meilleur joueur de baseball?
6. Quels sont les meilleurs joueurs de football?
7. Quelle est la femme la plus célèbre des États-Unis?
8. Quel est l'homme le plus célèbre des États-Unis?

À votre tour

1. Enquête

Répondez à l'enquête de la page 322. Remplacez la question 7 par **Que pensez-vous des Français?**

2. Débats

Choisissez un des sujets suivants et indiquez les raisons de votre choix en quatre phrases. Utilisez la forme comparative.

EXEMPLE: Je préfère sortir avec des filles (des garçons).

Je préfère sortir avec des filles. Elles sont plus amusantes et souvent plus intelligentes..., etc.

(*a*) Je préfère habiter dans le Nord (le Sud, l'Est, l'Ouest) des États-Unis.
(*b*) Je préfère les États-Unis (la France).

Au Quartier Latin: un café près du Panthéon

8.4 *Jeu-test:* *ÊTES-VOUS DÉBROUILLARD?*

débrouillard resourceful

Voici six situations. Un jour ou l'autre, vous serez dans l'une des situations suivantes. Dites *comment vous réagirez* alors.

= *ce que vous ferez*

1. Vous rentrez chez vous. Vous constatez que vous avez perdu la clé de votre maison.

   A. Vous attendrez *patiemment* vos parents devant la porte. = *avec patience*
   B. Vous irez chez un ami.
   C. Vous passerez par une fenêtre ouverte.

2. Vous êtes en ville et vous n'avez pas d'argent pour prendre le bus ou pour téléphoner.

   A. Vous rentrerez chez vous à pied.
   B. Vous ferez de l'auto-stop.
   C. Vous demanderez de l'argent à toutes les personnes que vous rencontrerez.

3. Vous passez un examen, mais vous ne connaissez pas les réponses.

   A. Vous rendrez une *copie blanche*. = *page où vous n'avez rien écrit*
   B. Vous utiliserez les ressources de votre imagination pour répondre.
   C. Vous regarderez les réponses sur la copie d'un ami.

4. C'est l'anniversaire de votre mère. Vous voulez lui acheter un cadeau, mais aujourd'hui tous les magasins sont *fermés*. closed

   A. Vous direz à votre mère que vous avez oublié son anniversaire.
   B. Vous l'inviterez au cinéma.
   C. Vous lui donnerez des fleurs que vous irez couper dans le jardin du *voisin*.

   = *la personne qui habite à côté de chez vous*

330

5. Vous voulez passer une semaine de vacances avec des amis mais vous n'avez pas d'argent.

A. Vous demanderez de l'argent à vos parents.

B. Vous chercherez un job.

C. Vous vendrez vos cadeaux de Noël.

6. Ce soir votre père veut écouter un débat politique à la télévision. Vous, vous voulez regarder un match de football. Hélas, il n'y a qu'un *poste* · set de télévision chez vous.

A. Vous irez directement au lit.

B. Vous irez regarder le match de football chez un ami.

C. Vous enlèverez une *lampe* du poste. Ainsi votre père croira que le   tube poste ne marche plus. Quand il sera dans sa chambre, vous re-mettrez discrètement la lampe et vous regarderez le match.

Marquez un point pour chaque réponse (A), deux points pour chaque réponse (B), et trois points pour chaque réponse (C). Comptez vos points.

Si vous avez de 6 à 8 points, vous n'êtes pas très débrouillard. Utilisez *davantage* votre imagination.   = *plus*

Si vous avez de 9 à 16 points, c'est très bien. Quand vous aurez un problème, vous saurez le *résoudre*.   solve

Si vous avez 17 ou 18 points, vous êtes très débrouillard, mais vous n'êtes pas très délicat. Si vous ne faites pas attention, vous aurez des *ennuis*   = *problèmes* avec vos amis!

NOTE CULTURELLE: **Le système D**

Le système D, c'est le système des débrouil-lards. Qu'est-ce qu'un débrouillard? C'est quelqu'un qui sait résoudre ses problèmes, souvent avec les ressources de son imagina-tion. Un débrouillard invente des excuses quand il n'a pas été en classe, ou quand il ne sait pas sa leçon. (Il dit, par exemple, qu'il est très malade.) Il sait comment aller à un match de football, même s'il n'a pas d'argent. (Il dit, par exemple, qu'il est journaliste et qu'il veut interviewer les joueurs.) Les Français ont la réputation d'être débrouillards. Et vous, utilisez-vous souvent le système D ?

OBSERVATIONS

Relisez attentivement les réponses A, B et C à chaque situation. Dans chaque réponse, le verbe est au futur.

- Quel est le futur du verbe **aller** (réponse 1B)?
- Quel est le futur du verbe **faire** (réponse 2B)?
- Quel est le futur du verbe **être** (réponse 6C)?

ÉTUDE DE MOTS

Petit vocabulaire

NOMS:	**un voisin**	*neighbor*	**une voisine**	*neighbor* (female)
ADJECTIFS:	**débrouillard**	*resourceful*		
	fermé	*closed*		
	ouvert	*open*		
	suivant	*following*		
VERBE EN **-er**:	**enlever** (comme **acheter**)	*to take out; take off*		
VERBES EN **-ir**:	**agir**	*to act*		
	réagir	*to react*		
EXPRESSIONS:	**davantage**	*more*		
	ne. . .que	*only*		
	tout (le)	*all (the)*		

NOTE DE VOCABULAIRE

Ne. . .que. Notez la position des éléments de l'expression **ne. . .que**:

Ne (n') vient avant le verbe; **que (qu')** vient avant le mot qu'il modifie.

Il **n'**y a **qu'**une télévision.   *There is only one television set.*
Je **n'**ai invité **que** mes amis.   *I only invited my friends.*

Les Français emploient **ne. . .que** plus souvent que l'adverbe **seulement** (*only*).

Activité 1. *Rectifications*

Les phrases suivantes ne sont pas correctes. Rectifiez-les en faisant une phrase d'après le modèle.

MODÈLE: Il y a 51 états aux États-Unis.   **Non, il n'y a que 50 états.**

1. Il y a dix jours dans une semaine.
2. Il y a quinze mois dans une année.
3. Il y a cinq semaines dans un mois.
4. Il est minuit.
5. Il y a 600 pages dans ce livre.
6. Il y a 40 garçons dans la classe.
7. Il y a 35 filles dans la classe.
8. Il y a treize signes dans le zodiaque.

Vocabulaire spécialisé: expressions avec «tout»

partout	*everywhere*	**tout à l'heure**	*in a little while*
pas du tout	*not at all*	**tout de suite**	*immediately, right away*
surtout	*especially, mainly*	**tout le monde**	*everyone, everybody*
toujours	*always*	**tout le temps**	*all the time*
tout à coup	*suddenly*	**tout(e) seul(e)**	*all alone; by oneself*
tout à fait	*quite, completely*		

Activité 2. **La même chose**

Imaginez que vous écrivez un roman (*novel*) en français. Vous décidez d'exprimer les phrases suivantes d'une façon un peu différente. Pour cela, remplacez les expressions en italique par une expression avec **tout.**

MODÈLE: Je partirai *dans quelques minutes.*   Je partirai tout à l'heure.

1. Éric parle *continuellement.*
2. Fais cela *immédiatement.*
3. J'ai fait cela *sans aide.*
4. Ici, je connais *toutes ces personnes.*
5. J'étudie *principalement* le français.
6. Je suis arrivé *soudainement.*
7. Vous avez *complètement* raison.
8. J'ai des amis *dans tous les pays du monde.*

ÉTUDE DE PRONONCIATION

La liaison: dans certaines expressions

Liaison is required in expressions introduced by **tout.**

Prononcez: tout à coup   tout à fait   tout à l'heure

Liaison is required after short prepositions.

Prononcez: sans elle   chez elle   dans une heure

Liaison is required in the following phrases:

les Nations Unies   les États-Unis   aux États-Unis   des États-Unis

ÉTUDE DE LANGUE

A. Révisons: LE FUTUR

In French, verbs in the future consist of one word:

Je	téléphonerai	ce soir.
I	*will call*	*tonight.*

For all verbs the future endings are the same: **–ai, –as, –a, –ons, –ez, –ont.** For most regular and irregular verbs the future stem is the infinitive up to and including the final **r:**

téléphoner je **téléphoner**ai   finir je **finir**ai   vendre je **vendr**ai

A few verbs, however, have irregular stems:

	INFINITIVE	FUTURE STEM	
to go	**aller**	**ir–**	Quand **irez**-vous en France?
to have	**avoir**	**aur–**	Quand **auras**-tu une voiture?
to send	**envoyer**	**enverr–**	J'**enverrai** cette lettre ce soir.
to be	**être**	**ser–**	Plus tard, je **serai** mécanicien.
to do	**faire**	**fer–**	Nous **ferons** de l'auto-stop.
to be able	**pouvoir**	**pourr–**	**Pourras**-tu venir?
to know	**savoir**	**saur–**	Quand **saurez**-vous la réponse?
to come	**venir**	**viendr–**	Oui, je **viendrai.**
to see	**voir**	**verr–**	Nous **verrons** un «western».
to want	**vouloir**	**voudr–**	Il ne **voudra** pas nous inviter.

NOTE: All future stems, both regular and irregular, end in **r.**

When the main clause of a sentence is in the future, the clause introduced by **quand** is usually in the future also.

Quand	je **serai**	chez moi,	je **regarderai**	la télévision.
When	*I am*	*home,*	*I will watch*	*television.*

Activité 3. ***Agence de voyages***

Supposez que vous travaillez dans une agence de voyages. Un groupe de jeunes Français va venir aux États-Unis cet été. Dites ce que chacun pourra visiter et ce qu'il verra, d'après le modèle.

MODÈLE: Henri (New York / la statue de la Liberté)

Quand Henri viendra aux États-Unis, il pourra visiter New York.
Là, il verra la statue de la Liberté.

1. Nathalie (le Colorado / Mesa Verde)
2. Jacques et Pierre (Houston / l'Astrodome)
3. Michèle (Washington / la Maison Blanche)
4. Vous (l'Utah / le Temple Mormon)
5. Toi (l'Arizona / le Grand Canyon)
6. Louise et Francine (San Antonio / l'Alamo)

Activité 4. *Questions personnelles: vos vacances*

1. Quand serez-vous en vacances?
2. Aurez-vous l'occasion de voyager?
3. Où irez-vous? Avec qui?
4. Travaillerez-vous?
5. Que ferez-vous?
6. Avec qui sortirez-vous?

Activité 5. *Expression personnelle*

Utilisez votre imagination pour compléter les phrases suivantes. Utilisez un verbe au futur.

1. Quand j'aurai vingt ans. . .
2. Quand j'aurai de l'argent. . .
3. Quand j'aurai une voiture. . .
4. Quand je travaillerai. . .
5. Si je vais en France. . .
6. Si je suis riche. . .
7. Si je vais à l'université. . .
8. Si je me marie. . .

B. LE DÉTERMINATIF *TOUT*

The determiner **tout (le)** agrees in gender and number with the noun it introduces. Here are the four forms of **tout**:

	SINGULAR	PLURAL		
Masculine	**tout le**	**tous les**	**tout le** groupe	**tous les** garçons
Feminine	**toute la**	**toutes les**	**toute la** famille	**toutes les** filles

NOTES: 1. **Tout le, toute la** usually means *the whole*.

Toute la classe parle français.	*The whole class speaks French.*

2. **Tous les, toutes les** usually means *all the, all, every*.

Aujourd'hui **tous les** magasins sont fermés.	*Today all the stores are closed.*
Je parle français **tous les** jours.	*I speak French every day.*

3. The definite article **(le, la, les)** may be replaced by a possessive determiner or a demonstrative determiner.

Qui sont **tous ces** gens?	*Who are all these people?*
Où sont **tous vos** amis?	*Where are all your friends?*

4. **Tous**[1] and **toutes** may be used by themselves as pronouns.

Nous irons **tous** en France.	*We will all be going to France.*
Les Français ne sont pas **tous** débrouillards.	*The French are not all resourceful.*
Les Françaises ne sont pas **toutes** jolies.	*French girls are not all pretty.*

[1] When used as a pronoun, **tous** is pronounced /tus/.

Activité 6. **Un passionné de ski** (*a ski buff*)

Robert dit qu'il fait du ski tout le temps. Jouez le rôle de Robert, d'après le modèle.

MODÈLE: l'hiver   **Je fais du ski tout l'hiver.**

1. l'année   3. la journée   5. les matins   7. les vacances de Noël
2. les jeudis   4. le week-end   6. la saison   8. le mois de février

Activité 7. **Dangereuses généralisations**

Vous faites des généralisations d'après le modèle. Un(e) camarade va vous contredire.

MODÈLE: Les filles sont obstinées.

> Vous: **Toutes les filles sont obstinées.**
> Votre camarade: **Non, elles ne sont pas toutes obstinées.**

1. Les Américains sont grands.   5. Les professeurs sont intelligents.
2. Les Français sont débrouillards.   6. Les élèves sont paresseux.
3. Les Françaises sont élégantes.   7. Les infirmières sont charmantes.
4. Les Américaines sont blondes.   8. Les généralisations sont absurdes.

À votre tour

Réaction en chaîne

Composez un paragraphe de six lignes où chaque phrase commence par la fin de la phrase précédente. Vous pouvez commencer par les phrases suivantes.

EXEMPLE: Quand j'aurai de l'argent. . .

Quand j'aurai de l'argent, je ferai le tour du monde. Quand je ferai le tour du monde, je visiterai Paris, etc.

Quand nous serons en vacances. . .
Quand la classe sera finie. . .
Quand j'aurai une voiture. . .

Paris: Galeries Lafayette

8.5 *Jeu-test:* QUI ÊTES-VOUS?

Répondez aux questions suivantes:

1. Si vous alliez en France, préféreriez-vous y aller...

   A. seul
   B. avec votre meilleur ami
   C. avec un groupe organisé

2. Si vous travailliez pour un grand magasin, seriez-vous...

   A. vendeur
   B. *comptable*   accountant
   C. décorateur

3. Si vous aviez beaucoup d'argent, est-ce que vous achèteriez...

   A. une voiture
   B. une *caméra*   movie camera
   C. une sculpture moderne

4. Si vous lisiez un livre ce soir, est-ce que ce serait...

   A. un *roman policier*   detective story
   B. la biographie d'une personne célèbre
   C. un livre de poésie

5. Si vous aviez à choisir entre trois professions, est-ce que ce serait...

   A. la profession de journaliste
   B. la profession de mécanicien
   C. la profession d'*antiquaire*   antique dealer

6. Si vous aviez le choix, préféreriez-vous étudier...

   A. la géographie
   B. la physique
   C. le latin

7. Si vous alliez à Paris, est-ce que vous visiteriez d'abord...

   A. la Tour Eiffel
   B. les magasins
   C. le Musée d'Art Moderne

8. Si votre oncle vous proposait de vous *emmener* où vous voulez pour votre anniversaire, lui demanderiez-vous d'aller à. . .

    = *inviter*

  A. un match de football

  B. un restaurant

  C. un concert

9. Si vous passiez une semaine à l'étranger, choisiriez-vous. . .

  A. de faire du ski dans les Alpes

  B. d'aller à Londres

  C. de visiter les monuments de Rome

10. Si vous vouliez passer une agréable soirée avec vos amis, est-ce que vous leur proposeriez. . .

  A. de jouer au Monopoly

  B. de faire un *modèle réduit*   (scale) model

  C. d'écouter des disques

Résultats

Faites le total de vos réponses.

Si vous avez 5 réponses A ou plus, vous aimez l'action et l'aventure. Vous êtes sportif et vous aimez les voyages. Vous êtes assez individualiste, mais vous êtes sociable aussi. Vous aimez prendre des décisions rapidement. Voici quelques professions où vous réussiriez: pilote, journaliste, acteur (ou actrice), explorateur (ou exploratrice).

Si vous avez 5 réponses B ou plus, vous avez le sens pratique. Vous êtes *également* travailleur. Vous feriez un excellent commerçant, mais vous pourriez aussi réussir comme ingénieur ou programmeur.

    = *aussi*

Si vous avez 5 réponses C ou plus, vous avez un tempérament d'artiste. Vous êtes sans doute rêveur et romantique. Vous avez beaucoup de charme, mais vous êtes un peu timide. Vous pourriez être photographe, architecte, professeur, *écrivain*.

    = *une personne qui écrit*

Si vous avez moins de 5 réponses A, B, ou C, vous avez une personnalité *équilibrée*. Vous feriez un excellent diplomate. Vous pourriez être aussi médecin, dentiste, archéologue.

    balanced

NOTE CULTURELLE: **Les Français et la lecture**

La lecture est un des passe-temps préférés des Français. Beaucoup de jeunes ont une bibliothèque personnelle. Ils achètent régulièrement des livres et souvent ils reçoivent des livres comme cadeaux. Quels livres lisent les jeunes Français? Des romans policiers (surtout des romans policiers anglais et américains), des romans historiques, des photo-romans, qui sont des romans illustrés, et parfois aussi des livres sérieux: romans, pièces de théâtre et essais philosophiques. On lit ces livres à la maison, et aussi dans le train, dans le bus, au café... Pour beaucoup de Français, les livres sont d'excellents compagnons.

OBSERVATIONS

Lisez attentivement les phrases suivantes:

Si j'**avais** de l'argent, j'**irais** à Paris.   *If I had money, I would go to Paris.*

Si nous **allions** à Paris, nous **verrions** la Tour Eiffel.   *If we went to Paris, we would see the Eiffel Tower.*

Si vous **étiez** riche, vous **voyageriez**.   *If you were rich, you would travel.*

Chaque phrase contient deux verbes.

● A quel temps (présent ou imparfait) est le premier verbe?

Le second verbe est au conditionnel.

● Le radical (*stem*) est-il celui de l'imparfait ou celui du futur?
● Les terminaisons (*endings*) sont-elles celles de l'imparfait ou celles du futur?

ÉTUDE DE MOTS

Petit vocabulaire

NOMS:	un **grand magasin**	*department store*	une **aventure**	*adventure*
	un **groupe**	*group*	une **caméra**	*movie camera*
	un **roman**	*novel*	la **lecture**	*reading*
	un **sens**	*sense*		
ADJECTIF:	**célèbre**	*famous*		
VERBE EN **-er**:	**emmener** (comme **acheter**)	*to bring along, take along*		

EXPRESSIONS: **également** *also, as well*
à l'étranger *abroad, in a foreign country*
prendre une décision *to make a decision*

Vocabulaire spécialisé: métiers et professions

un **acteur**	*actor*	une **actrice**	*actress*
un **antiquaire**	*antique dealer*	une **antiquaire**	
un **architecte**	*architect*		
un **avocat**	*lawyer*		
un **commerçant**	*shopkeeper*	une **commerçante**	
un **comptable**	*accountant*	une **comptable**	
un **décorateur**	*interior decorator*	une **décoratrice**	
un **écrivain**	*writer*		
un **ingénieur**	*engineer*		
un **mécanicien**	*mechanic*	une **mécanicienne**	
un **médecin**	*doctor*		
un **ouvrier**	*worker, workman*	une **ouvrière**	
un **photographe**	*photographer*	une **photographe**	
un **pilote**	*pilot*		
un **professeur**	*teacher, professor*		
un **programmeur**	*programmer*		
un **vendeur**	*salesman*	une **vendeuse**	*saleslady, salesgirl*

NOTE DE VOCABULAIRE

Les métiers et les professions. Certains noms de professions sont pratiquement toujours masculins. Par exemple, **un professeur** peut désigner un homme ou une femme. Parfois, les Français utilisent l'expression **une femme–professeur,** mais c'est assez rare.

Notez l'expression française:

Mon père est	. . .	avocat.
My father is	*a*	*lawyer.*

Après le verbe **être,** on omet généralement l'article indéfini (**un, une, des**) devant un nom de profession.

Activité 1. **Un jeu: Quelle est ma profession?** (*What's my line?*)

Les personnes suivantes expliquent leurs occupations. Dites quelle est leur profession.

MODÈLE: J'ai des élèves. **Vous êtes professeur.**

1. Je répare les voitures.
2. Je vends des choses anciennes.
3. Je visite les malades.
4. Je joue des rôles masculins.
5. Je joue des rôles féminins.
6. Je prends des photos.
7. Je prends la défense de mes clients.
8. J'écris des livres.
9. Je fais des plans de maisons.
10. Je travaille dans un magasin.

ÉTUDE DE PRONONCIATION

La voyelle /ə/

Within a longer word or group of words, the vowel sound /ə/ is often dropped when it occurs between two consonant sounds.

Prononcez: nous écout∉rons   vous achèt∉rez   vous voyag∉rez
tout d∉ suite   tout l∉ monde   tout l∉ temps   enl∉ver   égal∉ment
complèt∉ment   maint∉nant   immédiat∉ment

The vowel sound /ə/ is pronounced when it occurs between three consonant sounds.

Prononcez: je parlᵉrai   tu rentrᵉras   nous nous rencontrᵉrons   autrᵉfois
notrᵉ groupe   votrᵉ voisin   un autrᵉ professeur

ÉTUDE DE LANGUE

A. Révisons: L'IMPARFAIT

For all verbs, the imperfect endings are the same:

> **–ais, –ais, –ait, –ions, –iez, –aient**

For all verbs, except **être,** the imperfect stem is the **nous**-form of the present tense minus **–ons.**

	PRESENT	IMPERFECT
visiter	nous **visit**ons	Je **visit**ais la France.
finir	nous **finiss**ons	Tu **finiss**ais tes études.
répondre	nous **répond**ons	A qui **répond**iez-vous?
aller	nous **all**ons	Où **all**aient-ils?

The stem of **être** is irregular: J'**ét**ais ici hier.

NOTES: 1. The imperfect is a past tense.

2. The imperfect is also used in the construction **si** + imperfect to express —

　　(*a*) a wish:　　　Si j'**étais** riche!　　　*If I were rich!*

　　(*b*) a suggestion:　Si tu **venais** avec nous!　*How about coming with us!*
　　　　　　　　　　　　　　　　　　　　　　Suppose you come with us!

　　(*c*) a condition:　Si j'**avais** une voiture,　*If I had a car, I would travel.*
　　　　　　　　　　je voyagerais.

PROVERBE FRANÇAIS: **Si jeunesse savait, si vieillesse pouvait!**
　　　　　　　　　　If only youth had the knowledge and (if only) old age had the strength!

Activité 2. **L'école buissonnière** (*playing hookey*)

Les élèves expliquent pourquoi ils n'étaient pas en classe hier. Donnez l'excuse de chacun, d'après le modèle.

MODÈLE: Henri (malade)   **Henri n'était pas en classe parce qu'il était malade.**

1. Louise (chez le dentiste)
2. Antoine (chez sa grand-mère)
3. Marie et Philippe (en voyage)
4. Nous (chez le médecin)
5. Vous (à l'hôpital)
6. Mes cousines (malades)
7. Moi (avec mon père)
8. Toi (en ville avec ta mère)

Activité 3. **Suggestions**

Henri et ses amis ne savent pas que faire. Henri suggère certaines occupations. Jouez le rôle d'Henri.

MODÈLE: Toi (regarder la télé)   **Si tu regardais la télé!**

1. Nous (téléphoner)
2. Vous (jouer au ping-pong)
3. Toi (jouer au tennis)
4. Marc (écouter des disques)
5. Nous (organiser une surprise-partie)
6. Nous (aller au théâtre)
7. Michèle (aller à la discothèque)
8. Françoise et Sylvie (aller en ville)
9. Moi (aller au stade)
10. Vous (aller au cinéma)

B. LE CONDITIONNEL: FORMATION

In French the conditional is a simple verb form: it consists of one word.

J'	**aimerais**	visiter Paris.
I	*would like*	*to go to Paris.*

Ce	**serait**	formidable!
That	*would be*	*great!*

The conditional is formed as follows:

future stem + endings of the imperfect

The chart below gives the conditional forms of regular verbs.

	visiter	**finir**	**vendre**
je	visiter**ais**	finir**ais**	vendr**ais**
tu	visiter**ais**	finir**ais**	vendr**ais**
il/elle	visiter**ait**	finir**ait**	vendr**ait**
nous	visiter**ions**	finir**ions**	vendr**ions**
vous	visiter**iez**	finir**iez**	vendr**iez**
ils/elles	visiter**aient**	finir**aient**	vendr**aient**

Verbs which have an irregular future stem keep this same irregular stem in the conditional.

avoir → j'**aur**ais	faire → je **fer**ais	venir → je **viendr**ais
aller → j'**ir**ais	pouvoir → je **pourr**ais	voir → je **verr**ais
être → je **ser**ais	savoir → je **saur**ais	vouloir → je **voudr**ais

The negative and interrogative forms of the conditional follow the same pattern used with all other simple verb forms.

Aimerais-tu voyager?	*Would you like to travel?*
Non, je **n'aimerais pas** voyager.	*No, I wouldn't like to travel.*

Activité 4. *Désirs*

Des jeunes Français disent ce qu'ils aimeraient faire. Expliquez le désir de chacun. Pour cela, faites des phrases avec le conditionnel du verbe **aimer**.

MODÈLE: Moi (voyager)   **J'aimerais voyager.**

1. Charles (visiter les États-Unis)
2. Denise (habiter San Francisco)
3. Toi (être architecte)
4. Vous (jouer du piano)
5. Nous (acheter une voiture)
6. Michèle (piloter un avion)
7. Eux (aller en Angleterre)
8. Elles (faire le tour du monde)

Activité 5. *Avec une voiture*

Des jeunes Américains disent où ils iraient s'ils avaient une voiture. Expliquez leurs projets en employant le conditionnel du verbe **aller**.

MODÈLE: Debra (dans le Colorado)   **Debra irait dans le Colorado.**

1. Jerry et Paul (à Québec)
2. Lynn et Linda (à Montréal)
3. Moi (à New York)
4. Toi (en Californie)
5. Sylvie (en Floride)
6. Tom (au Texas)
7. Nous (à la Nouvelle-Orléans)
8. Vous (à Santa Fé)

Activité 6. *Expression personnelle: avec mille dollars*

Supposez que vous alliez tous recevoir mille dollars. Demandez à un(e) camarade s'il (si elle) ferait les choses suivantes avec ces mille dollars.

MODÈLE: voyager   Vous: **Voyagerais-tu?**
Votre camarade: **Oui, je voyagerais.**
ou: **Non, je ne voyagerais pas.**

1. partir en vacances
2. visiter le Canada
3. quitter l'école
4. mettre l'argent à la banque
5. acheter une vieille voiture
6. aller en France
7. faire le tour du monde
8. faire des économies

C. LE CONDITIONNEL: USAGE

The conditional expresses what one would do. Its use is similar in French and in English. Compare the following French and English sentences:

PRESENT	FUTURE
Si j'**ai** de l'argent,	j'**irai** en France.
If I have money,	*I will go to France.*

IMPERFECT	CONDITIONAL
Si j'**avais** de l'argent,	j'**irais** en France.
If I had money,	*I would go to France.*

When the **si**-clause is in the imperfect, the result clause is in the conditional. In French the conditional is never used in the **si**-clause.

The conditional is used in certain expressions such as:

Je voudrais...	*I would like (to)...*	**Je voudrais** aller au cinéma.
Je ferais mieux de...	*I had better...* (*I would do better to...*)	**Je ferais mieux de** rester ici.
On dirait que...	*It looks as if...* (*One would say that...*)	**On dirait que** vous êtes malade.

Activité 7. *Occupations professionnelles*

Vous discutez vos ambitions professionnelles avec des amis. Dites ce que chacun ferait s'il avait une des professions suivantes. Vous pouvez utiliser les phrases de l'Activité 1.

MODÈLE: Si j'étais professeur... **Si j'étais professeur, j'aurais des élèves.**

1. Si Jacques était mécanicien...
2. Si Lucie était antiquaire...
3. Si vous étiez médecins...
4. Si Robert et Paul étaient acteurs...
5. Si Michèle était actrice...
6. Si vous étiez philosophe...
7. Si j'étais architecte...
8. Si tu étais écrivain...
9. Si nous étions avocats...
10. Si Marc était vendeur...

Activité 8. *Expression personnelle*

Utilisez votre imagination pour compléter les phrases suivantes. Mettez les verbes que vous utiliserez au conditionnel.

1. Si j'avais de l'argent...
2. Si j'habitais Paris...
3. S'il faisait beau...
4. Si le professeur ne venait pas en classe aujourd'hui...
5. Si mes parents partaient ce week-end...
6. Si j'organisais une surprise-partie...
7. Si j'avais une voiture...
8. Si j'étais président des États-Unis...

A votre tour

Le grand prix

Supposez que vous participez à un concours publicitaire (*sweepstakes*). Faites des phrases où vous dites ce que vous feriez si vous gagniez le grand prix de 10.000 dollars.

Récréation

Les bêtes ne sont pas si bêtes!   *bêtes = animaux*

Les Français attribuent beaucoup de qualités et beaucoup de défauts aux animaux, sauf la *bêtise*. Non seulement les animaux ne sont pas bêtes,   *= stupidité* mais ils sont aussi très utiles. Que serait en effet la langue française s'il n'y avait pas d'animaux?

Voici quelques exemples de l'utilité linguistique des animaux. En français on dit. . .

Gai comme un pinson.

Gourmand comme une chatte.   greedy

Malin comme un singe.   smart (cunning)

Voleur comme une pie.   thievish

Fier comme un paon.   proud

Lent comme une tortue.   slow

Rapide comme une gazelle.

Paresseux comme un lézard.

Muet comme une carpe.   silent

Rusé comme un renard.   sly

Heureux comme un poisson dans l'eau.

Cruel comme un tigre.

Jalouse comme une tigresse.

Sauvage comme un ours.   unsociable

Bête comme une oie.

Comme vous le voyez, l'oie est la seule bête vraiment bête.

Voici d'autres animaux :

Vocabulaire spécialisé : les animaux domestiques

un **chat**		*cat*	un **cochon d'Inde**		*guinea pig*
un **cheval**		*horse*	un **oiseau**		*bird*
un **chien**		*dog*	une **poule**		*hen*
un **cochon**		*pig*	une **vache**		*cow*

Écrivez vos réponses sur une feuille de papier. Puis, vérifiez vos réponses à la page 460.

VERBES

TEST 1. *Le week-end dernier*

Dites où chacun était le week-end dernier. Pour cela, complétez les phrases avec l'imparfait du verbe **être.**

1. Nous —— à la plage.
2. Vous —— en ville.
3. J'—— au cinéma.
4. Tu —— au théâtre.

5. Charles —— chez un copain.
6. Mireille —— chez elle.
7. Paul et Philippe —— au stade.
8. Suzanne et Christine —— avec des amis.

TEST 2. *Projets de voyage*

Chacun dit ce qu'il ferait s'il visitait les États-Unis. Complétez les phrases avec le conditionnel du verbe **visiter.**

1. Marc —— New York.
2. Philippe —— Boston.
3. Hélène et Louise —— Chicago.
4. Mes cousins —— San Francisco.

5. Vous —— le Texas.
6. Nous —— le Nevada.
7. Je —— Disney World.
8. Tu —— la Nouvelle-Orléans.

TEST 3. *Si c'était les vacances!*

Chacun ferait ce qu'il aime faire. Complétez les phrases avec le conditionnel du verbe en italique.

1. Jacques aime *jouer* au tennis. Il —— au tennis.
2. Michèle aime *voyager*. Elle ——.
3. François aime *sortir*. Il ——.
4. Nathalie aime *dormir*. Elle ——.
5. Daniel aime *prendre* des photos. Il —— des photos.
6. Isabelle aime *conduire* sa voiture. Elle —— sa voiture.
7. André aime *faire* du camping. Il —— du camping.
8. Louise aime *aller* à la plage. Elle —— à la plage.
9. Isabelle aime *être* au soleil. Elle —— au soleil.
10. Charles aime *avoir* ses amis avec lui. Il —— ses amis avec lui.

STRUCTURE

TEST 4. *Achats*

Charles parle d'argent. Complétez ses phrases avec **achète, achetais, achèterai, achèterais.**

1. Si j'avais de l'argent, j'—— une voiture.
2. Si j'—— une voiture, je voyagerais cet été.
3. Si mes parents me donnent de l'argent, j'—— une guitare.
4. Si j'—— une bicyclette avec mon argent, je ne la prêterai à personne.
5. Si je ne dépensais pas tout mon argent, j'—— des livres.
6. Si j'—— une voiture, ce serait une voiture de sport.

TEST 5. *Frères et sœurs*

Frères et sœurs se ressemblent souvent. Pour exprimer cela, complétez les phrases avec la forme qui convient de l'adjectif en italique.

1. Pierre est *idiot*. Louise est ——.
2. Michel est *intelligent*. Monique est ——.
3. Henri est *curieux*. Sylvie est ——.
4. Marc est *nerveux*. Nathalie est ——.
5. Philippe est *superstitieux*. Suzanne est ——.
6. Roger est *sportif*. Lili est ——.
7. Robert est *musicien*. Nicole est ——.
8. Albert est *spirituel*. Renée est ——.
9. Paul est *travailleur*. Elisabeth est ——.
10. Charles est *original*. Catherine et Bertrand sont ——.
11. François est *loyal*. Philippe et Paul sont ——.
12. André est *sérieux*. Jacqueline et Colette sont ——.

TEST 6. *Comparaisons géographiques*

Complétez les phrases avec les mots qui conviennent.

1. New York est —— grand —— Miami.
2. Memphis est —— grand —— Los Angeles.
3. Le Texas est —— grand —— le Delaware.
4. Le Rhode Island est —— grand —— la Californie.
5. New York est —— —— grande ville d'Amérique.
6. L'Alaska est —— —— grand état d'Amérique.
7. La Californie est l'état —— —— peuplé (*populated*) d'Amérique.
8. Le Wyoming et l'Alaska sont les états —— —— peuplés d'Amérique.

TEST 7. *Popularité*

Mireille est une jeune chanteuse. Quand elle donne un concert, ses amis viennent l'applaudir. Dites qui est venu au concert. Pour cela, complétez les phrases avec la forme qui convient de **tout.**

1. —— la classe
2. —— sa famille
3. —— ses amis
4. —— ses amies
5. —— le collège
6. —— les filles qu'elle connaît

VOCABULAIRE

TEST 8. *Spécialités professionnelles*

Complétez les phrases avec un nom de profession.

1. Un —— joue dans les films.
2. Une —— joue aussi dans les films.
3. Un —— prend des photos.
4. Un —— visite les malades.
5. Un —— répare les voitures.
6. Un —— fait des plans de maisons.

TEST 9. *Qualités*

Pierre parle de ses amis. Complétez les adjectifs qu'il emploie pour les décrire.

1. Jacques est courag——.
2. André est ambiti——.
3. François est réal——.
4. Henri est toujours optim——.
5. Jean-Pierre est très dynam——.
6. Albert est très log——.

TEST 10. *Le mot juste*

Complétez les phrases avec l'un des mots entre parenthèses.

1. Pierre n'aime pas travailler. C'est un garçon ——. (paresseux, personnel)
2. Jacques n'est pas généreux. Il est ——. (rêveur, radin)
3. Ne sois pas ——. Prête-moi ta moto. (sociable, égoïste)
4. Pendant les vacances, Irène va faire le tour du ——. (monde, métier)
5. J'aimerais acheter une auto. Mais je n'ai pas assez d'——. (argent, amour)
6. Voici —— qui parle bien français. (personne, quelqu'un)
7. Les Américains sont un —— très dynamique. (peuple, monde)
8. A Paris, je connais des —— très aimables. (gens, choses)
9. Il y a beaucoup de —— au concert. (monde, chose)
10. ——, j'allais souvent au théâtre. (Autrefois, Aujourd'hui)

Château de Fontainebleau

Images du monde français

LA FRANCE: une longue tradition de culture

Si un jour vous visitez Paris, vous pourrez voir des constructions très modernes, comme la Tour Montparnasse. Vous pouvez aussi voir des vestiges° romains qui ont 2.000 ans. Comme Paris, la France a une histoire très ancienne. Elle a aussi une longue tradition de culture. Certains écrivains français ont exercé° une influence considérable sur leur époque. Savez-vous, par exemple, que la Constitution des États-Unis a été fortement inspirée par les idées d'un philosophe français?[1]

[1]Montesquieu (1689–1755). Cet auteur a proposé une constitution où le gouvernement est divisé en trois parties: législative, exécutive et judiciaire.

Aujourd'hui, la tradition littéraire française est bien vivante.° Depuis sa fondation en 1901, le fameux Prix Nobel de littérature a été décerné° à quatorze écrivains d'expression française.° La littérature française n'est pas le simple reflet de la civilisation française. Elle reflète les problèmes, les préoccupations, l'anxiété du monde d'aujourd'hui. La France a eu aussi de grands artistes. Certains étaient des Français d'origine: Matisse, Renoir, Toulouse-Lautrec . . . D'autres étaient des Français d'adoption: Van Gogh, Modigliani, Chagall, Picasso.

vestiges *m.* = ruines *f.*; exercé = eu; vivante alive; décerné = donné; d'expression française = qui écrivent en français

À PROPOS DU TEXTE

Questions de fait

1. Donnez un exemple de construction moderne à Paris.
2. Quelle sorte de monuments très anciens trouve-t-on à Paris?
3. Quel écrivain français a inspiré les auteurs de la Constitution des États-Unis?
4. Combien d'auteurs d'expression française ont eu le Prix Nobel de littérature?
5. Qu'est-ce que les auteurs français modernes décrivent?
6. Nommez quelques artistes français.
7. Nommez quelques artistes étrangers (*foreign*) qui sont venus en France.

Sujets de discussion

1. Quel est votre écrivain préféré? Quels sont les livres de cet écrivain que vous aimez? Expliquez pourquoi.
2. Quel est votre artiste préféré? Expliquez pourquoi.

PROJETS CULTURELS

Projets de classe

1. *Préparez une exposition sur l'un des artistes suivants: Matisse, Renoir, Picasso, Van Gogh.*
2. *Préparez une exposition sur les monuments parisiens. Pour chaque monument, indiquez la date ou le siècle de construction.*
3. *Préparez une exposition de tableaux (paintings) ayant Paris comme sujet.*
4. *Préparez une exposition de tableaux représentant des scènes françaises.*

Projets individuels

1. *Préparez un court exposé biographique sur un artiste français de votre choix.*
2. *Faites une liste des auteurs d'expression française qui ont eu le Prix Nobel de littérature après 1945. Indiquez leurs œuvres principales.*

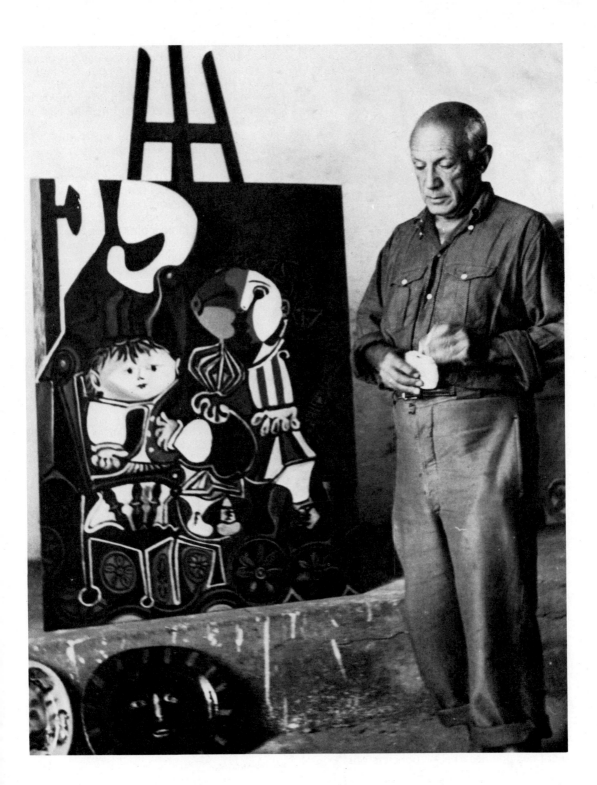

ŒUVRES

Rimbaud

ÉDITION DE SUZANNE BERNARD

GARNIER

Portrait d'hier : un garçon en révolte—Arthur Rimbaud (1854–1891)

30 août 1870. Un train entre en Gare° de l'Est°
à Paris. De ce train descend un garçon pâle
et fatigué. Ce garçon est un vagabond. Il
est sans bagage, sans argent, sans papier
d'identité . . . et sans billet.° A la sortie° de la
gare, la police l'arrête. On le questionne.
Comment s'appelle-t-il? Il donne un faux
nom. Quel âge a-t-il? Il dit qu'il a dix-sept
ans et demi, mais ce n'est pas vrai. Il est
beaucoup plus jeune. Que vient-il faire à
Paris? Il ne répond pas. Sur lui, les
policiers découvrent un cahier° rempli de
phrases étranges, incompréhensibles . . .
Méfiants,° ils mettent le jeune homme en
prison, où il restera une semaine.

Qui est ce jeune et mystérieux vagabond?
Il s'appelle Arthur Rimbaud. Il a quinze ans
et demi. Il est issu° d'une famille aisée° et
respectable. Il habite une maison
confortable. A l'école, c'est un élève
particulièrement brillant. Arthur Rimbaud a
tout pour être heureux. Pourtant, il n'est pas
heureux. En réalité, c'est un garçon en
révolte. Il est en révolte précisément contre
son école, contre sa famille, contre la
religion . . . En somme, contre la société.
Pourquoi? Parce que, pour lui, cette société
l'empêche de réaliser son unique ambition:
il veut être poète. Voilà pourquoi il a quitté
sa famille, ses amis, la ville où il habite.
Il a décidé d'aller à Paris, pour être libre. Il a
pris son cahier de poèmes avec lui. Ce
sont ces poèmes que les policiers ont
trouvés et n'ont pas compris.

Sorti de prison, Arthur Rimbaud rentre
chez lui, mais il n'abandonne pas ses projets.
Il correspond avec d'autres poètes. Il leur
rend visite. Il voyage. Et surtout, il écrit . . . A
dix-huit ans, c'est le plus grand poète de sa
génération. La révolte d'Arthur Rimbaud est
une révolte constructive.

Brusquement, à dix-neuf ans, Arthur
Rimbaud abandonne la poésie. Il
s'embarquera dans° de nouvelles aventures
exceptionnelles. Il traversera l'Europe . . . à
pied. Il ira en Afrique et en Asie. Il sera
soldat, déserteur, voyageur, marchand,
explorateur, photographe, trafiquant° d'armes,
mais il n'écrira jamais plus de poèmes. Sa
carrière littéraire est bien finie. Pourtant,
aujourd'hui, Rimbaud est toujours
considéré comme l'un des plus grands
poètes français.

Gare *f.* train station; **Est** east; **billet** *m.* ticket; **sortie** exit; **cahier** notebook; **Méfiants** Suspicious; **issu** = **fils**; **aisée** = **qui a de l'argent**; **s'embarquera dans** will embark on; **trafiquant** (illegal) trader

À PROPOS DU TEXTE

Questions de fait

1. Décrivez l'aspect physique du garçon qui arrive à Paris.
2. Pourquoi est-il arrêté?
3. Quelles questions est-ce qu'on lui pose?
4. Est-ce qu'il dit la vérité (*truth*)?
5. Qu'est-ce que les policiers trouvent sur lui?
6. Comment s'appelle ce garçon?
7. Quel âge a-t-il?
8. Contre qui et contre quoi est-il en révolte?
9. A quel âge abandonne-t-il la poésie?
10. Qu'est-ce qu'il fait après?

Sujets de discussion

1. Êtes-vous parfois en révolte? Contre qui et contre quoi? Expliquez pourquoi.
2. Voudriez-vous être un écrivain célèbre? Expliquez votre réponse.
3. Quel est votre poète préféré? Expliquez pourquoi.

PROJETS CULTURELS

Projet de classe

Lisez et expliquez un poème de Rimbaud.

Projet individuel

Les Français et les Françaises suivantes ont été célèbres très jeunes: Jeanne d'Arc, Napoléon Bonaparte, Blaise Pascal, La Fayette, Frédéric Chopin. Faites un bref exposé historique sur l'une de ces personnes.

Portrait d'aujourd'hui: Joël Lemoal

Voici une interview avec un jeune Français.

JEAN-PAUL: Comment t'appelles-tu?

JOËL: Joël Lemoal.

JEAN-PAUL: Lemoal! C'est un nom breton!° Tu es breton?

JOËL: D'origine, oui. En fait, ma famille habite à Paris depuis longtemps.

JEAN-PAUL: Pour toi, qu'est-ce que c'est que la France d'aujourd'hui?

JOËL: C'est un pays où les gens sont relativement heureux.

JEAN-PAUL: Qu'est-ce que tu veux dire par là?

JOËL: Je veux dire que matériellement, les Français vivent° bien. Ils habitent dans des maisons généralement modernes et confortables. Ils ont des voitures, de l'argent . . . Et surtout, ils ont beaucoup de vacances. Regarde mon père, par exemple. Il prend quatre semaines de vacances en été, et aussi deux semaines en hiver pour faire du ski. Six semaines de vacances par an! C'est bien, n'est-ce pas?

JEAN-PAUL: Pourquoi dis-tu que les Français ne sont que *relativement* heureux?

JOËL: Parce que je crois que ce bonheur° est un peu artificiel . . . Et puis, il y a d'énormes problèmes à résoudre.° Par exemple, pour nous, les étudiants, le problème numéro un, c'est le problème de l'enseignement° qui est beaucoup trop traditionnel . . .

JEAN-PAUL: Tu dis que tu es étudiant. A quelle université vas-tu?

JOËL: A la Sorbonne, à Paris. Je prépare une licence d'anglais.

JEAN-PAUL: Qu'est-ce que tu vas faire après tes études?

JOËL: Je n'ai pas le choix. Je dois faire mon service militaire.

JEAN-PAUL: Tu sais où tu vas aller?

JOËL: Non, on ne sait jamais à l'avance où on va faire son service. J'ai demandé d'aller en Louisiane.

JEAN-PAUL: En Louisiane?

JOËL: Mais oui. Depuis 1970, des institutrices° françaises et certains militaires viennent en Louisiane enseigner le français. C'est un Américain d'origine française, Monsieur James Domengeaux, qui a organisé ce programme de coopération éducatif et culturel.

JEAN-PAUL: C'est une excellente idée!

JOËL: Une idée formidable . . . Avec de la chance, je pourrai peut-être en profiter.

breton = **de la province de Bretagne; vivent** live; **bonheur** happiness; **résoudre** to solve; **enseignement** *m.* education; **institutrices** (*female*) school teachers

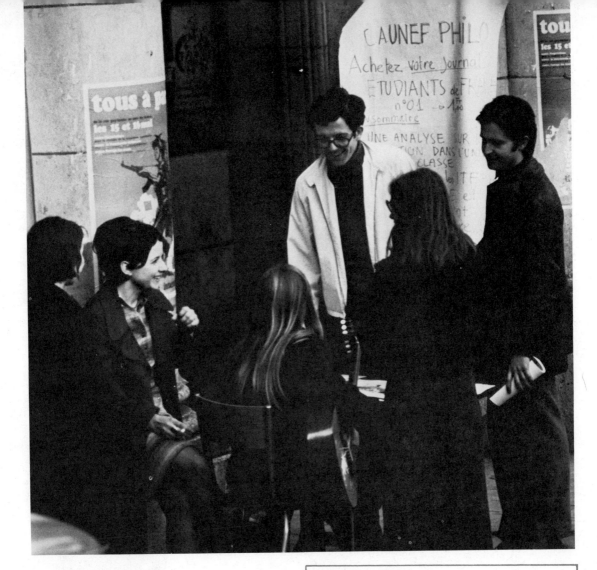

À PROPOS DU TEXTE

Questions de fait

1. Où habite la famille de Joël?
2. Que pense Joël de la France?
3. Pourquoi dit-il que les Français sont heureux?
4. Quel reproche fait-il à l'enseignement français?
5. A quelle université va-t-il?
6. Qu'est-ce qu'il va faire après l'université?
7. Où espère-t-il faire son service militaire?
8. Pourquoi certains militaires français viennent-ils en Louisiane?

Sujets de discussion

1. Pensez-vous que les Américains soient généralement heureux? Expliquez votre réponse.
2. Voudriez-vous habiter en France? Expliquez votre réponse.

PROJETS CULTURELS

Projet de classe

Préparez une exposition sur les jeunes Français d'aujourd'hui. Pour cela, utilisez des photos de magazines français (Paris-Match, Jours de France, Réalités, etc.). Décrivez les jeunes Français, ce qu'ils portent, ce qu'ils font, où ils sont, etc.

Projets individuels

1. *Préparez un album d'acteurs et d'actrices français. Pour cela, utilisez des magazines comme Paris-Match et Jours de France.*
2. *Allez dans un magasin de disques. Faites une liste de chanteurs et de chanteuses français.*
3. *Allez voir un film français.*
4. *Interviewez un jeune Français ou une jeune Française. Rédigez votre interview.*

Chapitre neuf

ATTITUDES ET VALEURS

1. Quelle est la qualité que vous appréciez le plus *chez* un ami?   in

   A. l'originalité
   B. la sincérité
   C. la générosité

2. Quel est le défaut que vous excusez le moins facilement?

   A. l'égoïsme
   B. la jalousie
   C. le *manque* de sincérité   lack

3. En général, quelles sont les personnes que vous admirez le plus?

   A. les athlètes
   B. les artistes
   C. *les hommes et les femmes politiques*   politicians

4. Voici trois qualités. Laquelle admirez-vous le plus chez un homme politique?

   A. l'honnêteté
   B. l'intelligence
   C. le courage

5. Voici trois *souhaits*. Lequel voudriez-vous réaliser?   wishes

   A. être riche
   B. être un(e) artiste très célèbre
   C. être immortel (immortelle)

Les jeunes Français ont beaucoup de copains. Généralement, ils ont un seul ami. L'amitié est considérée comme une chose rare et précieuse. On peut tout dire à un ami, même les choses qu'on ne dit pas à ses parents. C'est entre amis, par exemple, qu'on discute de ses problèmes d'argent, et surtout de ses problèmes d'amour. Les parents, eux, ne comprendraient pas. . .

OBSERVATIONS

Lisez les questions suivantes :

Avez-vous un souhait?	**Lequel?**	(= **quel** souhait?)
Avez-vous une question?	**Laquelle?**	(= **quelle** question?)
Avez-vous des défauts?	**Lesquels?**	(= **quels** défauts?)
Avez-vous des qualités?	**Lesquelles?**	(= **quelles** qualités?)

Le mot **quel** introduit un nom. C'est un déterminant (*determiner*).

● Quelles sont les quatre formes du déterminant **quel?**

Le mot **lequel** remplace un nom. Par exemple, **lequel?** est le mot qui remplace **quel souhait?** Par conséquent, **lequel** est un pronom. Remarquez que **lequel** est composé de deux parties: **le + quel.**

● Quelles sont les quatre formes de **lequel?**

ÉTUDE DE MOTS

Petit vocabulaire

NOMS:	un **copain**	*pal, friend* (male)	une **copine** *pal* (female)
	l'**égoïsme**	*egoism, selfishness*	
	un **homme politique**	*politician* (male)	une **femme politique**
	un **manque (de)**	*lack (of)*	*politician* (female)
	un **souhait**	*wish*	la **jalousie** *jealousy*
VERBES EN **-er**:	**admirer**	*to admire*	
	apprécier	*to appreciate*	
	discuter	*to discuss, talk about*	
	réaliser	*to carry out; have come true*	
EXPRESSION:	**le plus (moins)**	*the most (least)*	

Mots apparentés: -té → -ty

Many English words ending in *-ty* have French cognates in **-té**.

La générosi**té** est une quali**té**.　　　*Generosity is a quality.*

French nouns in **-té** are usually feminine.

Activité 1. **Qualité ou défaut?**

Dites si vous considérez les traits de caractère suivants comme des qualités ou des défauts.

MODÈLE: l'originalité　　**L'originalité est une qualité.**
　　　　　　　　　　　ou: **L'originalité est un défaut.**

1. la curiosité
2. la stabilité
3. la générosité

4. la charité
5. l'honnêteté
6. la timidité

7. la stupidité
8. la sincérité
9. la médiocrité

ÉTUDE DE PRONONCIATION

La consonne initiale /t/

In French the sound /t/ is pronounced without releasing a puff of air.

Prononcez: <u>T</u>rouves-<u>t</u>u <u>T</u>hérèse <u>t</u>rès sympathique?
　　　　　<u>T</u>a <u>t</u>ante habite en <u>T</u>ouraine?
　　　　　<u>T</u>ravailles-<u>t</u>u <u>t</u>oujours <u>t</u>rès bien?

ÉTUDE DE LANGUE

A. Révisons: LE DÉTERMINANT *QUEL*

The determiner **quel** (*which, what*) agrees in gender and number with the noun it introduces. Note the forms of **quel**:

	SINGULAR	PLURAL		
Masculine	**quel**	**quels**	**Quel** ami?	**Quels** amis?
Feminine	**quelle**	**quelles**	**Quelle** amie?	**Quelles** amies?

NOTES: 1. **Quel** + noun is an interrogative expression. When **quel** + noun is the subject of the question, the regular word order is used:

Quel ami vient demain? *Which (what) friend is coming tomorrow?*

When **quel** + noun is not the subject, either **est-ce que** or inverted word order may be used:

Quel ami est-ce que tu invites?
Quel ami invites-tu? } *Which friend are you inviting?*

Avec quel ami est-ce que tu parles?
Avec quel ami parles-tu? } *Which friend are you talking to?*

2. **Quel** may be used alone when followed by the verb **être**:

Quels sont vos projets? *What are your plans?*

Activité 2. **Précisions**

Marc explique à Michèle ce qu'il a fait aujourd'hui. Michèle demande des précisions. Jouez le rôle de Marc et de Michèle.

MODÈLE: J'ai regardé une comédie à la télévision.

Marc: **J'ai regardé une comédie à la télévision.**
Michèle: **Quelle comédie?**

1. J'ai lu un livre.
2. J'ai vu un film.
3. J'ai rencontré des amis.
4. J'ai été dans un café.
5. J'ai acheté un journal.

6. J'ai écouté des disques américains.
7. J'ai été dans une discothèque.
8. J'ai téléphoné à une amie.
9. Je suis rentré par le bus.
10. Je n'ai pas étudié mes leçons.

Activité 3. **Incrédulité**

Quand Michèle dit quelque chose, Marc est toujours un peu sceptique. Jouez le rôle de Michèle et de Marc d'après les modèles. Commencez chaque question par **Quel(le) est** ou **Quel(le)s sont.**

MODÈLES: J'ai une idée sensationnelle! Michèle: **J'ai une idée sensationnelle!**
Marc: **Quelle est cette idée sensationnelle?**

J'ai des projets extraordinaires! Michèle: **J'ai des projets extraordinaires!**
Marc: **Quels sont ces projets extraordinaires?**

1. J'ai acheté un disque formidable!
2. J'ai vu un film remarquable!
3. J'ai été à un concert extraordinaire!
4. Je lis un livre très intéressant!

5. Je connais une nouvelle discothèque!
6. J'ai pris des décisions très importantes!
7. J'ai des idées révolutionnaires!
8. J'ai des qualités exceptionnelles!

Activité 4. **Expression personnelle: interview**

Demandez les renseignements suivants à un(e) camarade. Il (Elle) répondra.

MODÈLE: ton nom   Vous: **Quel est ton nom?**

                 Votre camarade: **Je m'appelle. . .**

1. ton adresse
2. ton numéro de téléphone
3. ta principale qualité
4. ton principal défaut

5. tes musiciens préférés
6. tes auteurs préférés
7. ton livre préféré
8. ton magazine préféré

B. LE PRONOM INTERROGATIF *LEQUEL*

Note the forms of the interrogative pronoun **lequel** (*which one, which ones*):

	SINGULAR	PLURAL
Masculine	**lequel**	**lesquels**
Feminine	**laquelle**	**lesquelles**

J'invite
- un ami.   **Lequel?**   *Which one?*
- une amie.   **Laquelle?**   *Which one?*
- des amis.   **Lesquels?**   *Which ones?*
- des amies.   **Lesquelles?**   *Which ones?*

Helpful hint: To remember the forms of **lequel,** think of the pronoun as consisting of two parts: **le** and **quel.** Be sure that the two parts are of the same gender and number.

NOTES: 1. The pronoun **lequel** must be of the same gender and number as the noun or noun group it replaces.

         2. The pronoun **lequel** is never followed by a noun.

Compare the use of **quel** and **lequel:**

Tu as beaucoup d'amis.

Quels amis invites-tu pour la surprise-partie?

Which friends are you inviting to the party?

Lesquels invites-tu pour ton anniversaire?

Which ones are you inviting for your birthday?

Activité 5. **Curiosité**

Quand Philippe lui parle, Françoise demande toujours des détails. Jouez le rôle de Philippe et de Françoise.

MODÈLE: J'ai vu ta cousine.   Philippe: **J'ai vu ta cousine.**
                                Françoise: **Ah bon! Laquelle?**

1. J'ai vu un «western».
2. J'ai acheté des disques anglais.
3. J'ai pris le journal.
4. J'ai regardé les magasins.

5. Je suis allé dans un supermarché.
6. J'ai visité un musée.
7. Je suis entré dans un restaurant.
8. J'ai commandé des spécialités.

Activité 6. **Expression personnelle: préférences**

Demandez à un(e) camarade quelles sont les personnes ou les choses qu'il (elle) connaît. Demandez-lui laquelle il (elle) préfère entre toutes. Il (Elle) répondra.

MODÈLE: les actrices

Vous: **Quelles actrices connais-tu?**
Votre camarade: **Je connais Barbra Streisand, Jane Fonda, Liza Minelli...**

Vous: **Laquelle préfères-tu?**
Votre camarade: **Je préfère...**

1. les acteurs
2. les orchestres
3. les personnalités politiques

4. les comédiens
5. les comédiennes
6. les artistes

A votre tour

1. Enquête

Vous allez participer à un sondage d'opinion. Pour cela, chaque élève de la classe va répondre au Questionnaire de la page 362. Les résultats seront ensuite classifiés par le professeur. Vous pourrez comparer ces résultats avec ceux d'une autre classe de français.

2. Interview

Supposez qu'un étudiant français visite votre classe. Posez-lui six questions sur son voyage. Vous pouvez utiliser les mots suivants:

une ville / un état / un monument / un musée

EXEMPLE: Quelles sont les villes que tu as visitées?
Laquelle préfères-tu?
Laquelle trouves-tu la plus jolie?

9.2 QUESTIONNAIRE NUMÉRO DEUX

1. Voici trois grands problèmes contemporains. *Selon* vous,   = *D'après*
quel est le plus grave?

    A. **celui** de la pollution
    B. **celui** de la drogue
    C. **celui** de l'injustice sociale

2. Voici trois professions. Selon vous, quelle est la plus
utile dans la société actuelle?

    A. **celle** de médecin
    B. **celle** de journaliste
    C. **celle** de professeur

3. Si vous pouviez voter aux prochaines élections, pour
quels candidats voteriez-vous?

    A. pour **ceux** du parti démocrate
    B. pour **ceux** du parti républicain
    C. pour **ceux** d'autres partis

4. En politique, vos opinions sont-elles assez *semblables* à . . .   = *similaires*
    A. **celles** de vos parents?
    B. **celles** de vos amis?
    C. **celles** de vos professeurs?

OBSERVATION

Notez les pronoms en gros caractères.

Dans la première question, le pronom **celui** (*that*) remplace un nom masculin singulier
(le problème).

- Quel est le pronom qui remplace un nom féminin singulier **(la profession)**?
- Quel est le pronom qui remplace un nom masculin pluriel **(les candidats)**?
- Quel est le pronom qui remplace un nom féminin pluriel **(les opinions)**?

NOTE CULTURELLE: **Les jeunes et la politique**

En France, il faut avoir 18 ans pour voter. Même s'ils ne peuvent pas voter, les jeunes Français s'intéressent beaucoup à la politique. Beaucoup ont des opinions extrémistes, très conservatrices (d'extrême-droite) ou très libérales (d'extrême-gauche). L'intérêt des jeunes Français pour la politique est un intérêt surtout intellectuel. Ils ne participent pas aux campagnes électorales, comme font les jeunes Américains. Parfois, cependant, les jeunes Français manifestent° directement leurs opinions politiques. Un grand nombre de lycéens,° par exemple, ont fait la grève° en 1968 pour protester contre la politique gouvernementale et en 1973 pour protester contre le service militaire.

manifestent = montrent; lycéens = élèves de lycée; grève strike

ÉTUDE DE MOTS

Petit vocabulaire

NOMS:	un **intérêt** *interest*	la **drogue** *drug, drugs*
ADJECTIFS:	**contemporain** *contemporary*	
	semblable (à) *like, similar (to)*	
EXPRESSION:	**cependant** *however*	

Mots apparentés: -tion → *-tion*

Most English nouns in *-tion* have French cognates in **-tion.** French nouns in **-tion** are feminine.

Be careful: Not all French words in **-tion** have equivalent English cognates.

une punition *punishment*

Activité 1. **Jeu de mots**

Formez un nom français en ajoutant **-ation** au radical des verbes suivants. (Le radical est l'infinitif moins **-er.**) Utilisez ce mot nouveau dans une phrase de votre choix. Choisissez un sujet politique si vous pouvez.

MODÈLE: déclarer   une déclaration   Le candidat a fait une déclaration à la presse.

1. explorer	6. coopérer	11. représenter
2. dominer	7. apprécier	12. fédérer
3. organiser	8. déclarer	13. utiliser
4. négocier	9. administrer	14. généraliser
5. libérer	10. créer	15. mobiliser

ÉTUDE DE PRONONCIATION

Les lettres: ti + voyelle

The letters **ti** + *vowel* usually represent the sound /sj/. However, **sti** + vowel represent the sound /stj/.

Prononcez: patience   attention   nation   résolution
révolution   institution   déclaration   élections
question   suggestion

ÉTUDE DE LANGUE

A. LE PRONOM *CELUI*

The pronoun **celui** (*the one, the ones*) has four forms:

	SINGULAR	PLURAL
Masculine	**celui**	**ceux**
Feminine	**celle**	**celles**

Voici un livre.	C'est **celui** de Pierre.
Où est ma guitare?	Ce n'est pas **celle-là.**
Voici des disques.	Ce sont **ceux** de Monique.
Voici des cassettes.	Ce sont **celles** de Jacques.

NOTES: 1. **Celui** agrees in gender and number with the noun it replaces.

2. **Celui** cannot stand alone. It must be followed by **-ci, -là,** or another word.

B. *CELUI-CI* ET *CELUI-LÀ*

The pronoun **celui** can be followed by **-ci** or **-là.**

> **Celui-ci** usually means *this one* (or *these*, in the plural).
> **Celui-là** usually means *that one* (or *those*, in the plural).

Où est ton livre?	*Where is your book?*
Est-ce que c'est **celui-ci** ou **celui-là?**	*Is it this one or that one?*
Donne-moi les disques!	*Give me the records.*
Lesquels? **Ceux-ci** ou **ceux-là?**	*Which ones? These or those?*

Activité 2. **Un parfait vendeur**

Supposez que vous êtes vendeur dans un grand magasin français. Vos clients vous demandent certaines choses. Donnez-leur le choix, d'après le modèle.

MODÈLE: Je voudrais une raquette.   Le client: **Je voudrais une raquette.**
                                                      Vous: **Celle-ci ou celle-là?**

1. Je voudrais une guitare.
2. Je voudrais des livres français.
3. Je voudrais une veste.
4. Je voudrais un transistor.
5. Je voudrais des journaux.
6. Je voudrais des cigarettes américaines.
7. Je voudrais des disques américains.
8. Je voudrais un appareil-photo.
9. Je voudrais une caméra.
10. Je voudrais des cartes postales.
11. Je voudrais des pyjamas noirs.
12. Je voudrais des enveloppes bleues.

C. *CELUI DE*

The pronoun **celui** may be followed by **de.** Note the different meanings of **celui de** (**celle de, ceux de, celles de**).

Voici un livre.	C'est **celui de** Robert.	*It is **Robert's.** (= the one belonging to Robert)*
Voici un train.	C'est **celui de** Paris.	*It's **the one from** Paris.*
J'aime les monuments de New York.	Je préfère **ceux de** Paris.	*I prefer **the ones in** Paris (those of Paris).*
Aimes-tu les livres d'Hemingway?	Je préfère **ceux de** Steinbeck.	*I prefer **the ones by** Steinbeck.*

NOTES: 1. In French, possession is indicated by **de** + noun.

Est-ce que c'est **le disque de Jacques?**	*Is this **Jacques's record?***
Non, c'est **celui de Pierre.**	*No, it's **Pierre's.***

2. In English the pronoun *one* or *ones* is omitted after the possessive (. . .' or . . .'s). In French the pronoun **celui** may not be left out.

Activité 3. **Rendez à César. . .** (*Render unto Caesar. . .*)

Françoise pense que certains objets sont à Jacques. Jacques dit que non et il indique leurs propriétaires. Jouez le rôle de Françoise et de Jacques.

MODÈLE: ta guitare (mon frère)   Françoise: **C'est ta guitare?**
                                  Jacques: **Non, c'est celle de mon frère.**

1. ta bicyclette (mon cousin)
2. ta voiture (mon père)
3. ton banjo (ma sœur)
4. ta maison (mon oncle)

5. tes livres (Jacqueline)
6. tes disques (Robert)
7. tes photos (Marc)
8. tes cassettes (Philippe)

Activité 4. **Attente**

Jacques et Annie attendent leurs amis qui viennent par différents moyens de transport. Jouez le rôle de Jacques et d'Annie d'après le modèle.

MODÈLE: le train de Nice (de Lyon)   Jacques: **J'attends le train de Nice.**
                                      Annie: **J'attends celui de Lyon.**

1. l'avion de Montréal (New York)
2. la Caravelle de Bruxelles (Zurich)
3. le bus de Marseille (Strasbourg)
4. le 747 de Boston (de Washington)

5. la limousine d'Orly (la gare [*station*])
6. le train de huit heures (8 h. 10)
7. le bus de neuf heures (9 h. 15)
8. l'avion de cinq heures (5 h. 05)

Activité 5. **Chauvinisme**

Jacques et son ami américain John discutent les mérites de leurs pays. Jouez le rôle de John et de Jacques.

(Rappel: **de + le = du; de + les = des**)

MODÈLE: J'aime les monuments de Washington. (Paris)

        John: **J'aime les monuments de Washington.**
        Jacques: **Je préfère ceux de Paris.**

1. J'aime les belles plages de la Californie. (la Provence)
2. J'aime le climat de la Floride. (le Midi)
3. J'aime les plaines du Kansas. (la Picardie)
4. J'aime les stations de ski du Vermont. (les Alpes)
5. J'aime les montagnes du Kentucky. (l'Auvergne)
6. J'aime les musées de New York. (Paris)
7. J'aime les maisons anciennes de la Nouvelle-Orléans. (Orléans)
8. J'aime l'élégance des New-Yorkaises. (les Parisiennes)

Activité 6. **Expression personnelle: J'emprunte. . .** (*I borrow. . .*)

Complétez les phrases avec la forme appropriée de **celui de** + nom.

MODÈLE: Si je n'ai pas ma bicyclette, j'emprunte. . .

Si je n'ai pas ma bicyclette, j'emprunte celle de mon frère (ma sœur, etc.)

1. Si je n'ai pas mes livres, j'emprunte. . .
2. Si je n'ai pas mes clés, j'emprunte. . .
3. Si je n'ai pas mon appareil-photo, j'emprunte. . .
4. Quand je veux écouter des disques, j'emprunte. . .
5. Quand je veux lire le journal, j'emprunte. . .
6. Quand je veux lire des magazines, j'emprunte. . .

À votre tour

1. Enquête

Vous allez participer à un sondage d'opinion. Répondez au Questionnaire de la page 368. Le professeur va analyser les résultats. Vous pouvez comparer les résultats de votre classe avec ceux d'une autre classe de français.

2. Préférences

Faites six phrases où vous exprimerez vos préférences en ce qui concerne la musique, l'art, les livres, les pièces de théâtre, les films, les disques, etc.

EXEMPLE: J'aime les livres de Steinbeck. J'aime aussi ceux d'Hemingway, mais je n'aime pas ceux de Faulkner.

Ernest Hemingway

John Steinbeck

William Faulkner

9.3 QUESTIONNAIRE NUMÉRO TROIS

1. Quels sont les garçons de votre école avec qui vous aimeriez sortir?

   A. ceux qui travaillent bien en classe
   B. ceux qui font partie d'une équipe de sports
   C. ceux que vous trouvez sympathiques

2. Quelles sont les filles de votre école avec qui vous aimeriez sortir?

   A. celles que tout le monde admire
   B. celles que vos parents trouvent bien élevées
   C. celles qui sont très cultivées

3. Selon vous, quels sont les meilleurs professeurs?

   A. ceux qui sont sévères mais justes
   B. ceux qui mettent toujours de bonnes notes
   C. ceux qui ne donnent pas beaucoup de travail

4. Parmi les grandes personnes que vous connaissez, quelles sont celles que vous admirez le plus?

   A. celles que vos parents admirent
   B. celles qui s'intéressent aux jeunes d'aujourd'hui
   C. celles qui ont beaucoup d'argent

5. Selon vous, quels sont les meilleurs amis?

   A. ceux qui disent toujours la vérité
   B. ceux qui sont toujours d'accord avec vous
   C. ceux qui sont tolérants

L'importance de la culture en France

Dites à un Français qu'il est cultivé et vous lui ferez un grand compliment. Les Français en effet respectent la culture et admirent les personnes «cultivées». Une personne cultivée est une personne qui peut s'exprimer sur beaucoup de sujets, mais particulièrement sur les arts et la littérature. Si les jeunes Français prennent leurs études au sérieux, ce n'est pas seulement pour obtenir un diplôme. C'est aussi pour acquérir° une bonne «culture générale». Les jeunes Français adorent discuter, et ils peuvent discuter intelligemment sur un grand nombre de sujets: politique, cinéma, littérature, histoire, philosophie, etc.

acquérir to acquire

OBSERVATIONS

Lisez les phrases suivantes:

1. *a)* J'aime **les garçons qui** sont sympathiques.
   b) Je n'aime pas **ceux qui** sont égoïstes. *I don't like those who are self-centered.*

2. *a)* J'invite **les garçons que** je trouve sympathiques.
   b) Je n'invite pas **ceux que** je trouve égoïstes. *I don't invite the ones that I find self-centered.*

- Dans la phrase 1*b*, quels mots remplacent **les garçons qui?**
- Dans la phrase 2*b*, quels mots remplacent **les garçons que?**

ÉTUDE DE MOTS

Petit vocabulaire

NOMS:	l'**art**	*art*	la **littérature**	*literature*
	un **sujet**	*subject*	une **règle**	*rule*
			la **vérité**	*truth*
ADJECTIFS:	**bien élevé**	*polite; well-brought-up, well-mannered*		
	cultivé	*cultured, well-read*		
VERBES EN **-er**:	**intéresser**	*to interest*		
	s'intéresser à	*to be interested in*		
EXPRESSIONS:	**faire partie de**	*to be a member of*		
	intelligemment	*intelligently*		
	mettre une note	*to give a grade*		

NOTES DE VOCABULAIRE

I. **Bien élevé**

Une personne qui a reçu une bonne éducation à la maison est **bien élevée.**
Une personne qui n'a pas appris les règles de la politesse (*politeness*) est **mal élevée.**

2. **Intelligemment**

Si l'adjectif se termine en **-ent,** l'adverbe correspondant se termine en **-emment.**

intellig**ent** — intellig**emment**   évid**ent** — évid**emment**

Si l'adjectif se termine en **-ant,** l'adverbe correspondant se termine en **-amment.**

const**ant** — const**amment**

Les terminaisons **-emment** et **-amment** se prononcent /amã/.

Activité 1. **Question de personnalité**

On agit suivant sa personnalité. Exprimez cela en utilisant un adverbe en **-emment** ou **-amment.**

MODÈLE: Michèle est élégante. (Elle s'habille.)   **Elle s'habille élégamment.**

1. Jacques est prudent. (Il conduit.)
2. Henri est intelligent. (Il s'exprime.)
3. Albert est différent. (Il fait tout.)
4. Caroline est brillante. (Elle parle.)
5. Jean-Pierre est arrogant. (Il se conduit.)
6. Monique est patiente. (Elle attend.)

ÉTUDE DE PRONONCIATION

Les lettres «qu»

In French the letters **qu** practically always represent the sound /k/.

Prononcez: Quelle question Monique va-t-elle poser?
            Quelles qualités admires-tu?
            Voici quelqu'un qui connaît ce questionnaire.
            Quand quittez-vous Saint-Quentin?

ÉTUDE DE LANGUE

A. Révisons: LES PRONOMS RELATIFS *QUI* ET *QUE*

Review the relative pronouns **qui** and **que**. Note that **qui** replaces a subject and that **que** replaces a direct object.

Voici un professeur. | Ce professeur | m'intéresse.

Voici un professeur **qui** m'intéresse.
*Here is a teacher **that (who)** interests me.*

Voici une idée. | Cette idée | m'intéresse.

Voici une idée **qui** m'intéresse.
*Here is an idea **that (which)** interests me.*

Voici un professeur. J'admire | ce professeur | .

Voici un professeur **que** j'admire.
*Here is a teacher **(whom, that)** I admire.*

Voici une idée. J'admire | cette idée | .

Voici une idée **que** j'admire.
*Here is an idea **(which, that)** I admire.*

NOTES: 1. **Qui** (*who, which, that*) may represent people or things.
Que (*whom, which, that*) may represent people or things.

2. Although the direct object relative pronoun (*whom, which, that*) is often left out in English, the equivalent French pronoun **(que)** can never be omitted.

Activité 2. **La rue**

Henri regarde par la fenêtre. Il décrit ce qu'il voit. Jouez le rôle d'Henri.

MODÈLE: Je vois une jeune fille. Elle entre dans un magasin.

Henri: **Je vois une jeune fille qui entre dans un magasin.**

1. Je vois un jeune homme. Il va dans un café.
2. Je vois des taxis. Ils vont très vite.
3. Il y a des touristes. Ils se promènent.
4. Je vois un bus. Il s'arrête.
5. Je vois des personnes. Elles travaillent.
6. Il y a une jeune fille. Elle parle avec ses amis.

Activité 3. **Désaccord!** (*disagreement*)

Philippe et Suzanne ne sont pas d'accord. Jouez le rôle de Philippe et de Suzanne d'après les modèles.

MODÈLES: Voici un garçon sympathique. (désagréable)

Philippe: **Voici un garçon sympathique.**
Suzanne: **C'est un garçon que je trouve désagréable.**

Voici des professeurs justes. (injustes)

Philippe: **Voici des professeurs justes.**
Suzanne: **Ce sont des professeurs que je trouve injustes.**

1. Voici une fille bien élevée. (impolie)
2. Voici des amis intelligents. (idiots)
3. Voici un livre intéressant. (stupide)
4. Voici un film formidable. (mauvais)
5. Voici des idées remarquables. (ordinaires)
6. Voici des personnes généreuses. (égoïstes)

Activité 4. **Paul**

Faites le portrait de Paul, en commençant chaque phrase par **C'est un garçon.**

MODÈLES: Il voyage beaucoup.

C'est un garçon qui voyage beaucoup.

Ses amies le trouvent très sympathique.

C'est un garçon que ses amies trouvent très sympathique.

1. Il a des idées originales.
2. Ses parents le trouvent trop indépendant.
3. Il ne travaille pas en classe.
4. Ses professeurs ne le comprennent pas.
5. Il travaille dans une agence de voyages.
6. Son directeur l'apprécie.
7. Il fait partie d'une équipe de basketball.
8. Il a beaucoup d'amis.

Activité 5. **Expression personnelle**

Complétez les phrases suivantes. Utilisez votre imagination.

MODÈLES: J'ai des amis qui. . .   **J'ai des amis qui sont très sympathiques.**

J'ai des amis que. . .   **J'ai des amis que j'invite souvent chez moi.**

1. J'aime les garçons qui. . .
2. J'aime les filles qui. . .
3. Je n'aime pas les garçons que. . .
4. Je n'aime pas les filles que. . .
5. J'ai des professeurs qui. . .
6. J'ai des professeurs que. . .
7. J'ai vu un film qui. . .
8. J'ai vu un film que. . .
9. J'ai des idées qui. . .
10. J'ai des idées que. . .
11. Mes parents ont des idées qui. . .
12. Mes parents ont des idées que. . .

B. *CELUI QUI* ET *CELUI QUE*

The pronoun **celui** may be followed by **qui** or **que.**

Voici un ami.
C'est **celui qui** va aux États-Unis avec moi.
C'est **celui que** j'ai invité samedi.

Voici une fille.
C'est **celle qui** habite là-bas.
C'est **celle que** j'invite ce soir.

Voici des garçons.
Ce sont **ceux qui** ont la voiture rouge.
Ce sont **ceux que** je trouve sympathiques.

Voici des amies.
Ce sont **celles qui** vont en classe avec moi.
Ce sont **celles que** je vais inviter mardi.

NOTES: 1. Usually **celui qui** and **celui que** both correspond to the English expression *the one that, the one who(m).*

2. **Celui qui** (which acts as a subject) is generally followed by a verb or verb group.

3. **Celui que** (which acts as a direct object) is generally followed by subject + verb.

4. In English the pronoun *that* or *whom* is often left out in the direct object form. In French the pronoun **que** cannot be omitted.

| Voici mon professeur de math. | C'est celui | **que** | je préfère. |
| *Here is my math teacher.* | *He is the one* | *(that)* | *I like best.* |

Activité 6. **C'est ça!** (*That's it!*)

Monique et Philippe sont à une surprise-partie. Monique essaie d'identifier certaines personnes. Philippe lui dit qu'elle a raison. Jouez le rôle de Monique et de Philippe.

MODÈLE: Annie est la fille qui porte une robe rouge.

Monique: **Annie est la fille qui porte une robe rouge, n'est-ce pas?**
Philippe: **C'est ça. C'est celle qui porte une robe rouge!**

1. Francine est la fille qui danse avec Bernard.
2. Nathalie est la fille qui parle à Gérard.
3. Gérard est le garçon qui porte un costume bleu.
4. Jacqueline est la fille qui porte un pull-over bleu.
5. André et Pierre sont les garçons qui mettent des disques.
6. Juliette et Renée sont les filles qui mangent des sandwiches.
7. Gilles est le garçon qui joue de la guitare.
8. Irène est la fille qui téléphone.

Activité 7. **Différence d'opinion**

Quand ils expriment leurs préférences, Françoise et Pierre ne sont jamais d'accord. Jouez le rôle de Françoise et de Pierre d'après le modèle.

MODÈLE: J'aime les professeurs qui sont stricts.

> Françoise: **J'aime les professeurs qui sont stricts.**
> Pierre: **Moi, je préfère ceux qui ne sont pas stricts.**

1. J'aime les garçons qui parlent de politique.
2. J'aime les filles qui parlent beaucoup.
3. J'aime les livres qui sont sérieux.
4. J'aime les films qui parlent d'amour.
5. J'aime les examens qui sont difficiles.
6. J'aime les personnes qui pensent comme moi.

Activité 8. **Expression personnelle: préférences**

Exprimez vos préférences. Ensuite demandez à un(e) camarade d'exprimer ses préférences d'après le modèle. Il (Elle) répondra.

MODÈLE: mon acteur préféré

> Vous: **Mon acteur préféré est Paul Newman.**
> **Et toi, quel est celui que tu préfères?**
>
> Votre camarade: **Celui que je préfère est Marlon Brando.**

1. mon actrice préférée
2. mon orchestre préféré
3. mon livre préféré

4. mes disques préférés
5. mes auteurs préférés
6. mon passe-temps préféré

À votre tour

Enquête

1. Répondez aux questions de la page 374. Le professeur va analyser les résultats. Ensuite, vous pourrez comparer vos résultats avec ceux d'une autre classe.

2. Relisez le questionnaire de la page 374 et préparez un autre questionnaire, en choisissant une nouvelle option B et une nouvelle option C pour chaque question.

9.4 *QUESTIONNAIRE NUMÉRO QUATRE*

1. A qui ressemblez-vous le plus?

   A. à votre père
   B. à votre mère
   C. à un frère ou à une sœur

2. Quand vous avez un problème grave, à qui en parlez-vous d'abord?

   A. à vos amis
   B. à vos parents
   C. à vos frères ou à vos sœurs

3. De quoi parlez-vous principalement avec vos amis?

   A. de vos études
   B. de vos sorties
   C. de vos projets

4. De quoi parlez-vous principalement avec vos parents?

   A. de vos études
   B. de vos sorties
   C. de vos projets

5. A quoi vous intéressez-vous en dehors de vos études?

   A. à la musique
   B. aux sports
   C. à la politique

OBSERVATIONS

Lisez les phrases suivantes:

De qui parlez-vous?   Je parle de mes amis.
De quoi parlez-vous?   Je parle de mes études.

• Quel pronom interrogatif utilise-t-on quand on veut parler d'une personne? d'une chose?

NOTE CULTURELLE: **Les relations entre parents et enfants**

Si vous allez en France, vous serez surpris de voir vos amis embrasser leurs parents plusieurs fois par jour: le matin, le soir, avant d'aller à l'école, en rentrant de l'école. . . En France, les relations entre parents et enfants sont très affectueuses, peut-être plus affectueuses qu'aux États-Unis. Pourtant, les enfants ne considèrent pas leurs parents comme des copains ou des amis, mais plutôt comme des éducateurs. La mission de la famille est en effet de bien élever les enfants, c'est-à-dire de leur donner une bonne formation morale. Pour cela, il faut une certaine discipline et la discipline familiale est assez stricte.

Si un jeune Français, par exemple, veut sortir le samedi soir, il doit demander la permission à ses parents. Il doit expliquer où il va, avec qui il sort, quand il rentrera, etc. S'il ne rentre pas à l'heure, il est puni. (Une punition typique consiste à lui refuser l'autorisation de sortir le samedi suivant.) Les jeunes Français sont donc moins indépendants que les jeunes Américains, mais ils acceptent très bien cette situation. Ils savent qu'ils peuvent compter sur leurs parents pour les aider et les conseiller dans l'existence. Ils savent aussi qu'ils ont des copains avec qui ils peuvent discuter de problèmes personnels, surtout de leurs problèmes de cœur.°

de cœur = d'amour

ÉTUDE DE MOTS

Petit vocabulaire

ADJECTIF: **affectueux (affectueuse)** *affectionate*

VERBES EN **-er**: **aider** *to help*
ressembler à *to resemble*

EXPRESSION: **en dehors de** *outside of; besides*

Vocabulaire spécialisé: verbes avec le préfixe re-, r-

ramener	*to bring back*	**repartir**	*to leave again*
recommencer	*to start again, over*	**reprendre**	*to take back, take again*
reconnaître	*to recognize (know again)*	**retourner**	*to turn again, return*
refaire	*to do again, do over*	**retrouver**	*to find again; meet again*
remettre	*to put back; put off*	**revenir**	*to come back*
rentrer	*to go back home*	**revoir**	*to see again*

NOTE DE VOCABULAIRE

Le préfixe re–. Le préfixe **re- (r-)** devant un verbe ajoute souvent la signification de *back, over, again* à ce verbe.

Activité 1. *Ça recommence!*

Les personnes suivantes ont refait certaines choses mais dans des circonstances un peu différentes. Dites ce que les personnes ont refait. Employez un nouveau verbe avec **re-** et utilisez les mots entre parenthèses.

MODÈLE: J'ai vu Pierre à Paris. (à Lyon)   **J'ai revu Pierre à Lyon.**

1. J'ai joué avec Jean-Michel hier. (cet après-midi)
2. J'ai visité Rome en 1970. (en 1974)
3. J'ai téléphoné à Jacques à six heures. (à huit heures)
4. Nous avons fait notre chambre. (notre lit)
5. Jacques est parti avec Françoise hier. (aujourd'hui)
6. Je vous ai parlé de Jacqueline. (de son frère)

ÉTUDE DE PRONONCIATION

La liaison: sujet – verbe

Some words are naturally linked together, such as subjects and verbs. In French, liaison is required between the verb and its subject pronoun, whether this pronoun comes before or after the verb. Note the following cases of liaison:

subject pronoun + verb: Nous aimons nos cours.
Elles écoutent leur professeur.
Ils aiment les sports.

verb + subject pronoun: Ont-ils des copains?

Comprend-elle son professeur?
/t/

subject pronoun + object pronoun + verb: Nous en avons pris.

Je les ai vus.

object pronoun + verb + subject pronoun: Les ont-ils mis?

En est-elle certaine?

ÉTUDE DE LANGUE

A. **Révisons:** PRÉPOSITIONS

Prepositions introduce nouns, pronouns, and verbs. Here are some prepositions you are already familiar with:

Je parle **à** Caroline.	*I am speaking **to** Caroline.*
Je parle **de** Caroline.	*I am speaking **of** Caroline.*
Je vais **chez** Caroline.	*I am going **to** Caroline's house.*
Je travaille **avec** Caroline.	*I work **with** Caroline.*
Je travaille **sans** Caroline.	*I work **without** Caroline.*
Je travaille **pour** Caroline.	*I work **for** Caroline.*

In French, prepositions always come *before* the word they introduce.

Voici la personne **pour** qui je travaille.   *Here is the person* $\begin{cases} for \ whom \ I \ work. \\ who \ I \ work \ for. \end{cases}$

B. LES PRONOMS INTERROGATIFS APRÈS UNE PRÉPOSITION

In a question beginning with a preposition, the French use:

qui	to refer to people
quoi	to refer to things

De qui parlez-vous?	***Who*** *are you talking **about**?* (***About whom*** *are you talking?*)
A qui pensez-vous?	***Who*** *are you thinking **of**?* (***Of whom*** *are you thinking?*)
De quoi parlez-vous?	***What*** *are you talking **about**?* (***About what*** *are you talking?*)
A quoi pensez-vous?	***What*** *are you thinking **of**?* (***About what*** *are you thinking?*)

NOTES: 1. In French the preposition can never come at the end of a question.

2. **Quoi** may also be used alone to form a one-word question.

J'ai acheté quelque chose.   **Quoi?**

Activité 2. **Précisions**

Pierre n'est jamais explicite quand il parle de ce qu'il fait. Nicole lui demande des précisions. Jouez le rôle de Nicole.

MODÈLES: Pierre: Je suis sorti avec une fille.   Nicole: **Avec qui?**
Nous avons parlé de quelque chose.   **De quoi?**

Pierre:

1. J'ai téléphoné à un ami.
2. Nous avons discuté de quelque chose.
3. J'ai été en ville avec des amies.
4. J'ai acheté quelque chose.

5. J'ai été chez des amis.
6. Nous avons joué à quelque chose.
7. Je suis rentré à la maison avec un ami.
8. J'ai réparé ma bicyclette avec quelque chose.

Activité 3. **Expression personnelle**

1. Avec qui sortez-vous le week-end?
2. De quoi parlez-vous?
3. A quoi vous intéressez-vous?

4. A quoi jouez-vous avec vos amis?
5. De quoi parlez-vous avec vos parents?
6. Chez qui allez-vous pendant les vacances?

C. Révisons: L'INVERSION (TEMPS SIMPLES)

In conversation, questions are often formed by using the expression **est-ce que:**

(a) at the beginning of the sentence (in a "yes-no" question)
(b) after the interrogative expression (in an information question)

Est-ce que tu ressembles à ton père?   *Do you look like your father?*
A qui **est-ce que** tu ressembles?   *Whom do you look like?*

Est-ce que vos amis aiment la musique?   *Do your friends like music?*
Pourquoi **est-ce que** vos amis apprennent   *Why are your friends learning French?*
le français?

NOTE: In questions with **est-ce que,** the word order is the same as with statements: the subject comes before the verb.

Questions may also be formed by inverting (turning around) the subject and the verb. Note how the inversion works —

(a) when the subject is a *pronoun*:

A qui ressemblez-vous?
Ressemblez-vous à votre père?
De quoi parlez-vous en classe?
Parlez-vous de politique avec votre professeur?
Répond-il à vos questions?
Aime-t-il la politique?

NOTES: 1. There is a hyphen (-) between the verb and the pronoun.

2. The verb is linked with a /t/ sound to the pronouns **il(s), elle(s),** and **on.** When the verb ends in a **t** or **d,** this consonant is pronounced /t/. When the verb ends in a vowel, the letter **t** is inserted between the verb and the pronoun.

(*b*) when the subject is a *noun*:

Où va Paul?
Où habitent vos parents?
Vos parents sont-ils conservateurs ou libéraux?
Votre professeur parle-t-il de politique en classe?
A quoi vos amies s'intéressent-elles?
De quoi votre mère parle-t-elle?

NOTES: 1. In short questions consisting of a question word, a subject, and a verb, the verb is placed before the noun subject.

2. In longer questions the pronoun subject which corresponds to the noun subject is inserted after the verb.

Activité 4. **Le nouveau** (*the new student*)

Il y a un nouvel élève français dans votre classe. Vous voulez obtenir des renseignements sur lui. Posez les questions nécessaires d'après le modèle.

MODÈLE: Il est sympathique.   **Est-il sympathique?**

1. Il habite Paris.
2. Il voyage souvent.
3. Il sort beaucoup.
4. Il aime les États-Unis.

5. Il s'intéresse à la musique.
6. Il joue au football.
7. Il a des amies.
8. Il a l'intention de rester dans cette école.

Activité 5. **Expression personnelle: interview**

Imaginez que vous interviewez vos camarades pour le journal de votre école. Posez-leur des questions commençant par l'expression indiquée entre parenthèses. Ils (Elles) répondront.

MODÈLE: Tu habites (où)   Vous: **Où habites-tu?**
                            Votre camarade: **J'habite...**

1. Tu vas en vacances (où)
2. Tu apprends le français (pourquoi)
3. Tu parles avec tes parents (de quoi)
4. Tu sors souvent (avec qui)

5. Tu travailles (où)
6. Tu fais du sport (quand)
7. Tu t'intéresses (à quoi)
8. Tu parles de tes projets (avec qui)

Activité 6. **Expression personnelle**

Posez des questions à un(e) camarade pour savoir ce qu'aiment les personnes suivantes. Utilisez l'inversion. Votre camarade répondra.

MODÈLE: ta sœur (la danse)

> Vous: **Ta sœur aime-t-elle la danse?**
>
> Votre camarade: **Oui, elle aime la danse.**
> ou: **Non, elle n'aime pas la danse.**

1. tes parents (les voyages)
2. tes amies (les surprises-parties)
3. ton professeur (les mauvaises élèves)
4. ton meilleur ami (tes idées)
5. ta meilleure amie (tes projets)
6. ton père (les hippies)
7. ta mère (la télévision)
8. tes amis (leurs professeurs)

D. Révisons: L'INVERSION AU PASSÉ COMPOSÉ

Note the position of the subject pronoun in the **passé composé.**

> Êtes-**vous** allé en classe aujourd'hui?
> De quoi avez-**vous** parlé?
> De quoi le professeur a-t-**il** parlé?

NOTE: In the **passé composé** the subject pronoun is inserted between the auxiliary verb **(avoir, être)** and the past participle.

Activité 7. **Un peu sourde** (*a little deaf*)

La grand-mère de Marc est un peu sourde. Quand Marc lui parle de ses vacances avec ses amis, elle lui demande de répéter le nom des personnes. Jouez le rôle de Marc et de la grand-mère d'après le modèle.

MODÈLE: J'ai dansé avec Caroline. Marc: **J'ai dansé avec Caroline.**
La grand-mère: **Avec qui as-tu dansé?**

1. Je suis sorti avec Nicole Descroix.
2. J'ai été à Paris avec Martin Mercier.
3. Je suis allé chez mes cousins.
4. J'ai rendu visite à mon prof d'anglais.
5. J'ai téléphoné à Tante Monique.
6. J'ai travaillé pour Monsieur Brun.
7. Je suis resté chez mon ami Charles.
8. Je suis rentré avec Martin.

À votre tour

Deux questionnaires

1. Répondez au questionnaire de la page 382. Le professeur va analyser les résultats de la classe. Vous pourrez comparer ces résultats avec ceux d'une autre classe.

2. Imaginez que votre meilleur ami ait fait l'une des choses suivantes pendant les vacances. Posez-lui quatre questions. Utilisez l'inversion.

EXEMPLE: Il a été en France.

> Es-tu passé par Paris?
> Qui as-tu rencontré?
> Avec qui as-tu voyagé?
> Chez qui es-tu resté?

Il a fait le tour du monde.
Il a travaillé comme moniteur (*counselor*) dans une colonie de vacances (*summer camp*).
Il a travaillé dans un magasin.
Il a appris à faire des photos.

9.5 *QUESTIONNAIRE NUMÉRO CINQ*

1. Jusqu'à maintenant, qui est-ce qui a eu la plus grande influence sur vous?

   A. votre père
   B. votre mère
   C. un(e) ami(e)

2. Pour vous, qu'est-ce qui compte le plus dans l'existence?

   A. l'argent
   B. l'amitié
   C. l'amour

3. Actuellement, qu'est-ce qui vous donne le plus de satisfaction?

   A. vos études
   B. vos relations avec vos amis
   C. vos relations avec vos parents

4. Actuellement, qu'est-ce qui vous préoccupe le plus?

   A. vos études
   B. vos relations avec votre meilleur(e) ami(e)
   C. vos relations avec vos parents

5. Qu'est-ce que vous aimeriez faire immédiatement après vos études secondaires?

   A. voyager
   B. travailler
   C. aller à l'université

OBSERVATIONS

QUESTIONS		RÉPONSES
1. **Qui est-ce qui** vous a parlé?	*Who spoke to you?*	Mon père.
2. **Qui est-ce que** vous avez rencontré?	*Whom did you meet?*	Un ami.
3. **Qu'est-ce qui** vous tourmente?	*What's troubling you?*	Mes études.
4. **Qu'est-ce que** vous voulez?	*What do you want?*	De l'argent.

Les phrases 1 et 2 concernent des personnes.

- Quelle expression interrogative utilise-t-on pour identifier un sujet? un complément direct?

Les phrases 3 et 4 concernent des choses.

- Quelle expression interrogative utilise-t-on pour identifier un sujet? un complément direct?

NOTE CULTURELLE: **Les jeunes Français et l'amour**

Qu'est-ce que vous souhaitez réaliser en priorité? Voici comment des jeunes Français ont répondu à cette question.

    61% ont répondu:
    «avoir un métier passionnant°»
    19% ont répondu:
    «vivre un grand amour»
    15% ont répondu:
    «gagner beaucoup d'argent»
    5% ont répondu:
    «avoir une activité politique»

Les jeunes Français semblent être plus pratiques que romantiques. L'amour est important, mais il vient après le travail. Sur le chapitre° de l'amour, d'ailleurs, les jeunes Français sont sincères et conservateurs. Ils croient en la valeur du mariage, et s'ils se marient, c'est pour avoir des enfants. En France, le mariage est une institution stable et respectée: on divorce quatre fois moins en France qu'aux États-Unis.

passionnant exciting; **Sur le chapitre = Quand il est question**

ÉTUDE DE MOTS

Petit vocabulaire

NOM:	une **relation**	*relationship*
ADJECTIF:	**passionnant**	*exciting*
VERBE EN **-er**:	**préoccuper**	*to preoccupy*
EXPRESSIONS:	**en priorité**	*in order of importance*
	sur le chapitre de	*in the matter of, on the subject of*

ÉTUDE DE PRONONCIATION

La liaison: déterminatif + nom

Liaison is required between a determiner and the noun it introduces. If an adjective precedes the noun, it too is linked to the determiner and the noun by liaison.

Contrastez: mes parents   mes enfants
ce garçon   cet homme
un fils   un ami
mon projet   mon idée
un bon transistor un bon électrophone
un petit repas   un excellent repas
je pense aux vacances je pense aux études

ÉTUDE DE LANGUE

A. LES PRONOMS INTERROGATIFS SUJETS

To ask a question about the subject of a sentence, the French use:

qui **qui est-ce qui** } to identify people		**Qui** a téléphoné? **Qui est-ce qui** a téléphoné?
qu'est-ce qui to identify things or events	{	**Qu'est-ce qui** vous tourmente? **Qu'est-ce qui** vous inquiète?

NOTES: 1. **Qui** is used more frequently than **qui est-ce qui.**

2. The above interrogative pronouns are always followed by a singular verb.

Activité 1. **Inventeurs célèbres**

Le professeur d'histoire demande qui a inventé certaines choses. Jouez le rôle du professeur et de l'élève d'après les modèles. Utilisez **qui** dans les phrases 1–5, et **qui est-ce qui** dans les phrases 6–10.

MODÈLES: le téléphone (Alexander Graham Bell)

Le professeur: **Qui a inventé le téléphone?**
L'élève: **Alexander Graham Bell a inventé le téléphone.**

l'appareil-photo Polaroid (Edwin Land)

Le professeur: **Qui est-ce qui a inventé l'appareil-photo Polaroid?**
L'élève: **Edwin Land a inventé l'appareil-photo Polaroid.**

1. le microscope (Leeuwenhoek)
2. le télescope (Galilée)
3. la photographie (Niepce)
4. la télévision (C. F. Jenkins)
5. la lampe à incandescence (Edison)

6. le radar (Watson-Watt)
7. l'hélicoptère (Sikorsky)
8. l'avion (les frères Wright)
9. la radio (Marconi)
10. le réfrigérateur (Carré)

Activité 2. **Caroline ne fait pas attention.**

Marc parle de certaines choses. Caroline, qui n'a pas fait attention, lui demande de répéter le commencement de ses phrases. Jouez le rôle de Marc et de Caroline d'après le modèle.

MODÈLE: Le film commence à huit heures.

Marc: **Le film commence à huit heures.**
Caroline: **Qu'est-ce qui commence à huit heures?**

1. La pièce finit à dix heures.
2. Le bus passe près d'ici.
3. Mon train arrive à midi.
4. Ton avion part samedi.

5. Mes clés sont dans ma veste.
6. Ma voiture se trouve au garage.
7. Ma radio ne marche pas.
8. Ma montre vient de s'arrêter.

Activité 3. **Expression personnelle: réflexion**

Demandez à un(e) camarade de vous dire quelles sont les choses qui l'affectent personnellement. Commencez vos questions par **Qu'est-ce qui.** Votre camarade répondra.

MODÈLE: les choses qui le tourmentent

Vous: **Qu'est-ce qui te tourmente?**
Votre camarade: **Mes notes de français me tourmentent.**

1. les choses qui l'amusent
2. les choses qui ne l'amusent pas
3. les choses qui l'intéressent
4. les choses qui ne l'intéressent pas

5. les choses qui le passionnent
6. les choses qui comptent beaucoup pour lui
7. les choses qui ne comptent pas pour lui
8. les choses qui ne le tourmentent pas

B. LES PRONOMS INTERROGATIFS COMPLÉMENTS DIRECTS

To ask about the direct object of a sentence, the French use:

qui	+ inverted word order	to identify people
qui est-ce que	+ normal word order	

que (qu')	+ inverted word order	to identify things
qu'est-ce que	+ normal word order	

Qui préfères-tu?
Qui est-ce que tu préfères? *Whom do you prefer?*

Que préfères-tu?
Qu'est-ce que tu préfères? *What do you prefer?*

NOTES: 1. **Que** must be followed by a verb or verb phrase. The subject comes after the verb.

Que fait ton père? *What does your father do?*
Que fait-il? *What does he do?*

2. To ask someone to define or identify something, the French use the expression:

Qu'est-ce que c'est que. . . ? *What is. . . ? What are. . . ?*

Qu'est-ce que c'est qu'un lycée?
C'est une école française.

Activité 4. ***Expression personnelle: le week-end dernier***

Imaginez qu'un ami vous décrit ses activités du week-end. Demandez-lui des précisions. Commencez vos questions avec **Qui est-ce que** (pour les phrases 1–4) et **Qu'est-ce que** (pour les phrases 5–8).

MODÈLES: Votre ami: J'ai rencontré un ami.   Vous: **Qui est-ce que tu as rencontré?**

Votre ami: J'ai fait quelque chose.   Vous: **Qu'est-ce que tu as fait?**

Votre ami:

1. J'ai vu une amie.
2. J'ai aidé des amis.
3. J'ai invité des amies.
4. J'ai attendu un ami.

5. J'ai vu quelque chose.
6. J'ai trouvé quelque chose.
7. J'ai acheté quelque chose.
8. J'ai préparé quelque chose.

Activité 5. **Explications**

Caroline, une jeune fille américaine, demande à Marc, un jeune Français, de lui expliquer certaines choses. Jouez le rôle de Caroline et de Marc d'après le modèle.

MODÈLE: le Louvre   Caroline: **Qu'est-ce que c'est que le Louvre?**
                       Marc: **C'est un musée de Paris.**

1. Notre-Dame
2. les Invalides
3. la Provence
4. Marseille
5. un lycée
6. une cathédrale
7. une Citroën
8. une Renault

Activité 6. **On reconnaît l'ouvrier à son œuvre.**
           (*You can tell a workman by* [*the quality of*] *his work.*)

Pour chaque métier ou profession, posez deux questions à un(e) camarade, (1) l'une commençant par **qui** et (2) l'autre commençant par **que.** Votre camarade répondra.

MODÈLE: des sculptures / le sculpteur

     (1) Vous: **Qui fait des sculptures?**
           Votre camarade: **Le sculpteur fait des sculptures.**

     (2) Vous: **Que fait le sculpteur?**
           Votre camarade: **Il fait des sculptures.**

1. du piano / le pianiste
2. du pain / le boulanger
3. des maisons / le maçon
4. des gâteaux / le pâtissier
5. des portraits / l'artiste
6. des photos / le photographe
7. des expériences / le chimiste
8. des articles / le journaliste
9. des poèmes / le poète
10. des livres / l'écrivain

À votre tour

Deux nouveaux questionnaires

1. Répondez au Questionnaire de la page 390. Le professeur va analyser les résultats pour la classe. Vous pourrez comparer ces résultats avec ceux d'une autre classe de français.

2. Supposez qu'une jeune fille de Québec visite votre ville. Posez-lui six questions sur ce qu'elle a fait et sur ses projets. Vous pouvez utiliser les verbes:

       aimer / penser / visiter / faire / inviter / acheter / regarder

EXEMPLE: Qu'est-ce que tu as fait aujourd'hui? Qu'est-ce que tu as l'intention de faire demain?

Récréation

Deux interviews

LE JEUNE HOMME

Comment vous appelez-vous?
> Michel Loiseau.

Quel âge avez-vous?
> Seize ans.

A quelle école allez-vous?
> Au lycée Pasteur à Paris.

Quels sports pratiquez-vous?
> Je ne suis pas sportif. Je fais un peu de tennis en été.

A quoi vous intéressez-vous quand vous n'êtes pas en classe?
> A la musique. Je fais aussi du théâtre.

Sortez-vous souvent? avec qui?
> Pendant l'année scolaire, je ne sors pratiquement jamais. J'ai trop de travail. Et puis, mes parents ne sont pas très *compréhen-* understanding
> *sifs*. Je ne sais pas s'ils me donneraient la permission.

De quoi parlez-vous avec vos amis?
> De beaucoup de choses . . . surtout de politique.

De quoi parlez-vous avec vos parents?
> Je ne leur parle pas très souvent... Ils sont trop conserva-teurs... C'est difficile de communiquer avec des gens d'une autre génération.

Qu'est-ce que vous rêvez de faire plus tard?
> Je voudrais faire de la politique. Ce n'est pas parce que je suis particulièrement ambitieux. C'est parce qu'il y a beaucoup de choses à réformer en France. L'enseignement, par exemple.

Avez-vous l'intention de vous marier?
> Bien sûr, comme mes amis.

LA JEUNE FILLE

Comment vous appelez-vous?
> Monique Joubert.

Quel âge avez-vous?
> Seize ans et demi.

A quelle école allez-vous?
> Au lycée Berthollet à Annecy.

Quels sports pratiquez-vous?
> Je fais du ski et du tennis.

A quoi vous intéressez-vous quand vous n'êtes pas en classe?
> A la danse, au cinéma.

Sortez-vous souvent? avec qui?
> Oui, je sors souvent. J'ai une bande de bons copains. Nous sommes cinq ou six. C'est avec eux que je sors.

De quoi parlez-vous avec vos amis?
> De tout et de rien. Des vacances, des *derniers* films, de la   latest
> mode...

De quoi parlez-vous avec vos parents?
> Des mêmes choses.

Qu'est-ce que vous rêvez de faire plus tard?
> Je n'ai pas de projets précis. Je crois que j'aimerais habiter à la campagne. Je voudrais avoir une *ferme* avec beaucoup   farm
> d'animaux.

Avez-vous l'intention de vous marier?
> Éventuellement, oui! Mais je ne suis pas pressée. Avant, les filles se mariaient tôt. Maintenant, c'est différent. Ce n'est pas humiliant de ne pas être mariée avant 25 ou même 30 ans.

Écrivez vos réponses sur une feuille de papier. Puis, vérifiez vos réponses à la page 462.

STRUCTURE

Test 1. *Dans la rue*

Marc et Philippe se promènent dans la rue. Marc dit à Philippe de regarder certaines choses ou certaines personnes. Philippe demande des précisions. Complétez les questions de Philippe. Utilisez une forme de **quel** dans les phrases 1–6, une forme de **lequel** dans les phrases 7–12.

MARC	PHILIPPE		MARC	PHILIPPE
1. Regarde la voiture.	—— voiture?		7. Regarde les étudiants.	—— ?
2. Regarde les jolis magasins.	—— jolis magasins?		8. Regarde les étudiantes.	—— ?
3. Regarde le café.	—— café?		9. Regarde la jeune fille.	—— ?
4. Regarde les jolies filles.	—— jolies filles?		10. Regarde la maison.	—— ?
5. Regarde les touristes américains.	—— touristes américains?		11. Regarde le monument.	—— ?
6. Regarde la moto.	—— moto?		12. Regarde le bus.	—— ?

Test 2. *Au magasin*

Marc et Philippe entrent dans un magasin. Marc montre les objets qu'il aime. Philippe dit qu'il en préfère d'autres. Complétez les phrases de Philippe avec une forme de **celui.**

MARC	PHILIPPE	MARC	PHILIPPE
1. J'aime cette bicyclette.	Je préfère —— -là.	4. J'aime ces jolis magazines.	Je préfère —— -ci.
2. J'aime cette caméra.	Je préfère —— -ci.	5. J'aime ce livre.	Je préfère —— -là.
3. J'aime ces jolies cravates.	Je préfère —— -là.	6. J'aime ce disque.	Je préfère —— -ci.

Test 3. *Chez Marc*

Marc fait le tour de sa maison avec Philippe. Complétez les phrases avec une forme de **celui de.**

1. Voici ma chambre et voici —— mes parents.
2. Voici mon lit et voici —— mon frère Robert.
3. Voici mes nouveaux disques et voici —— mon frère Jacques.
4. Voici ma guitare et voici —— ma cousine Annie.
5. Voici mes photos et voici —— ma sœur Françoise.
6. Voici mon bureau et voici —— ma sœur Lucie.

Test 4. *L'album de photos*

Marc montre à Philippe des photos de ses amis. Complétez les phrases avec le pronom **qui** ou **que.**

1. Voici un ami —— vient du Canada.
2. Voici une fille —— est en classe avec moi.
3. Voici mes cousins —— habitent Paris.
4. Voici un garçon —— je n'aime pas.
5. Voici une amie —— j'invite souvent.
6. Voici des cousines —— j'aime beaucoup.

TEST 5. *Au café*

Marc et Philippe sont au café. Philippe demande qui sont certaines personnes. Complétez les réponses de Marc avec **celui qui, celui que, celle qui** ou **celle que**.

PHILIPPE

MARC

1. Qui sont ces deux filles? —— porte une robe rouge s'appelle Louise. —— porte une robe verte s'appelle Martine.

2. Qui sont ces deux garçons? —— tu regardes est dans ma classe. —— parle à Martine s'appelle Gilbert.

3. Connais-tu ces deux filles là-bas? Je connais —— tu trouves jolie. Mais, je ne connais pas —— prend un café.

4. Connais-tu ces deux garçons? Je connais —— boit du Coca-Cola. Je ne connais pas —— porte une veste bleue.

TEST 6. *Sujets de réflexion*

Complétez les questions de Marc avec **quoi** ou **qui**.

MARC

PHILIPPE

1. A —— réfléchis-tu? A mes examens.
2. A —— penses-tu? A l'examen de français.
3. De —— parles-tu? De mes parents.
4. De —— parles-tu avec tes parents? Des vacances.
5. Avec —— étudies-tu? Avec Pierre.
6. Chez —— vas-tu dimanche? Chez mes cousins.

TEST 7. *L'expression exacte*

Complétez les questions de Marc avec **qui est-ce que** ou **qu'est-ce que**.

MARC

PHILIPPE

1. —— tu regardes? Les filles qui passent.
2. —— tu écoutes? Un disque de musique pop.
3. —— tu fais dimanche? Je vais au cinéma.
4. —— tu invites? Une cousine américaine.
5. —— tu as acheté ce matin? Une nouvelle cassette.
6. —— tu as rencontré en ville? Mon cousin André.

VOCABULAIRE

TEST 8. *Le signe exact*

Voici plusieurs paires de mots. Mettez le signe (=) si ces mots sont synonymes, ou le signe (≠) si ces mots sont antonymes (contraires, mots à sens opposé).

1. la vérité —— l'erreur
2. l'égoïsme —— la générosité
3. un souhait —— un désir
4. un copain —— un ennemi
5. bien élevé —— impoli
6. passionnant —— très intéressant
7. semblable —— différent
8. s'intéresser à —— aimer

Chapitre dix

«LES BIJOUX DE MARIGNAC»
(une histoire policière)

Note

Voici une histoire policière en cinq épisodes.
Marc, Michel et Alain sont allés à Marignac
pour passer des vacances tranquilles, mais
ils auront quelques surprises. . .

D'abord, vous devez faire la connaissance de
la ville de Marignac, car si vous connaissez
bien la ville, vous pourrez mieux comprendre
l'histoire. Marignac est un village
imaginaire. Mais l'Auvergne existe. Quand
on voyage en Auvergne, on voit des rivières
comme la Rioule, des grottes comme les
grottes de Marignac, et beaucoup de vieilles
forteresses médiévales en ruines.

10.1 *Premier épisode: MARIGNAC*

Connaissez-vous Marignac? C'est un petit village d'Auvergne qui a maintenu son caractère ancien. Perché dans la montagne, il ressemble à beaucoup d'autres villages *auvergnats*. On y trouve les mêmes rues *minuscules*, les mêmes maisons de *pierre*, la même église de style *roman*. Marignac est plus qu'un village auvergnat typique. Avec plusieurs hôtels modernes, une piscine olympique et deux terrains de camping, c'est aussi un centre touristique très *animé*. La population, qui n'est ordinairement que de huit cents habitants, double, triple et parfois quadruple pendant les vacances.

= d'Auvergne
= très petites; stone; Romanesque

lively

Il est vrai que Marignac a beaucoup à *offrir* aux touristes. Le *cadre* naturel est superbe. La Rioule, rivière qui *coule tout* près du village, est bien connue des *amateurs de pêche*. Les grottes *creusées* dans le *rocher* sont de véritables curiosités naturelles. Et puis, il y a le célèbre château! Le château de Marignac est en fait une vieille forteresse du quatorzième *siècle*, *récemment* restaurée. Les experts disent que c'est un des plus beaux exemples d'architecture médiévale. Aujourd'hui, c'est un des musées les plus célèbres de France.

offer; setting
= passe; *= très*;
= ceux qui aiment; fishing; dug; rock

century; *= de date récente*

Autrefois, le château *appartenait* aux *comtes* de Marignac. Cette vieille famille noble, qui *a* longtemps *vécu* au château, a maintenant *disparu*. Cependant, elle a laissé *de nombreux* souvenirs: armes, *armures*, *tapisseries* et une incomparable collection de *bijoux* anciens. C'est sans doute pour voir cette collection de bijoux, unique au monde paraît-il, que des *milliers* de touristes viennent *chaque* année visiter le château de Marignac.

belonged; counts
lived; disappeared
= beaucoup de;
armor; tapestries
jewelry
thousands
each

Or, justement cet été, les touristes *ont failli ne pas voir* les célèbres bijoux. . .

Well; were almost kept from seeing

Saint-Nectaire

NOTE CULTURELLE: **L'Auvergne**

L'Auvergne est une ancienne province située au centre de la France. C'est une région montagneuse, très pittoresque et très touristique.

La capitale de l'Auvergne est Clermont-Ferrand, une ville industrielle de 300.000 habitants. La majorité des Auvergnats habitent dans de petits villages typiques: les maisons sont de solides constructions en pierre, l'église est très ancienne, et souvent le village est dominé par les ruines d'un château.

Questions

1. Dans quelle province se trouve Marignac?
2. Quelles sont les caractéristiques d'un village d'Auvergne?
3. Combien de terrains de camping y a-t-il à Marignac?
4. Quelle est la population en hiver?
5. Quelle est la population en été?
6. Quelle est la rivière qui coule près du village?
7. Quand est-ce que le château a été construit?
8. A qui appartenait le château autrefois?
9. Est-ce que cette famille existe aujourd'hui?
10. Qu'est-ce qu'on peut voir au château de Marignac?

ÉTUDE DE MOTS

Petit vocabulaire

NOMS:	un **bijou** (des **bijoux**)	*jewel*	une **forteresse**	*fortress*
	un **cadre**	*setting*	une **grotte**	*cave*
	un **centre**	*center*	une **pierre**	*rock*; *stone*
	un **siècle**	*century*		

ADJECTIFS:	**animé**	*animated, lively*
	même	*same*

VERBES IRRÉGULIERS:	**paraître** (comme **connaître**)	*to appear, seem*
	disparaître (comme **connaître**)	*to disappear*
	tenir	*to hold, keep*
	appartenir à (comme **tenir**)	*to belong to*
	maintenir (comme **tenir**)	*to maintain*
	vivre	*to live*

EXPRESSIONS:	**au (quatorzième) siècle**	*in the (fourteenth) century*
	j'ai failli (+ infinitive)	*I almost . . .*
	sans doute	*probably*; *no doubt*

NOTE DE VOCABULAIRE

Vivre et **habiter.** Les deux verbes **vivre** et **habiter** signifient *to live*. **Habiter** signifie seulement **résider.** **Vivre** signifie **être, exister, habiter,** etc.

J'habite aux États-Unis.	*I **live** in the United States.*
Nous **vivons** au vingtième siècle.	*We **live** in the twentieth century.*

ÉTUDE DE PRONONCIATION

Les sons /ã/ et /an/

The letters **an (am)** represent the sound /ã/, unless they are followed by a vowel or another **n (m)**. In that case, they represent the sound /an/ (/am/).

Contrastez: ancien – année   ambition – amateur   camping – camarade
style roman – église romane   vacances – Canada
Allemand – Canadien

Prononcez: Maman mange du jambon.
Le samedi, Anne danse avec Adam.
Jean et Jeanne font du camping en Camargue avec des camarades canadiens.

ÉTUDE DE LANGUE

A. LE VERBE *VIVRE*

Here are the main forms of the verb **vivre** (*to live*). Note the form of the past participle.

Infinitive	vivre			
Present	je	vis	nous	vivons
	tu	vis	vous	vivez
	il/elle	vit	ils/elles	vivent
Imperfect	je	vivais		
Future	je	vivrai		
Passé composé	j'ai	**vécu**		

Conjugated like **vivre:**

survivre   *to survive*   En Auvergne, les anciennes traditions **survivent.**

PROVERBES FRANÇAIS: **Qui vivra verra.**
Live and learn. (Who will live will see.)

Pour vivre heureux, vivons cachés.
One who keeps his privacy keeps his happiness.
(To live happily, live in privacy.)

Activité 1. **Questions personnelles**

1. Où vivent vos grands-parents?
2. Où vivez-vous?
3. Combien de temps avez-vous vécu dans votre maison actuelle?
4. Avez-vous toujours vécu dans cette maison?
5. Où viviez-vous avant?

B. LE VERBE *TENIR*

Here are the main forms of the verb **tenir** (*to hold*). Note the future stem and the past participle.

Infinitive	**tenir**			
Present	je	tiens	nous	tenons
	tu	tiens	vous	tenez
	il/elle	tient	ils/elles	tiennent
Imperfect	je	tenais		
Future	je	tiendrai		
Passé composé	j'ai	**tenu**		

NOTE: The conjugation of **tenir** is similar to that of **venir**. However, contrast the **passé composé**: J'**ai tenu** ma promesse. Je **suis venu** à midi.

Expressions with **tenir**:

tenir une promesse	*to keep a promise*	Il **a tenu** sa promesse.
tenir à + noun, pronoun	*to value, cherish*	Je **tiens** beaucoup **à** ces bijoux.
tenir à + infinitive	*to insist on, want to*	Je ne **tiens** pas **à** sortir ce soir.
tenir à ce que + subjunctive	*to insist that*	Je **tiens à ce que** tu viennes.
se tenir	*to be, stay; behave*	**Tiens-toi** bien!

Conjugated like **tenir**:

appartenir à	*to belong to*	**A** qui **appartient** ce livre?
contenir	*to contain*	Qu'est-ce que ce livre **contient?**
maintenir	*to maintain*	Pourquoi **maintenez-**vous cette accusation?
obtenir	*to obtain*	Si vous travaillez, vous **obtiendrez** un prix.
retenir	*to retain, remember*	Je n'**ai** pas **retenu** le nom de votre ami.

Activité 2. **Questions personnelles**

1. Est-ce que vous obtenez de bons résultats en français?
2. Tenez-vous à aller en France?
3. Tenez-vous à aller à l'université plus tard?
4. Est-ce que vous vous tenez bien en classe?
5. Est-ce que vos amis se tiennent bien en classe?
6. Est-ce que vous vous tenez bien chez vous?
7. A qui appartient la maison où vous habitez?
8. A qui appartenait-elle avant?

Activité 3. **Au restaurant**

L'oncle Louis a invité ses neveux (*nephews*) et ses nièces au restaurant. Dites que chacun se tient bien.

MODÈLE: Jean-Louis   **Jean-Louis se tient bien.**

1. Bernard
2. Nicole
3. Monique et Denise
4. Jean-Baptiste et Mathieu
5. Nous
6. Vous
7. Moi
8. Toi

C. DÉTERMINANTS ET PRONOMS INDÉFINIS DE QUANTITÉ

Here is a chart of some indefinite expressions of quantity:

DETERMINERS (introduce a noun)	PRONOUNS (replace a noun)	
quelques	quelques-uns (quelques-unes)	*some, a few*
certains (certaines)	certains (certaines)	*some, certain (ones)*
plusieurs	plusieurs	*several, various (ones)*
de nombreux (de nombreuses)	—	*many, numerous*
différents (différentes)	—	*different*
d'autres	d'autres	*other, others*
	les uns. . .les autres	*some. . .the others*
	quelques-uns. . .d'autres	*some. . .others*

Dans ma ville il y a **quelques** vieilles maisons. **Quelques-unes** sont très anciennes.
Il y a **plusieurs** hôtels. **Plusieurs** sont très modernes.

IMPORTANT NOTE: When used as a direct object, indefinite pronouns of quantity require **en** before the verb.

J'ai des amis à Paris. { **J'en** ai **quelques-uns** à New York.
{ **J'en** ai **plusieurs** à Québec.
{ **J'en** ai **d'autres** à Genève.

PROVERBE FRANÇAIS: **Autres temps, autres mœurs.** *Other days, other ways.*

Activité 4. **Des vacances bien remplies**

Suzanne demande à Marc de raconter ses vacances en Auvergne. Jouez le rôle de Suzanne et de Marc. Pour cela, remplacez l'article défini par le déterminant indéfini indiqué entre parenthèses.

MODÈLE: As-tu visité des châteaux? (plusieurs)   Suzanne: **As-tu visité des châteaux?**
Marc: **J'ai visité plusieurs châteaux.**

1. As-tu vu des églises romanes? (quelques)
2. As-tu vu des vieilles maisons? (certaines)
3. As-tu acheté des souvenirs? (plusieurs)
4. As-tu visité des monuments anciens? (quelques)
5. As-tu vu des costumes régionaux? (plusieurs)
6. As-tu visité des villages auvergnats? (quelques)
7. As-tu mangé des spécialités régionales? (certaines)
8. As-tu vu des curiosités naturelles? (quelques)

Activité 5. **Expression personnelle: *votre ville***

Demandez à un(e) camarade s'il y a les différentes choses suivantes dans votre ville. Votre camarade répondra en utilisant un pronom de quantité.

MODÈLE: des cinémas   Vous: Y a-t-il des cinémas ici?

Votre camarade: **Oui, il y en a plusieurs.**
ou: **Non, il n'y en a pas.**

1. des magasins   3. des maisons anciennes   5. des terrains de camping   7. des piscines
2. des monuments   4. des maisons modernes   6. des musées   8. des hôtels

Activité 6. **Questions personnelles**

Répondez aux questions suivantes. Dans vos réponses utilisez un pronom indéfini de quantité, si possible. N'oubliez pas d'utiliser le pronom **en** avant le verbe.

MODÈLE: Avez-vous des amis français?   **Oui, j'en ai plusieurs.**
ou: **Non, je n'en ai pas.**

1. Avez-vous des cousins?
2. Avez-vous des cousines?
3. Connaissez-vous des proverbes français?
4. Connaissez-vous des chansons (*songs*) françaises?
5. Avez-vous vu des «westerns» américains?
6. Avez-vous vu des comédies musicales?
7. Avez-vous lu des livres intéressants?
8. Avez-vous lu des histoires policières?
9. Est-ce qu'il y a de beaux monuments dans votre ville?
10. Est-ce qu'il y a de jolies boutiques dans votre ville?

À votre tour

Une brochure touristique

Supposez que vous travaillez pour le Syndicat d'Initiative (*Chamber of Commerce*) de votre ville. Préparez une brochure touristique. (Vous pouvez vous inspirer du texte que vous avez lu.)

EXEMPLE: Connaissez-vous ——? C'est un petit village ——. On y trouve ——. —— a beaucoup à offrir aux touristes.

MARC: Michel, as-tu lu le journal ce matin?

MICHEL: Non, pourquoi?

MARC: Regarde la première page.

MICHEL: (*Il lit.*) «On a *volé* le trésor de Marignac...» Ce n'est pas possible!   = *pris*

MARC: Continue.

MICHEL: «D'*audacieux* bandits ont pénétré la nuit dernière au château de   bold
Marignac. Ils ont *emporté* la fameuse collection de bracelets   = *pris avec eux*
anciens. On estime à plus d'un million de francs le *montant* du   amount
vol.»   theft

MARC: Ce n'est pas tout! Continue.

MICHEL: «Le directeur du musée offrira une *prime de dix mille francs* à *toute*   reward; = *à peu près*
personne qui fournira des renseignements menant à l'*arrestation* $2,500; any
des *cambrioleurs*.»   arrest
  burglars

MARC: Dix mille francs... Ce n'est pas mal, hein?

MICHEL: Dis, Marc. Nous connaissons très bien le château. Allons-y.
Nous découvrirons peut-être la trace des cambrioleurs.

MARC: Bonne idée! Prenons la 2CV.

ALAIN: Et moi? Vous ne m'emmenez pas?

MICHEL: Non! Pourquoi?

ALAIN: Je vous aiderai.

MICHEL: Pas question! C'est une expédition trop dangereuse!

MARC: Écoute, laissons-le venir avec nous. Mais *à condition* qu'il nous   on the condition
obéisse. Tu es d'accord, Alain?   that

ALAIN: D'accord!

MARC: Alors, partons tous les trois!

Qui sont donc ces jeunes détectives? Ce sont trois garçons qui sont venus passer une semaine au camping de Marignac. Les voici:

Marc Pécoul. C'est l'*aîné*. Il a dix-huit ans et il est étudiant. Il prépare une *maîtrise* d'histoire. Il est passionné par *le Moyen Age* et c'est un peu pour cela qu'il a décidé de camper à Marignac cette année. Il a passé toute la journée d'hier à visiter le château. Le gardien du musée a dû le *mettre à la porte* à sept heures, heure *de fermeture*. Il était encore *en train d*'examiner la collection d'armes.

= *le plus âgé*

= *diplôme universitaire*; Middle Ages

= *dire à quelqu'un de partir*; = *où l'on ferme*; = *occupé à*

Michel Pécoul. C'est le frère de Marc. Il a seize ans. C'est déjà un botaniste sérieux. Depuis qu'il est à Marignac, il passe ses journées *aux alentours* du château à *ramasser* des plantes pour son *herbier*.

= *dans la proximité*; = *chercher*; = *collection de plantes*

Alain Sénéchal. C'est le cousin de Marc et de Michel. Il a quatorze ans, mais il *en paraît dix*. Sa passion est la lecture des romans policiers et son ambition est d'être détective. Il est très content de faire partie de l'expédition.

= *a l'air d'avoir dix ans*

Questions

1. Que dit le journal?
2. Quand les bandits sont-ils entrés au château?
3. Quelle collection ont-ils emportée?
4. Quelle est la valeur de cette collection?
5. Quelle est le montant de la prime?
6. Quelle sorte de voiture ont les garçons?
7. A quelle condition les garçons vont-ils emmener Alain?
8. Quel âge a Marc?
9. Que fait-il pendant l'année scolaire?
10. Où a-t-il passé la journée d'hier?
11. Qui est Michel?
12. Quel âge a-t-il?
13. Qui est Alain?
14. Quel âge a-t-il?
15. Qu'est-ce qu'il aime lire?
16. Quelle est son ambition?

Château de Chambord

NOTE CULTURELLE: **La France: un pays de châteaux**

Si vous voyagez en France, vous verrez un grand nombre de châteaux. Ces châteaux sont très différents les uns des autres. En Auvergne, par exemple, il y a beaucoup de châteaux forts.° Ces châteaux sont d'austères° forteresses construites pour la protection de la population. Aujourd'hui, la majorité de ces châteaux sont en ruines. En Touraine, au contraire, les châteaux ont été construits pour servir de résidence aux rois° de France. Ces châteaux sont très élégants et très somptueux.° Aujourd'hui, ce sont des musées.

châteaux forts *m.* = **forteresses; austères** = **sans décoration; rois** kings; **somptueux** = **riches**

ÉTUDE DE MOTS

Petit vocabulaire

NOMS:	un **pays** /pei/	country		une **plante**	plant
	un **trésor**	treasure		une **prime**	reward
	un **vol**	theft; burglary			

ADJECTIF:	**passionné par**	enthusiastic about

VERBES EN **-er**:	**emmener**	to take along
	emporter	to carry off; carry away
	estimer	to estimate
	ramasser	to collect, pick up
	voler	to steal

VERBE EN **-ir**:	**fournir**	to furnish

EXPRESSION:	**être en train de**	to be in the act (process) of

Verbes apparentés: -er → -ate

Many English verbs in -ate have French cognates in **-er**.

estimate	estim**er**		*create*	cré**er**
penetrate	pénétr**er**		*appreciate*	appréci**er**

Verbes apparentés: -ir → -ish

Certain English verbs in -ish have French cognates in **-ir**.

furnish	fourn**ir**		*finish*	fin**ir**

Activité 1. **Terminaisons**

Complétez les phrases en terminant les verbes par **-er** ou **-ir**.

1. Le professeur va pun__ l'élève.
2. Le médecin va opér__ le malade.
3. La police va interrog__ le criminel.
4. Allez-vous fin__ vos devoirs?
5. Quand allez-vous célébr__ votre anniversaire?
6. Il ne faut pas exagér__!

ÉTUDE DE PRONONCIATION

Les syllabes

In pronouncing a word or a group of words, the French try to have every syllable end on a vowel sound. (In the phrases below, the slash lines indicate syllable division.)

Prononcez: tré/sor   dé/cou/vri/rons   pé/né/trer
bo/ta/niste   am/bi/tion   vi/si/ter
(il est très heureux)   i/l est/ trè/s/ᶻ/heu/reux

ÉTUDE DE LANGUE

A. LE VERBE *OUVRIR*

Here is the form chart for the irregular verb **ouvrir** (*to open*). Note the form of the past participle.

Infinitive	**ouvrir**			
Present	j'	ouvre	nous	ouvrons
	tu	ouvres	vous	ouvrez
	il/elle	ouvre	ils/elles	ouvrent
Imperfect	j'	ouvrais		
Future	j'	ouvrirai		
Passé composé	j'ai	**ouvert**		

NOTE: The present tense of **ouvrir** is like the present of **-er** verbs.

Conjugated like **ouvrir**:

couvrir	*to cover*	Les enfants dorment. Je vais les **couvrir**.
découvrir	*to discover*	Qui **a découvert** l'Amérique?
offrir	*to offer, give*	J'**ai offert** un disque à mon ami pour son anniversaire.
souffrir	*to suffer*	Personne n'aime **souffrir**.

EXPRESSION FRANÇAISE: **«Sésame, ouvre-toi!»** *"Open Sesame!"*

Activité 2. **Questions personnelles**

Qu'avez-vous offert aux personnes suivantes pour leur anniversaire? Qu'est-ce qu'ils vous ont offert pour votre anniversaire? (Si vous ne vous en souvenez pas, inventez une réponse.)

1. votre mère? 3. votre meilleur ami? 5. vos grands-parents?
2. votre père? 4. votre meilleure amie? 6. votre frère ou votre sœur?

Activité 3. **Le jeu des grandes découvertes**

Faites une phrase expliquant la découverte des personnes suivantes.

MODÈLE: Jacques Cartier   Jacques Cartier a découvert le Saint-Laurent.

1. Christophe Colomb 4. Pizarre
2. La Salle 5. Cortés (*Cortez*)
3. De Soto 6. Balboa

(l'océan Pacifique; le Mexique; le Pérou; l'estuaire du Mississippi; la Floride; l'Amérique)

B. L'EXPRESSION *ÊTRE EN TRAIN DE*

To indicate that an action is in process, the French use the following construction:

être en train de + infinitive

Marc **est en train de** réparer la voiture.   *Marc is (in the process of) repairing the car.*
Michel **était en train de** planter la tente.   *Michel was (in the process of) putting up the tent.*

Nous **sommes en train d'**étudier.   *We are (busy) studying.*

Activité 4. *Excuses*

Marc demande à ses amis de l'aider, mais ils sont occupés à faire autre chose. Donnez l'excuse de chacun. Pour cela, utilisez l'expression **être en train de** + infinitif.

MODÈLE: Nous préparons nos leçons.   **Nous sommes en train de préparer nos leçons.**

1. Michel écoute son transistor.
2. Henri joue du piano.
3. Alain lit un roman policier.
4. Nathalie écrit.
5. Je fais du tennis.
6. Nous regardons la télé.
7. Tu déjeunes.
8. Mes amis se lavent.

C. L'EXPRESSION *TOUS LES DEUX*

To indicate that two people are both doing something together, the French use the following expressions:

masculine: **tous les deux**   Nous allons **tous les deux** au cinéma.
We are both going to the movies.

Michel et Marc sont **tous les deux** au château.
Michel and Marc are both at the castle.

feminine: **toutes les deux**   Irène et Sophie lisent **toutes les deux** le journal.
Irène and Sophie are both reading the paper.

NOTE: The number **deux** may be replaced by **trois, quatre, cinq,** etc.

Nous visitons le château **tous les quatre.**   *The four of us are visiting the castle.*

Activité 5. *En vacances*

Michel demande à Alain où ses amis passent leur vacances. Alain lui répond. Jouez le rôle de Michel et d'Alain, d'après le modèle.

MODÈLE: Louise, Suzanne et Nicole (à Paris)

Michel: **Où sont Louise, Suzanne et Nicole cet été?**
Alain: **Elles sont toutes les trois à Paris.**

1. Roger et Robert (en Provence)
2. Sylvie et Monique (en Normandie)
3. Pierre, Paul et Marie (au Maroc)
4. Élisabeth, Simone et Nicole (en Touraine)
5. Marc, Jacques, Daniel et Jean-Jacques (en Corse)
6. Michèle, Florence, Martine et Catherine (à Tahiti)

A votre tour

En chemin (*on the way*)

Imaginez que vous êtes sorti le week-end dernier. A chaque endroit où vous vous êtes arrêté, vous avez trouvé un élève de votre classe qui a rejoint votre groupe. Continuez le récit jusqu'à ce que vous ayez rencontré six camarades.

EXEMPLE: Samedi dernier, j'ai été en ville. J'ai rencontré Michel.
Tous les deux, nous avons pris un Coca-Cola.
Au drugstore, nous avons rencontré Anne.
Tous les trois, nous. . .

Un drugstore à Paris

Mais l'expédition commence mal. . . En effet, quand les trois garçons arrivent au château, ils trouvent la porte fermée. Dans la cour du château, il y a des gendarmes, des photographes officiels et plusieurs personnes *en civil*, probablement des détectives. Un gendarme s'approche de la voiture de Marc. «Désolé, jeunes gens, mais le château est fermé pour le reste de la semaine. Retournez au village, s'il vous plaît.»

≠ *en uniforme*

«*Zut!* Mes vacances sont *fichues!* pense Marc. Maintenant je ne peux plus aller au musée!»

Darn! = *ruinées* (slang)

Le plus *déçu* évidemment est Alain. Sa première mission de détective vient de finir avant même de commencer. Marc propose de *stationner* la voiture près du château et de descendre jusqu'à la rivière.

disappointed

= *parquer*

«*Lorsque* nous serons en bas, nous irons *nous baigner* dans la Rioule.»

= *Quand*; = *nager*

Alain et Michel suivent Marc. Alain, qui est plus agile que ses cousins, arrive le premier *en bas*. En *ôtant* ses chaussures, il aperçoit quelque chose dans l'*herbe*. C'est une enveloppe jaune. Il ouvre l'enveloppe et trouve quelques dollars et un télégramme. . . Mais quel télégramme!

at the bottom; = *enlevant*

grass

Alain appelle ses cousins. «Venez vite! J'ai fait une découverte sensationnelle!»

MARC: Quoi?

ALAIN: Lis toi-même!

Marc prend le télégramme et lit: «DEPOS COLL BRACE CAVE 17 SQUARE ROCH. Pas d'adresse, mais une signature: SAL».

Il n'y a *aucun* doute possible. Les bandits sont passés par là. Et l'un d'eux a perdu cette enveloppe. Le *début* du message est clair: «*Déposez* la collection de bracelets.» Le reste est plus compliqué. Qu'est-ce que signifie «*cave* 17 square roch»? C'est évidemment l'indication de l'endroit où les bandits ont déposé les bijoux. Mais où?

= *pas de*

≠ *fin*; = *Mettez*

cellar

«J'ai trouvé! dit Marc après quelques minutes de réflexion. C'est simple, très simple. Il y a un square Saint-Roch à Marignac. C'est donc dans la cave du 17, square Saint-Roch que sont les bijoux!»

MICHEL: On prévient la police?

MARC: Plus tard peut-être. Maintenant nous allons tous les deux suivre la *piste* et chercher nous-mêmes les bijoux. Si nous les trouvons, nous aurons la prime.

= *trace*

ALAIN: Et moi? Je viens avec vous?

MARC: Certainement pas! Il est inutile que tu nous suives... Nous allons poursuivre l'*enquête* tout seuls.   = *investigation*

ALAIN: Mais...

MARC: J'ai dit non. Et c'est non! Nous, nous allons te déposer au terrain de camping. Attends-nous là.

MICHEL: Tu auras ton rôle à jouer aussi. Si nous ne sommes pas rentrés dans 24 heures, tu alerteras la police.

Alain doit obéir. Mais ce n'est vraiment pas amusant de rester au *camping* tout seul.   = *terrain de camping*

Marc et Michel ont pris la voiture et sont allés au village. Ils découvrent avec *stupéfaction* qu'il y a un *bijoutier* au 17, square Saint-Roch.   = *grande surprise*; = *marchand de bijoux*

MARC: Tu vois. J'ai bien raison. C'est le bijoutier de Marignac qui a volé les bijoux, probablement pour les vendre *à l'étranger*. Il a   abroad
sans doute reçu de l'argent. C'est pourquoi nous avons trouvé des dollars dans l'enveloppe.

MICHEL: Tu es vraiment *formidable*. Il n'y a aucun doute possible main-   = *très intelligent*
tenant. Mais comment allons-nous pénétrer dans la cave?

MARC: Attendons la nuit. Le bijoutier doit fermer son magasin vers sept heures. Vers huit heures nous passerons alors *par le mur de*   over the back wall
derrière.

Il est huit heures. Le bijoutier vient de fermer son magasin. Le square Saint-Roch est *désert*, car c'est l'heure du dîner. Marc et Michel entrent   deserted
dans le jardin. Par miracle, la porte de derrière est ouverte. Ils trouvent sans *peine* un escalier qui descend dans la cave. Mais la porte de la cave est   = *difficulté*
fermée à clé.   locked

MICHEL: *Tant pis!* Nous allons *la fracturer*.   ≠ *Tant mieux*; break it in

Marc et Michel donnent de violents *coups de pied* dans la porte. La porte   kicks
vient de s'ouvrir, mais en ouvrant la porte, les garçons *ont déclenché* une   set off
sonnerie d'alarme.   alarm

Drin. Drinnnnnnnnnnn...

1. Est-ce que les garçons peuvent entrer au château? Pourquoi pas?
2. Qui est dans la cour du château?
3. Qui est le plus déçu? Pourquoi?
4. Où vont les garçons ensuite?
5. Qui est le plus agile?
6. Qu'est-ce qu'Alain aperçoit?
7. Comment est-ce que Marc interprète le télégramme?
8. Est-ce que les garçons préviennent la police?
9. Qu'est-ce que Marc et Michel vont faire?
10. Où vont-ils déposer Alain?
11. Que doit faire Alain si ses cousins ne rentrent pas?
12. Qui habite 17, square Saint-Roch?
13. A quelle heure le bijoutier ferme-t-il son magasin?
14. Comment les frères rentrent-ils dans la cave?
15. Quel problème ont-ils quand ils ouvrent la porte?

NOTE CULTURELLE: **Les villages français: aujourd'hui et autrefois**

Savez-vous que la majorité des Français vivent dans des petites villes et des villages? En fait, trente pour cent (30%) des Français habitent dans des villages de moins de° 2.000 habitants. A quoi ressemble un village français typique? Il y a une rue principale qui traverse° tout le village. Le long de° cette rue, les maisons sont contiguës.° On ne voit pas de jardins. Ceux-ci se trouvent derrière les maisons et sont entourés° par des murs élevés. Au centre du village, on trouve la mairie, le bureau de poste° et les magasins. Il y a aussi une église, généralement très ancienne, et un monument aux morts° qui honore les victimes de la guerre.°

Un grand nombre de villages français se modernisent sur le modèle américain. Des centres commerciaux et industriels se développent à l'extérieur du° village. On construit de nouvelles écoles et de nouveaux immeubles. Les nouvelles maisons sont séparées les unes des autres. Souvent elles sont entourées par des jardins ou des pelouses,° comme les maisons américaines.

moins de less than; **traverse** crosses; **Le long de** Along; **contiguës** touching each other; **entourés** surrounded; **bureau de poste** post office; **monument aux morts** war memorial; **guerre** war; **à l'extérieur de** outside; **pelouses** lawns

Turenne, Corrèze

ÉTUDE DE MOTS

Petit vocabulaire

NOMS:	un **bijoutier**	*jeweler*	une **cave**	*cellar; basement*
	un **début**	*beginning*	une **cour**	*courtyard; court*
	un **gendarme**	*policeman*	une **enquête**	*investigation, inquiry*
	un **message**	*message*	une **piste**	*track*

ADJECTIFS:	**clair**	*clear*
	secret (secrète)	*secret*
VERBES EN **-er**:	**se baigner**	*to go swimming*
	déposer	*to deposit, leave*
EXPRESSIONS:	**en bas**	*at the bottom*
	en haut	*at the top*
	quel (quelle). . . !	*what a. . . !*

Vocabulaire spécialisé: prépositions de lieu avec de

près de	*close to; near*	J'habite **près d'**un supermarché.
loin de	*far from*	J'habite **loin de** l'école où je vais.
à droite de	*to the right of*	**A droite de** chez moi, il y a un parc.
à gauche de	*to the left of*	**A gauche de** chez moi, il y a une église.
à l'intérieur de	*inside (of)*	**A l'intérieur du** château, il y a un musée.
à l'extérieur de	*outside (of)*	**A l'extérieur du** château, il y a un jardin.
au-dessus de	*above; on top of*	**Au-dessus du** garage, il y a le salon.
au-dessous de	*below; under*	**Au-dessous de** ma chambre, il y a la cuisine.
à côté de	*next to*	Mes cousins habitent **à côté d'**un hôtel.
en face de	*opposite; across from*	**En face de** leur maison, il y a un monument.
au bout de	*at the end of*	J'habite **au bout de** la rue.
au milieu de	*in the middle of*	**Au milieu de** l'avenue, il y a un cinéma.
autour de	*around*	Il y a un mur **autour de** mon jardin.
le long de	*along*	**Le long du** mur, il y a des fleurs.

Activité 1. **Questions personnelles**

1. Habitez-vous près ou loin de votre école?
2. Habitez-vous près ou loin d'un centre commercial?
3. Habitez-vous à côté d'un parc?
4. Qui habite en face de chez vous?
5. Qui habite à droite de chez vous?
6. Qui habite à gauche de chez vous?
7. Quelle pièce se trouve au-dessus de la cuisine?
8. Quelle pièce se trouve au-dessus du salon?
9. Qu'est-ce qu'il y a au-dessous de votre chambre?
10. Y a-t-il un mur autour de votre maison?

ÉTUDE DE PRONONCIATION

La consonne /ʃ/

In French the letters **ch** represent the sound /ʃ/. Do not pronounce a /t/ before the /ʃ/ as you would in the English word *chapter*.

Prononcez: chapitre   Michel   approcher   château   quelque chose
chaussure

Je m'approche du château de Chambord.
Charles va chez Michel chercher ses chaussures.

ÉTUDE DE LANGUE

A. LE VERBE *SUIVRE*

Here is the form chart for the irregular verb **suivre** (*to follow*):

Infinitive	**suivre**			
Present	je	suis	nous	suivons
	tu	suis	vous	suivez
	il/elle	suit	ils/elles	suivent
Imperfect	je	suivais		
Future	je	suivrai		
Passé composé	j'ai	**suivi**		

Compare: Je **suis** français.   *I am French.*
Je **suis** la piste des bandits.   *I am following the track of the bandits.*

Note the following expression:

suivre un cours   *to take a class*   Nous **suivons un cours** de français.

Conjugated like **suivre:**

poursuivre   *to pursue*   Michel et Marc **poursuivent** les bandits.

Activité 2. *Questions personnelles*

1. Quels cours suivez-vous?
2. Quels cours suivrez-vous l'année prochaine?
3. Quels cours avez-vous suivis l'année dernière?
4. Si vous aviez la possibilité de suivre un cours supplémentaire, quel cours suivriez-vous?

B. *MOI-MÊME*

To reinforce the subject, the French use the following construction:

stressed pronoun + **même(s)**

moi-même	*myself*	nous-mêmes	*ourselves*
toi-même	*yourself*	**vous-mêmes (vous-même)**	*yourselves (yourself)*
lui-même	*himself*	**eux-mêmes**	*themselves*
elle-même	*herself*	**elles-mêmes**	*themselves*

Tu as fait cela **toi-même?**	*Did you do that yourself?*
Oui, je l'ai fait **moi-même.**	*Yes, I did it myself.*
Faites cela **vous-mêmes.**	*Do it yourselves.*

NOTES: 1. To express the idea of *by myself* (without anyone's help), the French use the expression **tout seul (toute seule).**

Alain est resté **tout seul.**	*Alain stayed **by himself.***
Elle a écrit cette lettre **toute seule.**	*She wrote that letter **all by herself.***

2. When English uses *myself* as the object of the verb, the equivalent French sentence uses a reflexive construction.

Compare: J'ai coupé les fleurs **moi-même.**	*I cut the flowers **myself.***
Je **me** suis coupé.	*I cut **myself.***

Activité 3. **Indépendance**

Les personnes suivantes font elles-mêmes certaines choses. Exprimez cela d'après le modèle.

MODÈLE: Michèle fait la cuisine.   **Michèle fait elle-même la cuisine.**
         (*Michèle does the cooking.*)

1. J'achète mes vêtements.
2. Tu fais tes devoirs.
3. Nous réparons notre voiture.
4. Vous préparez le dîner.
5. Henri organise une surprise-partie.
6. Sylvie téléphone au professeur.
7. Mes cousins vont en Amérique.
8. François et Béatrice invitent des amis.

C. EXPRESSIONS AVEC *QUELQUE* ET LEURS CONTRAIRES

Note the following expressions with **quelque** and their opposites.

EXPRESSIONS AVEC **quelque**		EXPRESSIONS CONTRAIRES NÉGATIVES	
quelques	*some*	**ne. . .aucun (aucune)**	*no, not a single*
quelque chose (quelque + chose)	*something*	**ne. . .rien**	*nothing*
quelqu'un (quelque + un)	*someone*	**ne. . .personne**	*nobody, no one*
quelque part (quelque + part)	*somewhere*	**ne. . .nulle part**	*nowhere*
quelquefois (quelque + fois)	*sometimes*	**ne. . .jamais**	*never*

Alain a **quelques** idées. Et toi?   Je **n'ai aucune** idée.
Tu cherches **quelque chose?**   Non, je **ne** cherche **rien.**
Quelqu'un te cherche?   Moi, je **ne** cherche **personne.**
Nous allons **quelque part** ce soir.   Moi, je **ne** vais **nulle part.**
Tu vas **quelquefois** au théâtre?   Ah non, je **ne** vais **jamais** au théâtre.

NOTE: In the negative expressions, **ne** is placed before the verb.

Activité 4. ***Le menteur*** (*the liar*)

Le menteur ne dit pas la vérité. Rétablissez la vérité. Pour cela, faites des phrases à sens contraire, d'après le modèle.

MODÈLE: Le menteur: Je vais quelquefois au cinéma.

Vous: **Il ne va jamais au cinéma.**

Le menteur:

1. J'ai quelques amis.
2. Il y a quelques filles qui me trouvent beau.
3. Ce soir, je vais quelque part.
4. Je sors avec quelqu'un.
5. Je vais quelquefois au café.
6. Je ne sors jamais avec cette fille.
7. J'ai quelque chose d'important à faire.
8. Je n'ai rien à vous dire.
9. Il n'y a personne chez moi.
10. Après le film, je ne vais nulle part.

À votre tour

Un accident

Racontez un accident. Décrivez les personnes qui étaient là, ce qu'elles ont fait, ce que vous avez vu, ce que vous avez fait. Si possible, utilisez plusieurs expressions du **Vocabulaire spécialisé** de la page 418.

Il fait nuit. Alain est seul dans la tente. Il *n'arrive pas à* dormir. Il   = *ne peut pas*
regarde l'heure: il est presque minuit. . .

Alain pense au télégramme. . . Que signifient les mots mystérieux?
Est-ce que. . .? Cette fois, Alain a compris! Il s'habille et sort de la tente.
Où va-t-il? Il prend la direction des grottes de Marignac. Les grottes,
ou plutôt la grotte, *car* il n'y en a qu'une, se trouve à cinq kilomètres du   = *parce que*
camping. Alain arrive à la grotte *en courant*.   running

Il fait très noir. Heureusement Alain a pris sa *lampe de poche*. Il pénètre   flashlight
dans la grotte. A l'intérieur il y a d'énormes pierres. Alain compte: un,
deux, trois. . .quinze. . .

Soudain, Alain entend du bruit. Une voiture vient de s'arrêter. Deux
hommes descendent. Ils marchent vers la grotte.

Quand il lit des romans policiers, Alain a beaucoup de courage. Mais en
ce moment, il a plutôt peur. Il a envie de *courir*. Mais courir où? Alain   to run
se cache derrière un *rocher*. Les hommes arrivent vers lui. Ils passent très   hides; = *pierre*
près de lui. Ils s'arrêtent un peu plus loin et prennent quelque chose: deux
grandes *boîtes*.   boxes

«Les bijoux!» pense Alain.

Les hommes sortent. Alain, qui a toujours très peur, les suit. Les deux
hommes arrivent à la voiture. Ils ouvrent le *coffre* et mettent les deux   trunk
boîtes à l'intérieur. Puis ils montent dans la voiture. Alain a le temps de
lire le *numéro d'immatriculation*: 4309 RT 75   license number

La voiture est partie. «Quatre mille trois cent neuf, RT, soixante-
quinze. Quatre mille trois cent neuf, RT, soixante-quinze. Quatre
mille. . .» Alain a bonne mémoire. Il n'oubliera pas le numéro de la
voiture car il sait que c'est la voiture qui emporte les bijoux. Oui, les
bijoux de Marignac!

Alain est très fatigué, trop fatigué pour marcher jusqu'au terrain de
camping. Il va passer la nuit dans la grotte. Maintenant il est tout à fait
rassuré et dans quelques heures il aura une nouvelle fantastique à annoncer
à ses cousins. . .

Questions

1. Où est Alain à minuit?
2. Est-ce qu'il va passer la nuit seul au terrain de camping?
3. Où va-t-il?
4. Qu'est-ce qu'il a pris avec lui?
5. Où se trouve Alain quand la voiture arrive?
6. Que fait-il?
7. Qui entre dans la grotte?
8. Est-ce que les hommes ont vu Alain?
9. Que prennent-ils?
10. Où mettent-ils les boîtes?
11. Quel est le numéro d'immatriculation de la voiture?
12. Où Alain passe-t-il le reste de la nuit?

NOTE CULTURELLE: **Les numéros d'immatriculation**

En France, chaque° voiture a un numéro d'immatriculation. Par exemple, 4309 RT 75. Les deux derniers chiffres° indiquent le département, c'est-à-dire la région de la France d'où vient la voiture. Il y a 95 départements en France. Le numéro 75 (celui de la voiture dans l'histoire que vous lisez) indique que la voiture vient de Paris.

chaque each; **chiffres** digits

ÉTUDE DE MOTS

Petit vocabulaire

NOMS:	un **bruit** *noise*	une **boîte**	*box*
		une **lampe de poche**	*flashlight*
VERBES EN **-er**:	emporter *to carry*		
	se cacher *to hide*		
VERBE IRRÉGULIER:	**courir** *to run*		
EXPRESSIONS:	**il fait jour** *it's light (out)*		
	il fait nuit *it's dark (out)*		
	il fait très noir *it's pitch black*		

NOTES DE VOCABULAIRE

1. **Courir** et **marcher.** **Courir** signifie *to run* ou *to race.*

Il **court** au château.	*He **runs** toward the castle.*
Il **court** sur Ferrari.	*He **races** in a Ferrari.*

Marcher a plusieurs sens:

to walk (most common meaning)	Nous **marchons** dans la rue.	*We **are walking** in the street.*
to run (or *function*)	Ma voiture **marche** bien.	*My car **runs** well.*
to work (or *function*)	Ma montre ne **marche** pas.	*My watch doesn't **work**.*
to drive (at a given speed)	Je **marche** à 100 à l'heure.	*I'm **driving** (at) 100 kilometers an hour.*

2. **Heure, temps, fois.** Il y a plusieurs mots français qui correspondent au mot anglais *time:*

l'heure (to express clock time)

Quelle heure est-il?	*What time is it?*
A quelle heure allons-nous en ville?	*At what time are we going downtown?*
Je ne suis jamais **à l'heure.**	*I am never on time.*

le temps (to express extent of time)

Je n'ai pas **le temps** d'aller avec toi.	*I don't have the time to go with you.*
Combien de temps faut-il pour aller au château?	*How much time does it take to go to the castle?*
De temps en temps je fais du camping.	*From time to time I go camping.*

une fois (to express a repeated action or event)

C'est **la première fois** que je visite l'Auvergne.	*This is the first time that I've visited Auvergne.*

Activité 1. **Questions personnelles**

   1. Combien de fois par semaine avez-vous classe de français?
   2. A quelle heure est votre classe de français?
   3. Passez-vous beaucoup de temps à étudier le français?
   4. Allez-vous de temps en temps au cinéma?
   5. Combien de fois par mois allez-vous au cinéma?
   6. A quelle heure commence le film?
   7. Êtes-vous à l'heure quand vous avez un rendez-vous?
   8. Est-ce que vos amis sont à l'heure?

ÉTUDE DE PRONONCIATION

La détente des consonnes finales

In French the final consonant sound of a word is strongly released, that is, it is pronounced very clearly.

Prononcez

/t/ final:	ten<u>t</u>e gro<u>tt</u>e comp<u>t</u>e boî<u>t</u>e me<u>tt</u>ent mon<u>t</u>ent
/p/ final:	lam<u>p</u>e ty<u>p</u>e envelo<u>pp</u>e
/k/ final:	fantasti<u>q</u>ue magnifi<u>q</u>ue indi<u>q</u>uent
/m/ final:	ho<u>mm</u>e énor<u>m</u>e fe<u>mm</u>e dor<u>m</u>ent pri<u>m</u>e

ÉTUDE DE LANGUE

A. LE VERBE *COURIR*

Here is the form chart for the irregular verb **courir** (*to run*):

Infinitive	**courir**			
Present	je	cours	nous	courons
	tu	cours	vous	courez
	il/elle	court	ils/elles	courent
Imperfect	je	courais		
Future	je	courrai		
Passé composé	j'ai	**couru**		

Conjugated like **courir**:

parcourir   *to travel through, go through;*   Quand j'étais en Europe, j'**ai parcouru**
   cover a distance   dix pays en quinze jours.

PROVERBE FRANÇAIS: **Rien ne sert de courir, il faut partir à point.**
   Running doesn't help: you've got to start right (on time).

Activité 2. **Voyages**

Des amis d'Alain sont en vacances aux États-Unis. Pour dire où ils voyagent, faites des phrases où vous utiliserez le verbe **parcourir.**

MODÈLE: Nous (la Pennsylvanie)   **Nous parcourons la Pennsylvanie.**

1. Hélène (la Nouvelle-Angleterre)
2. Martin (les montagnes Rocheuses)
3. Florence et Michèle (les Everglades)
4. Pierre et Philippe (le Mississippi)
5. Nous (le Colorado)
6. Moi (Yellowstone)
7. Vous (le Texas)
8. Toi (la Californie)

B. ADVERBES D'INTENSITÉ

To strengthen or weaken the meaning of an adjective or adverb, the French use the following expressions of intensity.

à peu près	*almost, just about*	Alain était **à peu près** sûr du sens du message.
assez	*rather*	Alain est **assez** courageux.
bien	*indeed, right*	C'était **bien** dans la grotte qu'ils ont mis la boîte.
fort	*quite, very*	Il était **fort** probable que les bandits reviendraient.
plutôt	*rather*	Je n'ai pas soif. J'ai **plutôt** faim.
presque	*almost*	Alain est **presque** certain d'avoir la prime.
si	*so*	Alain était **si** fatigué qu'il est resté dans la grotte.
tellement	*so, that*	Il n'a jamais eu **tellement** peur. . .
tout à fait	*totally, absolutely*	C'est **tout à fait** impossible.
très	*very*	Michel et Marc sont **très** contents.
trop	*too, too much*	Alain est **trop** fatigué pour rentrer au camping.

Activité 3. **Questions personnelles**

Répondez aux questions suivantes en utilisant un adverbe d'intensité.

1. Vos cours sont-ils intéressants?
2. Vos professeurs sont-ils sévères?
3. Vos parents sont-ils stricts?
4. Vos amis sont-ils sympathiques?
5. Êtes-vous courageux ou timide?
6. Êtes-vous optimiste ou pessimiste?

A votre tour

Récit

Racontez les principaux événements d'un roman policier que vous avez lu ou d'un film policier que vous avez vu récemment.

A sept heures Alain se réveille. A huit heures il arrive au village. Il rit en pensant à la surprise qu'il réserve à ses cousins. En passant devant le bureau de tabac, il *jette un coup d'œil* sur les journaux locaux. Chacun a le même *grand titre:*

= *regarde rapidement*
headline

DEUX BANDITS ARRÊTÉS
Les cambrioleurs de Marignac ont été arrêtés la nuit dernière

Déjà? Ce n'est pas possible! pense Alain.

Curieux, il achète les journaux. Il n'est pas à la fin de sa surprise. Voici ce qu'il lit:

«Les cambrioleurs qu'on pensait être des bandits professionnels sont en fait deux jeunes gens parisiens: Marc et Michel Pécoul. Les deux frères ont été arrêtés au moment où ils allaient *cambrioler* le magasin de Monsieur Ferrand, le bijoutier bien connu de Marignac. Les jeunes bandits n'ont pas encore *avoué* le cambriolage, mais d'après les *témoignages*, ils avaient préparé *leur coup* depuis quelques jours.

to burglarize

= *admis;* = *ce qu'ont dit les témoins*
= *le vol*

«Le gardien du château a affirmé que *l'aîné*, Marc, passait chaque jour plusieurs heures à inspecter le musée. D'autres témoins ont vu son frère *aux alentours du* château plusieurs jours avant le cambriolage. Enfin, un gendarme a aperçu la voiture des jeunes bandits devant la porte du château le *lendemain* du cambriolage. On recherche activement leur *complice*, un garçon *d'une douzaine d'années* qui passait les vacances avec eux...»

= *le plus âgé*

= *autour du*

= *le jour après;* accomplice
= *qui a 12 ans*

Maintenant Alain ne rit plus. Il court vers la gendarmerie. Là il raconte les événements de la nuit dernière et il donne aux gendarmes le fameux numéro: 4309 RT 75.

Quelques jours après, la police française a arrêté le célèbre bandit, Sal S. Crow, au moment où il allait *franchir la frontière italienne* avec un complice. On a retrouvé les bijoux volés dans le coffre de sa voiture. Tout cela *grâce à* notre ami Alain qui évidemment a gagné la prime de 10.000 francs offerte par le musée.

= *aller de France en Italie*

thanks to

Marc et Michel ont retrouvé leur cousin. Chacun le *félicite*.

congratulates

MARC: Merci, mon vieux. C'est grâce à toi que nous sommes *libres*. Mais, dis donc, *comment as-tu fait pour trouver* la trace de Sal S. Crow?

free

= *comment as-tu trouvé*

ALAIN: C'est très simple. *Il suffit de* connaître l'anglais.

MICHEL: Connaître l'anglais? Explique-toi!

= *Il faut simplement*

ALAIN: Eh bien, voilà. Le fameux télégramme était en anglais et non en français, comme vous l'aviez imaginé.

MICHEL: Comment as-tu découvert cela?

ALAIN: A cause des dollars dans l'enveloppe.

MARC: C'est vrai.

ALAIN: Vous avez bien compris le début du message: DEPOS COLL BRACE signifie «Deposit collection of bracelets.» Mais vous n'avez pas trouvé le reste. Les bijoux en effet étaient derrière une énorme pierre à l'intérieur de la grotte de Marignac.

MICHEL: Je ne comprends pas.

ALAIN: Ce n'est pas compliqué. Comme chacun sait, CAVE signifie «caverne», ou «grotte» dans le cas du télégramme. ROCH est un mot *mal épelé*. Il fallait lire ROCK. Alors, 17 SQUARE ROCK   misspelled
signifie «la dix-septième pierre carrée». C'est bien derrière la dix-septième pierre de la grotte que Sal S. Crow est venu chercher les bijoux déposés là par ses complices.

MARC: Bravo! Et qu'est-ce que tu vas faire avec la prime?

ALAIN: Je ne sais pas encore... Peut-être que je vais passer les prochaines vacances en Amérique. Après tout, c'est grâce à l'anglais que j'ai obtenu la prime!

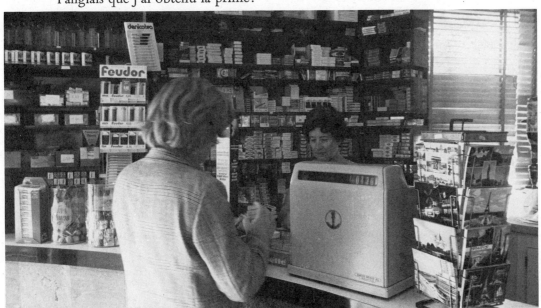

NOTE CULTURELLE: **Le bureau de tabac**

Si vous allez en France, vous irez certainement au bureau de tabac. Pas nécessairement pour acheter des cigarettes, mais pour acheter un journal, un magazine, des cartes postales, des timbres, des enveloppes, du papier à lettres, des guides touristiques, des souvenirs... Le bureau de tabac vend toutes sortes de choses... Souvent le bureau de tabac est situé à l'intérieur d'un café.

Questions

1. A quelle heure Alain se réveille-t-il?
2. Pourquoi rit-il?
3. Que lit-il dans le journal?
4. Qui a été arrêté?
5. Est-ce que Marc et Michel ont avoué le cambriolage?
6. Quel est le témoignage du gendarme?
7. Quel est le témoignage du gardien du château?
8. Quel est le témoignage des autres témoins?
9. Qui recherche-t-on?
10. Où Alain court-il?
11. Où la police française arrête-t-elle les bandits?
12. En quelle langue a été écrit le télégramme?
13. Pourquoi Alain a-t-il su que le télégramme était en anglais?
14. Qui a gagné la prime?
15. Que va-t-il faire avec la prime?

ÉTUDE DE MOTS

Petit vocabulaire

NOMS:	un **cas**	*case*
	un **coup**	*blow*
VERBE EN **–er**:	**jeter** (comme **appeler**)	*to throw*
VERBE IRRÉGULIER:	**rire**	*to laugh*
EXPRESSION:	**grâce à**	*thanks to*

NOTE DE VOCABULAIRE

Le mot **coup**. Dans un sens général, le mot **coup** signifie *blow, knock, strike*.

J'entends un **coup** à la porte.	*I hear a **knock** at the door.*
Il a reçu un **coup** sur la tête.	*He got a **blow** on the head.*

Le mot **coup** est aussi utilisé dans un grand nombre d'expressions:

un coup de main	*a helping hand*	
donner un coup de main	*to help*	Marc **donne un coup de main** à Michel.
un coup d'œil	*a glance*	
donner un coup d'œil	*to glance at*	Alain **donne un coup d'œil** au journal.
un coup de pied	*a kick*	
donner un coup de pied	*to kick*	Je **donne un coup de pied** dans le ballon.
un coup de téléphone	*a phone call*	
donner un coup de téléphone	*to call, phone*	**Donnez-moi un coup de téléphone** demain.
du premier coup	*on the first try*	J'ai réussi **du premier coup.**
tout à coup	*suddenly*	**Tout à coup** Alain a compris le sens du message.

ÉTUDE DE PRONONCIATION

Release the final consonant sound of the following words very distinctly.

Prononcez

/ʒ/ final: cambriolage   témoignage   page   âge   passage
/v/ final: réserve   vivent   neuve   savent
/s/ final: complice   passe   grâce
/n/ final: tiennent   parisienne   viennent   douzaine   magazine
/d/ final: épisode   code   grande   aide   guide   vendent

ÉTUDE DE LANGUE

A. LE VERBE *RIRE*

Here is the form chart for the irregular verb **rire** (*to laugh*).

Infinitive	**rire**			
Present	je	ris	nous	rions
	tu	ris	vous	riez
	il/elle	rit	ils/elles	rient
Imperfect	je	riais[1]		
Future	je	rirai		
Passé composé	j'ai	**ri**		

Conjugated like **rire**:

sourire   *to smile*   Pourquoi **souris**-tu?

Activité 1. **La plaisanterie** (*the joke*)

Michel a fait une plaisanterie. Ses amis rient et ses amies sourient. Complétez les phrases avec le verbe **rire** ou **sourire**, suivant que le sujet est un garçon ou une fille.

MODÈLES: Toi, Charlotte. . .   Toi, Charlotte, tu souris.
          Martin. . .   Martin rit.

1. Antoine. . .
2. Gilbert et Alain. . .
3. Suzanne. . .
4. Toi, Annette. . .

5. Pierre et Jacques, vous. . .
6. Robert et moi, nous. . .
7. Jacqueline a. . .
8. Hubert et Roger ont. . .

[1] Note the forms of the imperfect: nous **rii**ons, vous **rii**ez.

B. *CHAQUE* ET *CHACUN*

Chaque (*each, every*) is a determiner and introduces a noun.

Chaque jour, Marc et Michel vont au château.

Chacun, chacune (*each one*) is a pronoun. When **chacun** is the subject of the sentence, the verb is singular.

Les amis d'Alain l'attendent.	**Chacun** le félicite.
Les cousines d'Alain lui téléphonent.	**Chacune** le félicite.

PROVERBES FRANÇAIS:

(pour les pessimistes)   **A chaque jour sa peine.**
There is always work to be done.

(pour les optimistes)   **Chacun trouve midi à sa porte.**
Happiness is where you find it.

Activité 2. **Une réunion sportive** (*a sporting event*)

Marc et Michel sont à une réunion sportive. Marc pose des questions. Michel répond. Jouez le rôle de Marc et de Michel d'après le modèle. Donnez deux réponses pour Michel.

MODÈLE: Les athlètes se préparent.

Marc: **Que font les athlètes?**
Michel: **Chaque athlète se prépare.**
      Chacun se prépare.

1. Les athlètes portent un numéro.
2. Les filles portent un short blanc.
3. Les garçons portent un short bleu.
4. Les athlètes portent des chaussures spéciales.
5. Les filles participent à deux événements.
6. Les garçons participent à trois événements.
7. Les champions montent au podium.
8. Les garçons victorieux reçoivent une médaille.
9. Les championnes reçoivent une médaille et un bouquet.
10. Les filles victorieuses montrent leur médaille à leurs amis.

A votre tour

Une histoire drôle

Racontez une histoire drôle que vous avez lue ou entendue récemment.

Récréation
Les charades

Avez-vous déjà joué aux charades? Probablement! Les jeunes Français, eux aussi, jouent aux charades, mais leurs charades sont très différentes des charades américaines. Voulez-vous savoir comment jouer aux charades en français? C'est très simple:

Quelqu'un choisit un mot. Il le décompose en syllabes et il donne une définition qui correspond à chacune de ces syllabes. Tout le monde essaie de deviner (*to guess*) le mot en le reconstituant. Prenons un exemple: le mot «charade». Vous décomposez le mot en syllabes: cha/ra/de. Pour chacune de ces syllabes, vous composez une définition.

Mon premier est un animal domestique. (chat)
Mon deuxième est un animal qui n'est pas domestique. (rat)
Mon troisième est un chiffre. (deux)

Et mon tout est un jeu.

Le premier qui trouve le mot «charade» («chat—rat—deux») a gagné.

Maintenant vous savez comment jouer aux charades en français. Voici d'autres charades qui ont quelque chose en commun: le mot à deviner est une des quinze villes de France représentées sur la carte à la page 434. Mais avant de commencer, vous allez apprendre deux choses utiles pour jouer aux charades: l'alphabet français et les notes de musique.

L'alphabet français

A /a/	F /ɛf/	K /ka/	P /pe/	U /y/
B /be/	G /ʒe/	L /ɛl/	Q /ky/	V /ve/
C /se/	H /aʃ/	M /ɛm/	R /ɛr/	W /dublə ve/
D /de/	I /i/	N /ɛn/	S /ɛs/	X /iks/
E /ə/	J /ʒi/	O /o/	T /te/	Y /igrɛk/
É /e/				Z /zɛd/

Les notes de musique

do ré mi fa sol la si do

Étudiez attentivement la carte...

Maintenant, commençons. Si vous ne trouvez pas la réponse, voyez la solution en bas de la page 436.

Charade 1

>   Mon premier est joli.
>   Mon deuxième est robuste.
>
>   Mon tout est une ville de l'est de la France.

Charade 2

>   Mon premier représente 365 jours.
>   Mon deuxième est une lettre de l'alphabet.
>
>   Mon tout est une ville de l'ouest de la France.

Charade 3

>   Mon premier est une lettre de l'alphabet.
>   Mon deuxième est une boisson.
>
>   Mon tout est une ville du nord de la France.

Charade 4

>   Mon premier existe en quatre exemplaires sur chaque voiture.
>   Mon deuxième représente 365 jours.
>
>   Mon tout est une ville de l'ouest de la France.

Charade 5

>   Mon premier existe en quatre exemplaires sur chaque voiture.
>   Mon deuxième est une lettre de l'alphabet.
>
>   Mon tout est une ville du nord de la France.

Charade 6

>   Mon premier est ce qu'on fait avec un livre.
>   Mon deuxième est un pronom impersonnel.
>
>   Mon tout est une ville de l'est de la France.

Charade 7

>   Mon premier peut être 15 ans, 17 ans, 60 ans, etc.
>   Mon deuxième représente 365 jours.
>   Mon tout est une ville du sud de la France.

Charade 8

>   Mon premier est joli.
>   Mon deuxième est une lettre de l'alphabet.
>   Mon tout est une ville du nord de la France.

Charade 9

>   Mon premier et mon deuxième s'écrivent 50.
>   Mon troisième s'écrit 1.
>   Mon tout est une ville du nord de la France.

Charade 10

> Mon premier est à moi.
> Mon deuxième est une lettre de l'alphabet.
> Je me couche dans mon troisième.
> Mon quatrième est une voyelle avec un accent aigu.
> Mon tout est une ville du sud de la France.

Charade 11

> Mon premier se trouve à la campagne.
> Mon deuxième est une lettre de l'alphabet.
> Mon troisième s'amuse.
> Mon tout est une ville de l'est de la France.

Charade 12

> Mon premier est à moi.
> Mon deuxième est un chiffre.
> Mon troisième est un mois de l'année.
> Mon quatrième a 365 jours.
> Mon tout est une ville du sud de la France.

Charade 13

> Mon premier est une note de musique.
> Mon deuxième est une grosse pierre.
> Mon troisième est un pronom féminin.
> Mon tout est une ville de l'ouest de la France.

Charade 14

> Mon premier est un animal domestique.
> Mon deuxième est le contraire de tard.
> Sans mon troisième, une voiture ne peut pas rouler.
> Mon tout est une ville du centre de la France.

Charade 15

> Mon premier est une lettre de l'alphabet.
> Mon deuxième est le contraire de rapide.
> Mon troisième est à lui.
> Mon tout est une ville de l'ouest de la France.

Maintenant vous pouvez composer vos charades vous-mêmes!

Et voici les solutions des charades:

Charades:	1	2	3	4	5	6	7	8	9	10	11	12	13	14	15
Villes:	15	7	2	5	3	13	11	4	1	12	14	10	9	8	6

Écrivez vos réponses sur une feuille de papier. Puis, vérifiez vos réponses à la page 463.

VERBES

TEST 1. *La bonne forme*

Complétez les phrases avec la forme qui convient du verbe entre parenthèses.

1. **(vivre)** J'ai —— dix ans en Auvergne. Maintenant, je —— à Paris avec mes parents. Les Parisiens —— d'une façon trépidante (*agitated*). Et vous, comment —— -vous en Amérique?

2. **(suivre)** Je suis à Paris où je —— des cours à l'Alliance Française. L'année dernière, j'ai —— un cours sur la civilisation française. Et vous, quels cours —— -vous à votre école?

3. **(rire)** J'aime ——. Je —— toujours. Mon frère, lui, ne —— jamais. Il n'aime pas que les gens ——, car il croit que c'est à cause de lui qu'on ——. Et vous, —— -vous souvent?

4. **(courir)** Si je suis fatigué, c'est parce que j'ai ——. Je —— toujours avant de dîner. C'est un bon exercice. Mes amis aussi ——. Et vous, —— -vous? ou préférez-vous marcher?

5. **(tenir)** Je —— à vous dire que mes amis se —— très bien. Marc, par exemple, s'est parfaitement —— la dernière fois que je l'ai invité. Et vous, est-ce que vous vous —— bien quand vous êtes invité chez vos amis?

6. **(offrir)** J'ai —— un disque à ma sœur pour son anniversaire. Je lui —— toujours des disques et elle, elle m'—— toujours des livres. Et vous, qu'est-ce que vous —— à votre sœur pour son anniversaire? des disques ou des livres?

STRUCTURE

TEST 2. *Autonomie*

Certaines personnes ont fait certaines choses sans aide. Pour exprimer cela, complétez les phrases avec le mot qui convient.

1. J'ai réparé ma bicyclette —— -même.
2. Michèle a réparé sa guitare elle- ——.
3. Nous avons nous- —— organisé le pique-nique.
4. Mes frères ont lavé —— -mêmes la voiture.
5. Faites-vous —— -même la cuisine?
6. As-tu développé —— -même ces photos?
7. Cet été, j'ai voyagé —— seul.
8. Ma sœur a été au Canada —— seule.

TEST 3. *Le mot exact*

Complétez les phrases avec les mots qui conviennent. (Attention: certains mots entre parenthèses ne conviennent pas.)

1. (quelques, quelques-unes, d'autres)

Voici —— photos que j'ai prises cet été. J'en ai pris —— à Paris. J'en ai pris —— à Montpellier.

2. (quelques, quelques-uns, quelques-unes)

J'ai été au supermarché. J'ai acheté —— bananes, —— oranges et —— tomates pour notre pique-nique.

3. (chaque, chacun, chacune)

—— va m'aider à préparer le pique-nique. —— fille préparera un dessert et —— garçon achètera quelque chose.

4. (quelqu'un, quelque chose, quelque part)

—— est venu vous voir. Il m'a donné —— pour vous. C'était un télégramme. Je l'ai mis ——, mais je ne sais pas où exactement.

5. (quelqu'un, personne, rien)

Qu'est-ce que vous faites aujourd'hui? Moi, je ne fais ——. Si je connaissais ——, j'irais au cinéma avec lui. Mais, hélas, je ne connais ——. Je vais donc rester chez moi.

6. (aucun, aucune, jamais)

Je ne vais —— au théâtre. Je ne vois —— «western». Je ne vois —— comédie musicale.

VOCABULAIRE

TEST 4. *Au choix*

Complétez les phrases avec l'un des mots entre parenthèses.

1. Est-ce que votre voiture —— bien? (court, marche)
2. Le ventilateur ne —— pas. Je vais téléphoner au réparateur. (court, marche)
3. Pour arriver à la maison avant mon frère, j'ai —— et maintenant je suis très fatigué. (couru, marché)
4. Je —— beaucoup à ce livre. Je l'ai reçu pour mon anniversaire. (tiens, maintiens)
5. Mes parents ne (n') —— pas à ce que je sorte le soir. (tiennent, obtiennent)
6. Travaillez et vous —— de bons résultats. (contiendrez, obtiendrez)
7. George Washington a —— au XVIIIᵉ siècle. (vécu, habité)
8. Alain est un garçon très joyeux. Il aime ——. (rire, courir)
9. —— la porte, s'il vous plaît. (Ouvrez, Offrez)
10. J'ai —— cette vieille table chez un antiquaire. (offert, découvert)
11. Nicole et Marie vont —— au cinéma. (tous les deux, toutes les deux)
12. Alain, Marc et Michel ont lu le journal ——. (tous les deux, tous les trois)

TEST 5. *Le bon moment*

Marc et Michel décident d'aller au cinéma. Complétez le dialogue avec les mots **fois, heure** et **temps.**

Marc: As-tu l'——(1) exacte?

Michel: Oui! Il est une ——(2) moins le quart.

Marc: As-tu le ——(3) d'aller au cinéma avec moi?

Michel: Ça dépend. A quelle ——(4) commence le film?

Marc: A une ——(5) et demie, je crois.

Michel: Dépêchons-nous. Nous n'avons pas beaucoup de ——(6). Est-ce que le film commence à l'——(7)?

Marc: Je ne sais pas. C'est la première ——(8) que je vais à ce cinéma.

Michel: Combien de ——(9) vas-tu au cinéma par mois?

Marc: Trois ou quatre ——(10).

TEST 6. *Le bon endroit*

Déterminez où sont situées certaines choses. Pour cela, complétez les phrases avec l'un des mots entre parenthèses.

1. Regarde l'avion qui est —— de la ville. (au-dessus, au-dessous)
2. Le garage est —— de la maison. (au-dessus, au-dessous)
3. A l'—— du musée, il y a une collection d'armures. (intérieur, extérieur)
4. A l'—— du musée, il y a un grand parc. (intérieur, extérieur)
5. Central Park se trouve —— de New York. (autour, au milieu)
6. New York est —— de San Francisco. (près, loin)
7. Saint Paul est —— de Minneapolis. (près, loin)
8. —— de la rue, il y a de beaux magasins. (Le long, Au milieu)
9. Arrêtez-vous —— de trois kilomètres. (au bout, autour)
10. A droite de chez moi, il y a un parc. A —— de chez moi, il y a un supermarché. (gauche, l'intérieur)

APPENDIX I

Numbers

1 un (une)	16 seize	71 soixante et onze
2 deux	17 dix-sept	72 soixante-douze
3 trois	18 dix-huit	80 quatre-vingts
4 quatre	19 dix-neuf	81 quatre-vingt-un (une)
5 cinq	20 vingt	82 quatre-vingt-deux
6 six	21 vingt et un (une)	90 quatre-vingt-dix
7 sept	22 vingt-deux	91 quatre-vingt-onze
8 huit	30 trente	100 cent
9 neuf	31 trente et un (une)	101 cent un (une)
10 dix	32 trente-deux	102 cent deux
11 onze	40 quarante	200 deux cents
12 douze	41 quarante et un (une)	201 deux cent un
13 treize	50 cinquante	1000 mille
14 quatorze	60 soixante	2000 deux mille
15 quinze	70 soixante-dix	1.000.000 un million

APPENDIX II
Verbs

1. Regular verbs

INFINITIVE	PRESENT		IMPERFECT	FUTURE	
parler	je parle tu parles il parle	nous parlons vous parlez ils parlent	je parlais	je parlerai	
finir	je finis tu finis il finit	nous finissons vous finissez ils finissent	je finissais	je finirai	
vendre	je vends tu vends il vend	nous vendons vous vendez ils vendent	je vendais	je vendrai	
se dépêcher	je me dépêche tu te dépêches il se dépêche	nous nous dépêchons vous vous dépêchez ils se dépêchent	je me dépêchais	je me dépêcherai	

2. –er Verbs with spelling changes

	PRESENT		IMPERFECT	FUTURE	
acheter	j'achète tu **achètes** il **achète**	nous achetons vous achetez ils **achètent**	j'achetais	**j'achèterai**	
appeler	j'appelle tu **appelles** il **appelle**	nous appelons vous appelez ils **appellent**	j'appelais	**j'appellerai**	
préférer	je **préfère** tu **préfères** il **préfère**	nous préférons vous préférez ils **préfèrent**	je préférais	je préférerai	
manger	je mange tu manges il mange	nous **mangeons** vous mangez ils mangent	je **mangeais** nous mangions	je mangerai	
commencer	je commence tu commences il commence	nous **commençons** vous commencez ils commencent	je **commençais** nous commencions	je commencerai	
payer	je **paie** tu **paies** il **paie**	nous payons vous payez ils **paient**	je payais nous payions	je **paierai**	

440

PASSÉ COMPOSÉ	IMPERATIVE	SUBJUNCTIVE	PRESENT PARTICIPLE
j'ai parlé	parle parlons parlez	que je parle que nous parlions	parlant
j'ai fini	finis finissons finissez	que je finisse que nous finissions	finissant
j'ai vendu	vends vendons vendez	que je vende que nous vendions	vendant
je me suis dépêché	dépêche-toi dépêchons-nous dépêchez-vous	que je me dépêche que nous nous dépêchions	se dépêchant
j'ai acheté	**achète** achetons achetez	que j'**achète** que nous achetions	achetant
j'ai appelé	**appelle** appelons appelez	que j'**appelle** que nous appelions	appelant
j'ai préféré	**préfère** préférons préférez	que je **préfère** que nous préférions	préférant
j'ai mangé	mange **mangeons** mangez	que je mange que nous mangions	**mangeant**
j'ai commencé	commence **commençons** commencez	que je commence que nous commencions	**commençant**
j'ai payé	**paie** payons payez	que je **paie** que nous payions	payant

Verbs like **acheter**: amener, élever, emmener, enlever, lever, mener, promener, ramener

Verbs like **appeler**: épeler, jeter, renouveler

Verbs like **préférer**: célébrer, compléter, considérer, coopérer, espérer, fédérer, interpréter, libérer, pénétrer, posséder, précéder, protéger,[1] refléter, répéter, sécher, suggérer, exagérer

Verbs like **manger**: arranger, changer, décourager, diriger, forger, interroger, juger, mélanger, obliger, partager, protéger,[1] rédiger, songer, voyager

Verbs like **commencer**: exercer, se fiancer, menacer, placer, prononcer, recommencer, remplacer, renoncer

Verbs like **payer**: appuyer, employer, essayer, nettoyer

3. Irregular verbs

avoir   *Present:* j'**ai**, tu **as**, il **a**, nous avons, vous avez, ils **ont**

Imperfect: j'avais	*Imperative:* **aie, ayons, ayez**
Present participle: **ayant**	*Subjunctive:* que j'**aie**, que tu **aies**, qu'il **ait**,
Future: j'**aurai**	que nous **ayons**, que vous **ayez**, qu'ils **aient**
Passé composé: j'ai **eu**	

être   *Present:* je **suis**, tu **es**, il **est**, nous **sommes**, vous **êtes**, ils **sont**

Imperfect: j'**étais**	*Imperative:* **sois, soyons, soyez**
Present participle: **étant**	*Subjunctive:* que je **sois**, que tu **sois**, qu'il
Future: je **serai**	**soit**, que nous **soyons**, que vous **soyez**,
Passé composé: j'ai **été**	qu'ils **soient**

acquérir   *Present:* j'**acquiers**, tu **acquiers**, il **acquiert**, nous acquérons, vous acquérez, ils **acquièrent**

Imperfect: j'acquérais	*Present participle:* acquérant
Future: j'**acquerrai**	*Imperative:* acquiers, acquérons, acquérez
Passé composé: j'ai **acquis**	*Subjunctive:* que j'**acquière**, que nous acquérions

aller   *Present:* je **vais**, tu **vas**, il **va**, nous allons, vous allez, ils **vont**

Imperfect: j'allais	*Present participle:* allant
Future: j'**irai**	*Imperative:* va, allons, allez
Passé composé: je suis allé	*Subjunctive:* que j'**aille**, que nous allions

---

[1] The verb **protéger** contains the spelling changes typical of both **préférer** and **manger**: je **protège**, nous **protégeons**.

s'asseoir   *Present:* je m'**assieds,** tu t'**assieds,** il s'**assied,** nous nous **asseyons,** vous vous **asseyez,** ils s'**asseyent**

Imperfect: je m'**asseyais**   *Present participle:* s'**asseyant**
Future: je m'**assiérai**   *Imperative:* assieds-toi, asseyons-nous, asseyez-vous
Passé composé: je me suis **assis**   *Subjunctive:* que je m'**asseye,** que nous nous **asseyions**

battre   *Present:* je **bats,** tu **bats,** il **bat,** nous battons, vous battez, ils battent

Imperfect: je battais   *Present participle:* battant
Future: je battrai   *Imperative:* bats, battons, battez
Passé composé: j'ai battu   *Subjunctive:* que je batte, que nous battions

Verb like **battre:** combattre

boire   *Present:* je bois, tu bois, il boit, nous **buvons,** vous **buvez,** ils boivent

Imperfect: je **buvais**   *Present participle:* **buvant**
Future: je boirai   *Imperative:* bois, buvons, buvez
Passé composé: j'ai **bu**   *Subjunctive:* que je boive, que nous buvions

conduire   *Present:* je conduis, tu conduis, il conduit, nous **conduisons,** vous **conduisez,** ils **conduisent**

Imperfect: je conduisais   *Present participle:* conduisant
Future: je conduirai   *Imperative:* conduis, conduisons, conduisez
Passé composé: j'ai **conduit**   *Subjunctive:* que je conduise, que nous conduisions

Verbs like **conduire:** construire, produire, traduire

connaître   *Present:* je **connais,** tu **connais,** il **connaît,** nous **connaissons,** vous **connaissez,** ils **connaissent**

Imperfect: je connaissais   *Present participle:* connaissant
Future: je connaîtrai   *Imperative:* connais, connaissons, connaissez
Passé composé: j'ai **connu**   *Subjunctive:* que je connaisse, que nous connaissions

Verb like **connaître:** reconnaître

convaincre   *Present:* je **convaincs,** tu **convaincs,** il **convainc,** nous **convainquons,** vous **convainquez,** ils **convainquent**

Imperfect: je convainquais   *Present participle:* convainquant
Future: je convaincrai   *Imperative:* convaincs, convainquons, convainquez
Passé composé: j'ai convaincu   *Subjunctive:* que je convainque, que nous convainquions

courir   *Present:* je **cours,** tu **cours,** il **court,** nous courons, vous courez, ils courent

      Imperfect: je courais   *Present participle:* courant
      Future: je **courrai**   *Imperative:* cours, courons, courez
      Passé composé: j'ai **couru**   *Subjunctive:* que je coure, que nous courions

    Verb like **courir:** parcourir

croire   *Present:* je crois, tu crois, il croit, nous **croyons,** vous **croyez,** ils croient

      Imperfect: je croyais   *Present participle:* croyant
      Future: je croirai   *Imperative:* crois, croyons, croyez
      Passé composé: j'ai **cru**   *Subjunctive:* que je croie, que nous croyions

devoir   *Present:* je **dois,** tu **dois,** il **doit,** nous devons, vous devez, ils **doivent**

      Imperfect: je devais   *Present participle:* devant
      Future: je **devrai**   *Imperative:* dois, devons, devez
      Passé composé: j'ai **dû**   *Subjunctive:* que je doive, que nous devions

dire   *Present:* je dis, tu dis, il dit, nous **disons,** vous **dites,** ils **disent**

      Imperfect: je disais   *Present participle:* disant
      Future: je dirai   *Imperative:* dis, disons, **dites**
      Passé composé: j'ai **dit**   *Subjunctive:* que je dise, que nous disions

    Verbs like **dire:** contredire, interdire, prédire

dormir   *Present:* je **dors,** tu **dors,** il **dort,** nous dormons, vous dormez, ils dorment

      Imperfect: je dormais   *Present participle:* dormant
      Future: je dormirai   *Imperative:* dors, dormons, dormez
      Passé composé: j'ai dormi   *Subjunctive:* que je dorme, que nous dormions

    Verbs like **dormir:** consentir, endormir, sentir, servir

écrire   *Present:* j'écris, tu écris, il écrit, nous **écrivons,** vous **écrivez,** ils **écrivent**

      Imperfect: j'écrivais   *Present participle:* écrivant
      Future: j'écrirai   *Imperative:* écris, écrivons, écrivez
      Passé composé: j'ai **écrit**   *Subjunctive:* que j'écrive, que nous écrivions

    Verbs like **écrire:** décrire, inscrire

envoyer   *Present:* j'**envoie,** tu **envoies,** il **envoie,** nous envoyons, vous envoyons, ils **envoient**

      Imperfect: j'envoyais   *Present participle:* envoyant
      Future: j'**enverrai**   *Imperative:* envoie, envoyons, envoyez
      Passé composé: j'ai envoyé   *Subjunctive:* que j'envoie, que nous envoyions

faire   *Present:* je fais, tu fais, il fait, nous **faisons,** vous **faites,** ils **font**

Imperfect: je faisais   *Present participle:* faisant
Future: je **ferai**   *Imperative:* fais, faisons, **faites**
Passé composé: j'ai **fait**   *Subjunctive:* que je **fasse,** que nous **fassions**

Verbs like **faire:** défaire, refaire

falloir   *Present:* il **faut**
Future: il **faudra**
Passé composé: il a **fallu**

interrompre   *Present:* j'interromps, tu interromps, il **interrompt,** nous interrompons, vous interrompez, ils interrompent

Imperfect: j'interrompais   *Present participle:* interrompant
Future: j'interromprai   *Imperative:* interromps, interrompons, interrompez
Passé composé: j'ai interrompu *Subjunctive:* que j'interrompe, que nous interrompions

joindre   *Present:* je **joins,** tu **joins,** il **joint,** nous **joignons,** vous **joignez,** ils **joignent**

Imperfect: je joignais   *Present participle:* joignant
Future: je joindrai   *Imperative:* joins, joignons, joignez
Passé composé: j'ai **joint** *Subjunctive:* que je joigne, que nous joignions

Verbs like **joindre:** peindre, rejoindre

lire   *Present:* je lis, tu lis, il lit, nous **lisons,** vous **lisez,** ils **lisent**

Imperfect: je lisais   *Present participle:* lisant
Future: je lirai   *Imperative:* lis, lisons, lisez
Passé composé: j'ai **lu**   *Subjunctive:* que je lise, que nous lisions

Verbs like **lire:** élire, relire

mettre   *Present:* je **mets,** tu **mets,** il **met,** nous mettons, vous mettez, ils mettent

Imperfect: je mettais   *Present participle:* mettant
Future: je mettrai   *Imperative:* mets, mettons, mettez
Passé composé: j'ai **mis**   *Subjunctive:* que je mette, que nous mettions

Verbs like **mettre:** admettre, permettre, promettre, remettre

ouvrir   *Present:* j'**ouvre,** tu **ouvres,** il **ouvre,** nous **ouvrons,** vous **ouvrez,** ils **ouvrent**

Imperfect: j'ouvrais   *Present participle:* ouvrant
Future: j'ouvrirai   *Imperative:* ouvre, ouvrons, ouvrez
Passé composé: j'ai **ouvert** *Subjunctive:* que j'ouvre, que nous ouvrions

Verbs like **ouvrir:** couvrir, découvrir, offrir, souffrir

paraître *Present:* je **parais,** tu **parais,** il **paraît,** nous **paraissons,** vous **paraissez,** ils **paraissent**

Imperfect: je paraissais *Present participle:* paraissant
Future: je paraîtrai   *Imperative:* parais, paraissons, paraissez
Passé composé: j'ai **paru** *Subjunctive:* que je paraisse, que nous paraissions

Verb like **paraître:** disparaître

partir *Present:* je **pars,** tu **pars,** il **part,** nous partons, vous partez, ils partent

Imperfect: je partais   *Present participle:* partant
Future: je partirai   *Imperative:* pars, partons, partez
Passé composé: je suis parti *Subjunctive:* que je parte, que nous partions

Verbs like **partir:** repartir, sortir

pouvoir *Present:* je **peux,** tu **peux,** il **peut,** nous pouvons, vous pouvez, ils **peuvent**

Imperfect: je pouvais   *Present participle:* pouvant
Future: je **pourrai**
Passé composé: j'ai **pu**   *Subjunctive:* que je **puisse,** que nous **puissions**

prendre *Present:* je **prends,** tu **prends,** il **prend,** nous **prenons,** vous **prenez,** ils **prennent**

Imperfect: je prenais   *Present participle:* prennant
Future: je prendrai   *Imperative:* prends, prenons, prenez
Passé composé: j'ai **pris** *Subjunctive:* que je prenne, que nous prenions

Verbs like **prendre:** apprendre, comprendre, entreprendre, reprendre, surprendre

recevoir *Present:* je **reçois,** tu **reçois,** il **reçoit,** nous recevons, vous recevez, ils **reçoivent**

Imperfect: je recevais   *Present participle:* recevant
Future: je **recevrai**   *Imperative:* reçois, recevons, recevez
Passé composé: j'ai **reçu** *Subjunctive:* que je reçoive, que nous recevions

Verbs like **recevoir:** apercevoir, décevoir

résoudre *Present:* je **résous,** tu **résous,** il **résout,** nous **résolvons,** vous **résolvez,** ils **résolvent**

Imperfect: je résolvais   *Present participle:* résolvant
Future: je résoudrai   *Imperative:* résous, résolvons, résolvez
Passé composé: j'ai **résolu** *Subjunctive:* que je résolve, que nous résolvions

rire

Present: je ris, tu ris, il rit, nous rions, vous riez, ils rient

Imperfect: je riais	*Present participle:* riant
Future: je rirai	*Imperative:* ris, rions, riez
Passé composé: j'ai **ri**	*Subjunctive:* que je rie, que nous riions

Verb like **rire:** sourire

savoir

Present: je **sais,** tu **sais,** il **sait,** nous savons, vous savez, ils savent

Imperfect: je savais	*Present participle:* **sachant**
Future: je **saurai**	*Imperative:* **sache, sachons, sachez**
Passé composé: j'ai **su**	*Subjunctive:* que je **sache,** que nous **sachions**

suivre

Present: je **suis,** tu **suis,** il **suit,** nous suivons, vous suivez, ils suivent

Imperfect: je suivais	*Present participle:* suivant
Future: je suivrai	*Imperative:* suis, suivons, suivez
Passé composé: j'ai **suivi**	*Subjunctive:* que je suive, que nous suivions

Verb like **suivre:** poursuivre

se taire

Present: je me tais, tu te tais, il se tait, nous nous **taisons,** vous vous **taisez,** ils se **taisent**

Imperfect: je me taisais	*Present participle:* se taisant
Future: je me tairai	*Imperative:* tais-toi, taisons-nous, taisez-vous
Passé composé: je me suis **tu**	*Subjunctive:* que je me taise, que nous nous taisions

tenir

Present: je **tiens,** tu **tiens,** il **tient,** nous tenons, vous tenez, ils **tiennent**

Imperfect: je tenais	*Present participle:* tenant
Future: je **tiendrai**	*Imperative:* tiens, tenons, tenez
Passé composé: j'ai **tenu**	*Subjunctive:* que je tienne, que nous tenions

Verbs like **tenir:** appartenir, contenir, maintenir, obtenir, prévenir, retenir

valoir

Present: je **vaux,** tu **vaux,** il **vaut,** nous valons, vous valez, ils valent

Imperfect: je valais	*Present participle:* valant
Future: je **vaudrai**	*Imperative:* vaux, valons, valez
Passé composé: j'ai **valu**	*Subjunctive:* que je **vaille,** que nous valions

venir

Present: je **viens,** tu **viens,** il **vient,** nous venons, vous venez, ils **viennent**

Imperfect: je venais	*Present participle:* venant
Future: je **viendrai**	*Imperative:* viens, venons, venez
Passé composé: je suis **venu**	*Subjunctive:* que je vienne, que nous venions

Verbs like **venir:** convenir, devenir, revenir, se souvenir de

vivre   *Present:* je **vis**, tu **vis**, il **vit**, nous vivons, vous vivez, ils vivent

Imperfect: je vivais   *Present participle:* vivant
Future: je vivrai   *Imperative:* vis, vivons, vivez
Passé composé: j'ai **vécu**   *Subjunctive:* que je vive, que nous vivions

Verb like **vivre:** survivre

voir   *Present:* je vois, tu vois, il voit, nous **voyons,** vous **voyez,** ils voient

Imperfect: je voyais   *Present participle:* voyant
Future: je **verrai**   *Imperative:* vois, voyons, voyez
Passé composé: j'ai **vu**   *Subjunctive:* que je voie, que nous voyions

Verbs like **voir:** prévoir, revoir

vouloir   *Present:* je **veux,** tu **veux,** il **veut,** nous voulons, vous voulez, ils **veulent**

Imperfect: je voulais   *Present participle:* voulant
Future: je **voudrai**   *Imperative:* **veuille, veuillons, veuillez**
Passé composé: j'ai **voulu**   *Subjunctive:* que je **veuille,** que nous voulions

APPENDIX III

Key to TESTS DE CONTRÔLE

After taking a test, compare your answers with the correct answers shown in Part A (**Réponses correctes**). Then read Part B (**Interprétation**) to analyze the results. You may then do the suggested review on the basis of this analysis.

CHAPITRE UN

A. Réponses correctes

Test 1

	(a)	(b)
1.	est	a
2.	est	a
3.	sont	ont
4.	sont	ont
5.	sommes	avons
6.	êtes	avez
7.	suis	ai
8.	es	as

Test 2

	(a)	(b)
1.	habitons	allons
2.	habitez	allez
3.	habite	vais
4.	habites	vas
5.	habite	va
6.	habitent	vont

Test 3
1. est
2. a
3. va
4. a
5. a
6. est
7. va
8. est

Test 4
1. une
2. un
3. un
4. des
5. des
6. des

Test 5
1. l'
2. la
3. les
4. le
5. l'
6. les

Test 6
1. les
2. la
3. le
4. la
5. la
6. les

Test 7

(a)	(b)
1. au Théâtre de France	du Théâtre de France
2. à l'Opéra	de l'Opéra
3. à la Tour Montparnasse	de la Tour Montparnasse
4. au musée Rodin	du musée Rodin
5. aux Invalides	des Invalides
6. aux Champs-Élysées	des Champs-Élysées

Test 8
1. intelligente
2. bêtes
3. pénible
4. jolies
5. idiote
6. amusants

Test 9*
1. la bicyclette bleue
2. la moto japonaise
3. les disques américains
4. la jolie photo
5. la petite table
6. les grandes photos

Test 10
1. ne travaille pas beaucoup
2. n'est pas sportif
3. ne joue pas au football
4. n'aime pas voyager
5. n'a pas de bicyclette
6. n'a pas d'électrophone

Test 11
1. Est-ce
2. Est-ce
3. il
4. -t-il
5. Où
6. Comment
7. Quand
8. Pourquoi

Test 12
1. un documentaire
2. des disques
3. à un ami
4. au lycée
5. dans une station-service
6. à la maison

* One point for the correct form of the adjective; one point for the correct position of the adjective.

449

B. Interprétation

Correct your test. Add up your correct answers.

VERBES

Present tense of **être**

> *Test 1*, column (*a*). If you have less than 7 correct answers, review Section **1.2A**.

Present tense of **avoir**

> *Test 1*, column (*b*). If you have less than 7 correct answers, review Section **1.3A**.

Present tense of **-er** verbs

> *Test 2*, column (*a*). If you have any mistakes, review Section **1.1A**.

Present tense of **aller**

> *Test 2*, column (*b*). If you have any mistakes, review Section **1.5A**.

Use of **avoir, aller, être**

> *Test 3*. If you have less than 7 correct answers, review Sections **1.2A**, **1.3A**, **1.5A** and **1.5B**.

STRUCTURE

Indefinite article

> *Test 4*. If you made any mistakes, review Section **1.3C**.

Definite article

> *Test 5*. If you made any mistakes, review Section **1.4A**.
> *Test 6*. If you have less than 5 correct answers, review Section **1.4A**.

Contractions of the definite article with **à** and **de**

> *Test 7*. If you have less than 11 correct answers, review Section **1.5C**.

Adjectives: forms

> *Test 8* and *Test 9* (forms). If you have less than 11 correct answers, review Section **1.2B**.

Adjectives: position

> *Test 9* (position of adjectives). If you have less than 5 correct answers review Section **1.3D**.

Negative sentences

> *Test 10*. If you made any mistakes in the position of **ne** and **pas**, review Section **1.1B**. (Remember: **ne** becomes **n'** before a vowel sound.) If you forgot to use **pas de** in items 5 and 6, review Section **1.3C**, note (*b*).

Questions

> *Test 11*. If you made any mistakes in items 1 through 4, review Section **1.4C**. If you made any mistakes in items 5 through 8, review Section **1.4D**.

VOCABULAIRE

General vocabulary

Test 12. If you made any mistakes, review the **Étude de mots** sections. (Remember: **regarder** means *to look at* and is not followed by **à**; on the other hand, **téléphoner à** means *to call,* and **à** must be used before the name of the person being called.)

CHAPITRE DEUX

A. Réponses correctes

Test 1		*Test 2*	*Test 3*		*Test 4*	
(a)	(b)	1. finit	(a)	(b)	(a)	(b)
1. venons	faisons	2. finissent	1. attends	sors	1. commencé	fini
2. venez	faites	3. finis	2. attendons	sortons	2. réussi	raté
3. viens	fais	4. finissons	3. attends	sors	3. demandé	répondu
4. vient	fait	5. finissez	4. attendez	sortez	4. acheté	vendu
5. viens	fais	6. finis	5. attend	sort	5. allé	venu
6. viennent	font		6. attendent	sortent	6. obéi	désobéi

Test 5	*Test 6*	*Test 7**	*Test 8*
1. a visité	1. j'ai	1. l'invite souvent	1. eux
2. a visité	2. je suis	2. l'invite	2. ils
3. ont visité	3. je suis	3. la trouve jolie	3. eux
4. ont visité	4. j'ai	4. ne le trouve pas sympathique	4. eux
5. avons visité	5. je suis	5. ne les invite pas souvent	5. ils
6. avez visité	6. je suis	6. leur téléphone	6. les
7. as visité	7. j'ai	7. ne lui parle pas	7. les
8. ai visité	8. je suis	8. ne lui réponds pas	8. leur
	9. j'ai	9. sors avec lui	9. leur
	10. je suis	10. vais chez eux	10. eux
		11. y vais souvent	
		12. n'y dîne pas souvent	

Test 9	*Test 10*		*Test 11*	
1. C'est	1. dix	7. vendredi	1. valises	7. amener
2. C'est	2. seize	8. février	2. place	8. Réfléchissez
3. Il est	3. vingt-et-un	9. avril	3. étrangers	9. réussi
4. Il est	4. trois heures	10. juillet	4. Remerciez	10. pars
5. C'est	5. midi	11. novembre	5. enseigne	
6. Il est	6. mardi	12. l'été	6. attendre	

* One point for the correct form of the pronoun; one point for the correct position of the pronoun.

B. Interprétation

Correct your test. Add up your correct answers.

VERBES

Present tense of **venir**

> *Test 1*, column (*a*). If you made any mistakes, review Section **2.**2D.

Present tense of **faire**

> *Test 1*, column (*b*). If you made any mistakes, review Section **2.**1D.

Present tense of **-ir** verbs

> *Test 2*. If you made any mistakes, review Section **2.**3A.

Present tense of **-re** verbs

> *Test 3*, column (*a*). If you made any mistakes, review Section **2.**3B.

Present tense of **sortir**

> *Test 3*, column (*b*). If you made any mistakes, review Section **2.**4A.

Forms of the past participle

> *Test 4*. If you have less than 11 correct answers, review Section **2.**4B.

Passé composé with **avoir**

> *Test 5*. If you have less than 7 correct answers, review Section **2.**4C.

Passé composé with **avoir** or **être**

> *Test 6*. If you have less than 9 correct answers, review Sections **2.**4C and **2.**4D.

STRUCTURE

Direct object pronouns

> *Test 7*, items 1 through 5. If you made any mistakes, review Section **2.**2B.

Indirect object pronouns.

> *Test 7*, items 6 through 8. If you made any mistakes, review Section **2.**2C.

Stressed pronouns

> *Test 7*, items 9 and 10. If you made any mistakes, review Section **2.**2A.

The pronoun **y**

> *Test 7*, items 11 and 12. If you made any mistakes, review Section **2.**5C.

Choice of pronouns

> *Test 8*. If you have less than 9 correct answers, review Sections **2.**2A, **2.**2B, and **2.**2C.

C'est or **il est**

> *Test 9*. If you made any mistakes, review Section **2.**5D.

VOCABULAIRE

Numbers and dates

Test 10. If you made any mistakes on items 1 to 3, review Appendix I. If you made any mistakes on items 4 and 5, review Section **2.**1C. If you made any mistakes on items 6 to 12, review the **Vocabulaire spécialisé** in Section **2.**1B.

General vocabulary

Test 11. If you have less than 9 correct answers, review the **Étude de mots** sections.

CHAPITRE TROIS

A. Réponses correctes

Test 1

1. dites	2. lire	3. prennent	4. voyez	5. connu	6. savez
dit	lu	pris	voir	connais	su
dire	lisez	prendre	vu	connaître	savoir

Test 2	*Test 3*	*Test 4*	*Test 5*	*Test 6*
1. jouera	1. connais	1. sa	1. cette	1. du
2. jouerai	2. sais	2. son	2. ce	2. de
3. écouteront	3. connais	3. sa	3. ces	3. de l'
4. danserons	4. connais	4. ses	4. ces	4. la
5. regarderez	5. sais	5. son	5. cet	5. le
6. voyageras	6. sais	6. son	6. ce	6. de
7. prendra		7. leurs		7. de la
8. sortira		8. ton		8. le
9. ira		9. mon		
10. fera		10. nos		
		11. vos		
		12. mes		

Test 7	*Test 8*	*Test 9*	*Test 10*
1. beaucoup	1. l'	1. cuisine	1. quelqu'un
2. beaucoup de	2. en	2. salle à manger	2. quelque chose
3. beaucoup de	3. en	3. salon	3. plusieurs
4. beaucoup de	4. en	4. chambre	4. comprends
5. beaucoup	5. en	5. porte	5. apprenez
6. beaucoup	6. en	6. fenêtre	6. vite
	7. les	7. bibliothèque	
	8. l'	8. immeuble	
		9. escalier	

B. Interprétation

Correct your test. Add up your correct answers.

VERBES

Irregular verbs **dire** and **lire**

> *Test 1*, items 1 and 2. If you made any mistakes, review Section **3.2D**.

Irregular verb **prendre**

> *Test 1*, item 3. If you made any mistakes, review Section **3.3C**.

Irregular verb **voir**

> *Test 1*, item 4. If you made any mistakes, review Section **3.5A**.

Irregular verbs **connaître** and **savoir**

> *Test 1*, items 5 and 6. If you made any mistakes, review Section **3.1A**.
> *Test 3*. If you have less than 5 correct answers, review Section **3.1A**.

Future tense: endings

> *Test 2*, items 1 to 6. If you made any mistakes, review Section **3.1B**.

Future tense: irregular stems

> *Test 2*, items 7 to 10. If you made any mistakes, review Sections **3.1B** and **3.1C**.

STRUCTURE

Possessive determiners

> *Test 4*. If you have less than 11 correct answers, review Section **3.2A**.

Demonstrative determiners

> *Test 5*. If you made any mistakes, review Section **3.5B**.

Partitive article

> *Test 6*. If you have less than 7 correct answers, review Section **3.3B**.

Adverbs of quantity

> *Test 7*. If you made any mistakes, review Section **3.4B**.

The pronoun **en**

> *Test 8*. If you have less than 7 correct answers, review Section **3.4C**.

VOCABULAIRE

The home

> *Test 9*. If you have less than 8 correct answers, review the **Vocabulaire spécialisé** in Modules **3.2** and **3.3**.

General vocabulary

> *Test 10*. If you made any mistakes, study the **Étude de mots** sections. If you missed items 4 or 5, see Section **3.3C**.

CHAPITRE QUATRE

A. Réponses correctes

Test 1	*Test 2*	*Test 3*	*Test 4*	*Test 5*
1. veux	1. habitions	1. travaillait	1. faisait	1. suis allé
veut	2. habitiez	2. regardait	2. suis sorti	2. voulait
voulez	3. habitait	3. commençait	3. sommes allés	3. faisait
voulu	4. habitait	4. mangeait	4. jouait	4. jouaient
	5. habitaient	5. finissait	5. était	5. lisait
2. pu	6. habitaient	6. prenait	6. avait	6. ont invité
peut	7. habitais	7. répondait	7. suis rentré	
pouvons	8. habitais	8. écrivait		
		9. faisait		
		10. lisait		

Test 6	*Test 7*	*Test 8*	*Test 9*	
1. allaient	1. habite	1. au lit	1. chapeau	2. foulard
2. allaient	2. habite	2. mon bureau	chemise	veste
3. allaient	3. a habité	3. une chaise	cravate	jupe
4. sont allés	4. a habité	4. une armoire	pantalon	collants
5. sont allés	5. habite	5. ce placard	chaussettes	chaussures
6. sont allés	6. habite	6. des chaises	chaussures	

B. Interprétation

Correct your test. Add up your correct answers.

VERBES

Present tense of **pouvoir** and **vouloir**

Test 1. If you made any mistakes, review Section 4.2A.

Formation of the imperfect

Test 2. If you have less than 7 correct answers, review Section 4.2B.
Test 3. If you have less than 8 correct answers, review Section 4.2B.

STRUCTURE

Use of the imperfect: background activities

Tests 4 and 5. If you have less than 11 correct answers in all, review Section 4.3A.

Use of the imperfect: habitual action in the past

Test 6. If you have less than 5 correct answers, review Section 4.4A.

Use of the present with **depuis**

Test 7. If you have less than 5 correct answers, review Sections 4.5A and 4.5B.

VOCABULAIRE

Furniture

> *Test 8.* If you have less than 5 correct answers, review **Vocabulaire spécialisé: le mobilier** in Module **4.2.**

Clothing

> *Test 9.* If you made any mistakes, review **Vocabulaire spécialisé: les vêtements** in Module **4.3.**

CHAPITRE CINQ

A. Réponses correctes

Test 1

1. achète	2. espère	3. mets
achètent	espère	met
achetons	espèrent	mettent
achetez	espérez	mis
		mettez

Test 2

1. s'
2. se
3. se
4. se
5. se
6. nous
7. vous
8. t'
9. m'
10. me

Test 3

1. le
2. la
3. s'
4. se
5. m'
6. nous
7. la
8. les

Test 4

1. achète-toi
2. achetez-vous
3. t'achète
4. vous achetez
5. achète-toi
6. t'achète

Test 5

1. s'est réveillé
2. s'est lavé
3. s'est rasé
4. s'est habillé
5. s'est rendu à l'école
6. s'est embêté

Test 6*

1. s'est amus**é**
2. ne s'est pas amus**é**
3. se sont amus**és**
4. s'est amus**ée**
5. ne s'est pas amus**ée**
6. se sont amus**ées**

Test 7*

1. Ils se sont téléphon**é.**
2. Ils se sont parl**é.**
3. Ils se sont disput**és.**
4. Ils se sont donn**é** rendez-vous.
5. Ils se sont prépar**és** en vitesse.
6. Ils se sont embrass**és.**

Test 8

1. des ciseaux
2. des fleurs
3. du savon
4. un peigne
5. un journal
6. une glace

Test 9

1. se rase
2. me reposer
3. me couche
4. vous dépêchez
5. nous promenons
6. s'arrête
7. se fâche
8. se trouve

Test 10

1. cheveux
2. nez
3. bouche
4. cou
5. bras
6. main
7. jambe
8. pied

* One point for the correct form of the verb; one point for the correct ending of the past participle.

B. Interprétation

Correct your test. Add up your correct answers.

VERBES

Verbs like **acheter** and **préférer**

> *Test 1*, items 1 and 2. If you made any mistakes, review Section **5.**1A.

Irregular verb **mettre**

> *Test 1*, item 3. If you made any mistakes, review Section **5.**2A.

STRUCTURE

Reflexive pronouns: form

> *Test 2*. If you have less than 9 correct answers, review Section **5.**1B.

Reflexive pronouns and non-reflexive pronouns

> *Test 3*, items 1 to 4. If you made any mistakes, review Section **5.**1C.

Infinitive of reflexive verbs

> *Test 3*, items 5 and 6. If you made any mistakes, review Section **5.**3B.

The construction: **je me lave les mains**

> *Test 3*, items 7 and 8. If you made any mistakes, review Section **5.**4A.

Imperative of reflexive verbs

> *Test 4*. If you have less than 5 correct answers, review Section **5.**2C.

Passé composé of reflexive verbs

> *Test 5*. If you have less than 5 correct answers, review Section **5.**5B.

Agreement of the past participle of reflexive verbs

> *Tests 6* and *7* (forms of the past participle ending). If you have less than 10 correct answers, review Section **5.**5C.

VOCABULAIRE

General vocabulary

> *Test 8*. If you have less than 5 correct answers, review the **Étude de mots** sections in the chapter.

Reflexive verbs

> *Test 9*. If you have less than 6 correct answers, review the reflexive verbs of the chapter.

Parts of the body

> *Test 10*. If you have less than 6 correct answers, review the **Vocabulaire spécialisé** of Module **5.**4.

CHAPITRE SIX

A. Réponses correctes

Test 1

1. paie	2. aperçois	3. doit	4. conduis
paie	aperçoit	doivent	conduisent
payons	Apercevez	dois	conduit
paient	aperçoivent	devons	conduisez
payé	aperçu	dû	

Test 2

1. travailler	7. travailler
2. travailler	8. travailler
3. à travailler	9. de travailler
4. à travailler	10. à travailler
5. de travailler	11. à travailler
6. de travailler	12. à travailler

Test 3

1. calmant
2. irritante
3. intéressant
4. amusante
5. obéissants
6. désobéissantes

Test 4

1. faut
2. a fallu
3. faudra
4. va falloir

Test 5

1. danser	6. dansant
2. dansant	7. danser
3. danser	8. danser
4. danser	9. danser
5. danser	10. danser

Test 6

1. une voiture	6. tremble
2. une maison	7. plaisante
3. une lettre	8. personnes
4. un texte	
5. un champ	

B. Interprétation

Correct your test. Add up your correct answers.

VERBES

Verbs in **-yer**

> *Test 1*, item 1. If you made any mistakes, review Section **6.**3A.

The irregular verb **apercevoir**

> *Test 1*, item 2. If you made any mistakes, review Section **6.**4A.

The irregular verb **devoir**

> *Test 1*, item 3. If you made any mistakes, review Section **6.**1B.

The irregular verb **conduire**

> *Test 1*, item 4. If you made any mistakes, review Section **6.**2A.

STRUCTURE

Verbs followed by an infinitive

> *Test 2.* If you have less than 10 correct answers, review Section **6.**3B.

Adjectives in **–ant**

> *Test 3.* If you have less than 5 correct answers, review Section **6.**4B.

The construction **il faut**

> *Test 4.* If you made any mistakes, review Section **6.**1C.

Use of the present participle and the infinitive

> *Test 5.* If you have less than 8 correct answers, review Sections **6.**2B and **6.**5B.

VOCABULAIRE

General vocabulary

> *Test 6.* If you have less than 7 correct answers, review the **Étude de mots** sections in the chapter.

CHAPITRE SEPT

A. Réponses correctes

Test 1		*Test 2*		*Test 3*		
1. endorment	2. servi	1. je sais	6. je veux	1. travaillent	5. étudie	9. écoutiez
endort	sers	2. je veux	7. je sais	2. obéissent	6. obéisse	10. répondiez
endors	sert	3. je veux	8. je veux	3. répondent	7. réponde	11. travaillions
endormi	servez	4. je sais	9. je sais	4. viennent	8. vienne	12. lisions
		5. je sais	10. je veux			

Test 4				*Test 5*		*Test 6*		*Test 7*			
1. ailles	2. fasses	3. sois	4. aies	1. est	6. soit	1. aller	6. aller	1. ≠	6. =		
aille	fasse	soit	ayez	2. est	7. soit	2. aller	7. aille	2. =	7. ≠		
alliez	fassiez	soyez	ait	3. est	8. soit	3. aille	8. aille	3. ≠	8. =		
aillent	fassent	soient	aient	4. soit	9. soit	4. aille	9. aller	4. ≠	9. ≠		
				5. soit	10. soit	5. aller	10. aille	5. =	10. ≠		

B. Interprétation

Correct your test. Add up your correct answers.

VERBES

The irregular verb **dormir**

> *Test 1.* If you made any mistakes, review Section **7.**5A.

Recognition of subjunctive endings

> *Test 2.* If you have less than 9 correct answers, review Section **7.**1B.

Forms of the regular subjunctive

> *Test 3.* If you have less than 10 correct answers, review Section **7.**1B.

Irregular subjunctive forms

> *Test 4*, items 1 and 2. If you made any mistakes, review Section **7.**3B.
> *Test 4*, items 3 and 4. If you made any mistakes, review Section **7.**2C.

STRUCTURE

Subjunctive or indicative?

> *Test 5.* If you have less than 8 correct answers, review Sections **7.**2A, **7.**2B, **7.**3A, **7.**4A, and **7.**5C.

Subjunctive or infinitive?

> *Test 6.* If you have less than 8 correct answers, review Sections **7.**2A, **7.**2B, **7.**3A, and **7.**5B.

VOCABULAIRE

General vocabulary

> *Test 7.* If you have less than 8 correct answers, review the **Étude de mots** sections in the chapter.

CHAPITRE HUIT

A. Réponses correctes

Test 1	*Test 2*	*Test 3*	*Test 4*
1. étions	1. visiterait	1. jouerait	1. achèterais
2. étiez	2. visiterait	2. voyagerait	2. achetais
3. étais	3. visiteraient	3. sortirait	3. achèterai
4. étais	4. visiteraient	4. dormirait	4. achète
5. était	5. visiteriez	5. prendrait	5. achèterais
6. était	6. visiterions	6. conduirait	6. achetais
7. étaient	7. visiterais	7. ferait	
8. étaient	8. visiterais	8. irait	
		9. serait	
		10. aurait	

Test 5

1. idiote
2. intelligente
3. curieuse
4. nerveuse
5. superstitieuse
6. sportive
7. musicienne
8. spirituelle
9. travailleuse
10. originaux
11. loyaux
12. sérieuses

Test 6

1. plus, que
2. moins, que
3. plus, que
4. moins, que
5. la plus
6. le plus
7. le plus
8. les moins

Test 7

1. toute
2. toute
3. tous
4. toutes
5. tout
6. toutes

Test 8	*Test 9*	*Test 10*	
1. acteur	1. –eux	1. paresseux	6. quelqu'un
2. actrice	2. –eux	2. radin	7. peuple
3. photographe	3. –iste	3. égoïste	8. gens
4. médecin (docteur)	4. –iste	4. monde	9. monde
5. mécanicien (garagiste)	5. –ique	5. argent	10. autrefois
6. architecte	6. –ique		

B. Interprétation

Correct your test. Add up your correct answers.

VERBES

Imperfect of **être**

>   *Test 1.* If you made any mistakes, review Section **8.**5A.

Endings for the conditional

>   *Test 2.* If you have less than 7 correct answers, review Section **8.**5B.

Forms of the conditional

>   *Test 3*, items 1 to 6. If you made any mistakes, review Section **8.**5B.
>   *Test 3*, items 7 to 10. If you made any mistakes, review Sections **8.**4A and **8.**5B.

STRUCTURE

Use of tenses in *if*-clauses

>   *Test 4.* If you have less than 5 correct answers, review Section **8.**5C.

Regular adjectives

>   *Test 5*, items 1 and 2. If you made any mistakes, review Section **8.**1A.

Adjectives in **-eux**

>   *Test 5*, items 3, 4, 5, and 12. If you made any mistakes, review Section **8.**1B.

Irregular adjectives

>   *Test 5*, items 6 to 9. If you made any mistakes, review Section **8.**2A.

Plurals in **-aux**

>   *Test 5*, items 10 and 11. If you made any mistakes, review Section **8.**2B.

Comparative adjectives

>   *Test 6*, items 1 to 4. If you have less than 3 correct answers, review Section **8.**3A.

Superlative adjectives

>   *Test 6*, items 5 to 8. If you have less than 3 correct answers, review Section **8.**3B.

The determiner **tout**

>   *Test 7.* If you have less than 5 correct answers, review Section **8.**4B.

VOCABULAIRE

Professions

> *Test 8.* If you have less than 5 correct answers, review the **Vocabulaire spécialisé** in Module **8.5**.

Cognates

> *Test 9*, items 1, 2, 5, and 6. If you made any mistakes, see **Étude de mots** in Module **8.1**.
> *Test 9*, items 3 and 4. If you made any mistakes, see **Étude de mots** in Module **8.2**.

General vocabulary

> *Test 10.* If you have less than 8 correct answers, review the **Étude de mots** sections in the chapter.

CHAPITRE NEUF

A. Réponses correctes

Test 1		*Test 2*	*Test 3*	*Test 4*	*Test 5*
1. Quelle	7. Lesquels	1. celle	1. celle de	1. qui	1. celle qui; celle qui
2. Quels	8. Lesquelles	2. celle	2. celui de	2. qui	2. celui que; celui qui
3. Quel	9. Laquelle	3. celles	3. ceux de	3. qui	3. celle que; celle qui
4. Quelles	10. Laquelle	4. ceux	4. celle de	4. que	4. celui qui; celui qui
5. Quels	11. Lequel	5. celui	5. celles de	5. que	
6. Quelle	12. Lequel	6. celui	6. celui de	6. que	

Test 6		*Test 7*		*Test 8*	
1. quoi	4. quoi	1. Qui est-ce que	4. Qui est-ce que	1. ≠	5. ≠
2. quoi	5. qui	2. Qu'est-ce que	5. Qu'est-ce que	2. ≠	6. =
3. qui	6. qui	3. Qu'est-ce que	6. Qui est-ce que	3. =	7. ≠
				4. ≠	8. =

B. Interprétation

Correct your test. Add up your correct answers.

STRUCTURE

Quel

> *Test 1*, items 1 to 6. If you made any mistakes, review Section **9.1A**.

The pronoun **lequel**

> *Test 1*, items 7 to 12. If you have less than 5 correct answers, review Section **9.1B**.

The pronoun **celui**

> *Test 2.* If you have less than 5 correct answers, review Section **9.2A**.

Celui de

> *Test 3.* If you have less than 5 correct answers, review Section **9.2C**.

Qui and **que**

Test 4. If you made any mistakes, review Section **9.3**A.

Celui qui and **celui que**

Test 5. If you have less than 7 correct answers, review Section **9.3**B.

Qui? and **quoi?**

Test 6. If you have less than 5 correct answers, review Section **9.4**B.

Qui est-ce que and **qu'est-ce que**

Test 7. If you have less than 5 correct answers, review Section **9.5**B.

VOCABULAIRE

General vocabulary

Test 8. If you have less than 7 correct answers, review the **Étude de mots** sections in the chapter.

CHAPITRE DIX

A. Réponses correctes

Test 1

1. vécu	2. suis	3. rire	4. couru	5. tiens	6. offert
vis	suivi	ris	cours	tiennent	offre
vivent	suivez	rit	courent	tenu	offre
vivez		rient	courez	tenez	offrez
		rit			
		riez			

Test 2

1. moi	5. vous
2. même	6. toi
3. mêmes	7. tout
4. eux	8. toute

Test 3

1. quelques	2. quelques	3. chacun	4. quelqu'un	5. rien	6. jamais
quelques-unes (d'autres)	quelques	chaque	quelque chose	quelqu'un	aucun
d'autres (quelques-unes)	quelques	chaque	quelque part	personne	aucune

Test 4

1. marche	7. vécu
2. marche	8. rire
3. couru	9. Ouvrez
4. tiens	10. découvert
5. tiennent	11. toutes les deux
6. obtiendrez	12. tous les trois

Test 5

1. heure	6. temps
2. heure	7. heure
3. temps	8. fois
4. heure	9. fois
5. heure	10. fois

Test 6

1. au-dessus	6. loin
2. au-dessous	7. près
3. intérieur	8. le long
4. extérieur	9. au bout
5. au milieu	10. gauche

B. Interprétation

Correct your test. Add up your correct answers.

VERBES

Irregular verb **vivre**

> *Test 1*, item 1. If you made any mistakes, review Section **10**.1A.

Irregular verb **suivre**

> *Test 1*, item 2. If you made any mistakes, review Section **10**.3A.

Irregular verb **rire**

> *Test 1*, item 3. If you made any mistakes, review Section **10**.5A.

Irregular verb **courir**

> *Test 1*, item 4. If you made any mistakes, review Section **10**.4A.

Irregular verb **tenir**

> *Test 1*, item 5. If you made any mistakes, review Section **10**.1B.

Irregular verb **offrir**

> *Test 1*, item 6. If you made any mistakes, review Section **10**.2A.

STRUCTURE

Moi-même

> *Test 2*. If you have less than 7 correct answers, review Section **10**.3B.

Indefinite determiners

> *Test 3*, items 1 and 2. If you made any mistakes, review Section **10**.1C.

Chaque and **chacun**

> *Test 3*, item 3. If you made any mistakes, review Section **10**.5B.

Expressions with **quelque**

> *Test 3*, items 4 to 6. If you made any mistakes, review Section **10**.3C.

VOCABULAIRE

Courir and **marcher**

> *Test 4*, items 1 to 3. If you made any mistakes, see the **Note de vocabulaire** of Module **10.4**.

Verbs like **tenir**

> *Test 4*, items 4 to 6. If you made any mistakes, see Section **10**.1B.

Vivre and **habiter**

> *Test 4*, item 7. If you made any mistakes, see the **Note de vocabulaire** in Module **10.1**.

Rire

Test 4, item 8. If you made a mistake, see Section **10.5**A.

Verbs like **ouvrir**

Test 4, items 9 and 10. If you made any mistakes, see Section **10.2**A.

Tous les deux

Test 4, items 11 and 12. If you made any mistakes, see Section **10.2**C.

Heure, temps, fois

Test 5. If you have less than 8 correct answers, review the **Note de vocabulaire** in Module **10.4**.

Prepositions of location

Test 6. If you have less than 8 correct answers, review the **Vocabulaire spécialisé** in Module **10.3**.

Note to the Vocabulary

This vocabulary contains all the words and expressions which occur in this book. They are presented as follows:

Nouns are preceded by the determiner with which they are most frequently used: the definite article (for place names and abstract nouns), the indefinite article (for count nouns), or the partitive article (for mass nouns). If the article does not indicate gender, the noun is followed by *m.* (*masculine*) or *f.* (*feminine*). If the plural is irregular, it is given in parentheses.

Adjectives are listed in the masculine form. If the feminine form is irregular, it is given in parentheses.

Verbs are given in the infinitive form. Irregular present tense forms, past participle forms, and future forms are listed separately.

Words beginning with an **h** are preceded by an asterisk (*) if the **h** is aspirate: that is, if the word is treated as if it began with a consonant sound.

Abbreviations

abbrev. abbreviation	*m.* masculine
adj. adjective	*p. part.* past participle
approx. approximately	*pl.* plural
f. feminine	*pres. part.* present participle
fut. future	*sing.* singular
inf. infinitive	*subj.* subjunctive

VOCABULAIRE

A

à in, at; to; **à** + *time* see you...;
à demain see you tomor-
row; **à cause de** because of;
à côté de next to; **à peu
près** approximately, about,
almost, just about

abandonner to give up, quit;
to abandon

Abidjan capital of the Ivory
Coast

abolir to abolish

abord: d'abord at first, first

absent absent

s' **absenter** to be absent

absolu absolute

absolument absolutely

absorbé absorbed

abstrait abstract

un **accélérateur** accelerator, gas
pedal

accélérer to accelerate, speed
up

un **accent** accent; **à votre accent**
by your accent

accepter to accept, agree;
accepter de + *inf.* to agree
to

un **accident** accident

accidenter to damage in an
accident

accompagner to accompany

un **accord** agreement; **d'accord**
okay, all right; **être d'accord
avec** to be in agreement
with, agree with

accueillir to welcome

un **achat** purchase

acheter to buy

acquérir to acquire, obtain,
get

acquis (*p. part. of* **acquérir**)

un **acte** act

un **acteur** (*f.* **actrice**) actor (actress)

actif (active) active

une **action** action

activement actively

une **activité** activity; **l'activité
politique** political action

une **actrice** actress

l' **actualité** *f.* event of the day,
what's happening

actuel (actuelle) of the present day, present, existing,
current; **à l'heure actuelle**
at present

une **adaptation** adaptation

une **addition** addition, problem

un **adjectif** adjective

admettre to admit

un **administrateur** administrator

une **administration** administration

administrativement adminis-
tratively

administrer to administer,
manage

un **admirateur** (*f.* **admiratrice**)
admirer

une **admiration** admiration

admirer to admire

admis (*p. part. of* **admettre**)

l' **adolescence** *f.* adolescence

adopter to adopt

l' **adoption** *f.* adoption; **d'adoption** by adoption

une **adresse** address

adresser to address; **s'adresser
à** to talk to, address oneself to

adroit skilful

adulte adult

un **adulte** adult

un **adverbe** adverb

aérien (aérienne) aerial, airline

un **aéroport** airport

affecter to affect

affectueux (affectueuse) affectionate

affirmatif (affirmative) affirmative, positive

affirmer to affirm, state, assert

africain African

l' **Afrique** *f.* Africa

un **âge** age; **à l'âge de...ans** at
the age of...; **Quel âge
avez-vous?** How old are
you? **le Moyen Âge** the
Middle Ages

âgé old; **plus âgé** older

une **agence** agency; **une agence
de voyages** travel agency

agile agile, nimble, quick

agir to act; **il s'agit de** it's a
question of

un **agriculteur** farmer

aider to help

aïe! ouch! ow!

aigu (aiguë) acute; **accent
aigu** acute accent (´)

aille (*subj. of* **aller**)

aimable kind, pleasant

aimer to like, love; **s'aimer**
to love each other, love one
another

aîné oldest, eldest

l' **aîné** *m.* the oldest, the eldest

un **air** air; **avoir l'air** to look,
seem; **prendre l'air** to get
some fresh air

aisé comfortable; well-to-do

ajouter to add

une **alarme** alarm

alarmer to alarm, worry

un **album** album

les **alentours** *m.* surroundings

alerter to alert

l' **algèbre** *f.* algebra

Alger Algiers (*capital of Algeria*)

l' **Algérie** *f.* Algeria

l' **Allemagne** *f.* Germany

allemand German

l' **allemand** *m.* German (*language*)

aller to go; **aller à pied** to
walk; **aller en arrière** to
back up, go in reverse

allez! let's go!

une **alliance** wedding ring

l' **Alliance Française** *an organization dedicated to the teaching of
French in the world*

allô! hello! (*on the phone*)

une **allure** manner, bearing

une **allusion** allusion; **faire allusion à** to allude to, refer to,
hint at

un **almanach** almanac

alors then, well then

les **Alpes** *f.* Alps

un **alphabet** alphabet

l' **aluminium** *m.* aluminum

un **amateur** lover (*of something*),
fancier, enthusiast; amateur

un **ambassadeur** ambassador

ambitieux (ambitieuse) ambitious

amener to bring

américain American

l' **Amérique** *f.* America

un **ami** friend

amical (*pl.* **amicaux**) friendly

une **amie** friend (*female*)

une **amitié** friendship
un **amour** love
une **amphore** amphora (*antique jar for carrying wine and oil*)
amusant amusing
amuser to amuse; **s'amuser** to have fun
un **an** year; **avoir. . .ans** to be. . .years old; **avant. . .ans** before age . . .
une **analyse** analysis
analyser to analyze
un **ancêtre** ancestor
ancien (ancienne) old, ancient; antique; former, ex-
anglais English
l' **anglais** *m.* English (*language*)
un **angle** angle, corner, intersection
l' **Angleterre** *f.* England
animal animal, of animals
un **animal** (*pl.* **animaux**) animal
animé animated, lively, full of life
une **année** year
un **anniversaire** birthday, anniversary
une **annonce** announcement
annoncer to announce
anti-conformiste nonconformist
anti-français anti-French
les **Antilles** *f.* West Indies; **la mer des Antilles** Caribbean Sea
un(e) **antiquaire** antique dealer
l' **Antiquité** *f.* antiquity, ancient Greek and Roman times
l' **anxiété** *f.* anxiety, concern
août *m.* August
apercevoir to see, catch sight of, notice, observe; **s'apercevoir de** to note, realize, notice
aperçu (*p. part. of* **apercevoir**)
un **appareil-photo** camera
un **appartement** apartment
appartenir à to belong to
appeler to call; **s'appeler** to be called; **je m'appelle. . .** my name is . . .
appétissant appetizing, tempting
l' **appétit** *m.* appetite; **avec appétit** with gusto, hungrily

applaudir to applaud
apporter to bring (*something*)
une **appréciation** appreciation
apprécier to appreciate
apprendre to learn; teach, inform about
s' **approcher de** to approach, come closer
approprié appropriate
approximativement approximately
appuyer to lean; step (*on the gas*)
après after; afterwards; **après tout** after all; **d'après** according to
un **après-midi** afternoon; **l'après-midi** in the afternoon; **de l'après-midi** P.M.
l' **arabe** *m.* Arabic
arbitraire arbitrary (*subject to the judgment of the individual*)
archéologique archaeological
un **archéologue** archaeologist
un **architecte** architect
l' **architecture** *f.* architecture
l' **argent** *m.* money; silver
un **aristocrate** aristocrat
armé armed
une **armée** army
des **armes** *f.* weapons, arms
une **armoire** wardrobe (*upright piece of furniture for holding clothes, linen, etc.*)
des **armures** *f.* armor
arranger to arrange, fix; **s'arranger** to arrange things, get things fixed, manage
une **arrestation** arrest
arrêter to arrest, stop (*someone, something*); **s'arrêter** to stop
arrière behind; **aller en arrière** to back up
un **arrière-arrière-grand-père** great-great-grandfather
un **arrière-arrière-petit-fils** great-great-grandson
arriver to arrive; happen; **arriver vers** to come towards; approach; **qu'est-ce qui est arrivé?** what happened?
arrogamment arrogantly, proudly

arrogant arrogant, proud, conceited
l' **art** *m.* art
un **article** article; **articles de toilette** toiletry articles
artificiel (artificielle) artificial
artiste artistic
un **artiste** artist
l' **Asie** *f.* Asia
un **aspect** aspect, appearance
s' **assembler** to assemble, get together
s' **asseoir** to sit down, be seated; **asseyez-vous** sit down
assez rather, fairly, somewhat; enough; **assez de** enough
une **assiette** plate
assister à to be at, be present at
assurer to assure; **assurer l'ordre** to maintain order
un **astérisque** asterisk
un **astronome** astronomer
l' **astronomie** *f.* astronomy
Athènes Athens (*capital of Greece*)
un(e) **athlète** athlete
l' **athlétisme** *m.* track and field
l' **Atlantique** *f.* Atlantic (Ocean)
un **atlas** atlas
une **atmosphère** atmosphere; air
attacher to attach
attaquer to attack
attendre to wait, wait for; await
une **attention** attention; **attention!** careful! **faire attention à** to pay attention to
attentivement attentively, carefully
une **attitude** attitude
aucun: ne. . .aucun no, not any
audacieux (audacieuse) audacious, bold, daring
au-dessous de below, under
au-dessus de above, on top of
aujourd'hui today; now, at present
auquel (**à** + **lequel**)
aura (*fut. of* **avoir**)
aussi also, too; so, then
aussi. . .que as. . .as
austère austere, severe; simple, plain

l' **Australie** *f.* Australia
un **auteur** author
une **autobiographie** autobiography
l' **automne** *m.* fall, autumn
une **automobile** automobile, car
un **automobiliste** driver
autonome autonomous, independent; **un scaphandre autonome** aqualung
une **autorisation** permission, authorization
autoriser to authorize, permit
autoritaire authoritarian, bossy
une **autorité** authority
l' **auto-stop** *m.* hitchhiking
un **auto-stoppeur** hitchhiker
une **auto-stoppeuse** hitchhiker (*female*)
autour de around
autre other; **un(e) autre** another; **d'autres** other, others; **les uns. . .les autres** some . . .the others; **quelques-uns . . .d'autres** some. . .others; **quelqu'un d'autre** someone else
autrefois formerly, in the past
auvergnat of Auvergne
un **Auvergnat** native of Auvergne
l' **Auvergne** *f.* Auvergne (*province in central France*)
une **avance** advance; **à l'avance** in advance
avant before; **avant Jésus-Christ** B.C.; **avant de +** *inf.* before
un **avantage** advantage
un **avant-propos** foreword
avare miserly, stingy
avec with
un **avenir** future
une **aventure** adventure
un **aventurier** adventurer
un **aviateur** (*f.* **aviatrice**) aviator, flyer
un **avion** plane, airplane; **en avion** by plane
un **avis** opinion; **à mon avis** in my opinion; **être de mon avis** to be of my opinion; **changer d'avis** to change one's mind
un(e) **avocat** lawyer
avoir to have; **avoir l'air** to seem, look; **avoir. . .ans**

to be. . .(years old); **avoir de la chance** to be lucky, fortunate; **avoir envie de** to want (wish)to; **avoir l'intention de** to plan to, intend to, decide to; **avoir lieu** to take place; **avoir peur** to be afraid, frightened, scared; **avoir raison** to be right; **avoir tort** to be wrong
avouer to admit
avril *m.* April
ayant (*pres. part. of* **avoir**)

B

les **bagages** *m.* baggage, luggage
un **bagnard** convict
une **bague** ring; **bague de fiançailles** engagement ring
se **baigner** to go swimming
un **bal** dance
une **balance** scales; **la Balance** Libra
un **ballon** ball
une **banane** banana
un **banc** bench
une **bande** tape, tape recording; group, gang; **une bande dessinée** comic strip; **des bandes dessinées** comics
un **bandit** bandit
un **banjo** banjo
une **banque** bank
un **banquier** banker
un **Baoulé** (*f.* **Baoulée**) member of the Baoulé tribe (*in the Ivory Coast*)
le **baoulé** Baoulé (*language*)
un **bar** bar
bas (basse) low, soft; **tout bas** in a low voice; **en bas** at the bottom; downstairs
le **baseball** baseball
le **basketball** basketball
basque Basque (*from the Basque country*)
un **Basque** Basque (*person from the Basque country in southwestern France*)
une **bataille** battle
un **bateau** boat, ship
une **batterie** battery
battre to beat; **se battre** to fight

bavarder to talk, chat, gab
beau (belle) handsome, beautiful; **il fait beau** the weather is nice
beaucoup much, a lot, very much; **beaucoup de** much, many, a lot of
la **beauté** beauty
belge Belgian
la **Belgique** Belgium
un **bélier** ram; **le Bélier** Aries
belle (*see* **beau**)
Berne Bern (*capital of Switzerland*)
un **besoin** need; **avoir besoin de** to need
bête silly, stupid, foolish
une **bête** animal; beast
la **bêtise** stupidity, silliness
du **beurre** butter
Biarritz *city in southwestern France, on the Atlantic*
une **bibliothèque** library
une **bicyclette** bicycle
bien well, good; indeed, right, very; **bien entendu** of course; **bien sûr** of course
bientôt soon; **à bientôt** see you soon
un **bijou** (*pl.* **bijoux**) jewel
un **bijoutier** jeweler
bilingue bilingual, able to speak two languages
un **billet** ticket; bank note
une **biographie** biography
biographique biographical
la **biologie** biology
bizarre bizarre, strange
blanc (blanche) white
un **Blanc** white (man)
un **blanc** blank
un **blessé** person who is injured (wounded), patient
blesser to hurt, wound, injure
bleu blue
blond blond
les **blue-jeans** jeans
boire to drink
le **bois** wood
une **boisson** drink, beverage
une **boîte** box
bon (bonne) good; **à quoi bon?** what's the use?
le **bonheur** happiness

bonjour hello

bonsoir hello, goodnight

un **bord** edge; side (*of a ship*); **à bord** on board; **les bords de** shores of

une **borne** milestone, kilometer marker

un **botaniste** botanist

une **bouche** mouth

un **boulanger** baker

un **boulevard** boulevard

boum boom

un **bouquet** bouquet, bunch (of flowers)

la **Bourgogne** Burgundy (*province in central France*)

une **boussole** compass

un **bout** end; **au bout de** after, at the end of

une **bouteille** bottle

une **boutique** shop

le **bowling** bowling

un **bracelet** bracelet

un **bras** arm

bref (brève) brief, short

le **Brésil** Brazil

la **Bretagne** Brittany (*province in northwestern France*)

breton (bretonne) Breton, from Brittany

le **bridge** bridge (*card game*); **faire un bridge** to play bridge

brièvement briefly

brillamment brilliantly, intelligently

brillant brilliant, intelligent

se **briser** to get broken, be shattered

une **brochure** brochure

une **brosse** brush; **une brosse à cheveux** hairbrush; **une brosse à dents** toothbrush; **une brosse à ongles** nail brush

brosser to brush; **se brosser les dents (les cheveux)** to brush one's teeth (hair)

un **bruit** sound, noise

brun dark-haired, brunette

brunir to tan

brusquement suddenly, abruptly

Bruxelles Brussels (*capital of Belgium*)

bu (*p. part. of* **boire**)

un **buffet** buffet, sideboard

buissonnière: faire l'école buissonnière to play hookey

un **bureau** (*pl.* **bureaux**) office; desk; **un bureau de poste** post office; **un bureau de tabac** tobacco shop

un **bus** bus; **en bus** by bus

un **but** aim, purpose; goal, objective

C

ça that, it; **ça alors!** what do you know!

cacher to hide (*someone, something*); **se cacher** to hide oneself

un **cadeau** gift, present

un **cadre** setting

un **café** café

du **café** coffee

une **caféteria** cafeteria

un **cahier** notebook

un **calcul** computation, problem

calme calm

calmer to calm (*someone, something*); **se calmer** to become calm

la **Camargue** region in southern France known for its horse raising

le **Cambodge** Cambodia

cambrioler to burglarize

un **cambrioleur** burglar

un **camélia** camelia (*white waxy rose-like flower*)

une **caméra** movie camera

un **camp** camp, campsite

la **campagne** country, countryside; battle, campaign

camper to camp

un **campeur** camper

le **camping** camping; **un camping** (= **un terrain de camping**) campsite: **faire du camping** to go camping

le **Canada** Canada

canadien (canadienne) Canadian

canaque Kanaka (*of the Kanaka tribe in New Caledonia*)

le **cancer** cancer; **le Cancer** Cancer

le **cancre** dunce

un **candidat** candidate

une **cantine** (school *or* office) cafeteria

une **capitale** capital

capricieux (capricieuse) capricious, temperamental

le **Capricorne** Capricorn

car because, since

un **caractère** character; letter, type; **en gros caractères** in boldface, in heavy type

une **caractéristique** characteristic

une **Caravelle** Caravelle (*small French jetliner*)

le **Carnaval** Mardi Gras, Carnival (*40 days before Easter*)

un **carnet** notebook; **un carnet d'adresses** address book

une **carpe** carp (*freshwater fish*)

carré square

une **carrière** career; **faire carrière (dans)** to have a career (in), make a career (of)

une **carte** map; card; **une carte postale** postcard

un **cas** case

casser to break (*something*); **se casser la jambe** to break one's leg

une **cassette** cassette

une **catastrophe** catastrophe, disaster

une **catégorie** category

une **cause** cause; **à cause de** because of

une **cave** cellar, basement

une **caverne** cave, cavern

du **caviar** caviar

ce this, it; **ce que** what; **ce qui** what; that which; **c'est-à-dire** that is to say

cela that; **pour cela** for that (purpose), to that end

une **célébration** celebration

célèbre famous

célébrer to celebrate

le **céleri** celery, celery root

celui the one; **celui-ci** this one; the latter

cent hundred, one hundred; **pour cent** percent

une **centaine** about one hundred
centième one hundredth
central central
un **centre** center; **au centre** in the center, in the middle
le **centre** center (*in soccer*)
cependant however, nevertheless
la **céréale** cereal
une **cérémonie** ceremony
certain sure, certain; **certainement** surely, certainly; **certains** some, certain (ones)
cesser to stop, cease
chacun (chacune) each one, every person
une **chaîne** chain; (TV) channel; **une réaction en chaîne** chain reaction
une **chaise** chair
une **chambre** bedroom, room
un **champ** field
le **champagne** champagne
un **champion** (*f.* **championne**) champion
la **chance** luck; **avoir de la chance** to be lucky
une **chandelle** candle
un **changement** change
changer to change; **changer d'avis** to change one's mind
une **chanson** song
chanter to sing
un **chanteur** (*f.* **chanteuse**) singer
un **chapeau** hat
un **chapitre** chapter; **sur le chapitre de** on the subject of, in the area of
chaque each, every
une **charade** charade (*word game*)
la **charité** charity, love
charmant charming
le **charme** charm
la **chasse** hunting; **une réserve de chasse** game preserve, hunting preserve
chasser to hunt; chase
un **chat** (*f.* **chatte**) cat
un **château** (*pl.* **châteaux**) castle, chateau, manor house
un **château fort** fortress, fortified castle
chaud warm, hot; **avoir chaud** to be hot; **il fait chaud** it's hot

une **chaussette** sock
une **chaussure** shoe
le **chauvinisme** chauvinism (*exaggerated love of one's country, excessive devotion to a cause*)
un **chef** leader, chief; **un commandant en chef** commander-in-chief
un **chemin** path, way; **en chemin** on the way
une **chemise** shirt
cher (chère) expensive; dear
chercher to seek, look for, search for; get; pick up (*a date*); **chercher à + inf.** to try to, attempt to
un **chercheur** (*f.* **chercheuse**) researcher
un **cheval** (*pl.* **chevaux**) horse; **une Deux Chevaux** (*abbrev.* **2CV**) small model Citroën
les **cheveux** *m.* hair
chez to (at) . . .'s house (place, office); **chez moi** home, at home; **chez un ami** at a friend's house; in a friend; **travailler chez Michelin** to work for Michelin
un **chien** (*f.* **chienne**) dog
un **chiffre** digit, number
un **chimiste** chemist
le **chinois** Chinese (*language*)
un **Chinois** (*f.* **Chinoise**) Chinese person
le **chocolat** chocolate
choisir to choose
un **choix** choice; **au choix** by selection, your choice
choquant shocking
choquer to shock
une **chose** thing; **quelque chose** something
chronologique chronological, arranged in order of time
une **cicatrice** scar
ci-dessus above
le **ciel** (*pl.* **cieux**) sky; heaven
une **cigarette** cigarette
un **cimetière** cemetery
le **cinéma** movies, motion pictures
un **cinéma** movie theater
cinq five
une **cinquantaine** about fifty

cinquante fifty
cinquième fifth; **au cinquième** on the fifth floor (*U.S.: on the sixth floor*)
circonflexe: un accent circonflexe circumflex accent (ˆ)
une **circonstance** circumstance, condition
circulaire circular, round
la **circulation** traffic
les **ciseaux** *m.* scissors
la **Cité Universitaire** students' residence(s)
une **Citroën** *French-made car*
civil civil, civilian; lay (*as opposed to religious*); **en civil** in civilian dress, in civvies; in plain dress
une **civilisation** civilization
clair clear
une **clarinette** clarinet
une **classe** class, course; classroom; **en classe** in class
un **classement** rank, ranking
classer to rank, classify
classique classical
une **clé** key; **fermer à clé** to lock
clic click
un **client** (*f.* **cliente**) client, customer
un **clignotant** directional light, blinker (*on a car*)
le **climat** climate
un **clos** enclosure; vineyard
un **club** club
le **Coca-Cola** Coca-Cola
un **cochon** pig; **un cochon d'Inde** guinea pig
un **cœur** heart; **des problèmes de cœur** love problems
un **coffre** trunk
un **coin** corner
la **colère** anger; **être en colère** to be angry; **se mettre en colère** to get angry
coléreux (coléreuse) easily angered
des **collants** tights
une **collection** collection
un **colon** colonist, settler
une **colonie** colony; **une colonie de vacances** (summer) camp
un **colonisateur** (*f.* **colonisatrice**) colonizer

un **combat** fight, battle, combat
combattre to fight
combien how much, how many; **combien de** how much, how many
combiner to combine
une **comédie** comedy
un **comédien** (*f.* **comédienne**) comedian, actor (actress)
comique comic, comical
un **commandant** commander; **un commandant en chef** commander-in-chief
commander to order; command
comme as, like; since; **faites comme chez vous** make yourself at home; **comme dessert** for dessert
le **commencement** beginning
commencer to begin
comment how; **comment?** what? **comment vous appelez-vous?** what's your name? **comment faire?** what to do?
un **commerçant** (*f.* **commerçante**) storekeeper, merchant
le **commerce** commerce, trade, business; **une maison de commerce** commercial enterprise, business house, firm
commercial (*pl.* **commerciaux**) commercial, business
un **commissaire** commissioner; (police) officer
une **commode** dresser; chest of drawers
commun common; **en commun** in common
communiquer to communicate
une **compagnie** company
un **compagnon** companion
comparatif (**comparative**) comparative
comparer to compare
une **compétition** meet, track meet
un **complément** complement, object; **un complément direct** direct object; **un complément indirect** indirect object

complet (**complète**) complete, full; «**complet**» "no vacancy"
complètement completely, totally, all the way
compléter to complete
un **complice** accomplice
un **compliment** compliment
compliqué complicated
composé (de) composed (of); **le passé composé** past tense (*composed of an auxiliary and a past participle*)
composer to compose; write; prepare
compréhensif (**compréhensive**) comprehensive; understanding
comprendre to understand; include
un(e) **comptable** accountant
un **compte** account; **se rendre compte** to realize
compter to count
un **comte** count; earl, lord
concerner to concern
un **concert** concert
un(e) **concierge** concierge (*building superintendent*)
une **conclusion** conclusion
un **concours** contest, competition; **un concours publicitaire** (publicity) sweepstakes
concret (**concrète**) concrete, solid
un **concurrent** (*f.* **concurrente**) competitor, candidate, rival
une **condition** condition, state; **à condition que** on the condition that
le **conditionnel** conditional (mode)
un **conducteur** (*f.* **conductrice**) driver
conduire to drive; lead; **se conduire bien** to behave; **se conduire mal** to misbehave
la **conduite** conduct; driving
un **conformiste** conformist (*one who patterns his behavior on that of others*)
le **confort** comfort
confortable comfortable
un **congé** holiday; day off

la **connaissance** acquaintance; knowledge; **faire la connaissance de** to get to know, become acquainted with, meet
connaître to know; be acquainted with; **connaître un espoir** to experience hope; **connaître un succès** to enjoy success
connu (*p. part. of* **connaître**) well-known, famous
consacrer to consecrate; **se consacrer à** to consecrate oneself to, devote oneself to
conseiller to advise, counsel
consentir (à) to consent (to), accept
conséquent: par conséquent consequently
conservateur (**conservatrice**) conservative, traditional (*inclined to maintaining present conditions and institutions*)
la **conservation** conservation, preservation
le **conservatoire** conservatory, music school
conserver to keep, preserve, maintain
considérable considerable, large
considérer to consider
consommer to consume; eat; drink
constamment constantly
constant constant
constater to realize, notice; establish, find out
constituer to constitute, form
la **constitution** constitution
un **constructeur** constructor, builder, building engineer
constructif (**constructive**) constructive, helpful
une **construction** construction, building
construire to construct, build
construit (*p. part. of* **construire**)
un **consulat** consulate
consulter to consult, look at
un **contact** contact; **prendre contact avec** to enter into contact with, contact
contemporain contemporary
contenir to contain

content content, happy

un **contestataire** complainer; one who engages in demonstrations

contigu (contiguë) next to each other, touching (each other)

un **continent** continent

continental (*pl.* continentaux) continental

continuer to continue, keep on

le **contraire** opposite, contrary; **au contraire** on the other hand

un **contraste** contrast

contraster to contrast

une **contravention** (traffic) ticket

contre against; **par contre** on the other hand

contredire to contradict

contribuer to contribute

une **contusion** contusion, bruise

convaincre to convince

convenable acceptable, appropriate, fitting, suitable

convenir to be appropriate, be fitting, be suitable

une **convocation** summons

un **convoi** convoy (*group of military vehicles traveling together*)

la **Coopération** Cooperation (*French equivalent of the Peace Corps*)

coopérer to cooperate

un **copain (*f.* copine)** pal, friend

une **copie** copy; test paper; **une copie blanche** blank test paper

une **copine** pal, friend (*female*)

cordial (*pl.* cordiaux) cordial, hearty

cordialement cordially

la **Corée** Korea

correct correct

la **correspondance** correspondence, letter-writing; **un jeu de correspondance** matching game

correspondant corresponding

un **correspondant (*f.* correspondante)** pen pal, letter-writer, correspondant

correspondre to correspond; write

la **Corse** Corsica (*French island off the French and Italian coasts*)

cosmopolite cosmopolitan (*belonging to the whole world; free from local, regional, and national prejudices and ideas*)

un **costume** suit; costume

une **côte** coast, shore; **la Côte d'Azur** Riviera (*resort area along the Mediterranean coast*); **la Côte-d'Ivoire** Ivory Coast (*country in Western Africa*)

un **côté** side; **à côté de** next to, beside; **aux côtés de** on (by) the side of

un **cou** neck

coucher to put to bed; **se coucher** to go to bed, lie down

couler to flow, (*of a liquid*) run

une **couleur** color; **De quelle couleur. . . ?** What color. . . ?

un **coup** strike, blow, knock; **un coup de main** helping hand; **donner un coup de main** to help out; **un coup d'œil** glance; **donner un coup d'œil** to glance; **un coup de pied** kick; **donner un coup de pied** to kick; **un coup de téléphone** phone call; **donner un coup de téléphone** to call, phone; **du premier coup** on the first try; **préparer un coup** to prepare an (evil) deed; **tout à coup** suddenly

coupable guilty

un **coupable** guilty one

couper to cut; **se couper** to cut oneself; **se couper le doigt** to cut one's finger

une **cour** court; courtyard

le **courage** courage

courageux (courageuse) courageous

couramment currently, generally, usually; fluently

courant running; current, in general use; **l'eau courante** running water; **au courant** up-to-date

courir to run; race (*in a car*)

le **courrier** mail

un **cours** course, class; **au cours de** during

une **course** errand; **faire des courses** to go shopping

court short

un **cousin (*f.* cousine)** cousin

un **couteau (*pl.* couteaux)** knife

coûter to cost

une **coutume** custom, habit

couvert (*p. part. of* couvrir)

couvrir to cover

une **cravate** tie

créateur (créatrice) creative

une **création** creation

créer to create, make

une **crème** cream; custard

creuser to dig

un **criminel** criminal

critique critical

un **critique** critic

une **critique** criticism

critiquer to criticize; **se critiquer** to criticize oneself

croire to believe; think; **croire à** to believe in

une **croisade** crusade

une **croix** cross; **la Croix-Rouge** Red Cross

cru (*p. part. of* croire)

cruel (cruelle) cruel

une **cuisine** kitchen

la **cuisine** cooking, cuisine; **faire la cuisine** to cook

un **cuisinier (*f.* cuisinière)** cook

cultivé cultured

la **culture** culture; civilization

culturel (culturelle) cultural

curieux (curieuse) curious

la **curiosité** curiosity

D

D: le système D (le système des débrouillards) *a way of getting along and making the best use of available resources*

une **dame** lady

un **danger** danger

dangereux (dangereuse) dangerous

dans in

la **danse** dance

danser to dance

un **danseur (*f.* danseuse)** dancer

une **date** date
davantage more
de of, from
un **débat** debate, oral discussion
déboucher to uncork
débrouillard able to get along, resourceful
débrouiller to unravel, disentangle; **se débrouiller** to get along, manage
un **début** beginning
décamper to clear out, scram, beat it
décembre *m.* December
une **déception** disappointment; deception
décerner to grant; **décerner un prix** to award a prize
décevoir to deceive; disappoint
décider (de) to decide (to)
une **décision** decision; **prendre une décision** to make a decision
une **déclaration** declaration, statement
déclarer to declare, state, announce
déclencher to set off
décomposer to decompose, split up
déconcerter to disconcert; upset, frustrate
un **décorateur** (*f.* **décoratrice**) interior decorator
une **décoration** decoration
découper to cut out, cut up
décourager to discourage
découvert (*p. part. of* **découvrir**)
découvrir to discover, find out
décrire to describe
dedans within; into it
défaire to undo
une **défaite** defeat
un **défaut** shortcoming, flaw
défendre to defend
la **défense** defense; **prendre la défense de** to defend; **défense de** + *inf.* no . . . ing, do not . . .
défini definite; defined
définir to define
une **définition** definition
défoncer to smash (in)

dehors outside; **en dehors de** besides, outside of
déjà already
déjeuner to have (eat) lunch; have (eat) breakfast
un **déjeuner** lunch; **un petit déjeuner** breakfast
délicat delicate; polite, refined; sensitive
délicieux (délicieuse) delicious
demain tomorrow
demander to ask (for); **se demander** to wonder
demi half; **quinze ans et demi** fifteen and a half (years old)
demie: deux heures et demie half-past two; two-thirty
un **demi-pensionnaire** day student (*who has lunch at school*)
un(e) **démocrate** democrat
démonstratif (démonstrative) demonstrative; expansive, open
démonter to take apart
la **densité** density
la **dent** tooth; **une brosse à dents** toothbrush
le **dentifrice** toothpaste
une **dépanneuse** tow truck, service truck
un **départ** departure
un **département** department; *administrative division of France*
dépêcher to dispatch; **se dépêcher** to hurry
dépenser to spend; dispense
déporter to deport, ship away
déposer to deposit, leave (*something, someone*)
depuis since; for; since then
depuis que since
déraper to skid
dériver to derive, originate
dernier (dernière) last, latest
dérouler to unroll; **se dérouler** to take place, happen
derrière in back of, in back; **une porte de derrière** back door
un **désaccord** disagreement; discord
désagréable disagreeable, unpleasant

désappointé disappointed
un **désavantage** disadvantage
un **descendant** descendant
descendre (de) to go down, get off; descend (from)
désert deserted
un **déserteur** deserter
désespéré desperate, hopeless; dispairing
déshabiller to undress (*someone*); **se déshabiller** to get undressed, undress
désigner to designate; note, indicate
un **désir** desire, wish
désobéir (à) to disobey
la **désobéissance** disobedience
désobéissant disobedient
désolé very sorry
désordonné disorganized; untidy, disorderly
une **destination** destination
la **destinée** destiny, lot, fortune
un **détail** detail
un **détective** detective
un **déterminatif** determiner
déterminé determined
déterminer to determine
détester to hate, detest
deux two; **tous les deux** both; **une Deux Chevaux (2CV)** *economy car made by Citroën*
deuxième second
devant in front of, in front; **une attitude devant** attitude towards
développer to develop (*something*); **se développer** to develop
devenir to become
deviner to guess
devoir must, should, ought to, to have to; owe
un **devoir** assignment; **les devoirs** homework
devra (*fut. of* **devoir**)
un **dialecte** dialect, regional variety of a language
un **dialogue** dialogue
un **dictionnaire** dictionary
un **dieu** god; **Mon Dieu!** oh dear! (*mild exclamation*)
différemment differently
la **différence** difference

différent different
difficile difficult, hard
une **difficulté** difficulty
un **dimanche** Sunday; **le dimanche** on Sundays
diminuer to diminish, lessen
dîner to dine, have dinner, eat (dinner *or* supper)
le **dîner** dinner, supper
un **diplomate** diplomat
la **diplomatie** diplomacy
un **diplôme** diploma, degree
dire to say, tell; **c'est-à-dire** that is to say
direct direct, straight
directement directly
un **directeur** (*f.* **directrice**) director
une **direction** direction
diriger to direct, be in charge
dis! say!
discerner to discern, distinguish
une **discipline** discipline; academic (school) subject
discipliné disciplined; possessing self-control
une **discothèque** discotheque; record library
discret (**discrète**) discreet, cautious; quiet
discrètement discretely, cautiously, quietly
la **discrimination** discrimination
discuter to discuss, talk about; question, dispute
disparaître to disappear
disparu (*p. part. of* **disparaître**)
une **dispute** dispute, argument
disputer to dispute; **se disputer** to argue, fight, quarrel
un **disque** (phonograph) record
une **distance** distance
distinguer to distinguish; **se distinguer en** to distinguish oneself in
une **distraction** distraction, diversion, amusement
distribuer to distribute, hand out; deal; **distribuer l'essence** to pump gas
dites! say!
un **divan** divan, sofa, couch
divers diverse, various
la **diversité** diversity; variety

diviser to divide
un **divorce** divorce
dix ten
dixième tenth
dix-sept seventeen
un **docteur** doctor
un **document** document, paper
un **documentaire** documentary (film)
un **doigt** finger
un **dollar** dollar
un **domaine** domain; area
domestique domestic
dominant dominant
une **domination** domination, rule
dominer to dominate, rule; stand above, tower over
donc therefore, thus; indeed
donner to give; **donner rendez-vous à** to arrange to meet (*someone*), make a date (appointment) with
dormir to sleep
un **dos** back
la **douane** customs
doubler to double
un **doute** doubt; **sans doute** obviously, without doubt, doubtless
douter to doubt, question
doux (**douce**) soft, gentle; sweet
une **douzaine** dozen; **d'une douzaine d'années** about twelve years old
douze twelve
un **drame** drama; play
drin! ding-a-ling! ring!
la **drogue** drugs
un **drogué** (drug) addict
droit straight, upright; **tout droit** straight ahead
le **droit** law
droite right; **à droite** on the right, to the right; **à droite de** to the right of, on the right side of; **la colonne de droite** the right-hand column
drôle funny; droll, humorous
dû (*p. part. of* **devoir**)
duquel (**de** + **lequel**)
dur hard, tough
durement hard
durer to last

dynamique dynamic, energetic

E

l' **eau** *f.* water; **l'eau courante** running water; **l'eau de cologne** cologne, toilet water; **l'eau minérale** mineral water, (natural) spring water
échapper to escape; **s'échapper de** to escape from
une **échelle** ladder; scale
échouer to fail; fall through; flunk (*an exam*); **s'échouer** to run aground
un **éclair** (flash of) lightning
éclater to break out, burst
une **école** school
économique economic, economical
économiquement economically
économiser to economize, save
un **Écossais** (*f.* **Écossaise**) person from Scotland, Scot
l' **Écosse** *f.* Scotland; **la Nouvelle-Écosse** Nova Scotia
écouter to listen (to)
écrire to write; **s'écrire** to be written; write one another
un **écrivain** writer
édifier to erect, build; edify, instruct, uplift morally
un **éditeur** editor
un **éducateur** (*f.* **éducatrice**) educator
l' **éducation** *f.* education
effacer to erase, get rid of
un **effet** effect; **en effet** in fact, indeed; precisely
un **effort** effort, try; **faire un effort** to try
égal (*pl.* **égaux**) equal; **d'égal à égal** as equals
également also, equally, as well
égaler to equal
une **église** church
l' **égoïsme** *m.* egoism, egotism, self-centeredness, selfishness
égoïste egotistical, selfish, self-centered
l' **Égypte** *f.* Egypt
eh bien! well! and . . .

électoral (*pl.* **électoraux**) electoral

l' **électricité** *f.* electricity

un **électrophone** record player

l' **élégance** *f.* elegance

élégant elegant, well-dressed

un **élément** element

élémentaire elementary

un(e) **élève** (elementary *or* secondary school) student

élevé high, tall; **bien élevé** well-mannered, well brought-up; **mal élevé** ill-mannered, badly brought-up

élever to raise; bring up

élire to elect

elle-même herself; **en elle-même** to herself

émanciper to emancipate, free, liberate

embarquer to embark; ship; **s'embarquer (dans)** to set out, embark (on)

embarrassant embarrassing

embêtant bothersome, annoying, boring

embêter to bother, annoy, bore; **s'embêter** to get bored

embrasser to kiss; hug, embrace; **s'embrasser** to kiss each other; hug each other

éminemment eminently, highly

éminent eminent, distinguished

une **émission** (TV *or* radio) program, show

emmener to take along (*someone*), take out, invite

émotif (émotive) emotional

une **émotion** emotion, feeling

empêcher (de) to prevent (from)

un **emplacement** location, site

un **emploi** job, position; employment; **un emploi du temps** schedule

employer to use; employ

emporter to carry off, carry away

un **emprunt** borrowing, loan

emprunter to borrow

ému nervous, excited

en in; **en ce moment** at this time, at present; **en retard** late; **en** + *pres. part.* upon, on, by, in, while . . . ing

enchanté enchanted

encombré congested, crowded

encore yet, still; more; **encore une fois** once more; **encore dix kilomètres** ten kilometers to go

endommagé damaged

endormi sleepy

endormir to put to sleep; **s'endormir** to fall asleep

un **endroit** place, spot

l' **énergie** *f.* energy

énergique energetic

énerver to enervate, weaken; **s'énerver** get nervous, upset

un(e) **enfant** child

enfin finally, at last; **mais enfin** but

enfoncé smashed (in)

une **énigme** enigma, riddle

enlever to take out, remove

un **ennemi** enemy

un **ennui** problem

énorme large, enormous

énormément enormously

une **enquête** survey, inquiry, investigation; **faire une enquête** to do a survey

l' **enseignement** *m.* teaching, education; educational system

enseigner to teach

ensemble together; **dans l'ensemble** on the whole

ensuite then; afterwards

entendre to hear; **entendre parler de** to hear of; **bien entendu** of course

entier (entière) entire, whole

entourer to surround

entre among, between; **entre parenthèses** in parentheses

entreprendre to undertake, set out on

une **entreprise** enterprise, firm, company

entrer (dans, en) to enter

une **enveloppe** envelope

enverra (*fut. of* **envoyer**)

une **envie** desire; **avoir envie de** to want to, desire to

envier to envy

l' **environnement** *m.* environment

envoyer to send

épatant great, wonderful, splendid

une **épave** wreckage

épeler to spell; **mal épelé** misspelled

une **épingle** pin

un **épisode** episode

une **époque** period, epoch

épouser to marry

épouvantable horrible, terrible

un **époux** (*f.* **épouse**) spouse; **les époux** husband and wife

équilibrer to balance

une **équipe** team

équiper to equip

une **équivalence** equivalency

une **erreur** error, mistake; **faire erreur** to make a mistake

une **escadrille** squadron

escalader to climb (*rocks*)

un **escalier** stairs, staircase

l' **esclavage** *m.* slavery

un(e) **esclave** slave

escompté hoped for, desired

un **espace** space

l' **Espagne** *f.* Spain

espagnol Spanish

l' **espagnol** *m.* Spanish (*language*)

espérer to hope (for)

un **espoir** hope

un **esprit** intelligence, wit, mind; **venir à l'esprit** to come to mind, occur to one

un **essai** try; essay

essayer to try; **essayer de** + *inf.* to try to

l' **essence** *f.* gas

essentiel (essentielle) essential; **il est essentiel que** it is essential that

l' **essentiel** *m.* the main point, main thing

un **essuie-glace** windshield wiper

l' **est** *m.* East, east

est-ce que (*introduces a question*)

estimer to estimate, value

un **estuaire** estuary, mouth (*of a river*)

et and

un **étage** floor

était (*imperfect of* **être**)

étant (*pres. part. of* **être**)

un **état** state, condition; **l'État** the state, government

les **États-Unis** *m.* United States; **aux États-Unis** in the United States

été (*p. part. of* **être**)

un **été** summer; **en été** in (the) summer

éternel (éternelle) eternal, everlasting

éternellement eternally

une **étoile** star

étonnant astonishing, surprising

étonné astonished, surprised

étonner to astonish

une **étourderie** oversight, blunder; careless mistake

étrange strange

étranger (étrangère) foreign

un **étranger** (*f.* **étrangère**) stranger; foreigner, person from a foreign country; **à l'étranger** in a foreign country, abroad

être to be; **être à** to belong to; **être d'accord** to agree

une **étude** study; **les études** studies

un **étudiant** (*f.* **étudiante**) (university) student, college student

étudier to study

eu (*p. part. of* **avoir**)

l' **Europe** *f.* Europe

s' **européaniser** to become Europeanized

européen (européenne) European

un **événement** event

éventuellement eventually

évidemment evidently, obviously

l' **évidence** *f.* evidence

évident evident, obvious

éviter to avoid

exact true, right; exact; **le mot exact** the right word

exactement exactly, right

exagérer to exaggerate

un **examen** examination, exam, test

examiner to examine

excellent excellent

exceptionnel (exceptionnelle) exceptional

exclusif (exclusive) exclusive

exclusivement solely, exclusively

excusable excusable

une **excuse** excuse

excuser to excuse, pardon; **s'excuser** to apologize

exécuter to execute; carry out

exécutif (exécutive) executive

exemplaire exemplary, worthy of imitation, serving as a model

un **exemplaire** copy; **en quatre exemplaires** four of them

un **exemple** example; **par exemple** for example

exercer to exercise; carry out

un **exercice** exercise

une **existence** existence; life

exister to exist, be

exotique exotic; strange, exciting, glamorous

l' **exotisme** *m.* exoticism

expansif (expansive) expansive, open

expatrié expatriate, exile

une **expédition** expedition

une **expérience** experience; experiment

expérimenté experienced

un **expert** expert

explicite explicit, direct

expliquer to explain; **s'expliquer** to be explained

un **exploit** exploit, striking *or* notable feat *or* deed

un **explorateur** (*f.* **exploratrice**) explorer

une **exploration** exploration

explorer to explore

exploser to explode

une **explosion** explosion

un **exposé** expose; paper, talk; report

exposer to expose; show (*a painting*), exhibit

une **exposition** display, exhibit

une **expression** expression; **d'expression française** French-speaking; written in French

exprimer to express, state; **s'exprimer sur** to talk about

l' **extérieur** *m.* exterior, outside; **à l'extérieur de** outside (of)

un **externe** day student (*who goes home for lunch*)

un **extrait** excerpt

extraordinaire extraordinary, unusual

extrême extreme

l' **extrême-droite** *f.* the extreme right; right wing

l' **extrême-gauche** *f.* the extreme left; left wing

extrêmement extremely; very

extrémiste extremist

F

fabriquer to manufacture; make, build

une **face** face; **en face de** opposite, across from

fâché angry, mad

fâcher to anger (*someone*); **se fâcher** to get angry, get mad

facile easy

facilement easily

faciliter to facilitate, make easy

une **façon** fashion, manner, way

failli: j'ai failli + *inf.* I almost...

la **faim** hunger; **avoir faim** to be hungry

faire to do, make; **faire allusion à** to refer to, allude to; **faire attention à** to pay attention to; **faire connaissance** to meet, be introduced; get acquainted; **faire de** (+ *school subject*) to study; **faire de** (+ *musical instrument*) to play; **faire de** (+ *sport*) to play, practice; **faire pension** to offer full room and board; **faire une promenade** to take a walk; go for a drive; **se faire** to be done; **se faire des illusions** to fool oneself

un **faire-part** announcement, (wedding) invitation

un **faiseur** (*f.* **faiseuse**) maker

fait: il fait beau the weather is nice (fine)

fait (*p. part. of* **faire**)

un **fait** fact; **au fait** as a matter of fact, by the way; **en fait** in fact
falloir to be necessary
fallu (*p. part. of* **falloir**)
fameux (fameuse) famous, well-known; excellent, first-rate
familial (*pl.* **familiaux**) related to the family, of the family
une **famille** family
une **fantaisie** fantasy
fantastique fantastic
un **fantôme** ghost
fasse (*subj. of* **faire**)
la **fatigue** fatigue, tiredness
fatigué tired, weary
fatiguer to tire (*someone*); **se fatiguer** to get tired
faudra (*fut. of* **falloir**)
faut: il faut you need, you have to, it is necessary (to), one must
un **fauteuil** armchair
faux (fausse) false
favorable favorable
favori (favorite) favorite
une **fédération** federation, union
fédérer to federate, federalize; bring together in a union, bring under the control of a federal government
féliciter to congratulate; **se féliciter** to congratulate oneself
féminin feminine, ladylike
une **femme** woman; wife
une **femme-professeur** (lady) professor
une **fenêtre** window
le **fer** iron; horseshoe
fera (*fut. of* **faire**)
une **ferme** farm
fermé closed; **fermé à clé** locked
une **fermeture** closing
une **fête** holiday; feast
un **feu** fire; **un feu arrière** backlight, taillight; **un feu rouge** traffic light, red light
une **feuille** leaf; **une feuille de papier** sheet of paper
février *m.* February
les **fiançailles** *f.* engagement
un **fiancé** (*f.* **fiancée**) fiancé (fiancée)

se **fiancer** to get engaged
fichu (*slang*) ruined, wrecked
fictif (fictive) fictitious, imaginary
fier (fière) proud
une **figure** face
une **fille** girl; daughter; **une jeune fille** (teenage) girl
un **film** film, movie
un **fils** son
la **fin** end
final (*pl.* **finals**) final, last
finalement finally, at last
fini over, finished
finir to finish, end
une **firme** firm, company, business
un **flash** flashbulb
flatter to flatter, compliment insincerely, praise too much
une **fleur** flower
la **Floride** Florida
une **flotte** fleet
une **fois** time; **combien de fois?** how many times? **encore une fois** once more; **une fois** once; **deux fois** twice; **une fois de plus** once more
la **folie** madness; **aimer à la folie** to love madly; be madly in love with
une **fondation** founding, creation; foundation
fondé founded
fonder to found
les **fonds** *m.* bottom, depths
le **football** soccer; **le football américain** football
une **force** force
une **forêt** forest
forger to forge, make, shape
un **forgeron** blacksmith
une **formation** formation; education
une **forme** form, type, shape
former to form
formidable great, terrific
fort strong; loudly, strongly
Fort-de-France *capital city of Martinique*
fortement strongly
une **forteresse** fortress, fortified castle
fou (folle) crazy, mad
un **fou** (*f.* **folle**) madman (madwoman), crazy person

un **foulard** (silk) scarf
une **foule** crowd
une **fourchette** fork
fournir to furnish, provide
une **fracture** fracture
frais (fraîche) fresh, cool
un **franc** franc (*about 20¢*)
français French
le **français** French (*language*)
un **Français** (*f.* **Française**) Frenchman, French person
la **France** France
franchir to cross (*a border*)
franco-américain Franco-American
francophone French-speaking
un **frein** brake; **un frein à main** hand brake; emergency brake
un **frère** brother
froid cold; **il fait froid** it's cold (*weather*)
le **fromage** cheese
une **frontière** border, boundary; frontier
un **fruit** fruit
fumer to smoke
furieux (furieuse) furious, angry, mad
le **futur** future

G

gagner to win; earn
gai gay, happy
Galilée Galileo
un **gallon** gallon
un **garage** garage; service station
un **garagiste** garage owner; mechanic
garantir to guarantee
un **garçon** boy; waiter
garder to keep, maintain; watch over
un **gardien** (*f.* **gardienne**) guardian, guard, keeper
une **gare** (train) station
un **gars** (*slang*) guy
la **Gaspésie** Gaspé (*peninsula in Canada*)
un **gâteau** cake
gauche left; **à gauche** on the left; **à gauche de** to the left of; **la colonne de gauche** the left-hand column

une **gazelle** gazelle, small antelope
les **Gémeaux** *m.* Gemini
un **gendarme** (French state) policeman
général (*pl.* **généraux**) general, main
un **général** (*pl.* **généraux**) general
généralement generally
une **généralisation** generalization
généraliser to generalize
une **génération** generation
généreux (généreuse) generous
la **générosité** generosity
Genève Geneva (*city in Switzerland*)
génial (*pl.* **géniaux**) inspired, full of genius, brilliant
le **génie** genius
des **gens** *m.* people
gentil (gentille) nice, sweet, gentle
la **géographie** geography
géographique geographical
la **glace** ice cream; mirror
la **gloire** glory
le **goal** goalie
gourmand greedy, who loves to eat
un **gourmet** gourmet, one who enjoys food
un **goût** taste
goûter to taste, try (*food or drink*)
un **gouvernement** government
gouverner to govern, rule
un **gouverneur** governor
la **grâce** grace; **grâce à** thanks to
grand big, large, great
une **grand-mère** grandmother
un **grand-père** grandfather
grave grave, serious; **un accent grave** grave accent (`)
grec (grecque) Greek
la **Grèce** Greece
une **grève** strike; **faire la grève** to go on strike
gris gray
gros (grosse) big, fat, large; **en gros caractères** in boldface, in heavy type
une **grotte** cave, grotto
un **groupe** group
une **guerre** war; **en guerre contre** at war with; **la Première**

Guerre mondiale World War I
un **guide** guidebook; guide
une **guitare** guitar
la **Guyane** Guiana
le **gymnase** gym
la **gymnastique** gymnastics

H

habile skillful
habillé dressed
habiller to dress (*someone, something*); **s'habiller** to get dressed
un **habit** coat and tails; formal attire; dress
un **habitant** inhabitant
habiter to live (in)
une **habitude** habit, custom; **d'habitude** usually
habituel (habituelle) habitual, usual
habituellement usually, habitually
Haïti *f.* island in the Caribbean Sea
***Halifax** capital of Nova Scotia
***hanté** haunted
une **harmonie** harmony; peace
la ***hâte** haste, speed
***haut** high, tall; loud; **en haut** at the top
l' **hébreu** *m.* Hebrew (*language*)
***hein!** huh!
hélas alas, unfortunately
un **hélicoptère** helicopter
l' **herbe** *f.* grass
un **herbier** collection of pressed plants
une **héroïne** heroine
un ***héros** hero
une **heure** hour; time; **à 100 kilomètres l'heure** 100 kilometers an hour; **à l'heure** on time; **à l'heure actuelle** at the present time; **dix heures** ten o'clock
heureusement fortunately, happily
heureux (heureuse) happy, fortunate
hier yesterday
un **hippie** hippie

l' **histoire** *f.* history; story; **une histoire idiote** silly business
historique historical
historiquement historically
l' **hiver** *m.* winter; **en hiver** in winter
le ***hockey** hockey
la ***Hollande** Holland
un **homme** man; **un homme politique** politician
honnête honest
l' **honnêteté** *f.* honesty
un **honneur** honor; **en l'honneur de** in honor of
honorer to honor
un **hôpital** (*pl.* **hôpitaux**) hospital
un **horoscope** horoscope
un ***hors-d'œuvre** hors d'œuvre, appetizer; **des hors-d'œuvre variés** hors d'œuvres, mixed appetizers
un(e) **hôte** guest; host
un **hôtel** hotel
une **hôtesse** hostess; **une hôtesse de l'air** stewardess
***huit** eight; **mardi en huit** a week from Tuesday
une **humeur** humor; **de bonne humeur** in a good mood; **de mauvaise humeur** in a bad mood
humiliant humiliating
une ***hutte** hut

I

ici here
idéal (*pl.* **idéaux**) ideal
idéaliste idealistic, cherishing high ideals
une **idée** idea
identifier to identify
une **identité** identity
idiot idiotic, stupid
ignorer not to know, to be ignorant of
il: il y a there is, there are; **il y a cinq ans** five years ago; **il y a cinq ans que. . .** it has been five years since; **qu'est-ce qu'il y a?** what's wrong? what is the matter? **qu'est-ce qu'il y a à déjeuner?** what is there for lunch?
une **île** island

illogique illogical, unreasoning

illuminer to light up; illuminate

une **illusion** illusion; **se faire des illusions** to fool oneself

illustre famous

illustrer to illustrate; **s'illustrer** to become famous

une **image** picture, image

imaginaire imaginary, fictitious

imaginatif (imaginative) imaginative

une **imagination** imagination

imaginer to imagine

un(e) **imbécile** imbecile; stupid person

imiter to imitate

immédiat immediate

immédiatement immediately

immense immense

immensément immensely

un **immeuble** building, apartment house

l' **immigration** f. immigration

immortel (immortelle) immortal, everlasting, undying

l' **imparfait** m. imperfect (tense); **à l'imparfait** in the imperfect

impartial (pl. **impartiaux**) impartial, unbiased, fair-minded

impatient impatient

s' **impatienter** to grow impatient, become impatient

impersonnel (impersonnelle) impersonal

implanter to implant, plant

impoli impolite

une **importance** importance; **avoir de l'importance** to matter

important important; large, sizeable

impossible impossible

un **imprésario** impresario, business manager (for a movie star)

une **impression** impression

impressionnable easily impressed; impressionable, excitable

impressionner to impress

impulsif (impulsive) impulsive, acting on impulse

incomparable incomparable, unrivaled, matchless, unique

incompréhensible incomprehensible, impossible to understand

inconnu unknown

l' **incrédulité** f. incredulity, disbelief, unbelief

indécis hesitant; blurred, vague

indéfini indefinite

l' **indépendance** f. independence

indépendant independent

l' **indicatif** m. indicative (mode)

une **indication** indication

indien (indienne) Indian

indigène native

un(e) **indigène** native

indiqué indicated

indiquer to indicate; point to, point out

indiscipliné undisciplined; lacking self-control

indiscret (indiscrète) indiscreet; imprudent; tactless

indispensable indispensable, absolutely necessary

individualiste individualistic, individualist; independent

l' **individualité** f. individuality

l' **Indochine** f. Indochina

industriel (industrielle) industrial

un **infinitif** infinitive

un **infirmier (infirmière)** nurse

une **influence** influence

l' **information** f. information

un **ingénieur** engineer; **un ingénieur-électronicien** electronics engineer

ingénieux (ingénieuse) ingenious, clever

l' **initiative** f. initiative

injuste unjust, unfair

l' **injustice** f. injustice

innocent innocent

inquiet (inquiète) worried, anxious

inquiéter to worry (someone); **s'inquiéter** to worry, become worried

une **inquiétude** worry, concern, uneasiness

une **inscription** inscription; directions (on a sign)

inscrire to inscribe; register, sign up (for a class)

inscrit written

insister to insist; **insister pour que** to insist that

inspecter to inspect

une **inspiration** inspiration

inspirer to inspire

instable unstable, shaky, unsteady

installer to install; **s'installer** to install oneself; sit down; settle

un **instant** instant

un **institut** institute

une **institution** institution

une **institutrice** (female) schoolteacher

l' **instruction** f. teaching, education, instruction

une **insulte** insult

insulter to insult

insupportable unbearable

insurrectionnel (insurrectionnelle) insurrectional, rebellious; in revolt

intellectuel (intellectuelle) intellectual

intelligemment intelligently

l' **intelligence** f. intelligence

intelligent intelligent

l' **intensité** f. intensity

une **intention** intention; **avoir l'intention de** to plan to, intend to

une **interaction** interaction, reciprocal action

interdire to forbid, prohibit

interdit forbidden, not permitted, prohibited, illegal

intéressant interesting

intéresser to interest; **s'intéresser à** to be interested in

un **intérêt** interest

l' **intérieur** m. interior, inside; **à l'intérieur de** inside

international (pl. **internationaux**) international

l' **interprétariat** m. interpreting; interpretership

un(e) **interprète** interpreter

interpréter to interpret

interroger to interrogate, ask questions (of)

interrompre to interrupt, break in

une **interruption** interruption, break

une **intersection** intersection
une **interview** interview
une **intonation** intonation
   intuitif (intuitive) intuitive, knowing by intuition
l' **intuition** *f.* intuition; quick insight
   inutile useless, pointless
   inventer to invent
un **inventeur** (*f.* **inventrice**) inventor
une **invention** invention
   inverse reverse, opposite
une **inversion** inversion; transposition, reversal
une **investigation** investigation
une **invitation** invitation
un **invité** (*f.* **invitée**) guest
   inviter to invite
   ira (*fut. of* **aller**)
   irritant irritating
   irriter to irritate
   isolé isolated, lonely; remote
   issu de descended from, born of
l' **Italie** *f.* Italy
   italien (italienne) Italian
l' **italien** *m.* Italian (*language*)
   italique: en italique in italics
un **itinéraire** itinerary, travel plan
un **Ivoirien** (*f.* **Ivoirienne**) citizen of the Ivory Coast

J

la **jalousie** jealousy
   jaloux (jalouse) jealous
   jamais ever; never; **ne... jamais** never, not ever
une **jambe** leg
un **jambon** ham
   janvier *m.* January
   japonais Japanese
un **Japonais** (*f.* **Japonaise**) Japanese person
un **jardin** garden
   jaune yellow
le **jazz** jazz
   Jésus-Christ: avant Jésus-Christ B.C.
   jeter to throw
un **jeu** (*pl.* **jeux**) game; **un jeu-test** quiz-game; **les Jeux Olympiques** Olympic Games
un **jeudi** *m.* Thursday; **le jeudi** on Thursdays

   jeune young; **les jeunes** young people
la **jeunesse** as youth
un **job** (part-time) job
la **joie** joy
   joindre to join
   joint (*p. part. of* **joindre**)
   joli pretty
   jouer to play; **jouer à** (+ *sport*) to play; **jouer de** (+ *instrument*) to play; **se jouer** to be played
un **joueur** (*f.* **joueuse**) player
un **jour** day; **un jour de congé** day off; **il fait jour** it's light (out); **un jour** one day, some day; **le jour** during the day; **quinze jours** two weeks
un **journal** (*pl.* **journaux**) paper, newspaper; diary; journal
un(e) **journaliste** journalist, reporter
une **journée** day; **toute la journée** all day long; the whole day
   joyeux (joyeuse) joyous, happy, joyful
   judiciaire judicial, judiciary, legal
un **jugement** judgment
   juger to judge
   juillet *m.* July
   juin *m.* June
   Jules César Julius Caesar
un **jumeau** (*f.* **jumelle**; *pl.* **jumeaux**) twin
une **jupe** skirt
le **jus** juice
   jusqu'à until, up to
   juste right, correct; fair
   justement precisely; in fact; exactly, just
   justifier to justify

K

un **kilomètre** kilometer (*about 0.6 mile*)
un **klaxon** horn (*of a car*)

L

   là there; **par là** by that
   là-bas (over) there
un **laboratoire** laboratory
   laid ugly
   laisser to leave, let

du **lait** milk
une **lampe** lamp; (TV *or* radio) tube; **une lampe à incandescence** incandescent light; **une lampe de poche** flashlight
une **Lancia** *Italian-made car*
une **langouste** crayfish
une **langue** language; tongue
le **Laos** Laos
   laquelle (*see* **lequel**)
   Lausanne *city in Switzerland*
   laver to wash; **se laver** to wash up, wash oneself
le **lèche-vitrines** window-shopping
une **leçon** lesson
une **lecture** reading
une **légende** legend, story
   léger (légère) light, slight
   législatif (législative) legislative
le **lendemain** the next day
   lent slow
   lentement slowly
   lequel? which one?
   lesquels, lesquelles (*see* **lequel**)
une **lettre** letter
   leur their
   lever to raise, lift; **se lever** to get up
un **lézard** lizard
   libéral (*pl.* **libéraux**) liberal (*favorable to progress or reform*)
la **libération** liberation, freeing
   libérer to liberate, set free, free
la **liberté** liberty
   libre free
une **licence** *French equivalent of an American Master of Arts degree*
un **lieu** (*pl.* **lieux**) place; **avoir lieu** to take place
une **ligne** line
une **limousine** limousine
   linguistique linguistic
un **lion** (*f.* **lionne**) lion; **le Lion** Leo
   lire to read
   Lisbonne Lisbon (*capital of Portugal*)
une **liste** list
un **lit** bed
un **litre** liter (*a little more than a quart*)
   littéraire literary

la **littérature** literature
un **livre** book
local (*pl.* **locaux**) local
le **logement** lodging; room
loger to lodge, room, house
logique logical
loin far; **loin de** far from;
plus loin farther (on), further
Londres London
long (longue) long; **le long
de** along; **trouver le temps
long** to be bored
longtemps for a long time;
longtemps à l'avance well
in advance
lorsque when
la **Louisiane** Louisiana
un **loup** (*f.* **louve**) wolf
loyal (*pl.* **loyaux**) loyal
lu (*p. part of* **lire**)
une **lueur** gleam, glimmer; flash,
light
lui-même himself; **en lui-
même** to himself
un **lundi** Monday; **le lundi** on
Mondays
une **lutte** struggle, fight, contest
luxueux (luxueuse) elegant,
luxurious
un **lycée** lycée (*French high school*)
un **lycéen** (*f.* **lycéenne**) (French)
high school student
Lyon Lyons (*city in central
France*)

M

un **maçon** bricklayer, mason
Madagascar Madagascar (*island
off the East African coast*)
un **magasin** store; **un grand
magasin** department store
un **magazine** magazine
magnifique great, magnificent
mai *m.* May
une **main** hand
maintenant now; **plus maintenant** no longer, not anymore
maintenir to maintain
un **maire** mayor
une **mairie** city hall
mais but, however

une **maison** house; **à la maison** at
home; **une maison particu-
lière** private house
un **maître** (*f.* **maîtresse**) master
la **maîtrise** mastery; **la maîtrise
de soi** self-control
une **maîtrise** French equivalent of an
American Master's degree
la **majorité** majority
mal bad, badly
malade sick
un **malade** patient
malheureusement unfortunately
malheureux (malheureuse)
unfortunate, unhappy
malin (maligne) smart, sly
manger to eat
une **manière** manner, way; **les manières** manners
manifester to manifest, show
les **manœuvres** *f.* maneuvers
un **manque** lack
manqué missed; **un rendez-
vous manqué** broken date
manquer to miss
un **manteau** coat, overcoat
un **manuscrit** manuscript
se **maquiller** to put on make-up
un **marchand** (*f.* **marchande**)
dealer, merchant
un **marché** market; deal
marcher to walk; run; work,
function; drive (*at a certain
speed*)
un **mardi** Tuesday; **le mardi** on
Tuesdays; **Mardi Gras** Mardi
Gras (*Catholic holiday which
falls on a Tuesday, about 40
days before Easter*)
la **margarine** margarine
une **marguerite** daisy
un **mari** husband
un **mariage** marriage; wedding
marié married
un **marié** groom
une **mariée** bride
se **marier** to marry, get married
un **marin** sailor
le **Maroc** Morocco
une **marque** mark; make, brand
marquer to mark, score
un **marquis** marquis, noble, lord
marron brown

mars *m.* March
la **Martinique** Martinique
masculin masculine
un **match** game, match
matérialiste materialistic, con-
cerned with material things
matériel (matérielle) material
matériellement materially
les **math** *f.* math
un **matin** morning; **le matin** in
the morning; **du matin** A.M.
mauvais bad; poor; **il fait
mauvais** the weather is bad,
it is bad outside
maximum maximum; at the
most
la **mayonnaise** mayonnaise
un **mécanicien** (*f.* **mécanicienne**)
mechanic
une **médaille** medal
un **médecin** doctor
la **médecine** medicine
médiéval (*pl.* **médiévaux**)
medieval
médiocre mediocre; moderate;
feeble, poor, second-rate
la **médiocrité** mediocrity (*state of
being mediocre*)
la **Méditerranée** Mediterranean
Sea
**méditerranéen (méditerra-
néenne)** Mediterranean
un **meeting** meeting
méfiant suspicious, distrustful
meilleur better; **le (la) meil-
leur(e)** the best
un **membre** member
même even; same; **tout de
même** all the same
la **mémoire** memory
mémorable memorable; always to be remembered
menaçant threatening
menacer (de) to threaten, menace
mener to lead
mental (*pl.* **mentaux**) mental
un **menteur** (*f.* **menteuse**) liar
la **mer** sea; **la mer des Antilles**
Caribbean Sea; **la mer
Rouge** Red Sea
merci thank you
un **mercredi** Wednesday; **le mercredi** on Wednesdays

une **mère** mother
le **mérite** merit
une **mésaventure** misadventure
un **message** message
mesurer to measure; **se mesurer en** to be measured in
un **métal** (*pl.* **métaux**) metal
méthodique methodical
un **métier** job, profession
un **mètre** meter (*approx. 40 inches*)
métropolitain metropolitan; *referring to France with the exception of its overseas territories;* **la France métropolitaine** *France with the exception of its overseas territories*
mettre to put, place; put on; set (*the table*); **mettre à la porte** to ask someone to leave, kick out; **mettre une note** to give a grade; **se mettre** to stand, place oneself; **se mettre à** to begin, start; **se mettre en colère** to get angry
un **meuble** piece of furniture; **les meubles** furniture
meurt: il meurt he dies
mexicain Mexican
Mexico Mexico City
le **Mexique** Mexico
un **microscope** microscope
midi noon
le **Midi** *southern part of France*
mieux better; **aimer mieux** to prefer; **tant mieux** so much the better
un **mile** mile
le **milieu** middle, center; milieu, surroundings, environment; **au milieu de** in the middle of, in the center of
militaire military
un **militaire** soldier
militant militant, activist
un **milliard** billion
mille thousand; **le mille** bull's eye
un **millier** about one thousand; **des milliers** thousands
un **million** million
mince thin
une **mini-cassette** cassette player, cassette recorder

minimum minimum
un **mini-portrait** small portrait, miniature portrait
un **ministère** government office, ministry
minuit midnight
minuscule very tiny, minuscule
un **miracle** miracle
une **mission** mission; assignment
un(e) **missionnaire** missionary
le **mobilier** furniture
la **mobilisation** mobilization, assembling of troops
mobiliser to mobilize; call out, call up
moche (*slang*) plain-looking, not good-looking; ugly, bad
un **mode** mode, mood
la **mode** fashion, style
un **modèle** model; **un modèle réduit** scale model
moderne modern
moderniser to modernize, make modern; **se moderniser** to become modernized
modeste modest; small
les **mœurs** *f.* customs, manners
moi-même myself
moins less, minus; **deux heures moins dix** ten minutes to two; **au moins** at least; **le moins** the least; **le moins ...de** the least. . .of; **moins ...que** less. . .than
un **mois** month
un **moment** moment; **pour le moment** for the time being; **au moment de** at the time of; **au moment où** just as
le **monde** world, earth; universe; **le plus grand du monde** the biggest in the world; **du monde** people; **beaucoup de monde** many people; **moins de monde** fewer people; **tout le monde** everyone, everybody
mondial (*pl.* **mondiaux**) worldly, (of the) world
un **moniteur** (*f.* **monitrice**) (camp) counselor
un **monologue** monolog (*speech by one person*)

le **monopole** monopoly
monotone on one tone; monotonous
la **montagne** mountain(s)
montagneux (montagneuse) mountainous
un **montant** sum; amount
monter to go up; get on; **monter une tente** to put up a tent
Montpellier *city in southern France*
une **montre** watch
montrer to show
un **monument** monument; **un monument aux morts** war memorial
moquer to mock; **se moquer de** to make fun of
moral (*pl.* **moraux**) moral
un **morceau** (*pl.* **morceaux**) piece
mort dead; **il est mort** he died; he is dead; **mort de fatigue** dead tired
un **mort** dead person, deceased; **les morts** the dead
Moscou Moscow (*capital of the Soviet Union*)
un **mot** word
un **moteur** motor
une **moto** motorcycle
motocycliste (*adj.*) motorcycle
un(e) **motocycliste** motorcycle rider
la **moutarde** mustard
un **mouvement** movement
mouvementé full of movement; action-packed
moyen (moyenne) middle, average; **le Moyen Âge** the Middle Ages
un **moyen** means, way
une **moyenne** average; **en moyenne** on the average
muet (muette) mute, silent
un **mufle** nose, snout; "clod"
multi-national (*pl.* **multi-nationaux**) multi-national, belonging to several nations
un **mur** wall
mural (*pl.* **muraux**) (*adj.*) wall
un **musée** museum
musical (*pl.* **musicaux**) musical
musicien (musicienne) musical

un **musicien** (*f.* **musicienne**) musician

la **musique** music; **la musique pop** pop music

mutuel (mutuelle) mutual

mutuellement mutually

myope nearsighted

un **myosotis** forget-me-not

un **mystère** mystery

mystérieusement mysteriously

mystérieux (mystérieuse) mysterious

N

naïf (naïve) naive, unsophisticated; simple-minded

une **nation** nation, country; **les Nations Unies** the United Nations

national (*pl.* **nationaux**) national

la **nationalité** nationality

un **naturaliste** naturalist

la **nature** nature

naturel (naturelle) natural

un **navire** ship, boat

ne: ne. . .jamais never, not ever; **ne. . . pas** not; **ne. . . personne** not anyone, not anybody, nobody, no one; **ne. . .plus** no more, no longer, not anymore, not any longer; **ne. . .que** only; **ne. . .rien** nothing, not anything; **n'est-ce pas** isn't it? aren't we? etc.

né born; **il est né** he was born

nécessaire necessary

nécessairement necessarily

négatif (négative) negative

la **négation** negation, negative

une **négociation** negotiation

négocier to negotiate

la **neige** snow; **sous la neige** in the (falling) snow

neiger to snow; **il neige** it is snowing

nerveux (nerveuse) nervous

nettoyer to clean

neuf nine

neuf (neuve) new; **tout neuf (toute neuve)** brand-new

neuvième ninth

un **neveu** (*pl.* **neveux**) nephew

un **New-Yorkais** (*f.* **New-Yorkaise**) New Yorker

un **nez** nose

ni. . .ni. . .ne neither. . .nor

Nice *city in southeastern France, on the Mediterranean coast*

une **nièce** niece

noble noble

les **noces** *f.* wedding; **un repas de noces** wedding dinner

Noël *m.* Christmas

noir black; **il fait noir** it is dark; **il fait très noir** it is pitch black

un **Noir** (*f.* **Noire**) black, black man (black woman)

un **nom** name; noun

un **nombre** number

nombreux (*f.* **nombreuses**) numerous; **de nombreux (de nombreuses)** numerous, many

nommer to name

non no

non-réfléchi non-reflexive

le **nord** north

normal (*pl.* **normaux**) normal

normalement normally

une **note** note; grade; **mettre une note** to give a grade

noter to note, make note of, write down; grade

nous-mêmes ourselves

nouveau (*f.* **nouvelle**) new; **à nouveau** again; **de nouveau** again

une **nouvelle** piece of news; **les nouvelles** news

la **Nouvelle-Calédonie** New Caledonia

la **Nouvelle-Écosse** Nova Scotia

la **Nouvelle-Orléans** New Orleans

les **Nouvelles-Hébrides** *f.* New Hebrides

novembre *m.* November

une **nuit** night; **la nuit** at night; **il fait nuit** it is dark

nulle part nowhere, not anywhere; **ne. . .nulle part** nowhere, not anywhere

un **numéro** number; **un numéro d'immatriculation** license number; **le numéro de la voiture** license number

O

obéir to obey; **obéir à** to obey (*someone*)

obéissant obedient

un **objet** object

une **obligation** obligation

obligatoire required; obligatory, compulsory

obligatoirement in a required way; necessarily

obliger to oblige, force

obstiné obstinate, stubborn

obtenir to obtain, get; receive

une **occasion** chance, opportunity; occasion; **à l'occasion de** in the event of; on the occasion of

occidental (*pl.* **occidentaux**) occidental, western

occuper to occupy; **s'occuper en** to spend time in

un **océan** ocean; **l'océan Atlantique** Atlantic Ocean

l' **Océanie** *f.* South Pacific

l' **océanographie** *f.* oceanography

octobre *m.* October

un **œil** (*pl.* **yeux**) eye

un **œuf** egg

une **œuvre** work

officiel (officielle) official

officiellement officially

un **officier** officer

offrir to offer, give

une **oie** goose

un **oiseau** (*pl.* **oiseaux**) bird

olympique Olympic

une **ombre** shadow; shade

une **omelette** omelet

on they; one, you; people; we

un **oncle** uncle

un **ongle** nail, fingernail, toenail

onze eleven

un **opéra** opera

une **opération** operation

une **opinion** opinion

opposé opposite, contrary

opposer à to oppose

optimiste optimistic

un(e) **optimiste** optimist

or now; well

un **orage** storm

orange orange

une **orange** orange

un **orchestre** band, orchestra

ordinaire ordinary, usual; **d'ordinaire** usually

ordinairement ordinarily

un **ordre** order; **dans l'ordre** in order

les **ordures** *f.* garbage; **sortir les ordures** to take out the garbage

une **oreille** ear

une **organisation** organization

organiser to organize

l' **orgueil** *m.* pride

l' **orient** *m.* East

original (*pl.* **originaux**) original; eccentric, odd, strange

une **originalité** originality

une **origine** origin; **d'origine belge** of Belgian origin

ôter to take off

ou or

où where; when

oublier to forget

l' **ouest** *m.* West

oui yes

un **ours** bear

outre-mer overseas; **la France d'outre-mer** overseas possessions of France

ouvert open

une **ouverture** opening

un **ouvrier** (*f.* **ouvrière**) worker, workman

ouvrir to open

P

le **Pacifique** Pacific (Ocean)

une **page** page; **à la page** on page. . .

le **pain** bread; **du pain grillé** toast

la **paix** peace; **le Corps de la Paix** Peace Corps

pâle pale

pan! bang!

une **pancarte** sign

une **panne** breakdown; car trouble; **une panne d'électricité** blackout

un **pantalon** pants, pair of pants

un **paon** peacock

du **papier** paper

Pâques *m.* Easter

un **paquet** package

par by, through; **par an** per year; **par jour** per day; **passer par (le mur)** to climb over (the wall)

un **paragraphe** paragraph

paraître to appear, seem

un **parc** park

parcourir to travel through, go through, cover a distance

un **pare-chocs** bumper

un **parent** parent, relative

une **parenthèse** parenthesis

paresseux (paresseuse) lazy

parfait perfect

parfaitement perfectly

parfois sometimes

le **parfum** perfume

parisien (parisienne) Parisian

un **Parisien** (*f.* **Parisienne**) Parisian man (Parisian woman)

le **parking** parking lot

parler to talk, speak; **parler à** to talk to; **parler de** to talk about

parmi among

parquer to park

une **part** part; **faire part de** to announce; **prendre part à** to take part in; **nulle part** nowhere; **quelque part** somewhere

partager to share

un **parti** (political) party

un **participant** (*f.* **participante**) participant

un **participe** participle

participer to participate

particulier (particulière) particular; private; strange

particulièrement particularly

une **partie** part; **une partie de** a game of; **faire partie de** to be a member of

partir to leave

partitif (partitive) partitive

partout everywhere

pas not; **ne. . .pas** not

un **pas** step

passable O.K., passable; acceptable, fair

un **passager** (*f.* **passagère**) passenger

passé past

le **passé** past; **le passé récent** recent past; **le passé composé** compound past tense

passer to pass, spend (*time*); go (by), go past; **passer dans** to go into; **se passer** to take place; **que se passe-t-il?** what's happening?

un **passe-temps** pastime, hobby

une **passion** passion

passionnant exciting

passionné par excited by, interested in, enthusiastic about

un **passionné (de)** buff, lover (of)

passionnément passionately

passionner to impassion, interest very much; **se passionner pour** to be very enthusiastic about

un **pastel** pastel

paternel (paternelle) paternal, fatherly

patiemment patiently

la **patience** patience

patient patient

le **patinage** ice-skating

la **pâtisserie** pastry

un **pâtissier** pastry cook (baker)

pauvre poor

payé paid

payer to pay

un **pays** country

un **paysage** landscape

la **peau** skin

la **pêche** fishing; **faire de la pêche** to go fishing

un **peigne** comb

se **peigner** to comb one's hair

peindre to paint

la **peine** trouble, work; difficulty; **sans peine** without difficulty

un **peintre** painter

la **peinture** painting

la **pelouse** lawn

pendant during; **pendant que** while

pénétrer to penetrate; enter

pénible painful; bothersome, "a pain to have around"

penser to think; **penser à** to think of, about; **penser de** to think about, have an opinion about; **penses-tu!** that's what you think!

un **pensionnaire** boarding student, boarder

la **Pentecôte** Pentecost (*50 days after Easter*)

percher to perch

perdre to lose, waste

un **père** father

permettre to permit, allow; **permettre de** + *inf.* to permit, allow

un **permis** license

la **permission** permission

le **Pérou** Peru

la **persévérance** perseverance, will to continue

persévérant persevering, steadfast

un **personnage** character

une **personnalité** personality, character

personne no one, nobody; **ne. . .personne** no one, nobody; not anyone, not anybody

une **personne** person; **des personnes** people

personnel (personnelle) personal; self-centered

personnellement personally

perspicace shrewd, perspicacious

pessimiste pessimistic (*seeing the dark side of things*)

un **pétale** petal

petit little, small; **petit à petit** little by little

peu little, not much; **peu de** little, few; **peu à peu** little by little, gradually; **à peu près** about, approximately

un **peu** a little, some; **un peu de** a little, a few; some

le **peuple** people

peuplé populated

la **peur** fear; **avoir peur** to be afraid, frightened, scared

peut (*pres. of* **pouvoir**); **ça se peut** that's possible

peut-être perhaps, maybe

une **pharmacie** drugstore

un **pharmacien** (*f.* **pharmacienne**) pharmacist

un **philosophe** philosopher

la **philosophie** philosophy

philosophique philosophical

une **photo** photograph, snapshot, picture

un(e) **photographe** photographer

la **photographie** photography

une **photo-roman** "photo-novel" (*novel in comic-book format, illustrated with photographs*)

une **phrase** sentence; phrase

physique physical

la **physique** physics

physiquement physically

un(e) **pianiste** pianist

un **piano** piano

une **pie** magpie

une **pièce** piece; room; **une pièce de rechange** spare part; **une pièce (de théâtre)** play; **une pièce montée** wedding cake (*made of cream puffs piled high and attached to each other with glaze*)

un **pied** foot; **à pied** on foot; **aller à pied** to walk

une **pierre** rock, stone

un(e) **pilote** pilot

piloter to fly (*a plane*), pilot

le **ping-pong** ping-pong

un **pinson** finch

un **pique-nique** picnic; **faire un pique-nique** to go on a picnic

pire worse

pis: tant pis too bad

la **piscine** swimming pool

une **piste** track; trace

pittoresque picturesque; pretty

un **placard** closet, kitchen cabinet

une **place** place; room; position; **à la place de** instead of, in the place of

placer to place

une **plage** beach

une **plaine** plain

plaisanter to joke

une **plaisanterie** joke

plaît: s'il vous plaît please

un **plan** city map; blueprint

une **plante** plant

planter to plant; **planter une tente** to pitch a tent

pleut: il pleut it's raining

la **pluie** rain

plupart: la plupart de the majority of

le **pluriel** plural; **au pluriel** in the plural

plus more; **plus. . .que** more . . .than; **plus (grand) que** (bigger) than; **plus de** + *noun* more than; **de plus en plus** more and more, increasingly; **le plus** the most; **le plus. . .** ; the . . .est

plus not anymore, no longer; **ne. . .plus** no more, not anymore, no longer, not any longer; **plus maintenant** not anymore, no longer; **pas plus de. . .que** no more. . .than

plusieurs several, various (ones)

plutôt rather, quite; more; **plutôt que** rather than

un **pneu** tire

un **podium** podium

un **poème** poem

la **poésie** poetry

un(e) **poète** poet

un **point** point; period; spot; **un point, c'est tout!** period! **à point** just right, correctly

un **poisson** fish; **les Poissons** Pisces

le **poivre** pepper

le **poker** poker

poli polite

la **police** police

policier (policière) (*adj.*) police, *related to the police*; detective; **un film policier** detective movie; **une histoire policière** detective story

la **politesse** politeness, manners

politique political; **un homme politique** politician; **une femme politique** politician (*female*)

la **politique** politics; policy

la **pollution** pollution

une **pomme** apple

ponctuel (ponctuelle) punctual, on time

un **pont** bridge; deck (*of a ship*)

populaire popular

la **popularité** popularity

la **population** population

un **port** port, harbor
la **porte** door
porter to carry, bear; wear
Porto Rico *m.* Puerto Rico
un **portrait** portrait
le **Portugal** Portugal
poser to put down, pose; **poser une question** to ask a question
posséder to possess, own
possessif (possessive) possessive
la **possession** possession; ownership
possible possible
un **poste** (TV) set; radio
la **poste** post office; **un bureau de poste** post office
un **poster** poster
la **poterie** pottery
une **poule** hen
un **poulet** chicken
pour for, in order to; **pour cent** percent
un **pourcentage** percent, percentage
pourquoi why; **pourquoi pas** why not
pourra (*fut. of* **pouvoir**)
poursuivre to follow, pursue
pourtant however, nevertheless; and yet, still
pourvu que let's hope that, provided that, as long as
pousser to push
la **poussière** dust
pouvoir can, to be able
une **prairie** meadow, field
pratique practical
pratiqué practiced
pratiquement practically
pratiquer to practice
une **précaution** precaution
précédent preceding
précéder to precede, come before
prêcher to preach
précieux (précieuse) precious
précipitamment very quickly
précipiter to precipitate; **se précipiter dans** to rush (headlong), dash into
précis precise
précisément precisely, specifically, exactly; to be precise

préciser to give additional information
une **précision** detail, further explanation
prédire to predict
la **Préfecture de police** police headquarters
préférable preferable, advisable
préféré favorite
une **préférence** preference; **de préférence** preferably
préférer to prefer
premier (première) first; utmost, highest
prendre to take; **prendre une décision** to make a decision; **prendre le déjeuner** to eat lunch; **prendre l'air** to get fresh air
une **préoccupation** preoccupation
préoccuper to preoccupy
des **préparatifs** *m.* preparation
une **préparation** homework, preparation
préparer to prepare, get ready; **se préparer** to get ready, prepare oneself
une **préposition** preposition
près near, nearby; **près de** near, close to; **à peu près** about, approximately, just about
la **présence** presence; **en présence de** in the presence of
une **présentation** presentation, show; introduction
présenter to present; introduce
préserver to preserve, maintain, keep
un **président** president
presque almost
la **presse** press
pressé hurried, in a hurry
prêt ready; **prêt à** ready to
prétentieux (prétentieuse) pretentious, snobbish
prêter to loan
le **prêtre** priest
prévenir to warn
prévu arranged in advance, planned
prier to ask, request, beg; pray
une **prime** reward
primitif (primitive) primitive
un **prince** (*f.* **princesse**) prince (princess)

principal (*pl.* **principaux**) principal, main
le **principal** principal
principalement mainly, principally
un **principe** principle; **en principe** on principle, in principle
le **printemps** spring; **au printemps** in spring
la **priorité** priority; order of importance, right of way
pris (*p. part. of* **prendre**)
une **prison** prison; **en prison** in prison
un **prisonnier** (*f.* **prisonnière**) prisoner
privé private
un **prix** price; prize
pro-américain pro-American
probable probable
probablement probably
un **problème** problem
prochain next, near, following
produire to produce, create
produit (*p. part. of* **produire**)
un **produit** product
un **prof** teacher
un **professeur** teacher, professor
professionnel (professionnelle) professional
profiter to profit; **profiter de** to profit from, take advantage of
pro-français pro-French
un **programme** program
un **programmeur** (*f.* **programmeuse**) programmer
le **progrès** progress
progresser to advance, progress
un **projet** project; plan
une **promenade** walk, hike, drive; **faire une promenade** to take a walk, go for a drive
promener to walk (*a dog, a baby*); **se promener** to take a walk, drive
une **promesse** promise
promettre to promise; **promettre de** to promise to, make a promise to; **se promettre** to promise each other
un **pronom** pronoun; **un pronom accentué** stressed pronoun
prononcer to pronounce

la **prononciation** pronunciation
des **propos** *m.* observations
proposer to propose, suggest
propre clean
prospère prosperous
un **protecteur** (*f.* **protectrice**)
protector
la **protection** protection
protéger to protect
protester to protest, complain
prouver to prove
provençal (*pl.* **provençaux**)
provencal, of Provence
la **Provence** *province in southern France*
une **province** province; **la province** *France, with the exception of Paris*
le **proviseur** principal (*of a school*)
prudemment carefully
prudent careful, prudent
pu (*p. part. of* **pouvoir**)
public (**publique**) public
publier to publish
puis then
puissant powerful
puisse (*subj. of* **pouvoir**)
un **pull-over** pullover, sweater
une **punition** punishment
la **pureté** purity, pureness
un **pyjama** pyjama
les **Pyrénées** *f.* Pyrenees (*mountains between France and Spain*)

Q

quadrupler to quadruple, become four times as large
une **qualification** qualification
qualifié qualified, skilled
une **qualité** quality
quand when
une **quantité** quantity
un **quart** quarter; **deux heures et quart** quarter after two; **deux heures moins le quart** quarter of two
un **quartier** quarter, district, area, neighborhood
le **Quartier Latin** *student quarter of Paris*
quatorze fourteen
quatre four
quatre-vingt-dix-huitième ninety-eighth

quatrième fourth
que: ne. . .que only
que that; **qu'est-ce que?** what? **qu'est-ce qui se passe?** what's happening?
quel (**quelle**) what
quel! what (a). . . !
quelque some; **quelque chose** something; **quelque temps** a while
quelquefois sometimes
quelque part somewhere
quelques some
quelques-uns some
quelqu'un someone; **quelqu'un d'autre** someone else
une **querelle** quarrel, argument
une **question** question; **pas question de** we definitely won't. . .
un **questionnaire** questionnaire
questionner to question, interrogate
qui who, which, that
quinze fifteen
quitter to leave, quit
quoi what; **à quoi bon** what's the use; **il y a de quoi** there's a reason; **quoi de neuf?** what's new?

R

raconter to tell, tell about; relate; **se raconter** to tell each other
un **radiateur** radiator
radical (*pl.* **radicaux**) radical (*favoring drastic reforms*)
un **radical** stem
radin tight, stingy
une **raison** reason; **avoir raison** to be right
ralentir to slow down
ramasser to collect
ramener to bring back
un **rang** row, rank
rapide fast, rapid
rapidement quickly, fast
un **rapport** report; relationship; **avoir un rapport avec** to be related to
rapporter to bring back
une **raquette** racket
rare rare

rarement rarely
se **raser** to shave
un **rasoir** razor
rassurant comforting, reassuring
rassurer to reassure, comfort
rater to miss, fail
rationnel (**rationnelle**) rational, governed by reason
ravi delighted
réaccidenter to damage again
une **réaction** reaction
réagir to react
réaliser to carry out, have come true; realize
réaliste realist, realistic
une **rébellion** rebellion, revolt
récemment recently
récent recent
recevoir to receive; entertain
une **recherche** research
rechercher to look for
la **réciprocité** reciprocity; mutual exchange
réciproque reciprocal, mutual
un **récit** story, account
une **recommandation** suggestion
recommencer to begin again, start over
une **réconciliation** reconciliation, (act of) making up (*after an argument*)
réconfortant reassuring
reconnaître to recognize; **se reconnaître à** to be recognized by
reconstituer to reconstruct
la **récréation** recreation; recess
rectifier to correct, rectify
reçu (*p. part. of* **recevoir**)
récupérer to recuperate, recover
rédiger to write up; edit
réduit reduced; **un modèle réduit** scale model
réel (**réelle**) real
réellement really, truly
refaire to redo, do over; **refaire un lit** to make a bed again
réfléchi reflected; reflexive; **un verbe réfléchi** reflexive verb; **un pronom réfléchi** reflexive pronoun

réfléchir to reflect; **réfléchir à** to think about, think over
un **reflet** reflection
refléter to reflect
une **réflexion** reflection, thought
une **réforme** reform
réformer to reform
un **réfrigérateur** refrigerator
un **refuge** refuge
un **refus** refusal
refuser to refuse
regarder to watch, look at
un **régime** diet; **au régime** on a diet
une **région** region, area
régional (*pl.* **régionaux**) regional
une **règle** rule, ruler
régler to rule; **bien réglé** well-ordered
un **regret** regret
régulier (régulière) regular
régulièrement regularly
rejoindre to join
rejouer to play again
relatif (relative) relative
une **relation** relation, relationship
relativement relatively
relier to join (together)
religieux (religieuse) religious
la **religion** religion
relire to reread, read over again
remarquable remarkable
remarquer to notice, remark
un **remède** remedy
remercier to thank
remettre to put back, put off
remplacer to replace
rempli de full of, filled with
remplir to fill
un **renard** fox
une **Renault** *French-made car*
une **rencontre** encounter
rencontrer to meet; **se rencontrer** to meet
un **rendez-vous** date, appointment, meeting; **avoir rendez-vous avec** to meet, have a date (appointment) with; **donner rendez-vous à** to make a date (appointment) with
rendre to render, give back; **rendre visite à** to visit; **se**

rendre à to go to; **se rendre compte** to realize
renoncer à to renounce, give up
renouveler to renew
des **renseignements** *m.* information
la **rentrée** back to school, opening of school
rentrer to go back, go home; **rentrer dans** to run into; collide with
renverser to knock down, knock over
un **réparateur** repairman
une **réparation** repair job, repair
réparer to repair, fix
reparler à to talk (speak) to again
repartir to leave again; set out again
un **repas** meal
répéter to repeat
répondre à to answer
une **réponse** answer
reposer to put back; **se reposer** to rest
reprendre to take back, take again
une **représentation** show, representation
représenter to represent
un **reproche** reproach, blame
républicain republican
une **république** republic
une **réputation** reputation
une **requête** request
une **réserve** reserve; **une réserve de chasse** game (wildlife) refuge, game preserve
réservé à reserved for
réserver to reserve; book (*a room*)
une **résidence** house, residence; living quarters
résigner to resign; **se résigner** to accept, be resigned to
une **résistance** resistance
résoudre to resolve, solve
respectable respectable
respecter to respect
ressembler à to resemble, look like; **se ressembler** to resemble one another, look alike

une **ressource** resource
un **restaurant** restaurant
restaurer to restore
le **reste** rest, remainder
rester to stay, remain
un **résultat** result
rétablir reestablish
un **retard** delay; **(dix minutes) de retard** (ten minutes) late; **en retard** late
retéléphoner to call again, phone again
retenir to retain; remember
une **retenue** detention, being kept in after school
un **retour** return
retourner to turn again; return
retrouver to find again; join, meet, meet again; **se retrouver** to meet
une **réunion** meeting; reunion
réussi successful
réussir to succeed; **réussir à** to be successful in, succeed, pass (*an exam*)
un **rêve** dream; **faire le rêve de** to dream of
réveiller to wake (*someone*); **se réveiller** to wake up
revenir to come back
rêver to dream
la **rêverie** dreaming, daydreaming
rêveur (rêveuse) dreamy, prone to dreaming
réviser to review, revise
revisiter to visit again, revisit
revoir to see again; look over again
une **révolte** revolt; **en révolte** in revolt
révolter to revolt; **se révolter contre** to revolt against
révolutionnaire revolutionary
un(e) **révolutionnaire** revolutionary
le **rez-de-chaussée** ground floor
riche rich, wealthy
ridicule ridiculous
rien nothing; **ne...rien** nothing, not anything
rire to laugh
risquer to risk
rival (*pl.* **rivaux**) rival
une **rivière** river. small river

une **robe** dress
robuste robust, strong
un **rocher** rock, boulder
rocheux (rocheuse) rocky
le **rock** rock and roll
un **roi** (*f.* **reine**) king (queen)
un **rôle** role, part (*in a play*)
romain Roman
un **Romain** (*f.* **Romaine**) Roman
roman romanesque (*style*)
un **roman** novel; **un roman policier** detective story
le **romanche** Romansh (*language spoken in a section of Switzerland*)
romantique romantic
rond round, circular
le **rosbif** roast beef
une **rose** rose
un **rôti** roast
une **roue** wheel
rouge red
rouler to roll; travel (*by car*), drive
la **Roumanie** Rumania
une **route** route; highway, road
le **rugby** rugby
une **ruine** ruin
ruiné ruined
ruminer to ruminate, think about
rusé sly
le **russe** Russian (*language*)
la **Russie** Russia
le **rythme** rhythm

S

un **sac** sack, bag, handbag
sachant (*pres. part. of* **savoir**)
sache (*subj. of* **savoir**)
le **Sagittaire** Sagittarius
le **Saint-Laurent** Saint Lawrence River
Saint-Quentin *city in northern France*
saisir to seize, grasp
saisissant striking
une **saison** season
une **salade** salad; lettuce
une **salle** hall, room; **une salle à manger** dining room; **une salle de bain(s)** bathroom; **une salle de concert** concert hall

un **salon** living room; salon
salut! hi! hello!
un **samedi** Saturday; **le samedi** on Saturdays
un **sandwich** sandwich
le **sang** blood
le **sang-froid** calm, coolness
sans without; **sans doute** obviously, without doubt; probably, no doubt
la **santé** health
sarcastique sarcastic
la **satisfaction** satisfaction
sauf except; except for
saura (*fut. of* **savoir**)
sauvage unsociable; wild
sauvé saved
sauver to save
la **savane** savannah; African plains
savoir to know; know how to
le **savon** soap
un **scaphandre** diving suit; **un scaphandre autonome** aqualung
sceptique skeptical, doubting
une **science** science; **les sciences** science
scientifique scientific
scolaire: la vie scolaire school life; **l'année scolaire** school year
le **scorpion** scorpion; **le Scorpion** Scorpio
un **sculpteur** sculptor
une **sculpture** sculpture, statue
sécher to dry; **sécher une classe** to cut a class
secondaire secondary; of minor importance
secret (secrète) secret, secretive
un **secret** secret
un(e) **secrétaire** secretary
la **sécurité** security
seize sixteen
seizième sixteenth
séjourner to spend time, sojourn
le **sel** salt
selon according to
une **semaine** week; **en semaine** during the week, on weekdays
semblable similar, alike, like; **semblable à** similar to
un **sénat** senate
un **sénateur** senator

le **Sénégal** *country in West Africa*
un **sens** sense; direction
sensationnel (sensationnelle) sensational; extraordinary, out-of-this-world
un **sentiment** feeling; sentiment
sentimental (*pl.* **sentimentaux**) sentimental
sentir to sense; feel; smell; **se sentir** to feel; **ne pas sentir quelqu'un** to be unable to stand someone
séparer to separate
septembre *m.* September
sera (*fut. of* **être**)
sérieux (sérieuse) serious; **prendre au sérieux** to take seriously
un **service** service; **le service militaire** military service, draft
servir to serve; **servir de** to be, serve as; **se servir de** to use
seul alone; lonely
seulement only
sévère severe; strict
le **shampooing** shampoo
un **short** shorts
si if, whether; **si on allait...** what about going...; **s'il vous plaît** please
si so; yes (*to a negative question*)
un **siècle** century; **au vingtième siècle** in the twentieth century
le **siège** seat, place
une **signature** signature
un **signe** sign
signer to sign
une **signification** meaning
signifier to mean, signify
le **silence** silence
une **Simca** *French-made car*
similaire similar, alike
simple simple
la **simplicité** simplicity
sincère sincere; frank, candid, genuine, open
la **sincérité** sincerity, frankness, genuineness
un **singe** monkey
le **singulier** singular; **au singulier** in the singular
sinon if not

une **situation** situation, location
situé: être situé to be located
le **ski** ski; skiing; **faire du ski** to go skiing, ski
skier to ski
sociable sociable, open
social (*pl.* **sociaux**) social
une **société** society
une **sœur** sister
un **sofa** sofa
la **soif** thirst; **avoir soif** to be thirsty
un **soir** evening; **le soir** in the evening; **ce soir** tonight, this evening; **du soir** P.M.
une **soirée** evening; dance, party
soit (*subj. of* **être**)
un **soldat** soldier
le **soleil** sun; **au soleil** in the sun
solennel (**solennelle**) solemn, official, formal
solennellement solemnly
solide solid
une **solution** solution
une **somme** sum; **en somme** in short, all in all
somptueux (**somptueuse**) sumptuous; splendid, superb
un **sondage** sounding; survey; **un sondage d'opinion** opinion poll
songer to think, dream; **songer à** + *inf.* to dream of
sonner to ring
une **sonnerie** ringing; **une sonnerie d'alarme** alarm, alarm bell
la **Sorbonne** Sorbonne (*University of Paris*)
une **sorte** sort, type, kind; **toutes sortes de** all kinds of
sorti: sorti de prison released from prison
une **sortie** date, evening out
sortir to go out, get out, leave
souffrir to suffer
un **souhait** wish
souligné underlined
souligner to underline, underscore
la **soupe** soup
sourd deaf, hard of hearing
sourire to smile
un **sourire** smile
sous under

sous-marin submerged, underwater
un **souvenir** souvenir
se **souvenir de** to remember
souvent often
soyez (*subj. of* **être**)
spécial (*pl.* **spéciaux**) special
spécialement specially, especially
une **spécialité** specialty
un **spécimen** specimen
un **spectacle** show, sight
spectaculaire spectacular
un **spectateur** (*f.* **spectatrice**) spectator
splendide splendid
spontané spontaneous; natural
un **sport** sport
sportif (**sportive**) athletic, sports-loving; *referring to sports*
un **sportif** (*f.* **sportive**) athlete, lover of sports
un **square** square, small park
la **stabilité** stability
stable stable, unchanging
un **stade** stadium
une **station** station; **une station de ski** ski resort
stationner to park
une **station-service** gas station; service station
une **statue** statue
stimuler to stimulate, encourage
le **stop** hitchhiking; **faire du stop** to go hitchhiking, hitchhike; **rentrer en stop** to hitchhike home
un **stratagème** stratagem
une **stratégie** strategy
strict strict
structuré structured
un **studio** studio apartment
la **stupéfaction** stupefaction, amazement
la **stupidité** stupidity
un **style** style
su (*p. part. of* **savoir**)
le **subjonctif** subjunctive
un **succès** success
le **sud** south
la **Suède** Sweden
suffit: il suffit de you just have to; **il suffit que** one just has to

suffocant suffocating
suggérer to suggest
une **suggestion** suggestion
suisse Swiss
la **Suisse** Switzerland
suite continued
une **suite** following; **tout de suite** right away, immediately
suivant following
suivre to follow; **suivre un cours** to take a class
un **sujet** subject
superbe superb
supérieur superior
la **supériorité** superiority
superlatif (**superlative**) superlative
un **supermarché** supermarket
superstitieux (**superstitieuse**) superstitious
une **superstition** superstition
un **«super-tanker»** super tanker; large tanker
supplémentaire extra
supposer to suppose
suprême supreme
sur on, over; about
sûr sure, certain; **bien sûr** of course
surprendre to surprise
surpris surprised
une **surprise** surprise
une **surprise-partie** (informal) party
un **sursis** (draft) deferment
surtout above all, especially
survivre to survive
une **syllabe** syllable
un **symbole** symbol
symboliser to symbolize
sympathique nice, pleasant
une **symphonie** symphony
un **symptôme** symptom
un **syndicat** (trade) union; **un Syndicat d'Initiative** Chamber of Commerce
synthétique synthetic
un **système** system; **le système D (le système des débrouillards)** *a way of getting along and making the best of available resources*

T

le **tabac** tobacco
une **table** table

un **tableau** (*pl.* **tableaux**) painting
le **tact** tact
se **taire** to be quiet; **tais-toi** be quiet
un **talent** talent
le **tam-tam** *native African dance*
tant so much; so; **tant mieux** so much the better; **tant pis** too bad
une **tante** aunt
taper to hit; type
un **tapis** rug
une **tapisserie** tapestry
tard late; **plus tard** later; in the future
un **tas** pile; **des tas de** a lot of, lots of; many
le **taureau** (*pl.* **taureaux**) bull; le **Taureau** Taurus
un **taxi** taxi
tchoum (atchoum) ah-choo (*sneeze*)
un **technicien** (*f.* **technicienne**) technician
technique technical
la **technique** technical matters; technique
la **télé** TV
un **télégramme** telegram
un **téléphone** telephone, phone
téléphoner à to phone, call; make a phone call
un **télescope** telescope
la **télévision** television; television set; **une télévision en couleurs** color TV
tellement so much; so, that
un **témoignage** report of witnesses
un **témoin** witness; best man (*at a wedding*)
un **tempérament** temperament
une **tempête** tempest, storm
un **temple** temple
le **temps** time; weather; tense; **passer le temps** to spend time; **quelque temps** a while; **quel temps fait-il?** how is the weather? **par ce temps-là** in this kind of weather
tenir to hold, keep; **tenir une promesse** to keep a promise; **tenir à** to value, cherish; **tenir à + inf.** to insist on, want to;

tenir à ce que to insist that; **se tenir** to be; stay; behave
tendre tender, soft
tendrement tenderly
le **tennis** tennis
une **tente** tent
tenu (*p. part. of* **tenir**)
un **terme** term; **en bons termes** on good terms
une **terminaison** ending
terminer to end; **se terminer** to end, come to an end
un **terrain** plot of land, area, place, field; terrain; **un terrain de camping** campground
un **territoire** territory
une **tête** head; face
un **texte** text
le **théâtre** theater
une **théorie** theory
tiens! say! well!
un **tigre** (*f.* **tigresse**) tiger
un **timbre** stamp
timide timid
la **timidité** timidity
tirer to draw; stretch out
un **titre** title; **un grand titre** headline
toc, toc! rap, rap! knock, knock!
la **toilette** toilet; washing-up; personal care
toi-même yourself
le **toit** roof
tolérant tolerant
une **tomate** tomato
tomber to fall; **tomber en panne** to have a breakdown
un **tort** wrong; **avoir tort** to be wrong
une **tortue** tortoise, turtle
tôt early, soon; **plus tôt** earlier
totalitaire totalitarian
la **totalité** totality, whole
toujours always; still; **pour toujours** forever
un **tour** circumference, circuit; trip (around); **faire un tour** to go for a walk; **jouer un tour** to play a trick; **à votre tour** your turn
une **tour** tower
la **Touraine** *province in central France*

le **tourisme** tourism
un(e) **touriste** tourist
touristique touristy, attractive to tourists
tourmenter to torment; trouble, worry
tourner to turn; **tourner un film** to make a movie
Tours *city in central France*
tous (toutes) all; **tous les deux** both of them; both; **tous les trois** the three of them (of you, of us)
tout (toute) any, every, all; **tout** everything; very; **à toute personne** to any person; **pas du tout** not at all; **tout à coup** suddenly; **tout à fait** quite; completely; **tout à l'heure** in a little while; **tout de même** all the same; **tout de suite** immediately; right away; **tout le** all (the), the whole; **tout le monde** everyone, everybody; **tout le temps** all the time; **tout près** very close, nearby; **tout(e) seul(e)** all alone, by oneself
le **trac** fright, stage fright; **avoir le trac** to be scared
une **tracasserie** worry, fuss; **les tracasseries** interference
une **trace** trace, mark
une **tradition** tradition
traditionnel (traditionnelle) traditional
un **traducteur** (*f.* **traductrice**) translator
une **traduction** translation
traduire to translate
un **trafiquant** (illegal) trader; **un trafiquant d'armes** gunrunner
une **tragédie** tragedy
tragique tragic
un **train** train; **être en train de** to be in the act of, be in the midst of
un **traité** treaty
traiter to treat
tranquille calm; **être tranquille** not to worry; not to have to worry

transformer to transform, change; **se transformer en** to become

un **transistor** transistor radio

une **transition** transition, change-over

le **transport** transportation; **faire le transport de** to transport

transporter to transport; carry

le **travail** (*pl.* **travaux**) work; schoolwork

travailler to work

travailleur (travailleuse) hard-working

un **traveller-chèque** traveller's check

traverser to cross

treize thirteen

tremblant trembling, shaking

trembler to tremble

une **trentaine** about thirty

trente thirty

trépidant agitated, vibrating; busy

très very

un **trésor** treasure

un **tribu** tribe

triomphal (*pl.* **triomphaux**) triumphal

un **triomphe** triumph, victory

tripler to triple

triste sad

trois three

troisième third

tromper to fool (*someone*); **se tromper** to be mistaken

trop too much; too many

tropical (*pl.* **tropicaux**) tropical

troublant disturbing, disconcerting

troubler to trouble; excite; make uneasy

une **troupe** troop

trouver to find; think; **se trouver** to be located

tumultueux (tumultueuse) tumultuous, noisy

la **Tunisie** Tunisia (*country in North Africa*)

tunisien (tunisienne) Tunisian

un **type** type, sort; (*slang*) guy

typique typical

typiquement typically

tyrannique tyrannical

U

un (une) one; **l'un (l'une)** the one; **l'un d'eux** one of them

uni close, united

unifier to unify

un **uniforme** uniform

unique unique; only, sole

unir to unite

un **univers** universe, world

universitaire university

une **université** university

une **usine** factory

un **ustensile** utensil, implement, tool; **des ustensiles de cuisine** kitchen utensils

utile useful

l' **utilisation** *f.* utilisation, use

utiliser to use, make use of

l' **utilité** *f.* usefulness; utility

V

les **vacances** *f.* summer vacation, vacation; **en vacances** on vacation

une **vache** cow

un **vagabond** vagabond, tramp

une **valeur** value

une **valise** suitcase

valoir to be worth

la **Vanoise** *national park in eastern France*

variable variable, changing

une **variété** variety; **les variétés** variety show

un **vase** vase

vaut: il vaut mieux (que) it is better (that); (*see* **valoir**)

vécu (*p. part. of* **vivre**)

la **végétation** vegetation, plant growth

la **veille** day before, night before

un **vélo** bike, bicycle

un **vendeur** (*f.* **vendeuse**) salesman (saleswoman), clerk

vendre to sell

un **vendredi** Friday; **le vendredi** on Fridays

venir to come; **venir de** to have just

Venise Venice (*city in Italy*)

un **ventilateur** fan

un **ventre** stomach

venu (*p. part. of* **venir**)

un **verbe** verb

vérifier to check; **faire vérifier** to have checked

véritable true, real; genuine

la **vérité** truth

verra (*fut. of* **voir**)

un **verre** glass

vers toward; **vers midi** around noon

le **Verseau** Aquarius

vert green

une **veste** jacket

un **vestige** vestige, remains, ruin

un **vêtement** item of clothing; **des vêtements** clothing

veuille (*subj. of* **vouloir**)

la **viande** meat

un **vice-gouverneur** lieutenant governor

une **victime** victim, casualty

la **victoire** victory

victorieux (victorieuse) victorious

la **vie** life; **la vie animale** wildlife

vieil *see* **vieux**

la **vieillesse** old age

viendra (*fut. of* **venir**)

une **vierge** virgin; **la Vierge** Virgo

le **Vietnam** Vietnam

vietnamien (vietnamienne) Vietnamese

vieux (vieille) old, ancient; **vieil** *m. sing. before a vowel or mute* h

un **vieux** old person

vilain nasty, bad

une **villa** house, country house

un **village** village

une **ville** city, town; **en ville** in town, downtown

le **vin** wine

vingt twenty

vingt-cinq twenty-five

vingtième twentieth

violent violent

violet (violette) purple

un **violon** violin

un **visa** visa

un **visage** face

la **visibilité** visibility

visible visible

une **visite** visit; **rendre visite à** to visit (*someone*)

visiter to visit (*a place*)

vite fast, quickly

la **vitesse** speed; **en vitesse** quickly

vivant alive

vivre to live; **vivre un amour** to experience love

le **vocabulaire** vocabulary

voici here is; here are

voilà there is; there are; **voilà!** that's it!; **et voilà que** and now; **voilà. . .ans que** it has been. . .years since

voir to see

un **voisin** (*f.* **voisine**) neighbor

une **voiture** car; **une voiture de sport** sports car

une **voix** voice

un **vol** theft, burglary

un **volant** steering wheel

voler to steal; fly

voleur (voleuse) thievish

le **volleyball** volleyball

volontaire voluntary; volunteer

la **volonté** will; **la bonne volonté** goodwill

le **vote** vote; ballot

voter to vote

voudra (*fut. of* **vouloir**)

voudrais: je voudrais I would like

vouloir to want, wish; **vouloir bien** to be willing, let; like; want to; **vouloir dire** to mean; **en vouloir à** to hold a grudge against

voulu (*p. part. of* **vouloir**)

un **voyage** trip, voyage; **faire un voyage** to go on a trip

voyager to travel

un **voyageur** (*f.* **voyageuse**) traveler

vrai true, real; **c'est vrai** that's right

vu (*p. part. of* **voir**)

une **vue** view; eyesight; vision

vulgaire vulgar

W

le **water-polo** water polo

un **week-end** weekend; **le week-end** on the weekend

un **«western»** western (*movie*)

Y

y there; **y a-t-il** are there? is there?

un **yard** yard

les **yeux** (*sing.* **un œil**) eyes

la **Yougoslavie** Yugoslavia

Z

le **zèle** zeal, eagerness

zéro zero

le **Zodiaque** Zodiac

un **zoologiste** zoologist, naturalist

zut! (*slang*) darn!

INDEX

Cartoons on pp. 34-35 from: *Les Aventures de Tintin et Milou,* par Hergé. © by Éditions Casterman, Paris

Jacques Verroust: xiv-1, 7, 13, 39, 40-41, 43 *(right),* 51, 63, 65, 83 *(bottom right),* 88, 90-91, 95, 103 *(top),* 115, 137, 141, 157, 161, 163, 182-183, 203, 220-221, 223, 229, 235, 241, 249, 250, 253, 270 *(top and bottom),* 278, 285, 291, 295, 297, 304, 308 *(center and bottom),* 309 *(center right),* 311, 315, 317, 322, 329, 331, 351, 352 *(left),* 353 *(bottom left and right),* 357, 358, 363, 369, 376, 383, 389, 391, 409, 413, 417, 423, 429

Editorial Photocolor Archives: 2, 3 *(top),* 8, 9 *(top and bottom left),* 14, 20, 21 Alain Keler; 3 *(bottom),* 27 33, 57, 80, 309 *(top),* 359, 381 Robert Rapelye; 28 Doug Magee; 82 Laima Turnley; 83 *(top right);* 101; 117 Silberstein from Monkmeyer; 129 Mauro Mujika; 170; 174 *(right),* 258 *(top left and right),* 259 *(all photos),* 263 *(top and bottom),* 264, 265 *(left),* 308 *(top)* United Nations; 170; 175 *(left and right)* Servizio Editoriale Fotografico (SEF),Torino; 187; 262 DPI; 266-267; 303 Arthur Sirdofsky; 340; 354 *(left),* 355, 373 *(right)* United Press International Photo; 354 *(right)* Galerie d'Art moderne, Nancy; 396; 421 Photo Hubert Josse

9 *(bottom right)* James Carroll; 15 A.A.A. Photo, Paris; 29 *(left),* 174 *(left),* 177 *(top),* 261 Photo Bibliothèque Nationale; 29 *(right),* 84 *(left and right),* 85, 86, 87, 353 *(top left),* 400-401, 402 Courtesy of the French Embassy Press & Information Division; 43 *(left),* 100, 119 Peter Menzel; 71 Photo Pasi, Three Lions; 83 *(top left)* Courtesy of Air Canada; 83 *(bottom left),* 176, 181, 258 *(bottom)* J. Bottin, Paris; 89 *(left)* Ted Grant, DPI; 89 *(right),* 397 Edward Jones; 103 *(bottom),* 130 Robert Rapelye; 109 Courtesy of Pan American Airways; 124 Courtesy of the French Government Tourist Office; 134-135, 309 *(bottom right)* Photo Assistance publique; 150 Photo Citroën; 177 *(bottom)* The Metropolitan Museum of Art; 178 Basel Public Art Collections; 179, 352 *(right)* Giraudon; 180 Courtesy of Mario Hurtado; 199, 210 Courtesy of Jean-Paul Valette; 209 Beverley Lord; 260 Vincent of Afrique Photo; 265 *(right)* Naud of Afrique Photo; 309 *(center left)* Collection "Air France"; 309 *(bottom left),* 360-361 IBM, Paris; 337 Wes Kemp; 373 *(left)* R. Jaques, Photo Researchers, Inc.; 373 *(center)* Hans Namuth, Photo Researchers, Inc.

Images du monde français (pp. 82-89)
82 United Nations General Assembly; 83 *(top left)* Ticket office at Air Canada, Montreal; 83 *(top right)* Students in a library (Ivory Coast); 83 *(bottom left)* Tourists arriving at the airport in Papeete, Tahiti; 83 *(bottom right)* Banker; 84 *(left)* Benjamin Franklin medallion (1778); 84 *(right)* Portrait of Jacques Cartier; 85 La Fayette and Franklin in Paris (1777); 86 The Marquis de La Fayette; 87 The departure of La Fayette; 88 Portrait ("Bernadette Robitaille"); 89 *(left)* Old Montreal: view of Notre-Dame de Bonsecours; 89 *(right)* Montreal skyscraper

Images du monde français (pp. 174-181)
174 *(left)* Louis de Bougainville; 174 *(right)* Flag of Laos above the entrance to the Vientiane Agricultural School; 175 *(left)* Saigon street scene; 175 *(right)* Phnom Penh, Cambodia: rue Prabat; 176 Bora Bora (near Tahiti); 177 *(top)* Self-portrait of Paul Gauguin; 177 *(bottom)* Self-portrait of Vincent van Gogh; 178 "Ta Matete," by Paul Gauguin; 179 Detail from "Te Rerida," by Paul Gauguin; 180 Portrait ("Phillippe Simonet"); 181 Noumea, New Caledonia

Images du monde français (pp. 258-265)
258 *(top left)* Parade in celebration of the anniversary of the independence of Senegal; 258 *(top right)* National Police School, Kinshasa (Leopoldville), Zaire; 258 *(bottom)* Dakar, Senegal; 259 *(top)* Secondary School Teacher Training Institute, Brazzaville, Congo; 259 *(bottom left)* National School of Administration, Niamey, Niger; 259 *(bottom right)* Student nurses, Niamey, Niger; 260 Village in the Ivory Coast; 261 Toussaint L'Ouverture; 262 "Acte d'Indépendance" on a signboard in Port-au-Prince, Haiti; 263 *(top)* Biology class; 263 *(bottom)* Educational television station, Dakar, Senegal; 264 Portrait ("Adjoua Amoula"); 265 *(left)* Packaging flour at a millet processing plant in Zinder, Niger; 265 *(right)* Lycée de Bamako, Mali

Images du monde français (pp. 352-359)

352 *(left)* Interior of the Palais de l'Institut (seat of the Académie française), Paris; 352 *(right)* Baron de Montesquieu; 353 *(top left)* Palais du Louvre; 353 *(bottom left)* Arènes de Lutèce, Paris; 353 *(right)* Tour Montparnasse, Paris; 354 *(left)* Henri Matisse; 354 *(right)* "Jeune femme," by Henri Matisse; 355 Pablo Picasso; 356 Rimbaud, *Oeuvres;* 357 Portrait ("Joël Lemoal"); 358 The Sorbonne, Paris; 359 Students in the courtyard of the Sorbonne